LE GUIDE VERT

Provence

Cet ouvrage tient compte des conditions de tourisme connues au moment de sa rédaction.
Certains renseignements peuvent perdre de leur actualité en raison de l'évolution incessante des aménagements et des variations du coût de la vie.
Nos lecteurs sauront le comprendre.

46, avenue de Breteuil – 75324 Paris Cedex 07
Tél. 01 45 66 12 34
•
www.michelin-travel.com

MANUFACTURE FRANÇAISE DES PNEUMATIQUES MICHELIN

Société en commandite par actions au capital de 2 000 000 000 de francs

Place des Carmes-Déchaux – 63000 Clermont-Ferrand – R. C. S. Clermont-Fd 855 200 507

Dépôt légal mars 2000 – ISBN 2-06-036205-9 – ISSN 0293-9436

Printed in Belgium 07-2001 /5.4

Compograveur : Nord-Compo à Villeneuve d'Ascq – Impression et brochage : Casterman à Tournai

Conception graphique : Christiane Beylier à Paris 12e

Maquette de couverture extérieure : Agence Carré Noir à Paris 17e

LE GUIDE VERT, l'esprit de découverte !

Avec cette nouvelle collection LE GUIDE VERT, nous avons l'ambition de faire de vos vacances des moments passionnants et mémorables, d'accompagner votre découverte de nouveaux horizons, bref... de vous faire partager notre passion du voyage.

Voyager avec LE GUIDE VERT, c'est être acteur de ses vacances, profiter pleinement de ce temps privilégié pour découvrir, s'enrichir, apprendre au contact direct du patrimoine culturel et de la nature.

Le temps des vacances avec LE GUIDE VERT, c'est aussi la détente, se faire plaisir, apprécier une bonne adresse pour se restaurer, dormir, ou se divertir.

Explorez notre sélection !

Une mise en pages claire, attrayante, illustrée d'une nouvelle iconographie, des cartes et plans redessinés, outils indispensables pour bâtir vos propres itinéraires de découverte, une nouvelle couverture parachevant l'ensemble...

LE GUIDE VERT change.

Alors plongez vite dans LE GUIDE VERT à la découverte de votre prochaine destination de voyage. Partagez avec nous cette ouverture sur le monde qui donne au temps des vacances son sens, sa substance et en définitive son véritable esprit.

L'esprit de découverte.

Jean-Michel DULIN
Rédacteur en chef

Sommaire

Informations pratiques

Invitation au voyage

Arlésienne du 19e s.
(A. Hesse, Museon Arlaten, Arles).

Olives vertes
et noires de Provence.

Villes et sites

Joueur de galoubet, petite flûte des jours de fête.

Plat d'Aubagne, 1676. Terre vernissée à fond jaune.

Cartographie

Les cartes routières qu'il vous faut

Tout automobiliste prévoyant doit se munir de bonnes cartes. Les produits Michelin sont complémentaires : ainsi, chaque ville ou site présenté dans ce guide est accompagné de ses références cartographiques sur les différentes gammes de cartes que nous proposons. L'assemblage de nos cartes est présenté ci-dessous avec délimitations de leur couverture géographique.

Pour circuler sur place vous avez le choix entre :

• les **cartes régionales** au 1/200 000 n°s 245 et 246 couvrent le réseau routier principal et secondaire et donnent de nombreuses indications touristiques. Elles seront privilégiées dans le cas d'un voyage sur un secteur large. Elles permettent d'apprécier chaque site d'un simple coup d'œil et signalent, outre les caractéristiques des routes, les châteaux, les grottes, les édifices religieux, les emplacements de baignade en rivière ou en étang, des piscines, des golfs, des aérodromes...

• les **cartes détaillées**, dont le fonds est équivalent aux cartes régionales mais dont le format est réduit à une demi-région pour plus de facilité de manipulation. Celles-ci sont mieux adaptées aux personnes qui envisagent un séjour sédentaire sans déplacement éloigné. Consultez les cartes n°s 80, 81, 83 et 84.

• les **cartes départementales** (au 1/150 000, agrandissement du 1/200 000). Ces cartes de proximité, très lisibles, permettent de circuler au cœur des départements suivants : Bouches-du-Rhône (4013), Gard (4030), Vaucluse (4084). Elles disposent d'un index complet des localités et proposent le plan de la ville préfecture.

Et n'oubliez pas, la **carte de France n° 989** vous offre la vue d'ensemble de la Provence, ses grandes voies d'accès d'où que vous veniez. Le pays est ainsi cartographié au 1/1 000 000 et fait apparaître le réseau routier principal.

Enfin sachez qu'en complément de ces cartes, un serveur minitel **3615 Michelin** permet le calcul d'itinéraires détaillés avec leur temps de parcours, et bien d'autres services. Les **3617** et **3623 Michelin** vous permettent d'obtenir ces informations reproduites sur fax ou imprimante. Les internautes pourront bénéficier des mêmes renseignements en surfant sur le site **www.michelin-travel.com**

L'ensemble de ce guide est par ailleurs riche en cartes et plans, dont voici la liste :

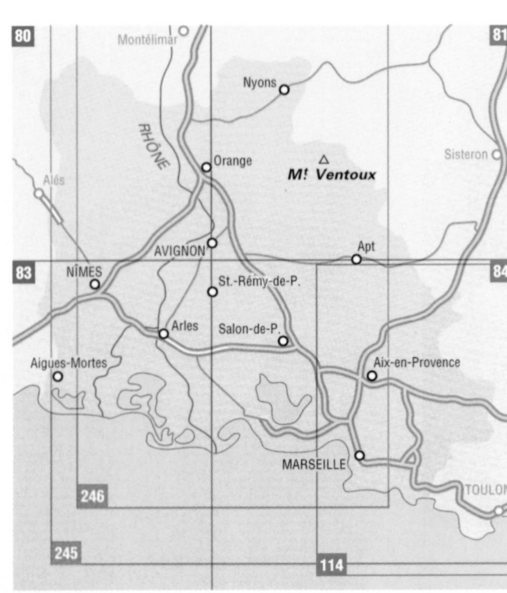

Cartes thématiques

Plans de villes

Plans de monuments, de sites

Cartes des circuits décrits

Légende

Monuments et sites

	Itinéraire décrit, départ de la visite
	Église
	Temple
	Synagogue - Mosquée
	Bâtiment
	Statue, petit bâtiment
	Calvaire
	Fontaine
	Rempart - Tour - Porte
	Château
	Ruine
	Barrage
	Usine
	Fort
	Grotte
	Monument mégalithique
	Table d'orientation
	Vue
	Autre lieu d'intérêt

Sports et loisirs

	Hippodrome
	Patinoire
	Piscine : de plein air, couverte
	Port de plaisance
	Refuge
	Téléphérique, télécabine
	Funiculaire, voie à crémaillère
	Chemin de fer touristique
	Base de loisirs
	Parc d'attractions
	Parc animalier, zoo
	Parc floral, arborétum
	Parc ornithologique, réserve d'oiseaux
	Promenade à pied
	Intéressant pour les enfants

Abréviations

A	Chambre d'agriculture
C	Chambre de commerce
H	Hôtel de ville
J	Palais de justice
M	Musée
P	Préfecture, sous-préfecture
POL.	Police
	Gendarmerie
T	Théâtre
U	Université, grande école

	site	station balnéaire	station de sports d'hiver	station thermale
vaut le voyage	★★★			
mérite un détour	★★			
intéressant	★			

Autres symboles

	Information touristique
	Autoroute ou assimilée
	Échangeur : complet ou partiel
	Rue piétonne
	Rue impraticable, réglementée
	Escalier - Sentier
	Gare - Gare auto-train
S.N.C.F.	Gare routière
	Tramway
	Métro
	Parking-relais
	Facilité d'accès pour les handicapés
	Poste restante
	Téléphone
	Marché couvert
	Caserne
	Pont mobile
	Carrière
	Mine
B F	Bac passant voitures et passagers
	Transport des voitures et des passagers
	Transport des passagers
③	Sortie de ville identique sur les plans et les cartes Michelin
Bert (R.)...	Rue commerçante
AZ B	Localisation sur le plan
	Hébergement
	Lieu de restauration

Carnet d'adresses

20 ch : 250/375F	Nombre de chambres : prix de la chambre pour une personne/chambre pour deux personnes
demi-pension ou pension : 280F	Prix par personne, sur la base d'une chambre occupée par deux clients
45F	Prix du petit déjeuner; lorsqu'il n'est pas indiqué, il est inclus dans le prix de la chambre (en général dans les chambres d'hôte)
jusq. 5 pers. : sem. 2400F	Capacité maximale du gîte rural : prix pour la semaine
3 gîtes 2/7 pers. : sem. 2300/6000F	Nombre de gîtes ruraux, capacité du plus petit gîte/du plus grand gîte, prix pour la semaine du plus petit gîte/du plus grand gîte
100 appart. 2/7 pers. : sem. 2000/5000F	Nombre d'appartements (résidence hôtelière ou village vacances) capacité mini/maxi des appartements, prix mini/maxi pour la semaine
100 lits : 50F	Nombre de lits (auberge de jeunesse ou gîte d'étage) : prix pour une personne
120 empl. : 80F	Nombre d'emplacements de camping : prix de l'emplacement pour 2 personnes avec voiture
110/250F	Restaurant prix mini/maxi : menus (servis midi et soir) ou à la carte
rest. 110/250F	Restaurant dans un lieu d'hébergement, prix mini/maxi : menus (servis midi et soir) ou à la carte
restauration	Petite restauration proposée
repas 85F	Repas type « Table d'hôte »
réserv.	Réservation recommandée
	Cartes bancaires non acceptées
P	Parking réservé à la clientèle de l'hôtel

Les prix sont indiqués pour la haute saison

AUBENAS
AUBENAS
LYON
ARDÈCHE
Montélimar
Défilé de Ruoms
Gorges de la Beaume
Labeaume
Auriolles
Vallon-Pont-d'Arc
Rocher de Sampzon
Bois de Païolive
GORGES DE L'ARDÈCHE
Pont d'Arc
Aven de Marzal
la Forestière
HAUTE CORNICHE
la Cocalière
AVEN D'ORGNAC
St-Marcel
Ardèche
la Madeleine
Bollène
Suze-la-Ro
Gorges de la Cèze
Pont-St-Esprit
Chartreuse de Valbonne
Concluses
la Roque-s-Cèze
MENDE
Cèze
N 106
D 904
D 104
N 102
N 86
N 7
A 7
RHÔNE
D 541
D 94
Alès
Guidon du Bouquet
Bagnols-s-Cèze
Marcoule
Orange
GARD
Châteauneuf-du
Tavel
Uzès
Garrigues
N. D.-de Grâce
Rochefort-du-Gard
Villeneuve-lès-Avign
Castillon-du-Gard
Gardonnenque
Gard ou Gardon
D 981
A 9
N 100
Remoulins
la Baume
AVIGN
Durance
PONT DU GARD
Barbentane
Vidourle
D 35
N 570
St-Michel-de-Frigolet
Montagnette
Châteaurenard
NÎMES
Maillane
Abb. de St-Roman
Tarascon
Oppidum de Nages
D 40
Beaucaire
St-Rémy-de-Prove
les Antiques
D 135
St-Gabriel
A 54
HÉRAULT
LES BAUX
Source Perrier
Montmajour
Moulin de Daudet
ALPILLE
St-Gilles
N 572
ARLES
A 9
Musée Camargais
St-Martin-de-Crau
Camargue gardoise
N 453
D 979
D 104
D 779
N 113
MONTPELLIER
Centre du Scamandre
Aigues-Mortes
CAMARGUE
BOUCHES-DU-RHÔ
D 62
D 58
D 179
Petit Rhône
Plaine de la
Étang de Vaccarès
Grand Rhône
Marais du Vigueirat
N 568
le Grau-du-Roi/ Port-Camargue
Pont de Gau
Stes-Maries-de-la-Mer
Salin-de-Giraud
Golfe du Lion
La Palissade
Plage de Piémanson
MER MÉDITERRANE

Les plus beaux sites

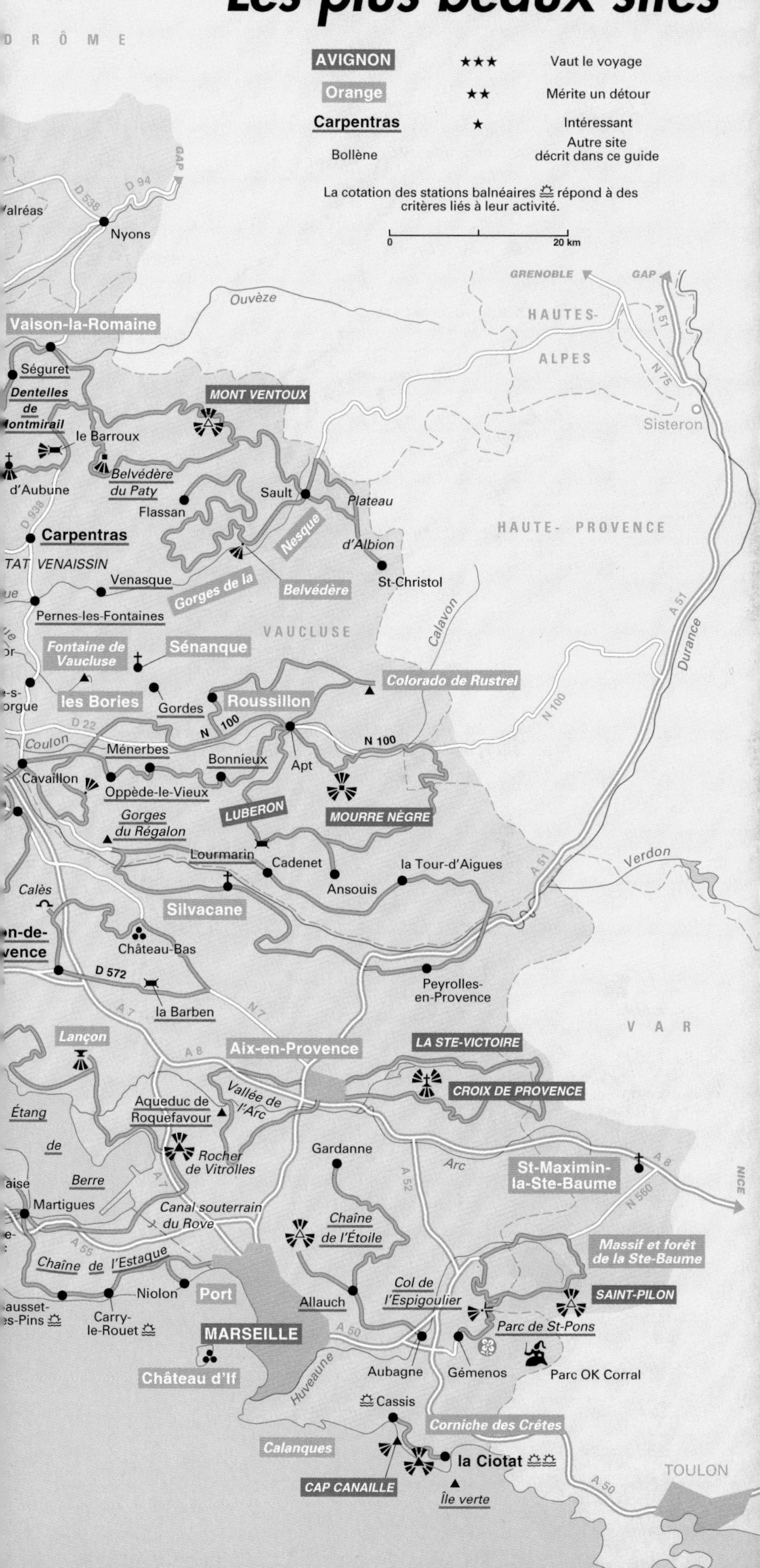

AVIGNON ★★★ Vaut le voyage
Orange ★★ Mérite un détour
Carpentras ★ Intéressant
Bollène Autre site décrit dans ce guide
La cotation des stations balnéaires répond à des critères liés à leur activité.
0 20 km
DRÔME
HAUTES-ALPES
HAUTE-PROVENCE
VAUCLUSE
VAR
Nyons
Vaison-la-Romaine
Séguret
Dentelles de Montmirail
MONT VENTOUX
le Barroux
Belvédère du Paty
d'Aubune
Flassan
Sault
Plateau d'Albion
Carpentras
Nesque
Gorges de la
Belvédère
St-Christol
Venasque
Pernes-les-Fontaines
Sisteron
Fontaine de Vaucluse
Sénanque
les Bories
Gordes
Roussillon
Colorado de Rustrel
Ménerbes
Bonnieux
Apt
Cavaillon
Oppède-le-Vieux
MOURRE NÈGRE
LUBERON
Gorges du Régalon
Lourmarin
Cadenet
Ansouis
la Tour-d'Aigues
Calès
Silvacane
Château-Bas
la Barben
Peyrolles-en-Provence
Lançon
Aix-en-Provence
LA STE-VICTOIRE
CROIX DE PROVENCE
Aqueduc de Roquefavour
Vallée de l'Arc
Étang de Berre
Rocher de Vitrolles
Gardanne
St-Maximin-la-Ste-Baume
Martigues
Canal souterrain du Rove
Chaîne de l'Étoile
Massif et forêt de la Ste-Baume
Chaîne de l'Estaque
Niolon
Port
Allauch
Col de l'Espigoulier
SAINT-PILON
Carry-le-Rouet
MARSEILLE
Parc de St-Pons
Château d'If
Aubagne
Gémenos
Parc OK Corral
Cassis
Corniche des Crêtes
Calanques
la Ciotat
CAP CANAILLE
Île verte
TOULON
GRENOBLE
GAP
NICE
Durance
Verdon
Calavon
Coulon
Ouvèze
Arc
Huveaune

AUBENAS
AUBENAS
LYON
ARDÈCHE
Montélimar
Vallon-Pont-d'Arc
GORGES
DE
L'ARDÈCHE
Aven d'Orgnac
Gorges de la Cèze
Concluses
la Roque-s-Cèze
Pont-St-Esprit
Bagnols-s-Cèze
Guidon du Bouquet
Alès
Orange
Roquemaure
Pouzilhac
Uzès
Pont du Gard
Remoulins
Avignon
Nîmes
Marguerittes
Graveson
Maillane
Tarascon
St-Rémy-de-Provence
Les Baux
Arles
Moulin de Daudet
St-Gilles
Vauvert
Aimargues
Étang de Scamandre
Musée Camargais
Aigues-Mortes
Avignon
Méjanes
la Capelière
le Grau-du-Roi
Parc ornithologique
Stes-Maries-de-la-Mer
Salin-de-Giraud
La Palissade
Plage de Piémanson
Marais du Vigueirat
HÉRAULT
MENDE
MONTPELLIER
Golfe du Lion
MER MÉDITERRANÉE
N 86
D 579
D 290
D 298
D 6
D 981
D 982
D 976
D 571
D 970
D 32
N 113
N 572
D 779
D 979
D 58
D 570
D 36
D 35
N 568
N 7
N 102
N 106
D 904
D 975
D 942
1
2
5
Site antique
Édifice religieux
Château
Curiosité naturelle
Fortification
Jardin
Loisirs sportifs
Panorama
Parc ornithologique
Promenade en bateau
Site remarquable
Ville ancienne
Village pittoresque
Musée

Circuits de découverte

Pour de plus amples explications, consulter la rubrique"Itinéraires à thème "

0 20 km

1 Entre Gard et Ardèche

2 La Provence antique

3 Merveilles naturelles du Vaucluse

4 Beaux villages du Luberon

5 La Camargue

6 Peintres et écrivains en Provence

7 Montagnes du littoral et de l'arrière-pays marseillais

Couleurs et saveurs sur les marchés de Provence

Informations pratiques

Avant le départ

adresses utiles

Ceux qui aiment préparer leur voyage dans le détail peuvent rassembler la documentation utile auprès des professionnels du tourisme de la région. Outre les adresses indiquées ci-dessous, sachez que les coordonnées des offices de tourisme ou syndicats d'initiative des villes et sites décrits dans le corps du guide sont données systématiquement au début de chaque chapitre (paragraphe « la situation »).

Comités régionaux de tourisme

Provence-Alpes-Côte d'Azur – Les Docks, Atrium 10.5, 10 pl. de la Joliette, BP 46214, 13567 Marseille Cedex 02, ☎ 04 91 56 47 00, fax 04 91 56 47 01.

Languedoc-Roussillon (pour le département du Gard) – 20 r. de la République, 34000 Montpellier, ☎ 04 67 22 81 00, fax 04 67 58 06 10. Minitel 3615 Languedoc-Roussillon. Sites Internet www.cr-languedocroussillon.fr/tourisme

Rhône-Alpes (pour le département de l'Ardèche) – 104 rte de Paris, 69260, Charbonnières-les-Bains, ☎ 04 72 59 21 59.

Comités départementaux du tourisme

Ardèche – 4 cours du Palais, BP 221, 07002 Privas, ☎ 04 75 64 42 55.

Bouches-du-Rhône – Le Montesquieu, 13 r. Roux-de-Brignoles, 13006 Marseille, ☎ 04 91 13 84 13, fax 04 91 33 01 82. Internet www.visitprovence.com

Gard – 3 pl. des Arènes, BP 122, 30010 Nîmes Cedex 04, ☎ 04 66 36 96 30, fax 04 66 36 13 14.

Vaucluse – 12 r. du Collège-de-la-Croix, BP 147, 84008 Avignon Cedex 1, ☎ 04 90 80 47 00, fax 04 90 86 86 08. Internet www.provenceguide.com

météo

Quel temps pour demain ?

Le service Météo-France a mis en place un système de répondeurs téléphoniques : les bulletins diffusés sont réactualisés trois fois par jour et sont valables pour une durée de cinq jours.

Prévisions nationales – ☎ 08 36 68 01 01.

Prévisions régionales – ☎ 08 36 68 00 00.

Prévisions départementales – ☎ 08 36 68 02 suivi du numéro du département (☎ 08 36 68 02 84 pour le Vaucluse par exemple).

Prévisions pour les bords de mer – ☎ 08 36 68 08 suivi du numéro du département côtier et ☎ 08 36 68 08 77 pour les informations au large.

Toutes ces informations sont également disponibles sur minitel 3615 météo.

Les saisons

Les gens du Nord se montrent souvent horriblement jaloux du soleil dont les Provençaux jouissent tout au long de l'année, de la luminosité exceptionnelle, de la rareté des pluies et des températures clémentes ! Il faut toutefois savoir (même si la région jouit d'un ensoleillement de plus de 2 500 heures par an) que les conditions climatiques n'y sont pas toujours idylliques (on ne compte plus les hivers glaciaux !) et que le rythme des saisons est parfois fort irrégulier.

D'une façon générale, la Provence maritime jouit d'un climat moins pluvieux et plus chaud que la Provence intérieure où le facteur altitude modifie sensiblement la température.

L'**été** est la belle saison par excellence : chaleur et absence de pluie font le plus souvent la joie des visiteurs venus à la recherche du soleil ! Il y tombe moins de 70 mm d'eau et le thermomètre flirte le plus souvent avec les 30°... Cette chaleur est toutefois rarement accablante, car elle n'est pas chargée d'humidité. Sa stabilité s'explique par la présence d'une masse d'air chaud provenant du Sahara que le Massif Central protège des dépressions humides occidentales... Notez que quelques orages, parfois homériques, viennent de temps à autre rafraîchir l'atmosphère.

L'automne est marquée par l'apparition des pluies, entre la mi-septembre et la fin novembre, sous l'influence des dépressions atlantiques : ce sont parfois de véritables trombes d'eau qui s'abattent : il peut tomber plus de 100 mm d'eau en une heure, sur un total de 600 mm annuels ! Sans évoquer les catastrophes d'un passé récent, qui a vu le cours Mirabeau à Aix-en-Provence transformé en quelques instants en un torrent impétueux n'est pas près d'oublier le phénomène !

L'**hiver** est le plus souvent relativement doux et ensoleillé.

La transparence de l'air est alors exceptionnelle et l'on a pu apercevoir le sommet du Canigou, à la frontière espagnole, depuis la colline de N.-D.-de-la-Garde (non, ce n'est pas une galéjade !). Le froid peut alors provenir des redoutables « coups de mistral » capables d'abaisser la température d'une dizaine de degrés en quelques heures : brrr ! Quant aux chutes de neige, elles sont rarissimes, excepté sur les hauteurs (mont Ventoux par exemple).

Le **printemps** est fort capricieux ! Retour des dépressions atlantiques (en général moins violentes qu'en automne) qui alternent avec de belles journées, presque estivales. Mais là encore, méfiance ! Le mistral fait souvent des siennes et gare aux imprudents qui n'ont pas pensé à emporter une « petite laine » !

Les vents

À tout seigneur, tout honneur, le mistral (*mistrau* signifie « maître » en provençal) mérite bien sa célébrité. Descendant du Nord-Ouest, notamment des hauteurs enneigées du Massif Central, il s'engouffre dans la vallée du Rhône. Ses violentes rafales purgent le ciel de ses nuages et purifient le sol (les paysans l'appellent *mangio-fango*, ou « mange fange », car il assèche les mares de boue). Mais lorsque le mistral se déchaîne, c'est la tempête : le Rhône se met à rouler des vagues, les étangs se couvrent d'écume, portes et fenêtres claquent à tout va et les déplacements deviennent parfois difficiles. « Tout le moulin craquait. Des tuiles s'envolaient de sa toiture en déroute. Au loin, les pins serrés dont la colline est couverte s'agitaient et bruissaient dans l'ombre. On se serait cru en pleine mer... », écrivait sans exagération Daudet à Fontvieille. Mais s'il est coléreux, le mistral n'est pas rancunier : il se calme aussi soudainement qu'il est apparu et, en quelques jours, tout rentre dans l'ordre.

Si l'on a pu compter, en dehors du mistral, une trentaine de vents différents, la plupart sont essentiellement locaux. Deux autres vents, toutefois, comptent vraiment : le « marin », venu du Sud-Est, accompagne pluie et brouillard ; quant au « labech », arrivant du Sud-Ouest, il accompagne, lui, les orages.

transport

Par la route

Tourisme-Informations sur minitel – Consultez le **3615 Michelin** : ce serveur vous aide à préparer ou décider du meilleur itinéraire à emprunter en vous communiquant d'utiles informations routières. Les 3617 et 3623 Michelin vous permettent d'obtenir ces informations sur fax ou imprimante. Consultez la carte Michelin n° 989 (au 1/1 000 000).

Informations autoroutières – Du lundi au vendredi : Centre des renseignements autoroutes, 3 r. Edmond-Valentin, 75007 Paris, ☎ 01 47 05 90 01. Informations sur les conditions de circulation sur les autoroutes : ☎ 08 36 68 10 77, minitel 3615 autoroute et Internet www.autoroutes.fr

Consultez également l'Atlas autoroutier Michelin n° 914.

Grands axes – D'une façon générale, on rejoint la Provence par l'autoroute du Soleil qui se divise en deux branches à hauteur d'Orange : l'une dessert Nîmes et le Languedoc, l'autre permet d'atteindre Aix en suivant la vallée de la Durance. Dans un cas comme dans l'autre, compter, depuis Paris, 8 heures de trajet, dans des conditions de circulation normales.

En avion

Les compagnies AOM et TAT European Airlines proposent des liaisons entre Paris et Marseille. **AOM** : ☎ 0 803 001 234, ☎ 01 49 79 12 34 et minitel 3615 AOM. **TAT** : ☎ 01 42 61 82 10 et 0 803 805 805 et minitel 3615 TAT.

Renseignements complémentaires auprès des aéroports régionaux :

Aéroport international de **Marseille-Provence** à Marignane : ☎ 04 42 14 14 14, fax 04 42 14 20 01, minitel 3615 envol.

Aéroport d'**Avignon-Caumont** : ☎ 04 90 81 51 51, fax 04 90 84 17 23.

Aéroport de **Nîmes-Arles-Camargue** : ☎ 04 66 70 49 49, fax 04 66 70 03 00.

En train

Au départ de Paris, nombreux TGV pour Avignon (en 2h30), Nîmes (en 2h45) et Marseille (en 3h15), durées qui seront dans un avenir proche sérieusement réduites avec la mise en service des lignes à grande vitesse à partir de Valence ! En outre, possibilité de faire voyager la voiture par train jusqu'à Avignon-Saint-Chamant à partir de Paris-Bercy et de la rejoindre d'un coup de TGV. Quant aux nostalgiques du train-couchettes, qu'ils se rassurent, ils ne sont pas oubliés avec un départ chaque soir de Paris-Lyon vers Marseille (direction Nice, Ventimille) et Nîmes (direction Narbonne, Perpignan). Des billets « Découverte 8 », « Découverte 30 », et « Découverte à deux », en nombre limité mais à des tarifs avantageux, sont à réserver, suivant l'option choisie, 8 ou 30 jours à l'avance. Informations générales, minitel 3615 ou 3616 SNCF ; informations sur le réseau régional, 3615 ou 3616 TER ; informations, réservation, vente, ☎ 08 36 35 35 35 ; informations par répondeur, ☎ 08 36 67 68 69.

tourisme et handicapés

Un certain nombre de curiosités décrites dans ce guide sont accessibles aux handicapés. Elles sont signalées par le symbole ♿. Pour de plus amples renseignements au sujet de l'accessibilité des musées aux personnes atteintes de handicaps moteurs ou sensoriels, contacter la Direction des musées de France, service Accueil des publics spécifiques, 6 r. des Pyramides, 75041 Paris Cedex 1, ☎ 01 40 15 35 88.

Guides Michelin Hôtels-Restaurants et Camping Caravaning France – Révisés chaque année, ils indiquent respectivement les chambres accessibles aux handicapés physiques et les installations sanitaires aménagées.

Comité national français de liaison pour la réadaptation des handicapés – 236 bis r. de Tolbiac, 75013 Paris, ☎ 01 53 80 66 66. Le serveur minitel **3614 Handitel** et le site Internet **www.handitel.org** assurent un programme d'information au sujet des transports, des vacances, de l'hôtellerie et des loisirs adaptés.

Guide Rousseau H... comme Handicaps – En relation avec l'association France handicaps (9 r. Luce-de-Lancival, 77340 Pontault-Combault, ☎ 01 60 28 50 12), il donne de précieux renseignements sur la pratique du tourisme et des loisirs.

Hébergement, restauration

les adresses du guide

Pour la réussite de votre séjour, vous trouverez la sélection des bonnes adresses de la collection LE GUIDE VERT. Nous avons sillonné la région pour repérer des chambres d'hôte et des hôtels, des restaurants et des fermes-auberges, des campings et des gîtes ruraux... En privilégiant des étapes, souvent agréables, au cœur des villes, des villages ou sur nos circuits touristiques, en pleine campagne ou les pieds dans l'eau ; des maisons de pays, des tables régionales, des lieux de charme et des adresses plus simples... pour découvrir la région autrement : à travers ses traditions, ses produits du terroir, ses recettes et ses modes de vie.
Le confort, la tranquillité et la qualité de la cuisine sont bien sûr des critères essentiels ! Toutes les maisons ont été visitées et choisies avec le plus grand soin, toutefois il peut arriver que des modifications aient eu lieu depuis notre dernier passage : faites-le nous savoir, vos remarques et suggestions seront toujours les bienvenues !
Les prix que nous indiquons sont ceux pratiqués en **haute saison** ; hors saison, de nombreux établissements proposent des tarifs plus avantageux, renseignez-vous...

Mode d'emploi

Au fil des pages, vous découvrirez nos carnets pratiques : toujours rattachés à des villes ou à des sites touristiques remarquables du guide, ils proposent une sélection d'adresses à proximité. Si nécessaire, l'accès est donné à partir du site le plus proche ou sur des schémas régionaux.

Dans chaque carnet, les maisons sont classées en trois catégories de prix pour répondre à toutes les attentes :
Vous partez avec un budget inférieur à 250F ? Choisissez vos adresses parmi celles de la catégorie « **À bon compte** » : vous trouverez là des hôtels, des campings, des chambres d'hôtes simples et conviviales et des tables souvent gourmandes, toujours honnêtes, à moins de 100F.
Votre budget est un peu plus large, jusqu'à 500F pour l'hébergement et 200F pour la restauration ? Piochez vos étapes dans les « **Valeurs sûres** ». Dans cette catégorie, vous trouverez des maisons, souvent de charme, de meilleur confort et plus agréablement aménagées, animées par des passionnés, ravis de vous faire découvrir leur demeure et leur table. Là encore, chambres et tables d'hôte sont au rendez-vous, avec également des hôtels et des restaurants plus traditionnels, bien sûr.
Vous souhaitez vous faire plaisir, le temps d'un repas ou d'une nuit, vous aimez voyager dans des conditions très confortables ? La catégorie « **Une petite folie !** » est pour vous...
La vie de château dans de luxueuses chambres d'hôte – pas si chères que ça – ou dans les palaces et les grands hôtels : à vous de choisir ! Vous pouvez aussi profiter des décors de rêve de lieux mythiques à moindres frais, le temps d'un brunch ou d'une tasse de thé... À moins que vous ne préfériez casser votre tirelire pour un repas gastronomique dans un restaurant renommé. Sans oublier que la traditionnelle formule « tenue correcte exigée » est toujours d'actualité dans ces élégantes maisons !

L'HÉBERGEMENT

LES HÔTELS

Nous vous proposons un choix très large en terme de confort. La location se fait à la nuit et le petit-déjeuner est facturé en supplément. Certains établissements assurent un service de restauration également accessible à la clientèle extérieure.

LES CHAMBRES D'HÔTE

Vous êtes reçu directement par les habitants qui vous ouvrent leur demeure. L'atmosphère est plus conviviale qu'à l'hôtel, et l'envie de communiquer doit être réciproque : misanthropes, s'abstenir ! Les prix, mentionnés à la nuit, incluent le petit-déjeuner. Certains propriétaires proposent aussi une table d'hôte, en général le soir, et toujours réservée aux résidents de la maison. Il est très vivement conseillé de réserver votre étape, en raison du grand succès de ce type d'hébergement.

LES RÉSIDENCES HÔTELIÈRES

Adaptées à une clientèle de vacanciers, la location s'y pratique à la semaine mais certaines résidences peuvent, suivant les périodes, vous accueillir à la nuitée. Chaque studio ou appartement est généralement équipé d'une cuisine ou d'une kitchenette.

LES GÎTES RURAUX

Les locations s'effectuent à la semaine ou éventuellement pour un week-end. Totalement autonome, vous pourrez découvrir la région à partir de votre lieu de résidence. Il est indispensable de réserver, longtemps à l'avance, surtout en haute saison.

LES CAMPINGS

Les prix s'entendent par nuit, pour deux personnes et un emplacement de tente. Certains campings disposent de bungalows ou de mobile homes d'un confort moins spartiate : renseignez-vous sur les tarifs directement auprès des campings.

NB : certains établissements ne peuvent pas recevoir vos compagnons à quatre pattes ou les accueillent moyennant un supplément, pensez à demander lors de votre réservation.

LA RESTAURATION

Pour répondre à toutes les envies, nous avons sélectionné des restaurants régionaux bien sûr, mais aussi classiques, exotiques ou à thème... Et des lieux plus simples, où vous pourrez grignoter une salade composée, une tarte salée, une pâtisserie ou déguster des produits régionaux sur le pouce.
Quelques fermes-auberges vous permettront de découvrir les saveurs de la France profonde. Vous y goûterez des produits authentiques provenant de l'exploitation agricole, préparés dans la tradition et généralement servis en menu unique. Le service et l'ambiance sont bon enfant. Réservation obligatoire !
Enfin, n'oubliez pas que les restaurants d'hôtels peuvent vous accueillir.

... et aussi

Si d'aventure, vous n'avez pu trouver votre bonheur parmi toutes nos adresses, vous pouvez consulter les Guides Michelin d'hébergement ou, en dernier recours, vous rendre dans un hôtel de chaîne.

LE GUIDE ROUGE HÔTELS ET RESTAURANTS FRANCE

Pour un choix plus étoffé et actualisé, LE GUIDE ROUGE recommande hôtels et restaurants sur toute la France. Pour chaque établissement, le niveau de confort et de prix est indiqué, en plus de nombreux renseignements pratiques. Les bonnes tables, étoilées pour la qualité de leur cuisine, sont très prisées par les gastronomes. Le symbole ☺ **(bib gourmand)** sélectionne les tables qui proposent une cuisine soignée à moins de 140F.

LE GUIDE CAMPING FRANCE

Le Guide Camping propose tous les ans une sélection de terrains visités régulièrement par nos inspecteurs. Renseignements pratiques, niveau de confort, prix, agrément, location de bungalows, de mobile homes ou de chalets y sont mentionnés.

LES CHAÎNES HÔTELIÈRES

L'hôtellerie dite « économique » peut éventuellement vous rendre service. Sachez que vous y trouverez un équipement complet (sanitaire privé et télévision), mais un confort très simple. Souvent à proximité de grands axes routiers, ces établissements n'assurent pas de restauration. Toutefois, leurs tarifs restent difficiles à concurrencer (moins de 200F la

chambre double). En dépannage, voici donc les centrales de réservation de quelques chaînes :
Akena, ☎ 01 69 84 85 17
B&B, ☎ 0 803 00 29 29
Etap Hôtel, ☎ 08 36 68 89 00 (2,23F la minute)
Villages Hôtel, ☎ 03 80 60 92 70

Enfin, les hôtels suivants, un peu plus chers (à partir de 300F la chambre), offrent un meilleur confort et quelques services complémentaires :
Campanile, ☎ 01 64 62 46 46
Climat de France, ☎ 01 64 46 01 23
Ibis, ☎ 0 803 88 22 22

Locations, villages de vacances, hôtels...

Services de réservation Loisirs-Accueil

Ils proposent des circuits et des forfaits originaux dans une gamme étendue : gîtes ruraux, gîtes d'enfants, chambres d'hôtes, meublés, campings, hôtels de séjour.

Fédération nationale des services de réservation Loisirs-Accueil – 280 bd St-Germain, 75007 Paris, ☎ 01 44 11 10 44. Elle édite un annuaire regroupant les coordonnées des 59 SRLA et, pour certains départements, une brochure détaillée. Minitel 3615 résinfrance. Internet : www.resinfrance.com
Pour une réservation rapide, s'adresser directement au « Loisirs-Accueil » du département concerné :
Ardèche, ☎ 04 75 64 42 55 ;
Bouches-du-Rhône-Provence, Domaine du Vergon, 13370 Mallemort, ☎ 04 90 59 49 39 ;
Gard, ☎ 04 66 36 96 30. Les adresses postales et internet sont les mêmes que celles des comités départementaux de tourisme.

Clévacances

Fédération nationale Clévacances France – 54 bd de l'Embouchure, BP 2166, 31022 Toulouse Cedex, ☎ 05 61 13 55 66, fax 05 61 13 55 94. Minitel 3615 clévacances. Elle propose près de 20 000 locations de vacances réparties sur 43 départements en France, de la villa à la chambre en passant par l'appartement ou le chalet. Cet organisme publie un catalogue par département (passer commande aux services de réservation de chacun des départements) : **Ardèche**, ☎ 04 75 64 04 66, fax 04 75 64 23 93 ; **Gard**, ☎ 04 66 36 96 30, fax 04 66 36 13 14.

« Bon week-end en ville »

« Bon week-end en ville » vous permet de passer deux nuits pour le prix d'une dans certains hôtels d'une ville et en outre de profiter des visites et des activités que les offices de tourisme organisent. Quatre villes en Provence ont adhéré à cette formule : **Aix-en-Provence, Arles, Marseille** et **Nîmes**. La brochure complète répertoriant les hôtels participant à l'opération est disponible dans les offices de tourisme des villes concernées.

Hébergement rural

Gîtes de France

Maison des Gîtes de France et du Tourisme vert – 59 r. St-Lazare, 75439 Paris Cedex 09, ☎ 01 49 70 75 75. Cet organisme donne les adresses des relais départementaux et publie des guides sur les différentes possibilités d'hébergement en milieu rural (gîte rural, chambre et table d'hôte, gîte d'étape, chambre d'hôte et gîte de prestige, gîte de neige, gîte et logis de pêche, gîte équestre). Minitel 3615 gîtes de France. Internet : www.gites-de-France.fr

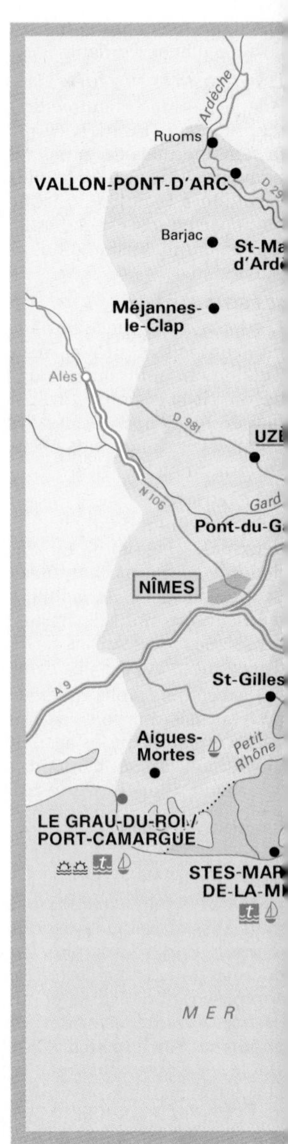

Les Gîtes de France proposent également des vacances à la ferme avec trois formules : ferme de séjour (hébergement, restauration et loisirs), camping à la ferme et ferme équestre (hébergement et activités équestres). Renseignements et réservation dans les relais départementaux : **Ardèche**, ☎ 04 75 64 70 70, fax 04 75 64 75 40 ; **Bouches-du-Rhône**, ☎ 04 90 59 49 39, fax 04 90 59 16 75 ; **Gard**, ☎ 04 66 27 94 94, fax 04 66 27 94 95 ; **Vaucluse**, ☎ 04 90 85 45 00, fax 04 90 85 88 49.

STATIONS VERTES

Fédération des Stations vertes de Vacances et Villages de Neige – BP 598, 21016 Dijon Cedex, ☎ 03 80 43 49 47, fax 03 80 43 49 22. Cet organisme édite annuellement un répertoire de localités rurales sélectionnées pour leur tranquillité et les distractions de plein air qu'elles proposent. Renseignements sur les 554 stations vertes de vacances et les 29 villages de neige disponibles auprès de la fédération.

FÉDÉRATION DES CENTRES PERMANENTS D'INITIATIVE À L'ENVIRONNEMENT

26 r. de Beaubourg, 75003 Paris, ☎ 01 44 61 75 35. Ces centres organisent des séjours et des week-ends de sensibilisation à l'environnement naturel, surnommés « Sépia ».

HÉBERGEMENT POUR RANDONNEURS

Les randonneurs peuvent consulter le guide *Gîtes d'étapes, refuges* par A. et S. Mouraret (Rando Éditions, BP 24, 65421 Ibos, ☎ 05 62 90 09 90, minitel 3615 cadole). Cet ouvrage est principalement destiné aux amateurs de randonnées, d'alpinisme, d'escalade, de ski, de cyclotourisme et de canoë-kayak.

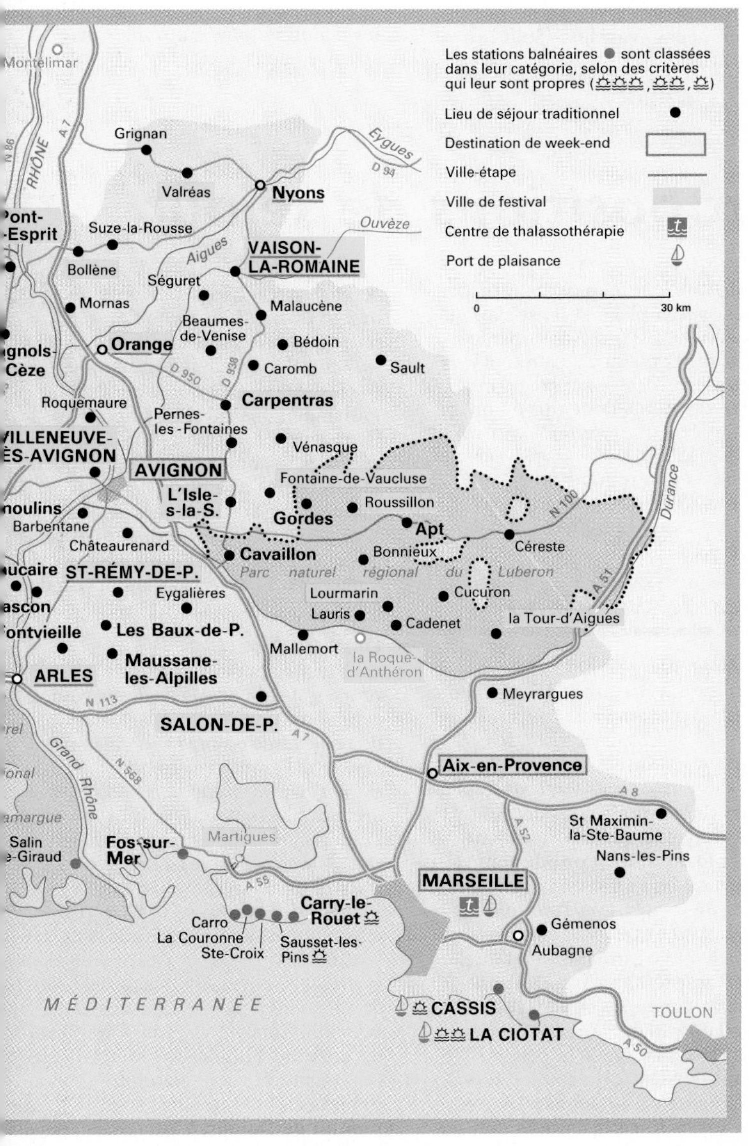

AUBERGES DE JEUNESSE

Ligue française pour les Auberges de la Jeunesse – 67 r. Vergniaud, 75013 Paris, ☎ 01 44 16 78 78. Minitel 3615 auberge de jeunesse. Internet : www.auberges-de-jeunesse.com
La carte LFAJ est délivrée contre une cotisation annuelle de 70F pour les moins de 26 ans et de 100F au-delà de cet âge.

sites remarquables du goût

C'est un label dotant des sites dont la richesse gastronomique s'appuie sur des produits de qualité et un environnement culturel et touristique intéressant. En Provence, en bénéficient la **vallée des Baux**, lieu traditionnel de la culture de l'olivier, **Apt** pour ses fruits confits et **Richerenches** (Vaucluse) pour ses truffes.

choisir son lieu de séjour

Faire un tel choix, c'est déjà connaître le type de voyage que vous envisagez. La carte que nous vous proposons fait apparaître des **villes-étapes,** localités de quelque importance possédant de bonnes capacités d'hébergement, et qu'il faut visiter. Les **lieux de séjour traditionnels** sont sélectionnés pour leurs possibilités d'accueil et l'agrément de leur site. Enfin les villes de Marseille, Nîmes, Avignon et Aix-en-Provence méritent d'être classées parmi les **destinations de week-end.** Les offices de tourisme et syndicats d'initiative renseignent sur les possibilités d'hébergement (meublés, gîtes ruraux, chambres d'hôtes) autres que les hôtels et terrains de camping, décrits dans les publications Michelin, et sur les activités locales de plein air, les manifestations culturelles ou sportives de la région.

Propositions de séjour

On peut décider de passer un mois à bronzer sur la plage et il est clair que cette activité est assez absorbante pour justifier qu'on s'y consacre à temps plein. Mais il arrive qu'on dispose de moins de temps ou qu'on souhaite découvrir certains aspects de la Provence : le temps d'un week-end, en trois ou quatre jours ou en une semaine. Voici quelques idées de séjours, suivant le temps dont vous disposez.

idées de week-end

EN CAMARGUE

On quittera **Arles** après avoir arpenté le marché du samedi matin sur le boulevard des Lices et visité les arènes ou le Museon Arlaten. Sur la route des Stes-Maries, on s'arrêtera au **musée Camarguais** pour découvrir les traditions camarguaises et au **parc ornithologique du Pont-de-Gau**, à la recherche des oiseaux. **Les Stes-Maries-de-la-Mer** sont l'endroit idéal pour déguster quelques tellines suivies d'une « gardiane » de taureau avant d'assister, aux arènes, à une course camarguaise ou de s'habiller de pied en cap en gardian dans les boutiques de la ville. Un peu d'aventure ? On pourra louer un vélo pour arpenter la **digue à la Mer** ou, si l'on est courageux, faire le tour de l'étang du **Vaccarès**. Désireux de découvrir une Camargue différente, on poussera à **Salin-de-Giraud** : après les étincelantes camelles, une marche sur les sentiers du **domaine de la Palissade** nous révélera une Camargue à l'état brut, non endiguée : et l'on pourra piquer une tête dans la Méditerranée à la plage de **Piémanson**. Sur les traces de Saint Louis et de Marie Durand, on visitera **Aigues-Mortes** où l'on prendra plaisir à flâner et à faire provision de vin des sables !

DANS LES ALPILLES

On s'installera dans la cité, si provençale, de **St-Rémy-de-Provence**, avec son vieux centre et sa ceinture de boulevards ombragés de platanes. De là, où l'animation aux beaux jours est permanente, que ce soit dans les arènes (courses camarguaises) ou en ville (foire à la peinture, fête de la transhumance, feria provençale d'août), on pourra découvrir le **plateau des Antiques** et **Glanum**, ainsi que **St-Paul-de-Mausole** où plane l'ombre de Van Gogh. Des promenades sur les crêtes des Alpilles permettront de rencontrer, peut-être, l'aigle de Bonnelli... mais il y a tant à voir dans les environs immédiats : le nid d'aigle (on en parlait...) des **Baux-de-Provence** où il fait bon flâner, le **moulin de Daudet** à Fontvieille, dans un paysage tout empreint des senteurs de la garrigue, l'**abbaye de Montmajour**, à quelques kilomètres de là ou, au Nord, la Provence rhodanienne où Mistral vit le jour avec **Maillane** et **Graveson**. Et pourquoi pas une incursion dans la proche Montagnette jusqu'à **Barbentane** et **Boulbon** dont les murailles au soleil couchant semblent s'illuminer ?

Au fil de la Sorgue

L'**Avignon** des papes est une ville à découvrir lentement : les ruelles parsemées de « livrées », les somptueuses collections du musée du Petit Palais et bien entendu le palais des Papes seront des étapes obligées, mais on ne négligera pas le plaisir de prendre un verre à une terrasse de la place de l'Horloge ni celui de flâner le long de la rue des Teinturiers bordée par la Sorgue. On peut retrouver celle-ci avec les roues à aubes de **l'Isle-sur-la-Sorgue** qu'antiquaires et brocanteurs envahissent le samedi matin, puis à sa résurgence de **Fontaine-de-Vaucluse,** sur les traces de Pétrarque. **Pernes-les-Fontaines,** non loin, compose un charmant tableau avec son petit pont couvert sur la Nesque. Décidément papal ? On traversera le Rhône pour découvrir la chartreuse de **Villeneuve-lès-Avignon** où les cardinaux aimaient faire retraite, à moins qu'astronome en herbe, on ne souhaite s'arrêter aux Angles, au **Parc du Soleil et du Cosmos**, avant quelques dégustations à **Châteauneuf-du-Pape !**

Cassis et les calanques

La Ciotat et le souvenir de Louis Lumière (une partie de pétanque s'y impose), l'extraordinaire panorama du **Cap Canaille, Cassis** et son délicieux vin blanc arrosant un loup ou un rouget grillé seront les préambules à une visite des **Calanques** : à pied ou, si l'on dispose de moins de temps (et de sens de l'équilibre), en bateau. D'autant qu'on pourra admirer les fonds marins, entre deux baignades. Pour préparer Noël, on achètera quelques santons à **Aubagne** avant d'emmener les enfants passer une journée au parc d'attractions **OK Corral**. Et, bien sûr, on poussera jusqu'à **Marseille**, au moins pour admirer le site du Vieux Port qu'on traversera à bord du ferry-boat à moins qu'on ne préfère le calme bucolique du **parc de St-Pons** sur le versant du massif de la **Ste-Baume**.

Marseille et la Côte Bleue

On ne manquera pas de partir à l'assaut du quartier du Panier là où naquit Massalia, jusqu'à la Vieille Charité, en prélude à une bouillabaisse parmi les « pointus » du minuscule port du Vallon des Auffes. Après l'**Estaque,** à la poursuite des paysages qui inspirèrent tant de peintres à la suite de Cézanne (pensez tout de même aussi à votre estomac : les « chichis frégi » sont là pour vous caler !), **Niolon** sera l'occasion pour les plongeurs d'explorer le monde du silence tandis que **Carry-le-Rouet**, la cité de Fernandel, attirera les partisans des bains de mer... avant une « oursinade », à moins qu'on ne préfère essayer une « poutargue » à **Martigues**, la « Venise provençale », après avoir découvert les peintres de la Provence au musée Félix Ziem ? !

idées de séjour de 3 à 4 jours

Le Luberon

Suivant les cas, on choisira de s'installer à **Apt** (on ne manquera pas alors le marché du samedi, un des plus colorés de Provence, ni d'emplir les paniers de fruits confits), **Cavaillon** (à l'époque du melon) où l'on visitera la synagogue ou l'un de ces vieux villages : **Gordes** la blanche, avec ses bories, ses « calades » et non loin l'abbaye de **Sénanque** qui aime à se parer de lavande ; **Roussillon**, l'ocre, avec son sentier tracé dans les anciennes carrières, le conservatoire des ocres, et, sur les murs des maisons, le résultat de cette activité humaine ; **Ménerbes** que rendit célèbre l'ouvrage de Peter Mayle ; **Bonnieux** où l'on fera quelques pas dans la forêt de cèdres ; **Oppède** où le minéral et le végétal semblent ne faire qu'un ; **Lacoste** tout frémissant encore des frasques du divin marquis de Sade ; ou encore, plus au Sud, **Lourmarin**, après un détour par les falaises de **Buoux**, idéales pour les varappeurs. Et l'on en profitera pour pousser vers le Nord et faire une incursion dans le Comtat Venaissin en découvrant le baptistère et le site de **Vénasque**, sans oublier **Carpentras** qui, outre les fameux berlingots, recèle quelques belles surprises.

Autour d'Uzès

Uzès, le plus vieux duché de France, est une ville à explorer (d'autant qu'enfants et gourmands disposent d'un musée du bonbon) avant de descendre les gorges du Gardon : en canoë ? À pied par le GR ? En voiture ? C'est affaire de choix ! Les baignades pourront alterner avec des promenades : au passage, on ne manquera pas de découvrir le célèbre **Pont du Gard** et, moins connu, le merveilleux village perché de **Castillon** tandis que les amoureux de la « petite reine » se précipiteront au musée du Vélo et de la Moto. Envie de se dégourdir les jambes : pourquoi ne pas partir dans la garrigue à la poursuite des vestiges de l'aqueduc que longe un sentier de grande randonnée. Une visite à **St-Quentin-la-Poterie** permettra de renouveler son service de table ou à tout le moins de découvrir les étals des nombreux potiers installés dans le village. Un peu plus loin, on pourra flâner le long de la **vallée de la Cèze**, avec ses gorges mystérieuses et ses étranges « concluses ». Une visite à **Bagnols-sur-Cèze** permettra de découvrir un musée d'Art moderne qui ne manque pas d'intérêt et l'ascension du **Guidon du Bouquet** de dominer les garrigues. Et s'il reste du temps, pourquoi ne pas aller déguster une brandade à **Nîmes** et flâner, après avoir visité les monuments, un jeudi soir d'été dans les rues de la cité romaine qu'animent les étals des artisans et producteurs de spécialités régionales des « Jeudis de Nîmes » ?

En pays d'Aix

C'est ici l'occasion de découvrir une Provence différente... mais surtout de flâner longuement dans **Aix** en dégustant quelques calissons : le long des rues de la vieille ville bordées d'hôtels dont on ne se lasse pas de détailler les façades, portails et balcons, et du cours Mirabeau où tout commence et tout finit. Sur les pas de Cézanne, on effectuera les pèlerinages vers son atelier, au Jas de Bouffan (on y rencontrera Vasarely), à **Gardanne** et, bien sûr, autour de la **Ste-Victoire**. Plus à l'Ouest, le zoo de **La Barben** installé dans le parc du château précédera la visite que l'on rendra à Nostradamus en sa bonne ville de **Salon**, célèbre pour sa fontaine moussue. On pourra pousser jusqu'aux étonnantes grottes du site de **Calès** ou jusqu'à l'aride plaine de la **Crau** où paissent encore quelques mérinos parmi les « coussouls ». À moins qu'on ne préfère rejoindre au Nord la vallée de la **Durance** et découvrir, aux portes de **La Roque-d'Anthéron**, la superbe abbaye cistercienne de **Silvacane**, ou qu'à l'Est, on ne parte à la découverte du couvent royal de **St-Maximin** et du massif de la **Ste-Baume** en prélude à une agréable promenade dans la forêt de St-Pons.

Auprès du Géant de Provence

Ce séjour « vert » peut avoir comme base Sault, la capitale de la lavande (mais aussi du miel et du nougat) ou Vaison-la-Romaine, où les vestiges archéologiques retiendront l'attention mais ne doivent pas faire négliger la ville médiévale. De là, de multiples excursions seront réalisables : à l'assaut du mont Ventoux, bien sûr (en hiver, pensez à emporter vos skis !), sur le plateau d'Albion percé de nombreux gouffres, dans les gorges de la Nesque ou vers les dentelles de Montmirail que ponctuent de superbes villages peu connus et, ce qui n'est pas à négliger, Gigondas, un des plus fameux vins des côtes-du-rhône, à moins qu'on ne préfère le muscat de Beaumes-de-Venise. Et pourquoi pas une excursion à Orange que les mélomanes feront coïncider avec les Chorégies ?

La terre des papes

Carpentras fut la première cité papale de la région : si les aléas de l'histoire ne lui ont pas permis d'atteindre le prestige d'Avignon, la ville mérite cependant d'être explorée : d'autant qu'elle est aussi sympathique qu'animée, en particulier lors des Estivales d'août. De là, les possibilités d'excursions ne manquent pas : vers le village perché de **Venasque** qui ouvre sur le Luberon, ou bien vers **Pernes**, la ville où l'on voit 36 fontaines, l'**Isle-sur-la-Sorgue** et **Fontaine-de-Vaucluse**. Passons ensuite à **Avignon**, son pont, son palais des Papes, ses multiples églises baroques et ses « livrées » et, sur l'autre rive du Rhône, à la chartreuse de **Villeneuve-lès-Avignon**. Une incursion vers le Nord ? Ce sera dans le vignoble papal de **Châteauneuf-du-Pape** où s'élabore un fameux côtes-du-rhône.

Au bord de la Durance

On pourrait se fixer à **La Roque-d'Anthéron**, ou **Cadenet**. Si les pêcheurs risquent de passer leurs journées en bordure de la rivière, accompagnant castors et cormorans, les autres ne manqueront pas les points d'intérêt : les étroites gorges du **Régalon** attireront les plus aventureux, d'autres préférant sans doute la sérénité de l'abbaye de **Silvacane** ou les ex-voto de la chapelle de **Peyrolles**. Mais l'intérêt, c'est la position centrale de cette vallée : par **Lourmarin** (il faut absolument s'y arrêter !) et les gorges de l'Aigue Brun, le **Luberon** avec ses villages perchés s'offre à nous ; à l'Ouest, **Avignon** n'est qu'à quelques pas et, au Sud-Ouest, les **Alpilles** sont à portée de main. Quant au Sud, il est tout ouvert sur le pays d'**Aix.** Vraiment, un week-end prolongé suffira-t-il ?

idées de séjour d'une semaine

Le triangle d'or

C'est celui que forment les trois villes de **Nîmes**, **Avignon** et **Arles**. Chacune mérite une journée (au moins !) de visite, d'autant que celles-ci s'agrémenteront de quelques flâneries gourmandes dans les ruelles piétonnes du centre. Les amateurs d'art moderne disposeront du Carré d'Art nîmois, du musée Réattu arlésien avec sa remarquable donation Picasso et de la fondation Angladon-Dubrujaud d'Avignon. Ceux qui s'intéressent au baroque provençal n'auront que l'embarras du choix en Avignon. L'architecture médiévale retiendra à Arles (on ne manquera pas l'église St-Trophime, son cloître et son portail) et Avignon avec le palais des Papes. Quant à l'art antique, n'en parlons pas avec ces hauts lieux de la civilisation gallo-romaine que furent Nemausus (Nîmes) et Arelate (Arles). Ce séjour pourra s'agrémenter de quelques incursions dans les cités jumelles et rivales de **Beaucaire** et **Tarascon**, d'une excursion dans la **Montagnette** odorante qui permettra de découvrir **St-Michel-de-Frigolet** et **Barbentane**, dans la Provence rhodanienne chère à Mistral avec **Maillane** ou **Graveson** (ne pas manquer le musée Chabaud !), et d'une visite des **Alpilles** avec, après la superbe abbaye de **Montmajour**, le **moulin de Daudet** de Fontvieille, **St-Rémy** où, après avoir dégusté quelques « petits farcis » ou un « tian » de courgettes, on marchera sur les traces de Van Gogh à **St-Paul-de-Mausole** et sur celles de nos lointains ancêtres gallo-romains à **Glanum**, avant la découverte du site des **Baux** où l'on ne manquera pas de faire provision d'huile d'olive ! On pourra combiner ce séjour avec l'un des grands événements qui ponctuent la vie de ce triangle d'or : ferias de Nîmes ou d'Arles, festival in et off d'Avignon ou, plus modestes mais tout aussi intéressantes, les fêtes de la Tarasque de Tarascon, celles de la transhumance à St-Rémy ou encore les « carretos ramados » (charrettes fleuries) de **Châteaurenard**...

Marseille et ses abords

Rien à voir à **Marseille** ? Allons donc : une semaine risque d'à peine suffire pour découvrir la cité : le Vieux port, certes, avec le pittoresque marché matinal aux poissons du quai des Belges, le Panier et la Vieille Charité, St-Victor, le musée Cantini... autant de lieux qui méritent une visite. Souhaite-t-on piquer une tête dans la grande Bleue ? On dispose des plages du Prado, mais aussi, à quelques kilomètres, des anses de **Niolon** et de **La Redonne** avant les plages de **Carry** et de **Sausset** – à moins qu'on ne préfère découvrir calanques et cabanons du côté de **Sormiou** ou de **Morgiou**. Des soirées animées, précédant ou suivant une bouillabaisse ou des pieds-et-paquets dégustés au carré Thiars, avec les nombreux cafés musicaux du cours Julien, à moins qu'on ne préfère une soirée foot au stade vélodrome ou devant les écrans du café OM : ambiance et passion assurées ! Un peu de marche ? Les calanques, à nouveau, ou le massif de l'Étoile. En quête des traditions provençales ? Une visite à **Allauch** s'impose... et il serait dommage de ne pas consacrer au moins une journée à la voisine et rivale **Aix-en-Provence** , un après-midi aux **îles du Frioul**, et de ne pas profiter d'un jour de grand beau temps pour découvrir **Martigues** et **l'étang de Berre**, et impardonnable de ne pas profiter de la proximité d'**Aubagne** pour garnir sa crèche de Noël de santons !

Itinéraires à thème

routes historiques

Pour découvrir le patrimoine architectural local, le Centre des Monuments nationaux a élaboré des itinéraires à thème. Tracés et dépliants sont disponibles auprès des offices de tourisme de la région. Sur le terrain, chaque route historique est signalée par des panneaux nominatifs tout au long du parcours emprunté.
La région couverte par ce guide est parcourue par trois routes historiques :
La Route Historique **Via Domitia** (M. Delran, Association Via Domitia, CRT, 20 r. de la République, 34000 Montpellier, ☎ 04 67 22 81 00, Internet www.viadomitia.org).
La Route Historique du **Patrimoine Juif du Midi de la France** (Direction de la Chambre départementale du Tourisme de Vaucluse à Avignon, ☎ 04 91 54 92 66).
La Route Historique des **Vaudois en Luberon** (Rachel Ducros, Mairie, 84360 Mérindol, ☎ 04 90 72 88 50, fax 04 90 72 90 66/81 36).
En outre, elle comprend une partie de la Route Historique de **Gévaudan au Golfe du Lion** (Château de Flaugergues, 1744 av. Albert-Einstein, 34000 Montpellier, ☎ 04 99 52 66 46).

autres routes thématiques

Routes de peintres

La **Route des peintres de la lumière en Provence** propose une découverte de la région à travers des sites ayant servi de modèles aux « peintres de la lumière », entre 1875 et 1920. Renseignements auprès du Comité régional de tourisme Provence-Alpes-Côte d'Azur.
De leur côté, les Offices du tourisme d'Aix-en-Provence et de St-Rémy-de-Provence organisent des circuits « **Cézanne** » et « **Sur les lieux peints par Van Gogh** ».

Routes d'écrivains

Plusieurs **circuits Marcel Pagnol** permettent, au départ de l'Office de tourisme d'Aubagne, de découvrir les lieux où l'écrivain-cinéaste passa son enfance ainsi que des lieux de tournage de certains de ses films *(voir Aubagne)*.
L'Office du tourisme de Fontvieille a mis en place un **circuit Alphonse Daudet** sur les lieux qui inspirèrent à l'écrivain les fameuses *Lettres de mon moulin*.

quelques autres thèmes

Sur les traces de...

Sade – Le divin marquis passa son enfance à Saumane-de-Vaucluse, commit quelques extravagances au château de Mazan, près de Carpentras, fut brûlé en effigie à Aix-en-Provence et se réfugia jusqu'à son arrestation à Lacoste où son séjour ne passa pas inaperçu...

Marcel Pagnol – À Aubagne où est située sa maison natale, dans le massif du Garlaban où des sentiers thématiques permettent de retrouver le décor de ses œuvres, à La Treille où il est inhumé... et à Marseille en traversant le Vieux Port à bord du ferry-boat, le *César*.

Mirabeau – À Pertuis où son père naquit ; à Aix où l'hôtel de Marignane retentit encore de ses frasques et le palais de justice de son éloquence, au château d'If enfin dont il fut un des involontaires pensionnaires.

Alphonse Daudet – À Nîmes, sur le boulevard Gambetta où se trouve sa maison natale ; à Auriolles, au Mas de la Vignasse où il passait ses vacances chez son cousin... qui lui inspira le personnage de Tartarin ; à Tarascon, dans la maison de ce dernier ; à St-Michel-de-Frigolet, devant un verre de l'élixir du RP Gaucher ; et à Fontvieille, bien entendu, au pied du moulin...

Vincent Van Gogh – À Arles avec la fondation Van-Gogh, hommage des artistes contemporains au génial hollandais, le café de la place du Forum reconstitué et l'espace Van-Gogh, ancien Hôtel-Dieu devenu centre culturel, mais aussi au pont de Langlois ; à St-Rémy avec l'ancien monastère de St-Paul-de-Mausole où il fut interné un an et, en ville, le centre d'Art Présence Van Gogh installé dans l'hôtel Estrine. Et, enfin, Avignon, avec la fondation Angladon-Dubrujaud, seul musée de Provence où vous pourrez voir une toile de Vincent.

Les Félibres – À Maillane, avec la maison et la tombe de Frédéric Mistral et à Arles, avec le Museon Arlaten, une des grandes œuvres mistraliennes ; à Avignon, avec le musée Théodore-Aubanel, à St-Rémy-de-Provence avec le souvenir de Joseph Roumanille... mais aussi aux Stes-Maries où Mirèio mourut d'insolation ou à Cassis et dans les gorges de la Nesque, lieux des exploits de Calendau.

AUTOUR DE...

L'olive – Il existe en Provence plusieurs variétés d'olives : la tanche (ou olive de Nyons), la première à obtenir le label AOC, l'angladau, la grossane ou olive piquée au sel, la salonenque ou olive des Baux, la picholine, la berruguette et la verdale. La Provence est traversée par la route de l'Olivier en Baronnies, autour de Nyons et Buis-les-Baronnies, et par la route de l'Olivier des Alpilles et de la vallée des Baux. Visites de musées, de sites de production (moulins à huile, savonneries) et d'oliveraies font partie de ces circuits.
Renseignements auprès des comités départementaux du tourisme de la Drôme et des Bouches-du-Rhône. Le *Guide des routes de l'olivier* (Éd. La Manufacture) décrit ces routes en détail.

La lavande – Mise en place par le Comité régional du tourisme de Provence-Alpes-Côte d'Azur, la route de la lavande permet de visiter de nombreux sites liés à la culture et à l'exploitation de la lavande autour du mont Ventoux, du Luberon et de la Drôme provençale. Elle s'accompagne d'animations comme la fête de la lavande à Sault le 15 août et le corso nocturne de la lavande de Valréas les 1ers samedi et lundi d'août.
L'association « Routes de la Lavande » (2 av. de Venterol, 26111 Nyons Cedex, ☎ 04 75 26 65 91) édite une brochure d'informations générales ainsi qu'un calendrier de séjours, ateliers et animations, du printemps à l'automne.

Le vin – La visite des caves coopératives est partout possible dans les régions de vignobles : rives droite et gauche du Rhône, régions d'Aigues-Mortes (domaine de Listel), d'Aix, des Baux-de-Provence, de Cassis, etc. Pour obtenir les adresses des caves et des domaines, s'adresser aux syndicats et maisons des vins ; pour connaître les dates des manifestations liées au vignoble, s'adresser aux offices de tourisme.

Vins des coteaux d'Aix-en-Provence : fête des côtes de Provence Ste-Victoire à Trets fin juin ; fête des vins à Rognes mi-juillet ; fête des Coteaux d'Aix à Aix-en-Provence fin juillet. Syndicat des Coteaux d'Aix-en-Provence, Maison des Agriculteurs, 22 av. Henri-Pontier, 13626 Aix-en-Provence, ☎ 04 42 23 57 14 ; Syndicat des vins de Palette, Château Simone, 13590 Meyreuil, ☎ 04 42 66 92 58.

Vins des Baux-de-Provence : fête du vin et de l'artisanat à St-Rémy-de-Provence fin juillet ; prestige du vignoble des Baux en novembre. Syndicat des vignerons des Baux, Château Romanin, 13210 St-Rémy-de-Provence, ☎ 04 90 92 45 87.

Vins de Cassis : une fête des vins avec défilé et dégustation a lieu le 1er dimanche de septembre. Syndicat des Vignerons de Cassis, château de Fontcreuse, 13 rte de La Ciotat, 13260 Cassis, ☎ 04 42 01 71 09.

Côtes du Rhône méridionales : fête des vins de Vacqueyras le 14 juillet ; fête de la Véraison à Châteauneuf-du-Pape le 1er dimanche d'août ; nuit des vins de Rasteau le week-end du 15 août ; fête des côtes-du-rhône primeurs à Avignon le 3e jeudi de novembre. Interprofession des Vins d'AOC Côtes du Rhône et Vallée du Rhône, 6 r. des Trois-Faucons, 84021 Avignon cedex 1, ☎ 04 90 27 24 00 ; internet : www.inter-rhone.com

Vins des Côtes du Luberon : Syndicat général des vins des Côtes du Luberon, le Château, 84240 La Tour-d'Aigues, ☎ 04 90 07 34 40. Internet www.vins-cotes-luberon.fr

circuits de découverte

Pour visualiser l'ensemble des circuits proposés, reportez-vous à la carte p. 11 du guide.

1 ENTRE GARD ET ARDÈCHE

Circuit de 198 km au départ d'Uzès – La vieille cité ducale d'Uzès, avec son élégante tour Fenestrelle, son majestueux Duché et sa charmante place aux Herbes sera le point de départ d'un circuit permettant de découvrir Bagnols-sur-Cèze et son musée d'Art moderne figuratif, la vieille ville de Pont-St-Esprit en prélude aux gorges de l'Ardèche, où abondent grottes, avens et belvédères d'où l'on découvrira des vues superbes. Après avoir remonté les gorges jusqu'à l'étonnante arche naturelle du Pont d'Arc, et trouvé un peu de fraîcheur lors de la visite de l'aven d'Orgnac, on explorera les agréables gorges de la Cèze en ne manquant pas de faire une halte à Goudargues, avant la découverte de la cascade du Sautadet de la Roque-sur-Cèze et celle des Concluses. Et pourquoi ne pas partir à l'ascension du Guidon du Bouquet d'où l'on dominera cette garrigue sèche et aride, avec ses capitelles (abris de berger) qui se fondent dans le paysage et sa végétation si particulière où, parmi les chênes verts abondent thym, romarin et arbousiers ?

2 La Provence antique

Circuit de 233 km au départ d'Orange – Depuis Orange avec son arc de triomphe et son magnifique théâtre (dont la visite s'accompagnera de celle du musée situé juste en face), on découvrira à Vaison l'impressionnant site archéologique. Un arc de triomphe à Carpentras, quelques traces de mur romain à Avignon précéderont la découverte du plateau des Antiques aux portes de la jolie cité provençale de St-Rémy et, de l'autre côté de la route, des vestiges de la vieille cité de Glanum. Bonne mise en condition pour aborder Arles avec son amphithéâtre, son théâtre antique, ses mystérieux cryptoportiques, les thermes de Constantin, la mélancolique nécropole des Alyscamps et l'excellent musée de l'Arles antique... Il ne restera plus qu'à gagner la « Rome française », Nîmes que l'on parcourt des arènes au temple de Diane, en passant par la Maison Carrée ; suivre le tracé des remparts mis au jour çà et là dont le vestige le plus impressionnant est la fameuse tour Magne. Le Castellum, où aboutissaient les eaux puisées dans la fontaine d'Eure, près d'Uzès, sera un excellent prélude à la découverte du majestueux Pont du Gard, partie la plus spectaculaire d'un aqueduc qui courrait dans la garrigue sur près de 50 km !

3 Merveilles naturelles du Vaucluse

Circuit de 258 km au départ de Carpentras après visite de la vieille ville – Panoramas et paysages des dentelles de Montmirail avec arrêt au pittoresque village de Malaucène. Ascension du mont Ventoux et découverte d'un panorama exceptionnel... pour peu que l'air soit assez transparent ! Par les gorges de la Nesque, on atteint les impressionnantes carrières d'ocre du Colorado de Rustrel, porte du Luberon. L'ascension du Mourre Nègre précède la découverte de la montagne du Luberon avec ses villages perchés, dont Bonnieux, Roussillon (où l'ocre est roi) et Gordes, avec ses calades et son étonnant village de bories. Enfin, Fontaine-de-Vaucluse permet de visiter l'étonnante résurgence de la Sorgue au terme d'un mystérieux parcours souterrain sous le plateau de Vaucluse.

4 Beaux villages du Luberon

Circuit de 128 km au départ de Cavaillon – Après avoir fait provision de melons à Cavaillon (et visité, dans la vieille ville la synagogue et le musée juif), on flânera parmi les antiquaires et brocanteurs sur les rives de la Sorgue à l'Isle-sur-la-Sorgue. Si certains évoqueront à Saumane-de-Vaucluse le souvenir du Divin Marquis, d'autres préféreront sans doute Pétrarque qui s'était retiré à Fontaine-de-Vaucluse, non loin de la spectaculaire résurgence de la rivière. Pour aborder le Luberon, rien de tel que le Village des bories, ces étranges constructions de pierres sèches qui symbolisent la région, d'autant qu'il est situé aux portes de Gordes, où l'on aimera à flâner dans les calades d'où l'on domine la vallée du Calavon. Non loin, l'abbaye de Sénanque, dans son écrin de lavande, est un havre de sérénité. Roussillon, avec ses façades ocre, permettra de découvrir les étranges carrières où l'ocre était extraite ainsi que l'usine où le pigment était élaboré après de longues et complexes opérations. St-Saturnin-lès-Apt, avec son moulin et ses cerises, précédera la découverte d'Apt, de ses fruits confits et de son grand marché du samedi. Buoux, avec ses falaises appréciées des escaladeurs, au pied desquelles se niche un pittoresque hameau précédera Bonnieux (on ira y marcher parmi les cèdres), Lacoste et les beaux villages perchés de Ménerbes et d'Oppède-le-Vieux.

5 La Camargue

Circuit de 228 km au départ d'Arles – Depuis Arles (ne pas manquer le Museon Arlaten créé par Mistral), et après avoir fait une promenade en bateau sur le Rhône, on tentera de découvrir les différentes facettes de la Camargue : celle des marais, maîtrisée par l'homme, avec la découverte du domaine du Vigueirat, dans la Crau humide ; puis, après avoir rejoint le delta par le bac de Barcarin, on découvrira les salines de Salin-de-Giraud, les sentiers du domaine non endigué de la Palissade, avant l'immense plage de Piémanson, près de l'embouchure du Grand Rhône. Découverte des oiseaux et de la flore grâce au domaine de la Capelière, comme des traditions de la « bouvine » dans le domaine de Méjane où, en outre, un petit train permet d'approcher des rives de l'étang de Vaccarès. Le précieux musée Camarguais, consacré aux mœurs et coutumes des autochtones, précédera la visite du château d'Avignon et celle du parc ornithologique du Pont-de-Gau, occasion unique de faire mieux connaissance avec ces oiseaux étranges que l'on a aperçus de loin dans les étangs. Il faudra bien sûr flâner dans les ruelles des Stes-Maries dont les maisons blanches se blottissent autour de l'imposante église fortifiée, avant de gagner, par le pont de Sylvereal ou le bac du sauvage, la belle cité fortifiée d'Aigues-Mortes et d'aller déguster quelques tellines et une soupe de poissons sur le port du Grau-du-Roi. Le retour vers Arles s'effectuera par l'étang de Scamandre, tout envahi de roselières, et St-Gilles où l'on ne manquera pas de détailler les sculptures du portail de l'abbatiale, chef-d'œuvre du roman provençal.

6 Peintres et écrivains en Provence

Circuit de 250 km au départ des Baux-de-Provence – Quoi de mieux que le site magnifique des Baux qui inspira peintres (comme Yves Brayer) et écrivains pour commencer ce circuit consacré aux artistes ? À tout seigneur, tout honneur, on fera le pèlerinage de Maillane où naquit et vécut Mistral, le grand maître du Félibrige, avant d'aller découvrir à Graveson les toiles vigoureuses d'Auguste Chabaud. Un passage à Tarascon permettra d'évoquer dans le château les fastes de la cour du roi René et bien sûr de saluer Tartarin en sa maison, prélude à la découverte à Fontvieille des paysages et du moulin qui inspirèrent Daudet. Arrivés en Arles, on marchera, parmi les monuments et ruelles de la cité antique, sur les traces de Van Gogh, avec la fondation qui porte son nom ainsi que l'hospice où il fut interné, reconstitué à l'identique... mais on aura garde d'oublier le musée Réattu avec la donation Picasso, de remarquables sculptures modernes et son important fonds photographique. Mieux connaître l'école provençale de la fin du 19e s., ce sera possible à Martigues, grâce au musée Ziem, tandis que le musée des Beaux-Arts de Marseille permettra de mieux connaître l'œuvre du grand maître du baroque, Pierre Puget. Mais d'autres préféreront sans doute les « installations » du MAC (musée d'Art contemporain), ou la plage du Prado pour s'y installer avec une « série noire » de Jean-Claude Izzo, le grand maître du « polar bouillabaisse » ! Aix la classique sera l'occasion de marcher sur les traces de Cézanne (tout en faisant mieux connaissance avec Vasarely) ou de relire Zola qui, sous le nom de Plassans, la décrivit comme le berceau des Rougon. Et,

pour terminer, pourquoi ne pas explorer l'avenir en parcourant près de la fontaine moussue de Salon quelques prophéties de Nostradamus ?

7 Montagnes du littoral et de l'arrière-pays marseillais

Circuit de 290 km au départ de Marseille – Ce circuit sera l'occasion d'utiliser ses chaussures de marche... ou ses palmes ! Car, après une agréable promenade dans le Vieux Marseille sur les pentes du Panier ou de N.-D.-de-la-Garde, la chaîne de l'Estaque nous offrira criques et calanques avec une mer superbe : Niolon attirera les plongeurs, tandis que les minuscules plages de la Redonne permettront d'attraper quelques oursins, voire des « pourpres » (pieuvres). Baignades plus tranquilles à Carry-le-Rouet, Sausset-les-Pins ou Carro avant de mettre cap au Nord et de flâner longuement dans les rues d'Aix parmi ces magnifiques hôtels particuliers... Sur les traces de Cézanne, on explorera l'emblématique Ste-Victoire : ses sentiers, parfois escarpés, permettront de découvrir, depuis la Croix de Provence, un superbe panorama... tandis que les plus sportifs (et les plus courageux) n'hésiteront pas à se lancer dans le vide, munis de préférence de leur parapente. St-Maximin avec son couvent royal sera le prélude logique à une excursion dans le massif de la Ste-Baume qui attire aussi bien les pèlerins que les randonneurs, ainsi que les fans de la varappe qui aiment escalader ses parois abruptes. Là, le bucolique parc de St-Pons permettra de prendre un peu de repos sous les ombrages avant de retrouver la mer à La Ciotat et de parcourir la corniche des Crêtes. À Cassis enfin, il est possible d'embarquer pour partir à la découverte des somptueuses calanques.

Découvrir autrement la région

vue du ciel

En parapente et vol à voile

On peut se jeter dans le vide à partir des falaises de **Rustrel** (vue assurée sur le Colorado) avec l'école locale de parapente (☎ 04 90 04 96 53). Pour survoler le moulin de Daudet, porté par le mistral, on s'adressera à l'aéroclub de Romanin à **Saint-Rémy-de-Provence**, spécialiste du vol-à-voile : débutants bienvenus ! (☎ 04 90 92 08 43).
Le **Centre de vol à voile de la Crau**, aérodrome Salon-Eyguières, BP 81, 13651 Salon-de-Provence Cedex, ☎ 04 90 42 00 91, l'**Association vélivole du Luberon**, 26 av. de la Fontaine, 13370 Mallemort, ☎ 04 90 57 43 86 et l'**Association vélivole de Carpentras**, BP 129, 84204 Carpentras Cedex, ☎ 04 90 60 08 17 vous permettront également de vous livrer à votre sport favori, ou d'apprendre à le connaître (stages et vols d'initiation).
Renseignements d'ordre général – Fédération française de vol libre, 4 r. de Suisse, 06000 Nice, ☎ 04 97 03 82 82. Minitel 3615 ffvl.
Fédération française de planeur ultra-léger motorisé, 96 bis r. Marc-Sangnier, BP 341, 94709 Maisons-Alfort Cedex, ☎ 01 49 81 74 50.

En ballon

Le plus léger que l'air, il n'y a que ça, disent certains... après tout on a réussi à faire le tour du monde en aérostat (et, à propos, le saviez-vous ? Frank Piccart, un des auteurs de l'exploit, a des origines provençales puisqu'une de ses grand-mères était nîmoise !). Rien d'étonnant alors qu'il y ait tant de possibilités de découvrir la Provence de cette façon.
Dans le **Luberon**, à Roussillon (☎ 04 90 05 41 66 ou 04 90 04 67 49) et à Joucas, avec Montgolfière-Provence (☎ 04 90 05 76 77).
Dans l'**Uzège**, à la Capelle-Masmolène en s'adressant à Jean Donnet (☎ 04 66 37 11 33).

au fil de l'eau

Sur le Rhône – À partir d'Avignon sont organisées des croisières à la journée ainsi qu'à la semaine en paquebot-hôtel (renseignements à l'Office du tourisme d'Avignon, ☎ 04 90 82 65 11) ; et, également en Camargue, à l'embouchure du Petit Rhône, aux Stes-Maries-de-la-Mer : de la mi-mars à mi-novembre (1 à 5 départs quotidiens suivant les périodes) en s'adressant à Tiki III, 13460 Les Stes-Maries-de-la-Mer, ☎ 04 90 97 81 68.

Sur les canaux de Petite Camargue – À partir d'Aigues-Mortes avec la péniche Pescalune (M. Griller, BP 76, 30220 Aigues-Mortes, ☎ 04 66 53 79 47) et Isles de Stel (2 pl. Saint-Louis, ☎ 04 66 53 60 70) : mini-croisières de découverte de la faune et de la flore camarguaise au fil du Vidourle, des étangs et du canal du Rhône à Sète.

En mer – Au départ de Marseille (Vieux Port, sur le quai des Belges), visite du château d'If, des îles du Frioul et des Calanques ;
au départ de Cassis, visite des Calanques de Port-Miou, Port-Pin et En-Vau (se reporter aux carnets pratiques de ces villes).
Au départ de la Ciotat, visite de l'île Verte ; pour une première approche des merveilles sous-marines, circuits au départ de La Ciotat en bateau de type catamaran à vision sous-marine pour les calanques de La Ciotat, de Cassis et de Marseille : Les Amis des Calanques, chemin de la Louisiane, 13600 Ceyreste, ☎ 06 09 35 25 68.

avec les enfants

Pour se faire pardonner quelques visites ou pour changer un peu de la plage, quelques idées pour distraire les chers petits :
Un centre d'attractions (remarquable) avec le **parc OK Corral**, entre Aubagne et La Ciotat : montagnes russes, petit train et télésiège, entre autres multiples possibilités. Le parc de loisirs **Amazonia** (près de Roquemaure, Gard, ☎ 04 66 82 53 92) où Aztèques et Incas envahissent le vignoble de Tavel.
Un **musée du Bonbon**, à Uzès, qui passionnera les gourmands en herbe, et un **Parc du Soleil et du Cosmos**, aux Angles, près de Villeneuve-lès-Avignon, essentiel pour les astronomes en culottes courtes, ainsi que le **Monde merveilleux de Daudet** de Beaucaire (avec promenades en attelages).
Un zoo dans le parc du château de **La Barben** et le très coloré **spectacle des aigles** du château de Beaucaire.
Et, bien sûr, les **fêtes de la Tarasque** à Tarascon !

par l'archéologie

Si vous avez l'âme d'un archéologue, que vous aimez gratter la terre et ne craignez pas le soleil, vous pouvez vous inscrire à des chantiers de fouilles, qui sont organisés chaque été en Provence par les services régionaux de l'archéologie (internet : www.gouv.fr/fouilles) :

Bouches-du-Rhône, Var et Vaucluse – DRAC Provence-Alpes-Côte-d'Azur, 21-23 bd du Roy-René, 13617 Aix-en-Provence, ☎ 04 42 16 19 00/19 40.

Ardèche et Drôme – DRAC Rhône-Alpes, 6 quai St-Vincent, 69283 Lyon Cedex 01, ☎ 04 72 00 44 50.

Gard – DRAC Languedoc-Roussillon, 5 r. de la Salle-l'Évêque, BP 2051, 34026 Montpellier Cedex 1, ☎ 04 67 02 32 71/69.

En outre, les revues *Archéologia*, *L'Archéologue* et *L'Archéologie Nouvelle* publient chaque printemps la liste des chantiers ayant besoin de recrues.

Sports et loisirs

baignade

À LA MER

Plages de sable fin en pente douce (Le Grau-du-Roi, La Ciotat) ou plus abrupte (Les Stes-Maries-de-la-Mer), criques rocheuses (les Calanques, chaîne de l'Estaque, îles du Frioul) ou plages de galets, voire de gazon (Marseille, plage Gaston-Defferre), il y en a pour tous les goûts !
Alors, elle est bonne ? Sûrement mais est-elle propre ? Si vous désirez connaître le résultat des contrôles de qualité des eaux de baignade effectués chaque mois de juin pour toutes les plages du littoral, vous pourrez consulter sur minitel le 3615 infoplage. Sachez que les plages sont classées en 4 catégories, de A (bonne qualité) à D...

EN RIVIÈRE

C'est possible dans le Gardon (autour de Collias et du Pont du Gard), dans la Cèze, dans l'Ardèche..., mais gare aux orages qui font monter subitement les eaux !

canoë-kayak

La pratique du canoë-kayak permet d'aborder les sites les plus inaccessibles de l'Ardèche, de la Cèze, du Gardon, de la Durance et de la Sorgue.
Pour l'Ardèche, les informations concernant les sociétés de location d'embarcations sont fournies dans le Carnet pratique des Gorges de l'Ardèche. Dans ces gorges, une zone comprise entre Charmes et Sauze est classée réserve naturelle. Elle implique une réglementation particulière pour les visiteurs la parcourant à bord d'une embarcation : accès interdit aux planches à voile et aux embarcations de plus de 3 personnes, port du gilet de sauvetage obligatoire. Les deux lieux de bivouac sont Gaud et Gournier, ce qui limite le séjour à deux nuits dans la réserve. Pour toute information pratique complémentaire, s'adresser à la maison de la réserve à Gournier : ☎ 04 75 38 63 00.
La **Fédération française de canoë-kayak** (87 quai de la Marne, BP 58, 94344 Joinville-le-Pont, ☎ 01 45 11 08 50) édite, avec le concours de l'IGN, une carte *France canoë-kayak et sports d'eau vive* avec tous les cours d'eau praticables. Minitel 3615 canoe plus. Internet : www.ffcanoe.asso.fr

cyclotourisme

À vélo ou à VTT, nombreux circuits possibles... mais attention aux côtes et à la chaleur ! Citons dans le Vaucluse, les circuits balisés autour de l'enclave des papes (37 km autour de Valréas) et le circuit viticole du haut-Vaucluse, compliqué par l'ascension de quelques caves coopératives particulièrement coupe-jarret (renseignement à l'Office du tourisme de Bollène, ☎ 04 90 40 51 45).
Dans le Luberon, un itinéraire touristique Cavaillon-Apt-Forcalquier (100 km) présente l'avantage d'être jalonné de panneaux d'informations

permettant de ne pas pédaler idiot et de s'être mis en rapport avec des professionnels de l'hôtellerie ravis d'accueillir les cyclotouristes (Association vélo-loisir en Luberon, ☎ 04 92 79 05 82).
Les plus vaillants compareront leurs performances à celles des forçats de la route en se mesurant au Géant de Provence, le Ventoux, à partir de Bedoin.
Les clubs cyclotouristes organisent des sorties week-end ou des circuits « découverte » avec des guides. On peut obtenir leurs adresses auprès des Comités départementaux de cyclotourisme, qui dépendent de la **Fédération française de cyclotourisme**, 8 r. Jean-Marie-Jégo, 75013 Paris, ☎ 01 44 16 88 88.

escalade

Un grand mot ? Les lecteurs de Tartarin le penseront peut-être... N'empêche que s'il paraît superflu de s'encorder pour escalader la **Montagnette**, les adeptes de la varappe ont quelques parois à se mettre sous la dent : dans les **Calanques** (où n'oublions pas que Gaston Rebuffat fit ses premières armes), les **dentelles de Montmirail**, les **gorges du Gardon** autour de Collias et celles de **l'Ardèche**, le **Luberon**, autour des falaises abruptes de **Buoux**, les massifs de la **Ste-Victoire** et de la **Ste-Baume**.

Club alpin français Marseille-Provence – 12 r. Fort-Notre-Dame, 13007 Marseille, ☎ 04 91 54 25 84. Cette section du Club alpin organise des sorties accompagnées dans les Calanques, sur la Ste-Victoire et la Ste-Baume.

Fédération française de Montagne et d'Escalade – 10 quai de la Marne, 75019 Paris, ☎ 01 40 18 75 50. Minitel 3615 ffme. Internet : www.ffme.fr. Consulter également le *Guide des sites naturels d'escalade en France*, par D. Taupin (Éd. Cosiroc/FFME) pour connaître la localisation des sites d'escalade dans la France entière.

golfs

Des trous, des trous à ne plus savoir où donner de la balle !
Deux fois 18 trous à **Nîmes** avec le golf de Campagne (☎ 04 66 70 17 37) et celui de Vacqueyrolles (☎ 04 66 23 33 33).
9 à **Uzès** au golf de Pont des Charrettes (☎ 04 66 22 40 03).
9 trous au Golf du Moulin, à **Orange** (☎ 04 90 34 34 04).
18 à Morières-Châteaublanc (☎ 04 90 33 39 08) et à Vedène (☎ 04 90 31 49 94) dans les environs immédiats d'**Avignon.**
9 et 18 **à Saumane**, près de Fontaine-de-Vaucluse (☎ 04 90 20 20 65).
18 au golf de **Marseille**-la Salette avec vue imprenable sur le garlaban cher à Pagnol (☎ 04 91 27 12 16).
9 aux **Baux-de-Provence** (☎ 045 90 54 40 20).
18 au golf de Servanes à **Mouriès**, dans les Alpilles (☎ 04 90 47 59 95).
18 au golf de Pont-Royal à **Salon-de-Provence** (☎ 04 90 57 40 79).
18 à **Miramas** (☎ 04 90 50 38 45).
18 au Golf-Club d'**Aix-Marseille** sur la zone d'activité des Milles (☎ 04 42 24 20 41) et au golf du château de l'Arc à **Fuveau** (☎ 04 42 53 28 38).
9 au Golf le Pey Blanc d'**Aix-en-Provence** (☎ 04 42 29 63 69).

kayak de mer

Cette nouvelle discipline utilise un équipement à peu près semblable au kayak mais avec des embarcations plus longues et plus étroites. Son intérêt ? Il permet de visiter de petites criques inaccessibles par voie terrestre. Les premières sorties sont accompagnées de navigateurs expérimentés et le Service Loisirs-Accueil des Bouches-du-Rhône propose des randonnées de 3 jours comprenant la visite des calanques de Marseille et la découverte d'un sentier marin.

navigation de plaisance

Les hardis loups de mer ne manquent pas de havres où jeter l'ancre car la plupart des localités côtières possèdent des ports bien équipés où un certain nombre de places sont réservées aux visiteurs de passage. Citons d'Ouest en Est le port d'**Aigues-Mortes**, Port-Camargue, au **Grau-du-Roi**, Port-Gardian, aux **Stes-Maries-de-la-Mer** (☎ 04 90 97 85 87), Port-Napoléon, à **Port-St-Louis-du-Rhône** (☎ 04 42 48 41 21), port de Ferrières à **Martigues** (☎ 04 42 07 00 00), Port-Renaissance, à **Port-de-Bouc**, ☎ 04 42 06 38 50, les ports de **Sausset-les-Pins** (☎ 04 42 44 55 01), **Carry-le-Rouet**, ☎ 04 42 45 25 13,

l'**Estaque** (☎ 04 91 46 01 40), le Vieux Port de Marseille (☎ 04 91 33 25 44), les ports du **Frioul** (☎ 04 91 59 01 82), de Pointe Rouge à **Marseille** (☎ 04 91 73 13 21), de la calanque de **Port-Miou** (☎ 04 42 01 04 10), le port de **Cassis** (☎ 04 42 01 24 95) et le port de plaisance de **La Ciotat** (☎ 04 42 08 62 90).
Les Stes-Maries-de-la-Mer et Port-Camargue au Grau-du-Roi bénéficient du label Pavillon Bleu d'Europe décerné sur les critères suivants : propreté du site et de ses abords, aménagements et équipements, accueil, informations et structures éducatives.

pêche en eau douce

Carpes et truites et autres monstres aquatiques n'ont qu'à bien se tenir ! Le Rhône et la Durance ne sont pas avares des premières qui aiment à se laisser surprendre depuis le pont Daladier. Les secondes n'empruntent pas sans appréhension les différentes rivières provençales... mais il faut savoir que le réseau hydrographique de la Provence n'est pas très dense et est sujet à d'importantes variations. Nombre de ruisseaux ne se mettent à couler que lorsque la pluie tombe. Néanmoins, des rivières comme l'Ardèche, le Gard ou la Durance (sans parler du Rhône), ainsi que les canaux et les retenues d'eau (Cadarache, Brinon) attirent les pêcheurs de truites, de chevesnes, de carpes, de tanches, de brochets... Généralement, le cours supérieur des rivières est classé en 1re catégorie tandis que les cours moyen et inférieur le sont en 2e. Pour la pêche dans les lacs et les rivières, il convient d'observer la réglementation nationale et locale, de s'affilier pour l'année en cours dans le département de son choix à une association de pêche et de pisciculture agréée, d'acquitter les taxes afférentes au mode de pêche pratiqué, ou éventuellement d'acheter une carte journalière.
La carte-dépliant commentée « La pêche en France » est disponible au **Conseil supérieur de la pêche**, 134 av. de Malakoff, 75116 Paris, ☎ 01 45 02 20 20. Les fédérations départementales pour la pêche et la protection du milieu aquatique procurent elles aussi des cartes et des informations.

pêche en mer

La Méditerranée est sans doute moins poissonneuse que les autres mers bordant le littoral français... Néanmoins, vous ne rentrerez sans doute pas bredouille ; dans les zones rocheuses, les poissons de roches pullulent : rascasses (la gloire de la bouillabaisse), rougets, congres et murènes partagent les lieux avec une foule de poulpes et d'araignées de mer, divers mollusques et quelques rares langoustes. Dans les zones sableuses, on trouve des raies, des soles et des limandes. Des bancs de sardines, d'anchois et de thons passent au large ainsi que des daurades, des loups (ou bars) et des muges (mulets). Il n'est nul besoin d'autorisation pour pratiquer la pêche en mer, pourvu que ses produits soient réservés à votre consommation personnelle.
Fédération française des pêcheurs en mer, résidence Alliance, centre Jorlis, 64600 Anglet, ☎ 05 59 31 00 73.

plongée

C'est à Marseille que Jacques-Yves Cousteau et Émile Gagnan ont mis au point le détendeur moderne qui a permis le développement de la plongée en scaphandre autonome : c'est dire qu'ici, lorsqu'on évoque la plongée, on sait de quoi on parle !
On pourra la pratiquer à **Marseille** et dans les calanques mais aussi à **La Ciotat**, dans le parc naturel aquatique du Mugel en s'adressant à l'Atelier bleu du cap de l'Aigle, (☎ 04 42 08 65 78).
Les plongeurs peuvent en outre visiter six sites exceptionnels : des épaves comme celle du *Chauoen*, cargo marocain échoué sur l'île du Planier (au large de Marseille), de la *Drôme*, épave reposant par 51 m de fond, du paquebot *Liban* qui sombra devant l'île Maïre en 1903 ; ou bien des sites naturels comme *Les Impériaux*, célèbre pour ses immenses gorgones rouges, la *Cassidaigne*, zone de passage de poissons au pied du phare à 4 milles de Cassis, ou encore l'île Verte, au large de La Ciotat, riche en poissons et en flore sous-marine. Fort bien ! Mais après les baptêmes dispensés par des moniteurs et l'engouement pour la découverte des superbes paysages sous-marins, on n'en est pas pour autant un plongeur confirmé. Il faut savoir que l'apprentissage est long et qu'il doit être dispensé par des moniteurs titulaires des diplômes de moniteurs fédéraux 1er et 2e degré ou titulaires des brevets d'État d'éducateur sportif 1er ou 2e degré option plongée subaquatique.
Pour connaître les clubs où il est possible d'apprendre à plonger, s'adresser à la **Fédération française d'études et de sports sous-marins**, 24 quai de Rive-Neuve, 13284 Marseille, Cedex 07 ☎ 04 91 33 99 31. Minitel 3615 FFESSM. Internet : www.ffessm.fr

randonnée équestre

Le **Comité national au tourisme équestre** (9 bd Macdonald, 75019 Paris, ☎ 01 53 26 15 50 ; Internet : www.eii.fr) édite une brochure annuelle, *Tourisme et Loisirs équestres en France*, répertoriant par région et par département les possibilités de pratiquer l'équitation de loisirs.
Association Régionale de Tourisme Équestre de Provence : 28 pl. Roger-Salengro, 84300 Cavaillon, ☎ 04 90 78 33 73.
Par ailleurs, le CDT du Vaucluse édite une carte intitulée *Tourisme équestre en Vaucluse*.
En Camargue, pays de cheval par excellence, outre les innombrables promenades à cheval permettant une première approche du monde des étangs, on s'adressera au Service Loisirs Accueil des Bouches-du-Rhône (☎ 04 90 59 49 39) qui propose une découverte approfondie de cette région de la meilleure façon possible : en selle sur un petit camargue, pour un week-end ou une semaine, avec hébergement en gîte et dîner en table d'hôte...

randonnée pédestre

La découverte de la Provence à pied est un véritable enchantement pour l'œil tant la luminosité ambiante met en valeur la beauté des paysages, qu'ils soient restés sauvages ou qu'ils portent la marque de l'homme au fil des villages et de leurs terroirs.
De nombreux sentiers de Grande Randonnée sillonnent la région décrite dans ce guide. Le GR 4 traverse le Bas-Vivarais jusqu'au Ventoux, le GR 42 longe la vallée du Rhône, le GR 6 suit le cours du Gard jusqu'à Beaucaire puis s'enfonce dans les Alpilles et le Luberon. Le GR 9 suit la face Nord du Ventoux, traverse le plateau du Vaucluse, le Luberon puis les massifs de la Ste-Victoire et de la Ste-Baume. Les GR 63, 92, 97 et 98 en sont les variantes.
À côté des GR existe une multitude de sentiers de petite randonnée correspondant à des parcours de quelques heures à 48 heures. Se renseigner dans les Syndicats d'initiative et Offices de tourisme.
Des topoguides édités par la **Fédération française de randonnée pédestre** (point d'information et de vente : 14 r. Riquet, 75019 Paris, ☎ 01 44 89 93 90. Internet : www.ffrp.asso.fr) donnent le tracé détaillé des GR, GRP et PR ainsi que d'utiles conseils.
Le CDT des Bouches-du-Rhône édite une carte *Balades et randonnées dans les Bouches-du-Rhône* qui donne des adresses de clubs de randonnée, d'hébergement ainsi que diverses informations. On peut également obtenir une brochure intitulée *Le tourisme de randonnée* auprès du CDT du Gard.
Attention : afin de lutter contre les incendies, dans certaines zones boisées ou d'écosystème particulièrement fragile, l'accès aux massifs des Calanques et de la Ste-Victoire est interdit par arrêté préfectoral du 1er juillet au 1er week-end de septembre ainsi que toute l'année dès lors que le vent est supérieur à 40 km/h.

ski

Eh oui ! Ce sera sur le versant Nord du Ventoux, où 6 pistes de ski alpin (sans parler de celles de ski de fond et de la piste de raquette) vous attendent au **Mont Serein**, sommet secondaire du mont Ventoux . Renseignements au chalet d'accueil, ☎ 04 90 63 42 02, et à la mairie de Beaumont-du-Ventoux, ☎ 04 90 65 21 13 les mardi, jeudi et vendredi), altitude 1 445 m. Il n'y a pas de neige ? Qu'importe, puisqu'on y pratique aussi le ski sur herbe !

spéléo

Pour les fans des mystères souterrains, une région qui n'en est pas avare... À **Fontaine-de-Vaucluse**, on tentera de résoudre les énigmes de la Sorgue, tandis qu'on pourra explorer le Grand Draioun, gouffre de 200 m ouvert dans la falaise de Cap Canaille.
Deux adresses qui permettront d'allier sport, plaisir et sécurité :
Fédération française de spéléologie, 130 r. St-Maur, 75011 Paris, ☎ 01 43 57 56 54. **École française de spéléologie,** 28 r. Delandine, 69002 Lyon, ☎ 04 72 56 09 63. voile
Un grand centre ? C'est **Martigues**, avec ses différents plans d'eau et l'étang de Berre.
Pour le reste, la plupart des stations de bord de mer possèdent des écoles de voile proposant des stages et il est possible de louer, en saison, des bateaux (avec ou sans équipage). S'adresser à la capitainerie de chacun des ports ou à la **Fédération française de Voile**, 55 av. Kléber, 75784 Paris Cedex 16, ☎ 01 44 05 81 00 ; internet : www.ffv.fr

Forme et santé

La **thalassothérapie** utilise les bienfaits du milieu marin dans un but préventif ou curatif. Les propriétés du climat marin (luminosité, richesse en iode...), de l'eau de mer, des boues marines, des algues et des sables sont utilisées au cours de cures diverses : stages de remise en forme, de beauté, séjours pour futures et jeunes mamans, forfaits spécial dos, antistress et antitabac. En Méditerranée, la douceur du climat est surtout indiquée pour les états de fatigue. Des centres thalasso existent à Marseille, au Grau-du-Roi et aux Stes-Maries-de-la-Mer.

Fédération Mer et Santé – 8 r. de l'Isly, 75008 Paris, ☎ 01 44 70 07 57. Minitel 3615 talasso. Internet : www.mer-et-sante.asso.fr

Maison de la thalassothérapie – 5 r. Denis-Poisson, 75017 Paris, ☎ 01 45 72 38 38.

Souvenirs

Que rapporter d'un séjour en Provence ? Les possibilités ne manquent certes pas mais avouez qu'il serait hors de propos d'en revenir avec une armoire bretonne ! Voici donc quelques idées qui n'ont d'autre ambition que vous aider à faire votre choix en toute connaissance de cause... d'autant que les artisans pullulent en Provence où le meilleur côtoie souvent le tout-venant. Notez que l'on peut parfois pousser la porte des ateliers pour assister à la fabrication des produits (il conviendra, par prudence, de téléphoner au préalable afin de réserver). Des adresses de boutiques ou d'artisans sont présentes dans le « carnet pratique » de plusieurs villes décrites dans le guide.

à déguster

Friandises – Calissons d'Aix-en-Provence, fruits confits d'Apt, miels du Luberon et de Sault, berlingots de Carpentras, croquants, navettes de Marseille (le traditionnel biscuit en forme de barque que l'on déguste pour la chandeleur), fougasse d'Aigues-Mortes à la fleur d'oranger, nougat d'Allauch et de Sault.

Spécialités gastronomiques – Charcuteries de porc, d'âne ou de taureau à Arles et dans toute la Camargue et la Petite Camargue, brandade à Nîmes. Huiles d'olive et olives aux Baux ou à Nyons. Pour rappeler les repas de vacances, il est possible de trouver de la tapenade et de l'anchoïade en conserve dans les épiceries fines de la région... même si rien ne vaut le frais ! Pour les truffes, il faut attendre, en janvier, les marchés spécialisés organisés à Uzès, à Richerenches, à la Tour-d'Aigues ou à Rogne ; le cours (toujours élevé) est fixé en décembre à Carpentras.

Alcools – Le fameux élixir du Révérend Père Gaucher, le pastis, qu'on peut bien sûr se procurer un peu partout, du traditionnel et mondialement connu Ricard au pastis à l'ancienne, généralement commercialisé dans les épiceries fines.

pour la maison

Pour décorer sa maison aux couleurs provençales, rien de plus facile. On trouve en effet partout des tissus provençaux, plus particulièrement dans les boutiques Souleïado et Les Olivades. À Noël, pour faire sa crèche ou la compléter (les Provençaux ont l'habitude d'acheter chaque année un ou deux nouveaux santons), on ira sur les marchés et foires aux santons, ou dans les maisons qui les fabriquent, notamment à Aubagne, Marseille et Aix-en-Provence. Même chose pour

les faïences. Pour le savon de Marseille, il faut aller à Salon-de-Provence.
Un ami peintre ? On se procurera des ocres mais aussi toutes sortes de pigments naturels à Roussillon, de préférence au Conservatoire des Ocres et Pigments Appliqués *(voir Roussillon)*. Enfin, si vous aimez chiner, il faut aller à L'Isle-sur-la-Sorgue où les villages d'antiquaires vous permettront de dégoter des objets mais aussi des meubles provençaux.

marchés

Pour tous ces achats, ayez le réflexe marché. Certes, ce qu'on y achète est le plus souvent périssable... mais un séjour en Provence ne se conçoit pas sans quelques visites à ces marchés aussi colorés qu'animés qui constituent, en eux-mêmes, un « souvenir » d'autant que les produits proposés, souvent de qualité, y sont fort variés : fruits et légumes, fleurs, épices, herbes de Provence, olives, fromages, tissus provençaux, objets artisanaux, etc.

Kiosque

ouvrages généraux tourisme

Toute la Provence, Solar, 1993.
La Provence de Giono, J. Chabot, Édisud, Aix-en-Provence.
Le Midi de Daudet, A. Gérard, Édisud, Aix-en-Provence.
La Provence, éd. Christine Bonneton.
Guide de la Provence mystérieuse, J.-P. Clébert, Sand.
Les Plus Beaux Villages de Provence, M. Jacobs, Bibliothèque des Arts.
Les bories du Luberon, *L'ocre en Luberon*, Éditions du parc Naturel de Luberon/Édisud.
Guide des jardins de Provence et de Côte d'Azur, C. Byk, Berger-Levrault/Nice Matin, Nancy.
Guide sous-marin des espèces méditerranéennes, Fédération française d'études et de sports sous-marins.
Les Plus Beaux Sentiers de Provence, J.-F. Devaud, Glénat.
52 balades en famille autour de Marseille, C. Kern et M. Bendadou-Kern, Didier Richard, Grenoble.
52 balades en famille autour d'Aix-en-Provence, J. Reynaud, Didier Richard, Grenoble.

histoire – art

Histoire de la Provence, F.-X. Emmanuelli, Hachette.
Histoire de la Provence, M. Agulhon et N. Coulet, « Que sais-je ? », P.U.F.
La Provence et le Comtat Venaissin, F. Benoît, Aubanel, Avignon.
Histoire de Marseille, E. Baratier, coll. « Histoire des villes », Privat, Toulouse.
Les Grandes Heures de Provence, M. Mauron, Librairie Académique Perrin.
Le Roi René ou les hasards du destin, Dr. R.-L. Mouliérac-Lamoureux, coll. « Destins du Sud », Aubanel, Avignon.
Clefs pour l'Occitanie, R. Laffont, Seghers.
Provence romane, tome 1, Zodiaque.
L'Art cistercien, Zodiaque.
La Provence de Cézanne, J. Arrouye, Textuel.
Pierre Puget, L. Lagrange, éd. Jeanne Laffitte, Marseille.

gastronomie – traditions

La Cuisinière provençale, Reboul, Tacussel, Marseille, 1998.
La Cuisine provençale traditionnelle, S. Deméry, Rivages.
La Cuisine provençale et niçoise, M. Roubaud, Jeanne Laffitte, Marseille.
Promenades gourmandes en Provence, R. Carrier, Albin Michel.
Le Cahier de recettes provençales, M. Biehn, Flammarion.
Santons et traditions de Noël en Provence, A. Bouyala d'Arnaud, Tacussel, Marseille.
L'Art de vivre en Provence, P. Deux, Flammarion.
Les Mots d'ici, P. Blanchet, Édisud, Aix-en-Provence.
Le Livre de l'olivier, M.-C. Amoretti et G. Comet, *Le Livre de la truffe*, par B. Duplessy et B. Duc-Mauger, coll. « Terres et Cultures », Édisud, Aix-en-Provence.

Les Fêtes en Provence, J.-P. Clébert, coll. « Gens du Sud », Aubanel, Avignon.

littérature

Le Mas Théotime, L'Enfant et la rivière, Malicroix, H. Bosco, coll. « Folio », Gallimard.
Lettres de mon moulin, Comtes du lundi, Tartarin de Tarascon, Port Tarascon, A. Daudet, Presses Pocket.
Le Grand Troupeau, Le Chant du monde, Le Hussard sur le toit, Colline, Un de Baumugnes, Regain, J. Giono, coll. « Folio » ou « la Pléiade », Gallimard.
Marius, Fanny, César, Jean de Florette, Manon des Sources, Angèle, Topaze, La Gloire de mon père, Le Château de ma mère, Le Temps des secrets, M. Pagnol, coll. « Fortunio », Fallois.
Disparue dans la nuit, Y. Queffélec, Grasset.
Une année en Provence, P. Mayle, Éditions du Nil.
Le Voleur d'innocence, R. Fregni, Denoël.

MARSEILLE 4'90

Avignon Une saison à l'opéra

Marseille La fête de la musique ce soir

Château-Gombert Saint Eloi célébré avec ferveur

les rendez-vous de l'Immobilier

La Provence

Kosovo : la paix officialisée

"La Massalia" : Marseille a réussi son pari

Autoroute A51 : 30 kilomètres de plus

Éducation Quel avenir pour le bac ?

35 heures Martine Aubry dévoile sa seconde loi

Algérie Visas plus faciles pour la France

Mieux vivre Immobilier : tout sur le dispositif Besson

Total Khéops, Chourmo, J.-C. Izzo, coll. « Série noire », Gallimard.
Un silence d'environ une demi-heure, B. Schreiber, Denoël.
La Splendeur d'Antonia, J.-P. Milovanoff, Denoël.
Trois jours d'engatse, P. Carrese, Rivages.

BD

Elle a été assez peu inspirée par la Provence... mais on citera toutefois la série des *Aventures de Léo Loden*, un privé à Marseille.

presse

Les quotidiens couvrant la région Provence sont *La Provence*, né de la fusion entre le légendaire *Provençal* et le *Méridional* (diverses éditions dans les Bouches-du-Rhône et le Vaucluse), *La Marseillaise* (Marseille, Bouches-du-Rhône et Gard) et le *Midi-Libre* (éditions du Gard et de Camargue).
Hebdomadaire d'informations générales : *La semaine de Nîmes* (nombreuses informations concernant les manifestations, culturelles, tauromachiques ou sportives du Gard).
Pour connaître le programme des principales manifestations culturelles sur le triangle Nîmes-Arles-Avignon, on dispose du bimensuel *Le César*.
Ceux qui s'intéressent à la tauromachie consulteront avec profit la revue *Toros*, éditée à Nîmes depuis 1925 : articles de fond et de technique et commentaires sur la saison taurine, tant en France qu'en Espagne. *La Course Camarguaise*, revue éditée par la fédération de cette spécialité, se trouvera dans la plupart des librairies de la région.

Cinéma, télévision

La Provence tient une place de choix dans l'histoire du cinéma français, notamment à travers les figures de Marcel Pagnol et de Jean Giono, dont l'œuvre littéraire a inspiré de nombreux cinéastes. Marcel Pagnol lui-même est l'auteur de certaines adaptations cinématographiques de ses écrits. Un circuit Marcel Pagnol au départ d'Aubagne permet de retrouver certains sites de tournage. Parmi les films tournés en partie ou en totalité en Provence, on citera :

L'Entrée d'un train en gare de La Ciotat (1896) des frères Lumière, le film fondateur !

La Fille de Camargue (1924), de Jacques de Baroncelli : l'œuvre n'est certainement pas immortelle... mais mérite d'entrer dans l'histoire du cinéma car un jeune acteur y faisait ses débuts : Charles Vanel.

Marius (1931), d'Alexandre Korda d'après une pièce de Marcel Pagnol.

Fanny (1932), de Marc Allégret d'après une pièce de Marcel Pagnol.

Toni (1934), de Jean Renoir (Martigues).

De Marcel Pagnol : **Angèle** (1934), d'après l'œuvre *Un de Baumugnes* de Jean Giono, **Cigalon** (1935), **César** (1936), dernier volet de la trilogie, **Topaze** (1936, 1950), **Regain** (1937) d'après une œuvre de Jean Giono, **Le Schpountz** (1937, Eoures, quartier de Marseille), **La Fille du puisatier** (1940, Salon-de-Provence), **Manon des sources** (1952).

Naïs (1945), de Raymond Leboursier (Cassis) d'après une nouvelle d'Émile Zola.

Les Mistons (1958), de François Truffaut (Nîmes) qui révéla une actrice locale, Bernadette Lafont.

La Vieille Dame indigne (1964), de René Allio (Martigues).

Borsalino (1970), de Jacques Deray (Marseille).

L'Été meurtrier (1983), de Jacques Becker (Carpentras).

L'Amour à mort (1984), d'Alain Resnais (Uzès).

Sans toit ni loi (1985), d'Agnès Varda (Nîmes).

Jean de Florette, Manon des sources (1986), de Claude Berri (Cuges-les-Pins, Mirabeau, Plan-d'Aups-Ste-Baume).

Tandem (1987), de Patrice Leconte (Orange).

Trois places pour le 26 (1988), de Jacques Demy (Marseille).

La Révolution française (1989), de Robert Enrico (Tarascon).

Transit (1989), de René Allio, d'après l'œuvre d'Anna Seghers (Marseille).

Trop belle pour toi (1989), de Bertrand Blier (Marseille).

La Gloire de mon père, Le Château de ma mère (1990), d'Yves Robert (Marseille, Allauch, Grambois).

La Belle Histoire (1991), de Claude Lelouch (Nîmes).

1, 2, 3 Soleil (1993), de Bertrand Blier (Quartiers Nord de Marseille).

Bye Bye (1995), de Karim Dridi (Marseille).

À la vie, à la mort (1995), de Robert Guédiguian (Marseille).

Marius et Jeannette (1997), de Robert Guédiguian (l'Estaque).

À la place du cœur (1998), de Robert Guédiguian (Marseille, quartier des Baumettes).

Taxi (1998), de G. Pires (Marseille).

Marius et Jeannette, *de Robert Guédiguian.*

Calendrier festif

terroir et artisanat

1er dimanche de février
Alicoque, fête de l'huile nouvelle. — **Nyons**

1er et 2e week-end de février
Oursinades : dégustation de fruits de mer, d'oursins en particulier. — **Carry-le-Rouet**

Dernier ou avant-dernier week-end d'avril
Fête de la Saint-Marc (patron des vignerons) : un cep de vigne enrubanné est promené dans la ville. — **Villeneuve-lès-Avignon**

Lundi de Pentecôte
Fête de la Transhumance. — **St-Rémy-de-Provence**

Autour du 14 juillet
Terralha, biennale de la poterie, les années paires. — **St-Quentin-la-Poterie**
Les Olivades, fête de l'olivier. — **Nyons**
Journée des vieux métiers : maréchal-ferrant, tondeur de mouton, lavandière. — **Châteaurenard**

1er samedi et lundi d'août
Corso nocturne de la lavande. — **Valréas**

2e week-end d'août, tous les 2 ans (année impaire)
Argilla, fête de la céramique. — **Aubagne**

Autour du 15 août
Foire aux santons et à la céramique. — **Aubagne**
Fête de la lavande : chars fleuris et concours de coupe à la main. — **Sault**

2e dimanche d'août
Festival provençal et fête vigneronne. — **Séguret**

Fin octobre-début novembre
Festival gastronomique. — **Vaison-la-Romaine**

3e week-end de novembre
Foire aux Santons et à l'artisanat d'art, au couvent royal. — **St-Maximin-la-Ste-Baume**

Dernier week-end de novembre
Foire aux Santons. — **Tarascon**

Fin novembre
Provence Prestige : salon de l'art de vivre. — **Arles**

Fin novembre à fin décembre
Foire aux Santons sur la Canebière. — **Marseille**

Mi-décembre à mi-janvier
Salon international des Santonniers dans le cloître St-Trophime. — **Arles**

fêtes traditionnelles

2 février
Fête de la Chandeleur à la basilique St-Victor : procession, cierges verts et dégustation de navettes. — **Marseille**

Week-ends précédant et suivant Mardi gras
Corso carnavalesque. — **Graveson**

1er mai
Fête de la Nacioun Gardiano : messe des gardians en provençal à la Major, défilé de gardians et d'Arlésiennes, jeux gardians... — **Arles**

Pèlerinage des gitans aux Stes-Maries.

Dimanche suivant le 16 mai

Fête de St-Gens : défilé en costume régional, messe en provençal. — **Monteux**

Pèlerinage au sanctuaire de St-Gens ; d'autres pèlerinages ont lieu chaque dimanche de septembre. — **Le Beaucet**

24-25-26 mai

Pèlerinage des gitans le 24 avec l'effigie de Sara la noire. Pèlerinage des saintes le 25 avec procession à la plage et bénédiction de la mer. Le 26, journée du souvenir consacrée au marquis de Baroncelli-Javon : farandoles, lâchers de taureaux, jeux gardians et course camarguaise. — **Les Saintes-Maries-de-la-Mer**

1er juin

Procession des fioles : après avoir entonné le cantique à St-Marcellin, on procède à la bénédiction du vin. — **Boulbon**

23 juin

Fête du Petit St-Jean. Une tradition vieille de 5 siècles ! — **Valréas**

Autour du 24 juin

Fête de la Saint-Jean (feux, groupes folkloriques, défilé de chars). — **Allauch**

Dernier week-end de juin

Fêtes de la Tarasque : défilés folkloriques (Tartarin en tête !), abrivados et courses de taureaux (dont une novillada). — **Tarascon**

Pegoulado : défilé nocturne en costumes traditionnels. — **Arles**

Fin juin

Fêtes de la Mer et de la Saint-Pierre : bénédiction des bateaux, joutes nautiques. — **Martigues**

Fête de la souche : corso d'enfants ; danse et chant de l'hymne des grâces de 1493. — **Courthézon**

1er week-end de juillet

Fête de la St-Éloi : la charrette de St-Éloi, charrette décorée, attelée de 20 à 50 chevaux harnachés à la mode sarrasine. — **Châteaurenard**

Début juillet

Fête vénitienne : spectacle pyrotechnique. — **Martigues**

Corso de nuit. — **Carpentras**

2e semaine de juillet

Concours de boules organisés par le journal La Provence, dans le parc Borély. — **Marseille**

Dernier week-end de juillet

Fête de la St-Éloi. — **Graveson**

1er week-end d'août

Fête de la Madeleine, fameuse pour ses carreto ramado (charrettes fleuries). — **Châteaurenard**

2e quinzaine d'août

Cycle des fêtes votives de Petite-Camargue axées autour du taureau : courses camarguaises, abrivados, bandidos. — **Petite Camargue**

25-27 août

Fêtes de la Saint-Louis — **Aigues-Mortes**

4e mardi d'août

Feu d'artifice (Monteux est réputé pour ses artificiers). — **Monteux**

Week-end autour du 22 octobre

Pèlerinage d'octobre : procession à la plage et bénédiction de la mer. — **Les Stes-Maries-de-la-Mer**

1er week-end de décembre

Fête des Bergers : défilé des transhumants avec leurs troupeaux. — **Istres**

24 décembre

Messe de minuit provençale avec descente des bergers sur les collines. — **Allauch**

Messe de minuit avec pastrage. — **Les Baux-de-Provence**

Veillée calendale et messe de minuit. — **Arles**

Messe de minuit avec pastrage. — **St-Michel-de-Frigolet**

Messe de minuit avec pastrage. — **St-Rémy-de-Provence**

Messe de minuit avec offrande des bergers, gardians, riziculteurs et pêcheurs. — **Les Stes-Maries-de-la-Mer**

Représentation de la Pastorale " Li Bergié de Séguret ". — **Séguret**

Messe de minuit avec pastrage. — **Tarascon**

ferias et corridas

Ont été ici répertoriées les ferias traditionnelles impliquant l'organisation d'une ou plusieurs corridas ou novilladas. Outre ces cycles d'importance, de durée et de prestige variables, les « aficionados » en herbe ou confirmés pourront assister à des spectacles taurins avec mises à mort organisés à des dates variables dans les arènes de Fourques, du Grau-du-Roi, de Bellegarde, d'Aramon, de Vergèze, de St-Martin-de-Crau, Istres, St-Gilles-du-Gard, etc.

Dernier week-end de février

Feria de Primavera, cycle de novilladas organisées dans les arènes couvertes. — **Nîmes**

Week-end de Pâques (du vendredi au lundi)

Feria pascale. Corridas à pied et à cheval, novilladas, lâchers de taureaux dans les rues... — **Arles**

Week-end de Pentecôte (du jeudi au lundi)

Feria. Corridas, abrivados, pégoulade sur les boulevards, bodegas, concerts... — **Nîmes**

Début juillet

Course de la Cocarde d'Or. — **Arles**

Autour du 14 Juillet

Feria du cheval et trophée du Rejón d'Or à Méjanes (Camargue) : corridas à cheval réunissant les as de la spécialité. — **Les Stes-Maries-de-la-Mer**

Dernier week-end de juillet

Corridas de la Feria organisée dans le cadre des Estivales. — **Beaucaire**

Autour du 15 août

Feria : artisanat, courses camarguaises, abrivados, carreto ramado. **St-Rémy-de-Provence**

2e week-end de septembre

Feria des Prémices du Riz (du vendredi au dimanche). **Arles**

3e week-end de septembre

Feria des Vendanges (du jeudi au dimanche). **Nîmes**

festivals

Autour des grands classiques (Avignon, Aix, Orange), ils ont tendance à se multiplier dès qu'apparaissent les beaux jours avec des programmations le plus souvent de haute qualité : dans l'impossibilité de prétendre à l'exhaustivité, voici donc une sélection parmi les principaux festivals dont la pérennité semble assurée.

Février

Festival de danse. **Avignon**

Fin mars-mi-décembre

Festival de musique (classique) à St-Victor. ☎ 04 91 05 84 48. **Marseille**

Pâques-octobre

Concerts d'orgue (dimanche à 17h). ☎ 04 94 59 84 59. **St-Maximin-la-Ste-Baume**

2e semaine de mai

Le printemps du jazz. **Nîmes**

Pentecôte

Festival de musique. ☎ 04 90 74 03 18. **Apt**

Fin juin

Les Nostradamiques : reconstitution historique en costume. ☎ 04 90 56 40 17. **Salon-de-Provence**

Juillet

Chorégies : opéras, concerts symphoniques dans le cadre incomparable du théâtre antique. ☎ 04 90 34 24 24. **Orange**

Festival international d'Art lyrique et de musique. ☎ 04 42 17 34 34. **Aix-en-Provence**

Festival de la Sorgue : musique, théâtre, danse. **Fontaine-de-Vaucluse, L'Isle-sur-la-Sorgue, Lagnes, Le Thor**

Festival « off » à Avignon.

Festival de théâtre. ☎ 04 90 27 66 50. — **Avignon**

Festival de Vaison : concerts, théâtre, danse. ☎ 04 90 28 84 49. — **Vaison-la-Romaine**

Rencontres d'été de la Chartreuse. ☎ 04 90 15 24 24. — **Villeneuve-lès-Avignon**

Début juillet

Festival Horas Latinas : flamenco, salsa, tango... ☎ 04 66 67 29 11 ; — **Nîmes**

Festival international de folklore de Château-Gombert. ☎ 04 91 05 15 65. — **Marseille**

2e quinzaine de juillet

Estivales : théâtre, jazz, humour, variétés. ☎ 04 90 60 46 00. — **Carpentras**

Polymusicales de Bollène. ☎ 04 90 40 51 17. — **Bollène**

Nuits musicales. ☎ 04 66 22 68 88. — **Uzès**

Juillet-août

Festival de danse. ☎ 04 42 96 05 01. — **Aix-en-Provence**

Soirées musicales du Couvent Royal. ☎ 04 94 59 84 59. — **St-Maximin-la-Ste-Baume**

Rencontres internationales photographiques. — **Arles**

L'Été de Nîmes : musique, théâtre, danse, expositions. ☎ 04 66 58 38 00. — **Nîmes**

De mi-juillet à mi-août

Festival du Sud Luberon. ☎ 04 90 07 50 33. — **La Tour-d'Aigues**

Nuits musicales et théâtrales de l'Enclave des Papes. ☎ 04 90 28 12 51. — **Valréas**

De fin juillet à début août

Festival de théâtre des cultures du monde. ☎ 04 42 42 12 01. — **Martigues**

Fin juillet-août

Festival international de piano. ☎ 04 42 50 51 15. — **La Roque-d'Anthéron, abbaye de Silvacane**

Août

Festival international de Quatuors à cordes du Luberon. ☎ 04 90 75 89 60. — **Cabrières d'Avignon, Fontaine-de-Vaucluse, Goult, Roussillon et Silvacane**

Festival Organa : concerts d'orgue. ☎ 04 90 92 05 22. — **St-Rémy-de-Provence**

1re quinzaine d'août

Choralies internationales (tous les 3 ans, la prochaine fois en 2001). ☎ 04 72 19 83 40. — **Vaison-la-Romaine**

Nuits d'été au théâtre antique : art lyrique, danse, variétés. — **Orange**

2e semaine d'août

Rencontres musicales : concerts classiques. ☎ 04 66 39 28 31. — **Pont-St-Esprit**

Eau turquoise et cabanon dans la calanque de Sormiou

Invitation au voyage

L'art de vivre en Provence

C'est l'été, l'air est saturé de soleil, les cigales chantent et le parfum suave des figuiers parvient jusqu'à nous. Là, sous la treille, une table est dressée : sur une nappe aux couleurs provençales, quelques olives et des verres de pastis perlés de gouttes de fraîcheur. En guise d'apéritif, nous vous offrons tout l'art de vivre en Provence.

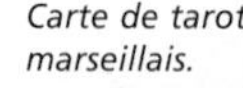

Carte de tarot marseillais.

Rythmes de vie

Jeu de boules

Mitan d'après-midi sur la place ombragée de platanes : les joueurs de pétanque (« pieds tanqués » : immobiles) ou de « longue » (« jeu provençal » se déroulant à plus longue distance) entrent en lice dans un concert de paires de boules entrechoquées.
Le jeu est simple : il faut lancer des boules en métal le plus près possible du « bouchon » ou cochonnet (une bille en buis) et déloger en les frappant celles de l'équipe adverse. Mais le goût méridional pour la palabre et la présence de spectateurs passionnés, prompts à la galéjade, le transforment en une moderne *commedia dell'arte* interprétée avec jubilation. Quant à l'appréciation des distances entre boules et cochonnet, elle suscite les plus vives controverses : chacun affirme avoir le compas dans l'œil, invoque la Bonne Mère, puis finit par s'incliner devant le verdict du mètre pliant...

La partie de cartes

C'est une tradition remontant au 14e s., à laquelle on doit en particulier le tarot dit de Marseille. On joue aux cartes à la maison, au café, sur la plage, dans le train... Pour gagner, on étale tout son talent : visage impassible au moment de la donne, coups d'œil « voyeurs », remarques déstabilisatrices, signes et mimiques, tout est bon tant il est vrai que « si on ne peut plus tricher avec les amis, ce n'est plus la peine de jouer aux cartes » (Marcel Pagnol, *Marius*, acte III).

Pastaga au pays des cigales

Le pastis est l'apéritif provençal par excellence depuis les années folles. Des marques renommées telles Ricard, Casanis ou Janot ont fait de la belle boisson jaune la reine incontestée des terrasses de cafés. Produit de la macération de plantes (anis vert, anis étoilé, réglisse, etc.) dans l'alcool, le « pastaga » peut être plus ou moins coupé d'eau fraîche suivant le goût de chacun. Certains préfèrent la « momie » servie dans un petit verre, d'autres le dégustent avec du sirop : orgeat pour la « mauresque », grenadine pour la « tomate » ou menthe pour le « perroquet ».

La pétanque, un véritable art de v

Un verre de pastis bien mérité après la partie de pétanque.

Galoubets.

Après l'effort, le réconfort

Moment sacré ! Tous, petits et grands, se plient au rituel du « pénéquet » (petit somme). Après le déjeuner, la chaleur accablante ou la lente digestion d'un aïoli incite à croiser les volets : dans le silence de la maison commence alors la sieste bercée par le chant stridulant et répétitif des cigales.

Un folklore bien vivant

Les Provençaux semblent partager depuis des temps immémoriaux un goût prononcé pour la fête.

Tambourin.

Dansons la farandole...

Temps fort des festivités : les premières notes des musiciens ouvrent la **farandole**. Entraînés par un rythme à six temps, les danseurs évoluent main dans la main.

Véritables virtuoses de la mélodie, les tambourinaires jouent de leur main gauche du **galoubet**, petite flûte très aiguë, tandis que, de la droite, ils martèlent le **tambourin**.

À chacun son costume

Difficile d'imaginer la diversité des costumes portés jadis aux quatre coins de la Provence : la poissonnière du Vieux Port de Marseille, avec sa coiffe à barbes flottant au vent, la bouquetière, la bastidane, la bugadière (lavandière), ou encore la paysanne, avec son jupon rayé, son grand tablier de toile indigo et son *capucho* ou *capelino* sur la tête, ont aujourd'hui adopté des tenues plus modernes.

Certaines célébrations font néanmoins revivre les plus somptueuses de ces parures. Élégante parmi d'autres, avec son gracieux éventail, l'**Arlésienne** revêt une longue jupe et un corsage à manches serrées. Un grand fichu de dentelle blanche, ou assorti à la jupe, tombe sur un plastron de tulle au drapé complexe.

Plus sobres, les hommes portent une chemise blanche attachée au col par un fin cordon, parfois recouverte d'un gilet sombre. Un pantalon de toile, retenu par une large ceinture rouge ou noire, et un chapeau de feutre à larges bords complètent la tenue.

Costume d'Arles.

Bastide provençale (château de Roussan, St-Rémy-de-Provence).

Les maisons traditionnelles

Adaptée au climat du pays, la demeure provençale s'oriente Nord-Sud, avec une légère inclinaison vers l'Est, qui la préserve du mistral. Une haie de cyprès la protège des vents du Nord, tandis que platanes ou micocouliers ombragent sa façade méridionale.

Enduits d'une épaisse couche de mortier aux couleurs chaudes, ses murs épais, aveugles au Nord, sont percés sur les autres faces de petites fenêtres, qui laissent passer la lumière, mais pas la chaleur. Son toit à faible pente est couvert de tuiles romaines, que couronne une génoise, frise de tuiles superposées. À l'intérieur, solidement voûté, des carreaux de terre cuite de forme hexagonale, appelés « tomettes », dallent le sol.

La bastide

Élégante demeure en pierre de taille, la bastide affiche de belles façades régulières aux ouvertures symétriques. Généralement de plan carré et coiffée d'un toit à quatre pans, elle se distingue par ses ornements soignés : balcons en fer forgé, escalier extérieur avec rampe et perron, le tout agrémenté de sculptures.

Tomettes en terre cuite.

Le mas

Grosse bâtisse trapue en pierre apparente (moellons ou galets rehaussés de pierre de taille à l'encadrement des ouvertures), le mas regroupe sous un même toit le corps d'habitation et les dépendances.

La salle (cuisine) ouvre de plain-pied sur la cour. Pièce principale malgré sa taille modérée, elle comporte une pile (évier), une cheminée et un potager (fourneau), ainsi qu'un mobilier varié. Le rez-de-chaussée abrite aussi une cave, une bergerie et une écurie, un four à pain et une citerne, tandis que l'on conserve dans la remise les produits de la récolte et la charcuterie.

À l'étage s'agencent les chambres et le grenier, où se trouvent la magnanerie (pièce réservée à l'élevage des vers à soie), la grange et le pigeonnier. Toutefois, certaines de ces pièces peuvent se trouver dans des bâtiments annexes au corps de logis, et ce plan type varie selon l'importance du mas, la région et sa vocation agricole.

Cabane de gardian.

Ainsi, le mas du Bas-Vivarais possède souvent un étage de plus : du 1er étage, où le couradou (une terrasse, généralement couverte) dessert la cuisine, les chambres et la magnanerie, part un petit escalier en bois qui mène au grenier.

Demeure paysanne provençale par excellence, l'oustau s'organise comme le mas, avec des dimensions plus modestes.

La cabane de gardian

Typiquement camarguaise, cette petite bâtisse se divise en deux pièces exiguës – la salle à manger et la chambre – séparées par une cloison de roseaux. Ces roseaux des marais (les *sagnos*) coiffent harmonieusement le toit, tel un chapeau de paille posé sur les murs en pisé. Seule la façade avant, percée d'une porte, est bâtie en dur. Elle soutient en effet la poutre faîtière, maintenue à l'arrière par une autre pièce de bois, inclinée à 45°, qui dépasse du toit en dessinant une croix. Autre originalité, la cabane, rectangulaire à l'entrée, s'arrondit à l'autre extrémité pour résister au vent.

Panetière (museon Arlaten, Arles).

Les meubles

C'est au 18e s. et au début du 19e s. que la production artistique du mobilier provençal atteint sa maturité.

Si la sobriété des lignes et des décors, inspirée par les styles Renaissance et Louis XIII, se maintient en Haute-Provence, ailleurs triomphe le style Louis XV. Les fustiers (fabricants) travaillent essentiellement le noyer. Les meubles aux galbes tourmentés, aux cintrages prononcés et aux piètements enroulés s'ornent d'une mouluration abondante dont les motifs font appel au registre végétal : feuilles d'acanthe, corbeilles fleuries, branches d'olivier ou de chêne... Des « bobèches » (petites bobines chantournées) se dressent parfois aux angles et sommets des frontons ou des dossiers. Aux côtés du buffet à glissants, du radassié, grand canapé à l'assise paillée, ou des fauteuils « à capucine », foisonnent de petits éléments de rangement : le paniero (panetière) et le manjadou (garde-manger) ajourés par des fuseaux, le veriau (étagère réservée à la verrerie fine), le saliero (boîte à sel).

Cette période marque aussi l'épanouissement du mobilier peint. Fortement influencés par les Italiens, les artistes locaux n'hésitent pas à peindre noyer, hêtre, chêne et bois fruitiers dans des polychromies de gris-bleu ou de gris-vert, de rouge « sang de bœuf », de blanc et de jaune safran. Les détails de sculpture sont mis en valeur par le jeu des couleurs, les panneaux servent de support à des paysages, des compositions florales ou des médaillons dans le goût antique. Les armoires d'Uzès, en résineux ou en peuplier, constituent une production originale ; teintées en noir, ces armoires de mariage aux lignes rigides offrent des façades richement décorées de motifs peints.

Commode d'Aix à deux tiroirs, du 18e s. (musée du Vieux Marseille).

Les faïences

La renommée des centres céramistes de cette région riche en argile fine date du règne de Louis XIV : les guerres vident alors les caisses du royaume, provoquent l'interdiction de faire usage de vaisselle d'or et d'argent et relancent l'intérêt pour la faïence. À St-Jean-du-Désert, entre Aubagne et Marseille, Joseph Clérissy, s'inspirant des premières porcelaines chinoises importées en France, décore ses pièces de motifs et de scènes en camaïeus bleus dits « à la Chine » ; cette production décline après la grande peste, mais de nouvelles fabriques prennent la relève et appliquent, à partir de 1730, la technique du « grand feu ». Fauchier imagine le décor « aux fleurs jetées » et introduit les fonds d'émail jaune, Leroy nimbe de motifs à « fleurs astéroïdes » ses compositions peuplées de personnages et d'animaux fantastiques. Des faïences blanches à émail stannifère ou polychromes voient le jour dans l'atelier de Jérôme Bruny à La Tour-d'Aigues. Les manufactures d'Apt créent une céramique sur fond souvent marbré de jaune et de marron, décorée d'arabesques ou de motifs végétaux en relief.

La deuxième moitié du 18e s. marque l'apogée de la production marseillaise. Pierrette Candellot, épouse du faïencier Claude Perrin et devenue la Veuve Perrin, oriente l'affaire familiale vers la technique du « petit feu » grâce auquel elle obtient des pièces d'une qualité exceptionnelle ; elle exploite en le transcendant tout le registre ornemental marseillais, donne ses lettres de noblesse au décor aux poissons, introduit les paysages marins, conçoit un insolite fond vert d'eau et fait évoluer les formes en puisant des idées nouvelles dans l'orfèvrerie... À sa suite, deux artistes apportent un raffinement ornemental jusque-là cantonné à la porcelaine. Antoine Bonnefoy dessine des médaillons d'une exquise facture, à motif « à la bouillabaisse » ou représentant des scènes pastorales proches du style de Boucher. Gaspard Robert compose son fameux décor floral à papillon noir et bordé or ; ses plats à liseré bleu-blanc-rouge constituent les dernières grandes œuvres de la faïence de Marseille, qui périclite sous les coups conjugués de la concurrence porcelainière, de la Révolution et du blocus de la flotte anglaise.

Assiette circulaire à aile ajourée (fabrique Veuve Perrin, musée de la Faïence, Marseille).

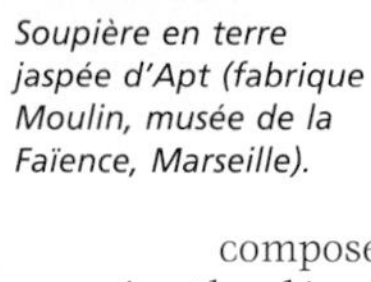

Soupière en terre jaspée d'Apt (fabrique Moulin, musée de la Faïence, Marseille).

« Cacalausiero », pot à escargots d'Aubagne, du 19e s. (museon Arlaten, Arles).

Les tissus

Les « imprimés provençaux » d'aujourd'hui témoignent d'une longue évolution des procédés et des modes. Bien avant d'apprendre à imprimer le coton, les Provençaux tissent la laine et le chanvre, le lin et la soie, qu'ils savent aussi

Atelier de couture en Arles, par Antoine Raspal (vers 1760 – musée Réattu, Arles).

teindre. Puis, grâce à ses relations commerciales avec les ports du Levant, la région découvre les tissus orientaux. Dès la fin du 18e s., Avignon, Aix et Marseille se distinguent par leur étoffes de soie : taffetas chatoyants, satins et bourres moirées, ou encore, brocarts et *lampas*.

Mais c'est avec les cotonnades imprimées, ou indiennes, que les tissus provençaux connaissent leur titre de noblesse. Probablement importées à Marseille dès le 16e s., les indiennes colorées venues d'Inde – toutes sortes de mousselines, que les Français baptisent cambrésines, toiles blanches et toiles peintes polychromes – mais aussi du Levant – toiles blanches *(demittes* et *escamittes)* ou bleu indigo d'Alep, *boucassins* de Smyrne et de Constantinople, et surtout, chafarcanis, ces fameuses indiennes d'Alep imprimées à la planche – se répandent dans la région avec une popularité sans cesse grandissante.

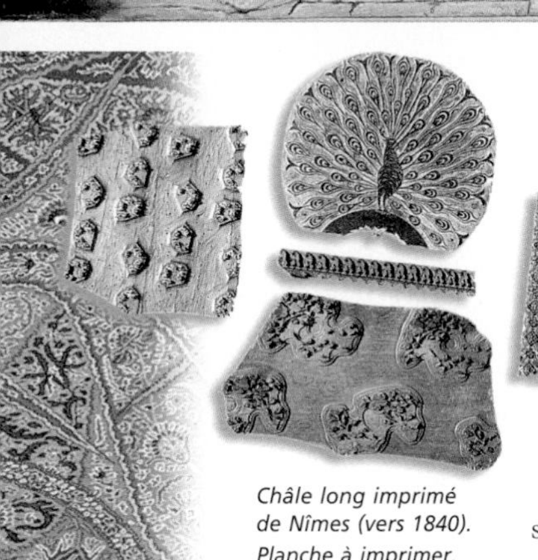

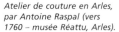

Châle long imprimé de Nîmes (vers 1840). Planche à imprimer, bloc en bois et ardoise de St-Étienne-du-Grès.

Les procédés indiens d'illustration des étoffes, déjà largement diffusés dans les pays du Levant, inspirent à leur tour les Provençaux, qui s'approprient ces techniques de peinture (un travail au pinceau très délicat) ou d'impression (à l'aide de moules en bois gravés), auxquelles ils appliquent en outre les méthodes du piquage et du matelassage pour développer leur propre industrie. Les ateliers de Marseille, notamment, sont passés maîtres dans l'art de l'impression sur tissus, déclinant une large gamme d'indiennes colorées, décorées de semis de motifs répétitifs de fleurs et de feuilles.

Leur succès perdure, notamment grâce au savoir-faire traditionnel des entreprises comme Souleïado, basée à Tarascon.

Piqués des 18e-19e s. (musée Charles-Démery à Tarascon).

Olives vertes cassées.

Les marchés

Véritable Provence en miniature, où les produits de la terre et de la mer le disputent parfois aux pièces d'artisanat et de tissus, les marchés animent la place du village, le port ou le cours ombragé de la ville. Chaque jour ou chaque semaine, parmi les étals rivalisant de couleurs et d'arômes, dans la faconde des marchands à l'accent chantant, on vient faire ses provisions, mais aussi prendre son temps, le temps de discuter, d'échanger les dernières nouvelles...

Fruits et légumes

Au rythme des saisons, les marchés déclinent toutes les richesses de la terre : si l'oignon, l'ail et la pomme d'amour (tomate) occupent une place privilégiée, les cardons, le fenouil, les poivrons, les courgettes et les aubergines ne sont pas en reste. Aux quatre coins de la Provence, les paniers regorgent des fraises de Carpentras, des asperges, pommes de terre, pastèques et melons de Cavaillon, des cerises de Remoulins, des figues vertes de Marseille, des pêches, poires et abricots de la vallée du Rhône, sans oublier les prunes et les raisins de table, sucrés et juteux à souhait...

Les olives

Dans les villages qui jalonnent la route de l'Olivier en Baronnies (autour de Nyons et de Buis-les-Baronnies) et de celle de l'Olivier des Alpilles et de la vallée des Baux (deux circuits ponctués de moulins à huile et de savonneries), les marchés abondent en olives de toutes sortes. Vertes, brunes ou noires, tirant parfois sur le mauve ou sur le rouge : parmi les meilleures variétés, la tanche (ou olive de Nyons), délicieuse en saumure, l'aglandau, pressée pour l'huile, la grossane, une olive noire charnue, piquée au sel, la salonenque (ou olive des Baux), une variété verte préparée en olives cassées, ou encore la picholine, olive verte fine et allongée, conservée en saumure.

Achetez donc un petit pot de tapenade : ce mélange d'olives noires, d'anchois et de câpres – *tapèno*, en provençal – pilé au mortier avec un filet d'huile d'olive est délicieux à l'apéritif ou en hors-d'œuvre, tartiné sur des tranches de pain.

Fromages de chèvre frais conservés dans l'huile d'olive aromatisée.

Les herbes de Provence

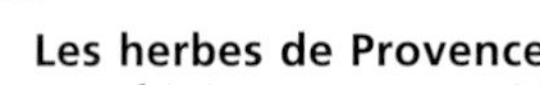

Cultivées ou poussant à l'état sauvage dans la garrigue, les herbes de Provence embaument les marchés de leurs fragrances subtiles. Elles constituent, avec l'ail et l'huile d'olive, l'un des fondements de la cuisine provençale : ainsi la sarriette parfume certains fromages de chèvre et de brebis ; le thym (ou farigoule) et le laurier assaisonnent la ratatouille ou les grillades; le basilic, délicieux dans la salade de tomates, est aussi pilé avec de l'ail, de l'huile d'olive et

Bouquet de senteurs (thym, basilic, persil, sauge, etc.).

Harmonie de couleurs sur le marché provençal.

du parmesan pour préparer le pistou ; la sauge, bouillie avec de l'ail, puis enrichie d'huile d'olive et de pain, donne le traditionnel « aigo boulido » ; le romarin parfume les gratins de légumes, le poisson et, pris en infusion, facilite la digestion ; le serpolet relève le lapin, la soupe de légumes et les plats à la tomate ; le genièvre aromatise les pâtés et les gibiers ; la marjolaine agrémente les civets ; l'estragon relève les sauces blanches; tandis que le goût anisé du fenouil se marie à merveille avec le poisson...

Épices diverses, à choisir sur le marché.

Les fromages

Pays des saveurs fortes, la Provence produit aussi quelques fromages de caractère, comme la tomme de brebis (région d'Arles) ou de chèvre (monts de Vaucluse), ou encore la brousse, fromage de chèvre frais au petit-lait (Arles) ou au lait entier (brousse du Rove, près de Marseille), que l'on déguste salée, avec des herbes et un filet d'huile d'olive, ou sucrée, avec des fruits.

Pour des arômes plus corsés, goûtez le Banon, tomme sèche humidifiée à l'eau-de-vie et conservée dans des feuilles de châtaignier, ou encore, la cachaille, pâte piquante obtenue après fermentation de tommes pétries et éventuellement parfumées à l'eau-de-vie.

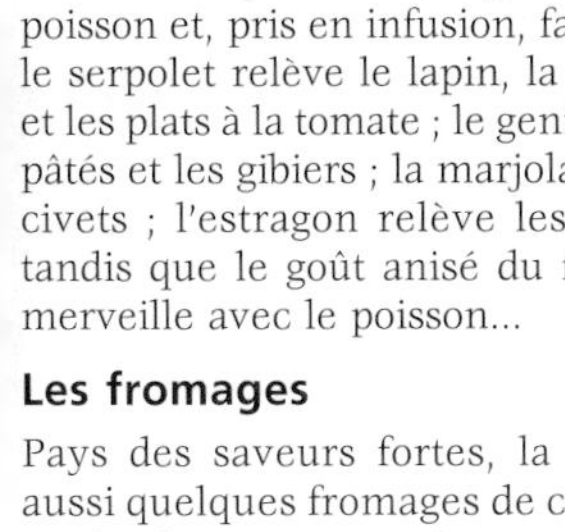

Poissons et crustacés

Dès l'aube, les poissons fraîchement pêchés alignent leurs écailles moirées dans les caisses de glace des marchés et des criées. Effilés ou ventrus, plats ou charnus, s'ils ne finissent pas en bouillabaisse ou en bourride, ils atterriront sur le grill, généreusement saupoudrés d'herbes : mérous, loups, daurades, mulets, merlans, sardines, anchois, merlus, grondins, rascasses, congres, turbots, rougets... À leurs côtés sur les étalages, poulpes, langoustes et cigales de mer, mais aussi clovisses, violets, moules et oursins (près du Vieux Port de Marseille, notamment), ou encore, tellines et palourdes (coquillages des sables de Camargue), délicieux avec une sauce piquante.

Oursins

Noëls de Provence

Aussi éloigné soit-il de ses racines, tout Provençal renoue avec les traditions séculaires du pays à la période des fêtes calendales. De la Sainte-Barbe, le 4 décembre, à la Chandeleur, le 2 février, il vit au rythme des crèches colorées, du « blad de Calendo » (blé de Noël), du gros souper et des célébrations qui suivent la nuit du pastrage.

Table de Noël dressée avec les treize dess

Santons traditionnels des ateliers Marcel Carbonel à Marseille. De gauche à droite : le meunier et son âne, les bohémiens, Grasset et Grasseto, le tambourinaire.

Des crèches colorées

Crèches d'église...

Probablement importées d'Italie au 17e s., les crèches connurent un vif succès dans les églises de Provence. Au 18e s. apparaissent des figures de cire aux yeux de verre, dont la tête, les bras et les jambes s'articulent sur une armature métallique et sont parés de somptueux costumes bigarrés, de bijoux et d'une perruque. Puis les matériaux évoluent, avec l'éclosion de sujets en carton estampé ou moulé, en verre filé, en bois ou en mie de pain.

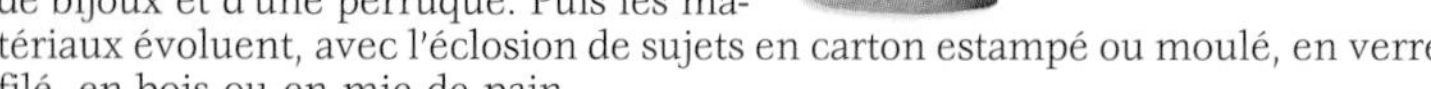

... et crèches parlantes

Également très en vogue au 18e s., les crèches parlantes mettaient en scène une ribambelle d'automates, capables de se mouvoir, mais aussi de parler et de chanter. Un spectacle haut en couleur où, dans une débauche d'imagination, on n'hésite pas à malmener l'exactitude historique. On vit ainsi des rennes, des girafes et des hippopotames déambuler autour du divin enfant. Sous le Premier Empire, Napoléon et ses troupes devinrent les protagonistes d'une de ces crèches... au son des salves d'artillerie tirées par un navire de guerre ! Plus tard, dans une crèche installée près de la gare de Marseille, on vit encore les Rois mages descendre... d'un train à la locomotive fumante ! Les dernières de ces crèches ont disparu à la fin du 19e s.

Crèches de santons

Héritage imprévu de la Révolution de 1789, les santons naissent de la fermeture des églises, et avec elles, des crèches. Un figuriste de Marseille (un artisan qui moulait des statues pour les églises), Jean-Louis Lagnel, a l'idée de fabriquer de petites figurines de crèche à bon marché pour les vendre aux familles... qui se mettent à créer leurs propres crèches.

De facture naïve, façonnés dans l'argile crue, séchée, puis peinte à la détrempe, les santons font se côtoyer dans une débauche de couleurs figures bibliques et types provençaux traditionnels : la Sainte Famille et les Rois mages, les bergers et leurs moutons rencontrent ainsi le tambourinaire, le rémouleur, le meunier, le ravi, les bohémiens, l'aveugle et son guide, la marchande de poissons, le couple de vieux, Bartoumieu...

Chaque famille possède bientôt sa crèche, dont les préparatifs commencent le dimanche précédant Noël, jour tant attendu des petits comme des grands. Dans un paysage miniature, souvent improvisé avec les moyens du bord, les santons se rendent en foule à l'étable de Bethléem pour y adorer l'Enfant Jésus – que l'on ne dépose que le 24 décembre à minuit – et lui faire don de leurs présents, où la morue et les oignons le disputent sans rougir à la myrrhe et à l'encens !

Galette des Rois.

La nuit du pastrage

Les fêtes calendales (de Noël) débutent à la Sainte-Barbe, le 4 décembre, par la semence du *blad de Calendo* (blé de Noël), qui ornera la cheminée, la crèche, et la table de Noël.

Le gros souper

La soirée du 24 décembre commence par le *cacho-fio*, l'allumage de la bûche de Noël. Cette tâche revient au plus jeune enfant et à l'homme le plus âgé de l'assemblée. Ensemble, ils portent vers la cheminée une souche, qu'ils bénissent avec du vin cuit tout en répétant les paroles rituelles : *que l'an que vèn se sian pas mai, que siaguen pas mens* (« l'an prochain, si nous ne sommes pas plus, que nous ne soyons pas moins ! »), avant de la brûler.

La famille passe alors à table pour le gros souper. Sur la table recouverte de trois nappes, on dispose trois chandeliers (symbolisant la Sainte-Trinité) et trois soucoupes contenant le blé de Noël, ainsi que treize pains. Au menu, sept plats, et leurs vins, préludent aux fameux treize desserts : les mendiants (noix et noisettes, figues, amandes et raisins secs), les fruits frais, la fougasse (parfois nommée « gibassier » ou « pompe à l'huile ») et les nougats, blancs et noirs.

La messe de minuit

Nombre de villages perpétuent la tradition des crèches vivantes pour mettre en scène la Nativité. La messe de minuit débute avec *lou Pastrage* : tandis que le prêtre dépose le Divin Enfant sur la paille, les cloches appellent le cortège des bergers. Guidés par les anges et les tambourinaires, ces derniers apportent dans leur charrette illuminée un agneau qu'ils offrent à Jésus. Fifres et tambourins entonnent alors les airs de Noël, vieux chants provençaux repris en chœur par les fidèles.

de la Sainte-Barbe : s'il en poussé à Noël, il orte la prospérité pour née à venir.

De l'an nòu à la Chandeleur

Dès le lendemain de Noël commencent les **Pastorales**, qui illustrent le chemin parcouru par Joseph cherchant un toit pour la nuit.

Après l'an nòu (le Nouvel An), que chacun passe en famille le 31 décembre, vient la fête des Rois mages, le 1er dimanche de janvier. On mange à cette occasion le « gâteau des Rois », une couronne de brioche décorée de fruits confits cachant une fève grillée.

Le 2 février, soit 40 jours après la naissance de Jésus, la Chandeleur célèbre la Purification de la Vierge et sa visite au Temple. Au programme, procession de cierges verts, bénédiction du feu et, à Marseille, dégustation de navettes, ces biscuits dont la forme de barque évoque l'arrivée des saintes Maries en Provence. Enfin, en ce jour de liesse qui clôt la période calendale, on démonte toutes les crèches... jusqu'à l'année suivante.

Traditions tauromachiques

Née en Camargue, la tauromachie provençale s'est enrichie des traditions venues d'Espagne. Profondément ancrée dans le pays, elle décline aujourd'hui toutes sortes de festivités. Nîmes, Arles ou les Stes-Maries rivalisent dans l'organisation des ferias. Corridas avec picadors et mise à mort, ou simples courses à la cocarde, elles attirent des foules passionnées, aficionados ou simples curieux. Un rendez-vous à ne pas manquer !

Les courses camarguaises

Fief des **manades,** troupeaux de taureaux noirs accompagnés de chevaux blancs, les « terres de bouvine » s'animent d'une joyeuse effervescence lors des courses taurines. Arles et Nîmes, capitales incontestées, mais aussi quantité d'autres localités affichent d'avril à octobre un calendrier bien rempli qui culmine en juillet avec la « Cocarde d'Or » et se clôture, en octobre, avec la grande finale du Trophée des raseteurs.

Arrivée des taureaux dans Nîmes.

Ponctuées de « ferrades » – les taureaux, terrassés, reçoivent au fer à chaud la marque du propriétaire – et de courses équestres entre gardians, les courses à la cocarde (également appelées courses camarguaises ou courses libres) marquent les temps forts de ces fêtes.

Tradition camarguaise, cette course taurine demeura longtemps l'apanage des garçons de ferme avant de se développer dans les villages. Chacun pouvait s'élancer sur la piste et défier le taureau, pour tenter d'attraper la cocarde fixée entre ses cornes. Codifiée au fil des ans, elle se déroule désormais dans les arènes, entre professionnels.

La course à la cocarde

Véritables héros de la course, six taureaux se succèdent dans l'arène, pour un affrontement d'un quart d'heure chacun. Vêtu de blanc, le raseteur entre en piste et, tandis que le « tourneur » détourne l'attention de la bête, il tente, par une course en arc de cercle (ou raset), d'approcher la bête pour attraper ses attributs à l'aide d'un crochet : la cocarde rouge (au milieu du frontal), les glands blancs (sous les cornes), et les ficelles les retenant.

Un exercice qui requiert du style, mais aussi de la souplesse et du courage. Chargé par l'animal, le raseteur franchit parfois la barrière dans un envol spectaculaire. Les taureaux les plus appréciés se ruent alors à sa poursuite. Lorsqu'ils sautent par-dessus les planches, action d'éclat baptisée « coup de barrière », la foule se lève avec enthousiasme pour entonner, récompense suprême, quelques mesures de l'air du toréador de *Carmen*.

L'habit de lumière du torero.

Éventail publicitaire pour les courses de taureaux du 7 août 1892 à Nîmes (musée du Vieux Nîmes).

Les corridas espagnoles

Introduite à Nîmes en 1853, la corrida espagnole ne pouvait qu'y trouver un écho favorable. Aujourd'hui, l'aficionado (amateur de taureaux) provençal n'a guère le temps de souffler : corridas (avec mise à mort), novilladas (affrontement avec un taureau de moins de quatre ans, première étape de la carrière d'un torero) et corridas de rejón (à cheval) s'y succèdent à bonne cadence d'avril à septembre.

Côté rue...

Les ferias rassemblent chaque année à Nîmes et à Arles des milliers de personnes. Plusieurs jours durant, les *peñas* (fanfares) animent les festivités de leurs airs gais et entraînants, tandis que dans les *bodegas* (bars), vin et pastis coulent à flots. On danse la sévillane dans les bals et, entre deux courses aux arènes, on joue à défier les taureaux lâchés dans les rues.

Jadis, les taureaux galopaient jusqu'au village où se déroulait la course, encadrés par les gardians à cheval : le grand jeu consistait à les faire s'échapper par tous les moyens. Ils arrivent aujourd'hui en camion, mais la tradition se perpétue avec les tumultueux « abrivado » (arrivée), « bandido » (départs) et « encierros » (lâchers de taureaux).

... et côté arène

Clou du spectacle, la corrida commence par un salut équestre *(paseo)*. Après une première série de passes, les picadors jouent de leur pique pour exciter la fougue du taureau, bientôt relayés par le torero, qui plante ses *banderilles* à l'encolure de la bête. Lorsque les clarines ont retenti, le torero entame les passes à la *muleta* (cape rouge), prélude majestueux à *l'estocade* (mise à mort). Les matadors les plus méritants se voient attribuer les oreilles ou, trophée suprême, la queue de leur victime.

Prouesses à la feria d'Arles.

La relève tricolore

Aux côtés des toreros espagnols et sud-américains les plus aguerris, quelques Français ont su se faire une place à l'affiche des ferias provençales : hormis Christian Montcouquiol, surnommé « El Nimeño II », le seul à se prévaloir d'une véritable carrière internationale, citons Richard Milian (de St-Cyprien, Pyrénées-Orientales), les Nîmois Denis Loré et Stéphane Fernández Meca, Ludovic Lelong dit « Luisito » (né à Cherbourg !) et l'Arlésien Juan Bautista, ainsi que, à cheval, la Parisienne Marie-Sara et l'Arlésienne Nathalie.

Marie-Sara, à la feria de Nîmes.

LEXIQUE TAUROMACHIQUE

Bannes : cornes.
Bravo : se dit d'un taureau qui se montre offensif.
Capelado : défilé des raseteurs au début de la course camarguaise.
Cocardier : nom donné aux taureaux, souvent castrés. On les appelle aussi biou.
Matador de toros : « tueur de taureaux », qui affronte le taureau lors d'une corrida.
Simbèu : bœuf dressé accompagnant le troupeau. À la fin de la course camarguaise, on le fait entrer en piste pour aider à ramener au toril les taureaux récalcitrants.
Tenues blanches : désigne l'ensemble des raseteurs, aussi appelés les « as du crochet ».

Un cheval camarguais marqué au fer rouge.

Un déjeuner au soleil

Rehaussée d'une pointe d'ail, cette « truffe de Provence » chantée par les poètes, et généreusement arrosée d'huile d'olive : la cuisine provençale fait rimer avec bonheur les couleurs et les saveurs du pays.

Petits légumes farcis.

L'ail, l'or blanc de la Provence.

Aïoli, dans un mortier de marbre.

Quelques spécialités goûteuses

La bouillabaisse – Le secret de la réussite tient autant au choix des poissons qu'à l'assaisonnement. Aux indispensables « trois poissons » – rascasse, grondin et congre – peuvent s'ajouter loup, turbot, sole, rouget, lotte ou crustacés. Oignon, tomate, safran, ail, thym, laurier, sauge, fenouil, peau d'orange, parfois un verre de vin blanc ou de cognac aromatisent le bouillon, que l'on savourera sur des tranches de pain grillées. La rouille, une sauce à base de piments d'Espagne, apporte sa touche finale, colorée et... piquante !

L'aïoli – Cette mayonnaise à l'huile d'olive, généreusement relevée d'ail pilé, accompagne les hors-d'œuvre, les légumes et plus particulièrement la « bourride », une soupe aux poissons.

Les artichauts à la barigoule – Le mot *barigoule* (« champignon ») évoque la façon dont on coupe les artichauts pour ce plat de légumes arrosé de vin blanc, parfumé à l'ail, avec huile d'olive et lardons.

Autres plats typiques – La Méditerranée regorge de savoureuses créatures, comme le rouget, ou le loup (nom local du bar), particulièrement délicieux lorsqu'on le grille au fenouil ou aux sarments de vigne. À St-Rémy, on prépare le « catigau », une fricassée d'anguilles du Rhône grillées ou fumées. Spécialité nîmoise, la brandade de morue est une onctueuse crème de morue à l'huile d'olive et au lait, assaisonnée d'ail et parfois de truffe.

On pourrait encore évoquer les pieds-paquets à la Marseillaise (pieds et tripes de mouton, farcis et mijotés), le bœuf « gardian » de Camargue (bœuf en daube, mijoté dans du vin rouge avec des aromates), ou encore les saucissons d'Arles, sans oublier les innombrables préparations à base de légumes : la ratatouille, bien sûr, mais aussi les gratins *(tian)* et les soupes, les beignets et les légumes farcis.

Tout ce qu'il faut pour faire une bonne bouillabaisse.

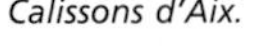

Calissons d'Aix.

Petites douceurs

On ne saurait parler des spécialités provençales sans mentionner toutes ces petites douceurs qui émoustillent les papilles : les melons confits et les papalines d'Avignon, les **calissons** d'Aix (petits fours à la pâte d'amande, délicatement parfumés à la fleur d'oranger et nappés de sucre glacé), les berlingots de Carpentras, les caladons (biscuits aux amandes) et le croquant Villaret de Nîmes, les tartarinades (bonbons au chocolat) de Tarascon, les **fruits confits** d'Apt, le nougat de Sault, le pain de Modane (pain fendu aux fruits confits) de Nyons...

Les vins

Hormis les vins rosés et les vins blancs, ce sont surtout les vins rouges qui font la renommée et la diversité des vins de Provence. Francs et corsés, ou souples et délicats suivant leur provenance, leur qualité s'améliore sans cesse grâce à la sélection rigoureuse des cépages, mais aussi à leur association, parfois très complexe, au sein d'un même cru.

Les côtes-du-rhône méridionales

L'un des plus grands crus de l'appellation côtes-du-rhône, le châteauneuf-du-pape, d'un rouge sombre, dégage des notes fruitées, boisées et poivrées, et se bonifie en vieillissant.

Vacqueyras produit des rouges charpentés et des blancs élégants. Le vignoble de Séguret fournit des vins capiteux et parfumés, celui de Cairanne des vins tanniques qui demandent un certain vieillissement. Le gigondas, vieilli quelques années en fûts de chêne, s'apparente au châteauneuf-du-pape. Près d'Aigues-Mortes, le listel est un vin rosé des sables.

Les vins rouges des côtes du Luberon sont légers et se boivent jeunes tandis que les blancs sont plus frais et fins. Les côtes du Ventoux produisent des vins rouges tanniques et charpentés, lorsque les raisins ont mûri sur les versants bien exposés du mont Ventoux. Les plus légers sont consommés en primeur.

Les vins doux naturels, sucrés, s'obtiennent par adjonction d'alcool dans le moût (le jus de raisin) en cours de fermentation. Les plus savoureux sont le rasteau, ambré ou rouge, et le muscat de Beaumes-de-Venise à la belle robe dorée et au bouquet riche en tonalités fleuries et fruitées.

Les appellations de Provence

Sur les collines de Basse Provence, Cassis se distingue par son vin blanc sec, riche en arômes fruités, mais aussi par son rouge, plus velouté.

Aux portes d'Aix-en-Provence, deux propriétaires se partagent le tout petit vignoble de Palette (dont le fameux Château Simone) qui produit un rouge suave et tannique, parfois qualifié de « bordeaux de la Provence ».

Les coteaux d'Aix-en-Provence donnent des rouges chaleureux, solides, et des rosés secs.

Rouges, rosés ou blancs, les vins des Baux-de-Provence se boivent jeunes.

Sous l'appellation côtes-de-provence (autour du massif de la Ste-Baume notamment) se décline une grande variété de vins rosés.

Enfin, parmi les innombrables vins de pays, ceux de la Petite Crau et de la principauté d'Orange se distinguent par leur qualité.

Un grand cru provençal : Le Château Simone.

Entre mer et garrigue

Au fil des siècles, érosion, fluctuations marines et bouleversements tectoniques se sont conjugués pour façonner la Provence d'aujourd'hui, avec ses paysages vallonnés et ses massifs rocheux, étrangement sculptés par le temps, mais aussi sa mer – la Méditerranée – et ses rivages étonnants. Puis la nature a paré les lieux de sa robe bigarrée ; une nature qui fleure bon le soleil...

Calanque de Sormiou.

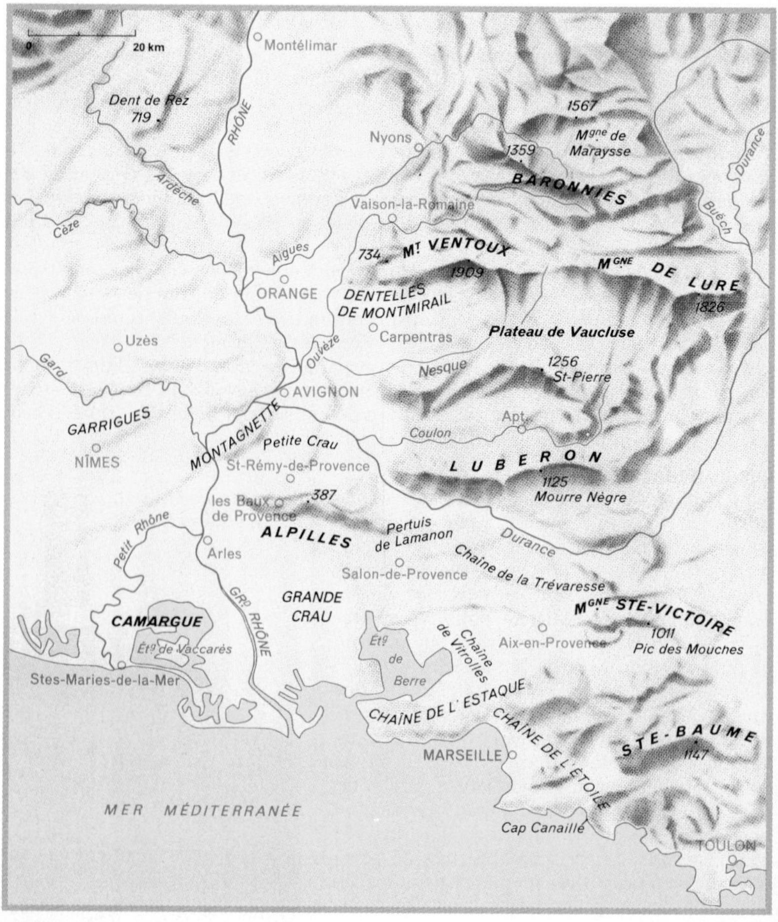

Des paysages accidentés

Plaines fertiles...

Nées des accumulations alluviales, les plaines s'étendent surtout de part et d'autre de la vallée du Rhône. Largement consacrées aux cultures maraîchères, ces riches terres sont quadrillées en petits champs réguliers, abrités du mistral par d'imposantes haies de cyprès, notamment dans le Comtat Venaissin, et la Petite Crau.

Sur la rive gauche du Rhône s'ouvre la Grande Crau, immense désert pierreux parsemé d'une maigre végétation (les « coussous »), où gambadent traditionnellement les grands troupeaux de moutons. Mais depuis l'extension de la zone industrielle de Fos et l'amendement du sol, la valorisation des cultures (oliviers, amandiers, vignes) tend à supplanter le caractère pastoral qui faisait le charme des lieux.

De l'autre côté du fleuve, la Camargue occupe un vaste delta. Entre terre et mer, ses marécages sablonneux (les « sansouires ») se déploient à l'infini, invitation à quelque chevauchée sauvage.

... et reliefs arides

À l'Est du Rhône, l'imposant massif du mont Ventoux domine la plaine comtadine. Sur ses contreforts, les dentelles de Montmirail dressent leurs crêtes finement ciselées. Plus à l'Est s'ouvre le plateau de Vaucluse, vaste étendue karstique creusée d'avens et entaillée par des gorges que parcourt un mystérieux réseau hydrographique souterrain. Dans les sites tourmentés de la longue chaîne du Luberon nichent des villages perchés au charme suranné. D'une beauté plus austère, la chaîne des Alpilles dresse ses escarpements décharnés et sa crête déchiquetée. Vers l'Est, la silhouette de la montagne Ste-Victoire, sculptée elle aussi de grottes et d'avens, semble veiller sur la ville d'Aix. Léchée par la mer, la chaîne de l'Estaque s'avance quant à elle sur la côte, barrière naturelle entre l'étang de Berre et la baie de Marseille, tandis qu'à l'horizon se profile la longue barre rocheuse de la Ste-Baume. De l'autre côté du Rhône, les contreforts des Cévennes s'abaissent en pente douce vers les garrigues de Nîmes. Des causses désolés se succèdent en gradins, terres ingrates entrecoupées de canyons et d'avens.

Des cours d'eau capricieux

Dévalant des Cévennes à l'Ouest (l'Ardèche et le Gard) et des Alpes à l'Est (l'Aigues, l'Ouvèze et la Durance), plusieurs rivières se jettent dans le Rhône. Maigres ruisselets égarés dans un lit trop large aux périodes de sécheresse, ils se muent lors des orages en impressionnantes avalanches d'eau.

Alimentées par des averses d'une violence inouïe, les rivières cévenoles peuvent se gonfler brusquement. On a ainsi vu l'Ardèche monter de 21 m en une journée, son débit passant de 2,5 m^3 par seconde à 7 500 ! Quant aux affluents alpins, presque asséchés les mois d'automne et d'hiver, leur volume explose subitement (dans une proportion de 1 à 180 pour la Durance) à la fonte des neiges.

Montagne Sainte-Victoire.

Un littoral très échancré

De la côte languedocienne au golfe de Fos se déroule l'étonnant rivage de Camargue. Modelées par les courants marins, les alluvions charriées par le Rhône ont formé d'étroits cordons littoraux enserrant des lagunes, vastes étangs parsemés de bancs sableux où s'ébrouent les chevaux.
D'un contraste saisissant, les reliefs calcaires réapparaissent à partir de l'Estaque. De Marseille à La Ciotat, une kyrielle de petites baies découpe la côte, les plus profondes formant des calanques, falaises acérées déclinant au fil des heures toutes les nuances de bruns et orange rougeâtres.

Les eaux de la Méditerranée

Vaste palette mouvante irradiée par les rayons du soleil, les eaux limpides de la Méditerranée font chanter les couleurs, du turquoise au bleu nuit en passant par l'émeraude.
La mer affiche des températures de surface idéales pour la baignade en été (de 20° à 25°), pour fraîchir sensiblement en hiver, où elle ne dépasse guère 12° ou 13°.
Particulièrement salée en raison de son évaporation intense, elle n'est soumise qu'à de faibles marées. Ses flots calmes peuvent aussi se déchaîner en quelques heures lorsque le mistral se lève.

Amandier

Une nature gorgée de soleil

Frondaisons argentées...

Importé par les Grecs il y a 2 500 ans, l'olivier règne en maître sur les sols calcaires et siliceux de Provence. Prospérant sous la douceur du climat méditerranéen, on en dénombre plus de soixante variétés, dont les larges voûtes argentées s'étagent du littoral aux basses pentes, en passant par les vallées.
Les oliveraies cohabitent souvent avec des figuiers, aux effluves sucrés, et des amandiers, qui parent les terres provençales de leur somptueuse floraison dès l'aube des beaux jours.

Olivier

Parmi les multiples variétés de chênes de la région, le chêne blanc (ou pubescent) – aux feuilles caduques, d'aspect cotonneux et blanchâtre – colonise volontiers les fonds de vallées et les versants humides. Il côtoie parfois l'érable, le sorbier et l'alisier, et ses sous-bois cachent nombre d'arbrisseaux et de fleurs, notamment des orchidées.
Mais à l'évocation de la Provence se profile surtout la silhouette des pins : le pin maritime, dont le feuillage sombre et bleuté cache une écorce rouge violacé ; le pin parasol, dont la forme évocatrice jalonne le littoral méditerranéen, aux côtés du pin d'Alep, plus clair et moins touffu. Quant aux cyprès, ils détachent sur l'azur leurs formes sombres, fuseaux effilés pointés en rangs serrés vers le ciel, pyramides ventrues, ou à branches étalées, selon les espèces. Enfin, platanes et micocouliers ombragent les cours et places des villages de leur imposante frondaison.

Cyprès

... et aride garrigue

Terrains pierreux et taillis arides couvrent ici ou là de petites collines à pentes douces, pour se déployer plus amplement au Nord de Nîmes. Une maigre végétation s'accommode de ces landes calcaires.

Pin parasol

Paysage de garrigue.

Lézard des murailles (Lacertidae).

Chênes verts, cistes, buissons épineux de chardons et de genêts, ou encore minuscules chênes kermès hérissent ces sols désolés. La lavande, le thym et le romarin s'immiscent à travers la broussaille, où les troupeaux de moutons gambadent à la recherche d'une modeste pâture.

Ciste blanche (Cistacea).

Des cigales tout l'été

Habitants des terres

Insecte provençal par excellence, la cigale fait retentir de toute part son chant lancinant - chant nuptial du mâle pour attirer sa belle - dès que pointent les beaux jours, chauds et ensoleillés.

Grand amateur de chaleur lui aussi, le lézard paresse au soleil ou niche dans les anfractuosités rocheuses de la garrigue, tel le long lézard ocellé, ou son petit cousin le lézard vert.

Ils y côtoient la couleuvre, des escargots (dont le « petit gris », très prisé des gourmets), la mante religieuse, ou encore la belette.

Sur les pierrailles de la Crau gambadent les moutons mérinos d'Arles, conduits lors de la transhumance par les béliers flouca, parés d'amusantes touffes de laine bleu et rouge, les chèvres du Rove, aux étonnantes cornes torsadées, et des ânes gris.

Quant à la Camargue, connue pour ses manades de taureaux noirs et de majestueux chevaux blancs, elle accueille également le sanglier, le ragondin (rongeur), le renard roux et diverses grenouilles.

Des oiseaux par milliers

Mais la Camargue reste surtout le fief incontesté d'une incroyable colonie d'oiseaux : hérons, aigrettes, sternes, mouettes et goélands, canards bigarrés et, à la place d'honneur, le flamant rose, élégant échassier à la silhouette longiligne.

Plus loin, les falaises des calanques sont le refuge d'une riche avifaune maritime, dont le hibou, le merle bleu ou le martinet.

Faucons et busards, mais aussi chouette et huppe affectionnent plus particulièrement la plaine de la Crau, tandis que l'aigle et la fauvette planent au-dessus de la garrigue.

Un aquarium géant

La Méditerranée recèle aussi bien des fonds peu profonds, sableux ou vaseux, que rocheux et accidentés, plongeant à pic dans les abysses.

Roi de ces mers, le mérou (protégé depuis 1980) passe les premières années de sa vie (il est alors femelle) dans les fonds rocheux du littoral, avant de se réfugier, lorsqu'il atteint l'âge adulte (et devient un mâle), dans des cavités beaucoup plus profondes.

Parmi les innombrables poissons pêchés au large des côtes, on recense loups, daurades, mulets, merlans, bancs de sardines et d'anchois, mais aussi de merlus, grondin rouge, rascasse (plus solitaire), ou encore murène au corps allongé, tapie sous les rochers.

Au grand dam des baigneurs, des méduses (souvent urticantes) envahissent épisodiquement le littoral.

La cigale, symbole de la Provence.

Le feu, ennemi numéro Un

L'engouement touristique pour la Méditerranée et la Provence, conjugué au développement industriel et urbain accéléré de la région, mettent sans cesse en péril son patrimoine naturel.

La menace la plus grave vient des incendies de forêt. On ne compte plus les hectares qui s'envolent chaque année en fumée, par négligence, imprudence ou malveillance humaine. En période de sécheresse, les broussailles des sous-bois et les aiguilles de pins offrent au feu un aliment de choix : à la moindre amorce, tout flambe. Certaines plantes dégagent même des essences très volatiles qui peuvent s'enflammer toutes seules. Et lorsque le vent s'en mêle, la catastrophe devient inéluctable...

De véritables vagues de feu, qui peuvent se déployer sur 10 km de long et 30 m de haut, se propagent inexorablement, progressant de plusieurs kilomètres par heure. Bien souvent, cette course folle ne prend fin que lorsqu'elles rencontrent la mer, à moins que le vent ne tombe subitement, ou ne renverse sa direction.

Vision apocalyptique, elles laissent derrière elles un paysage meurtri. La fumée dissipée, les arbres dressent leurs squelettes calcinés, plantés sur un épais tapis de cendres blanches. Ainsi se modifie peu à peu l'équilibre écologique de la région. La forêt ne cesse de reculer, grignotée par des sols qui demeureront longtemps stériles avant de se régénérer.

Brigade de prévention des feux de forêt.

Les multiples moyens mis en œuvre pour combattre le feu ne suffisent pas à enrayer ce désastre. Seules la prévention (guet méthodique, nettoyage des sous-bois, mise en place de coupe-feu – les abricotiers ne brûlent pas –, etc.) et la sensibilisation du public, notamment des touristes, laissent espérer des résultats significatifs.

Autres fléaux, l'urbanisation et l'industrialisation accélérées ont sensiblement entaché la beauté de plusieurs sites. Le complexe industriel de Fos-sur-Mer dévore la Crau ; l'étang de Berre, qui subit la pollution de la banlieue active de Marseille, est interdit à la pêche depuis 1957. Enfin, la fréquentation automobile croissante a nécessité une extension constante des infrastructures routières, qui lacèrent le paysage et grignotent de plus en plus les espaces sauvages.

Arbres calcinés vers Puyloubier.

Labyrinthes de calcaire

Dans certaines contrées provençales, tel le plateau du Bas-Vivarais, se déroulent de vastes étendues désolées, pierreuses et grises. L'aridité de ces sols calcaires, très poreux, dissimule un monde souterrain en perpétuelle évolution.

Une érosion intense

En s'infiltrant dans le calcaire, les eaux de pluie produisent une action chimique qui dissout la roche. De petites dépressions circulaires se creusent alors, ce sont les cloups (ou sotchs), qui s'élargissent progressivement jusqu'à former des dolines, plus vastes et fermées.

Lorsque le ruissellement fendille la carapace calcaire, l'eau pénètre plus profondément par les fissures et l'érosion façonne des puits, appelés avens ou igues. Peu à peu, ces abîmes naturels se prolongent et se ramifient jusqu'à communiquer entre eux, parfois reliés par des grottes.

De véritables rivières souterraines parcourent ce dédale de galeries. Leur débit s'accélère parfois jusqu'à se précipiter en cascades. Lorsqu'elles s'écoulent plus lentement, les eaux forment de petits lacs, retenus par des barrages naturels (comme les gours) nés de l'accumulation de dépôts calcaires.

Il arrive qu'au-dessus de ces nappes souterraines se poursuive la dissolution de la croûte rocheuse. Des blocs se détachent progressivement de la voûte, qui se rapproche de plus en plus de la surface du sol. C'est le cas de la gigantesque salle supérieure d'Orgnac, haute de 50 m et que quelques dizaines de mètres seulement séparent de la surface du causse. Elle devient parfois tellement mince qu'un éboulement finit par éventrer brusquement la cavité, laissant un gouffre béant.

Aven de Marzal.

Aven d'Orgnac : concrétions de forme géométrique.

Des sculptures naturelles

Au fil de son mystérieux cheminement souterrain, l'eau abandonne le calcaire dont elle s'est chargée en pénétrant dans le sol. Elle édifie ainsi des concrétions dont les formes fantastiques semblent défier les lois de l'équilibre, longs cierges effilés ou figures sinueuses. Ces étranges sculptures naissent du lent amoncellement - de l'ordre de 1 cm par siècle - des dépôts de calcite (carbonate de chaux issu de la dissolution du calcaire) laissés par le suintement des eaux. Ainsi se forment des pendeloques, des pyramides, des draperies, dont les représentations les plus connues sont les stalactites, les stalagmites et les excentriques.

Les stalactites « tombent » de la voûte de la grotte, où chaque gouttelette d'eau perlant au plafond a déposé, avant sa chute ou son évaporation, une partie de la calcite qu'elle contenait. De même nature, les stalagmites « montent » du sol, s'élevant là où le goutte-à-goutte s'est écoulé sans relâche. Lorsqu'une stalactite et une stalagmite se rencontrent, leurs extrémités se rejoignent en une colonne.

Autres protubérances, les excentriques se forment dans les grottes par cristallisation, sans se soucier des lois de la pesanteur. Elles se développent dans tous les sens, dessinant de minces rayons ou de petits éventails translucides qui dépassent rarement 20 cm de longueur. Les plus étonnants se cachent dans les avens d'Orgnac et de Marzal, ainsi que dans la grotte de la Madeleine.

Ce fascinant monde souterrain, dont l'exploration méthodique et scientifique a déjà permis de belles découvertes, recèle encore d'innombrables mystères...

Le savoir-faire provençal

Révolution agricole, industrialisation accélérée, développement d'un tourisme de masse, urbanisation galopante : l'économie provençale a subi depuis un demi-siècle des mutations considérables, sans renier pour autant son savoir-faire séculaire.

Le « jardin de la France »

L'agriculture spéculative moderne a largement supplanté la culture traditionnelle, l'élevage du mouton et la cueillette, qui assuraient jadis la subsistance des petits paysans provençaux.

Hormis les cultures maraîchères, qui prospèrent grâce à la douceur du climat, les riches terres de Provence assurent d'abondantes récoltes de blé, de riz, mais aussi de maïs et de colza. Mais hélas, les vieux moulins chers à Daudet ont disparu, remplacés par des minoteries urbaines.

Le vignoble prospère lui aussi dans les plaines, où il produit quantité de vins ordinaires, peu comparables avec ceux des coteaux. Sous leur appellation commune, les côtes-du-rhône déclinent en effet des crus plus délicats.

Aux arômes des herbes de Provence, qui poussent à l'état sauvage (thym, romarin, sarriette) ou font l'objet d'une culture minutieuse (basilic, marjolaine, estragon), se mêlent ceux, non moins subtils, des vergers de tilleul, dont les fleurs séchées font d'agréables infusions, et de l'amandier, qui se rencontre sur tout le littoral méditerranéen.

Fête de la transhumance.

Enfin, sur les sols calcaires ensoleillés, le manteau mauve des champs de lavande ondule au gré du vent, exhalant leur senteur délicate. Après la récolte, l'été, on laisse les fleurs sécher, avant de les distiller à l'alambic. L'essence ainsi obtenue – 1 litre seulement pour 100 kg de fleurs ! – est utilisée en parfumerie.

Quant à l'élevage de moutons, les producteurs l'ont résolument tourné vers la viande, plus rentable que la laine. Les troupeaux se contentent de la modeste pâture des garrigues ou de la Crau, qu'ils glanent en parcourant d'immenses territoires. L'été, ils trouvent refuge dans la fraîcheur du Larzac ou de la montagne lozérienne, certains gagnant même les Alpes ; une transhumance... aujourd'hui motorisée.

Oliveraie des Alpilles.
Vignes en automne.
Champ de lavande vers Sault.

Retour de pêche.

Pêcheurs de la Belle Bleue

Reléguée à une place marginale dans l'économie de la région, la pêche souffre bien souvent de la pollution des eaux. Néanmoins, plusieurs milliers de tonnes de sardines, d'anchois, de maquereaux et d'anguilles se déversent chaque année dans les ports provençaux. Sur les quais, animés par le va-et-vient des marins débarquant leurs cargaisons et faisant sécher leurs filets, les cris des vendeurs et des poissonniers se mêlent dans une ambiance digne des romans de Pagnol.

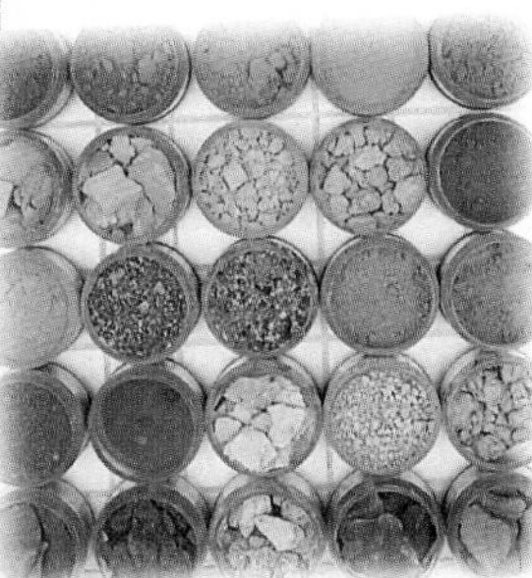

Gamme de teintes d'ocre naturelle.

Industries d'hier et d'aujourd'hui

Dans un élan spectaculaire depuis 1930, la Provence s'est hissée parmi les grandes régions industrielles de France.

Les zones industrielles ont fleuri entre Marseille et Aix, autour de l'étang de Berre et du port de Fos, ainsi que dans les basses vallées du Rhône et de la Durance. Elles offrent une panoplie complète d'activités, les secteurs les plus modernes (pétrole, aéronautique, électronique, nucléaire, chimie) côtoyant les industries traditionnelles (construction navale, bâtiment, agro-alimentaire, savonnerie, salins, ou encore confiserie et conserveries de fruits).

Fleuron de ces industries séculaires, la production d'huile d'olive. Généralement cueillies encore vertes pour les conserves, les olives ne sont récoltées qu'à maturité, lorsqu'elles prennent une couleur brun violacé, pour faire l'huile. Broyées entières, avec les noyaux, elles donnent une pâte, que l'on répartit sur une série de disques empilés placés sous le puissant piston d'une presse hydraulique. Le mélange d'huile et d'eau qui s'écoule est ensuite pompé vers des centrifugeuses, afin d'en séparer les deux composants. On obtient ainsi une huile vierge, par « première pression » à froid. Pendant longtemps, on actionnait les presses à la main et le cheval faisait tourner la meule. Rebroyé avec de l'eau tiède, le résidu de la première pression, ou « grignon », produisait alors une huile dite de « deuxième pression », utilisée notamment dans la fabrication du savon.

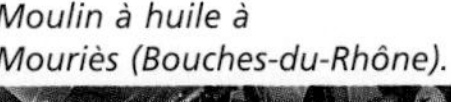

Moulin à huile à Mouriès (Bouches-du-Rhône).

Autre production ancestrale, l'ocre d'Apt-Roussillon et du Vaucluse est réputée pour sa qualité par-delà les frontières. Après traitement du minerai brut, on obtient une poudre fine, constituée d'argile et d'oxyde de fer, qui sert de base aux peintures et badigeons. On peut encore la cuire pour en foncer la teinte et faire des ocres rouges, dites « calcinées ».

Un peu d'histoire

À la croisée des civilisations française et italienne, la Provence fut le théâtre de guerres et d'annexions, mais aussi de relations culturelles et commerciales rayonnantes : Grecs et Romains laissèrent leur empreinte dans la région... dont l'agriculture, l'art et l'architecture continuent de fleurir.

Préhistoire et antiquité

Avant J.-C.

- **Vers 6000** – Néolithique cardial (du mot *cardium*, coquillage utilisé dans la décoration des poteries) : sites de Châteauneuf-lès-Martigues et de Courthézon.
- **Vers 3500** – Chasséen : apparition de véritables éleveurs-agriculteurs vivant dans des villages.
- **1800-800** – Âge du bronze. Les Ligures.
- **8e-4e s.** – Installation progressive des Celtes.
- **Vers 600** – Fondation de Massalia (Marseille) par les Phocéens.
- **4e s.** – Apogée de Massalia ; voyages du navigateur massaliote Pythéas dans les mers du Nord.
- **125-122** – Conquête de la Gaule méridionale par les Romains. Destruction d'Entremont et fondation d'Aix.
- **102** – Victoire de Marius sur les Teutons.
- **58-51** – Conquête de la Gaule chevelue par César.
- **27** – Auguste organise la Narbonnaise.

Peinture d'équidé de la grotte Cosquer.

Après J.-C.

- **284** – La Narbonnaise est divisée en deux provinces : Narbonnaise sur la rive droite du Rhône, Viennoise sur la rive gauche.
- **4e s.** – Apogée d'Arles. Mise en place des diocèses.
- **416** – Jean Cassien, venu d'Orient, fonde l'abbaye St-Victor de Marseille.

Formation du comté de Provence

Sceau de Raymond VI, comte de Toulouse.

- **471** – Prise d'Arles par les Wisigoths.
- **536** – Cession de la Provence aux Francs.
- **843** – Traité de Verdun : la Provence, la Bourgogne et la Lorraine reviennent à Lothaire.
- **855** – Création d'un royaume de Provence au profit de Charles, 3e fils de Lothaire.
- **2e moitié du 9e s. et 10e s.** – Incursions répétées des Sarrasins, des Normands et des Hongrois.
- **879** – Boson, beau-frère de Charles le Chauve, roi de Bourgogne et de Provence.
- **1032** – Rattachement de la Provence au Saint Empire romain germanique. Les comtes de Provence, cependant, jouissent d'une indépendance effective.

Saint Louis s'embarquant pour la croisade, au port d'Aigues-Mortes.

• **1125** – Partage de la Provence entre les comtes de Barcelone et de Toulouse. La Provence vit en union assez étroite avec le Languedoc, qui pratique la même langue (d'oc) et des coutumes semblables.
La croisade contre les Albigeois entraîne l'union tardive des partis catalan et toulousain – qui se disputaient jusqu'alors la Provence – face aux « envahisseurs » du Nord, mais la défaite de Muret (1213) ruine tout espoir d'une Occitanie unie.

• **Vers 1135** – Les villes sont devenues des puissances locales depuis le début du 12e s. ; elles élisent des consuls dont le pouvoir s'est accru au détriment des seigneurs traditionnels (évêques, comtes et vicomtes). Au 13e s., elles gagnent progressivement leur indépendance.

haut en bas, les papes oît XII, Jean XXII, nent VI, cent VI, Urbain V, goire XI, nent VII et oît XIII (palais papes, Avignon).

• **1229** – L'expédition de Louis VIII (siège d'Avignon en 1226) et le traité de Paris (1229) aboutissent à la création de la sénéchaussée royale de Beaucaire ; la rive droite du Rhône est désormais terre royale. À l'Est, le comte catalan Raimond-Bérenger V maintient son autorité et dote la Provence d'une organisation administrative ; lui-même réside souvent à Aix.

• **1246** – Charles Ier d'Anjou, frère de Saint Louis, épouse Béatrice de Provence, fille du comte de Barcelone, et devient comte de Provence. Son gouvernement est apprécié : la sécurité est rétablie, une administration honnête gère les affaires publiques et la prospérité reprend.

• **1248** – Saint Louis s'embarque à Aigues-Mortes pour la 7e croisade.

• **1274** – Cession du Comtat à la papauté par le roi de France.
Durant la première moitié du 14e s., les successeurs de Charles Ier, Charles II et Robert, poursuivent une politique d'ordre et de paix.

• **1316-1403** – Avignon devient la ville phare, où l'évêque Jacques Duèse, élu pape sous le nom de Jean XXII en 1316, décide de se fixer. Déjà Clément V résidait depuis 1309 dans le Comtat et bénéficiait de la « protection » du roi de France ; aussi l'acte de Jean XXII fut confirmé par son successeur Benoît XII qui entreprit la construction d'une nouvelle résidence pontificale. Le séjour des papes en Avignon se traduit par un essor et un rayonnement extraordinaires de la ville pendant près d'un siècle.

• **1348** – Clément VI achète Avignon à la reine Jeanne 1re d'Anjou. Épidémie de peste noire.
La Provence entre dans une phase difficile. Hormis la famine et la peste, les ravages des grandes compagnies (les routiers) et l'instabilité politique due à la faiblesse de la reine Jeanne (petite-fille du roi Robert, assassinée en 1382) affaiblissent gravement le pays. Après une violente querelle de succession, Louis II d'Anjou (neveu du roi de France Charles V) rétablit la situation en 1387. La pacification est provisoirement ralentie par les agissements d'un seigneur turbulent, le vicomte de Turenne, qui pille et rançonne le pays (1389-1399). La tranquillité ne revient définitivement qu'au début du 15e s.

• **1409** – Fondation de l'université d'Aix qui est élevée au rang de capitale administrative avec un sénéchal et une Cour des maîtres rationaux (officiers chargés de la gestion des finances du comté).

• **1434-1480** – Règne du roi René, oncle de Louis XI. Fils cadet de Louis II d'Anjou († 1417), il hérite de la Provence à la mort de son frère (1434). Son règne laissera un souvenir heureux, car il coïncide avec une période de restauration politique et économique qui se fait sentir dans toute la France. Poète et amateur d'art éclairé, il attire quantité d'artistes à Aix, qui prend en quelque sorte le relais de l'Avignon des papes.

• **1450** – Jacques Cœur installe ses comptoirs à Marseille.

• **1481** – Charles du Maine, neveu de René d'Anjou, laisse par testament la Provence à Louis XI.

La Peste devant l'hôtel de ville, à Marseille *(tableau de M. Serre, musée des Beaux-Arts de Marseille).*

Les états de Provence

• **1486** – Les états de Provence, réunis à Aix, ratifient la réunion de la Provence à la France.
• **1501** – Institution du Parlement d'Aix, cour souveraine de justice qui s'arroge des prérogatives politiques.
• **1524-1536** – Invasion de la Provence par les Impériaux (soldats de l'Empire germanique).
• **1539** – Édit de Villers-Cotterêts imposant l'usage du français pour les actes administratifs.
• **1545** – Massacre des Vaudois hérétiques du Luberon.

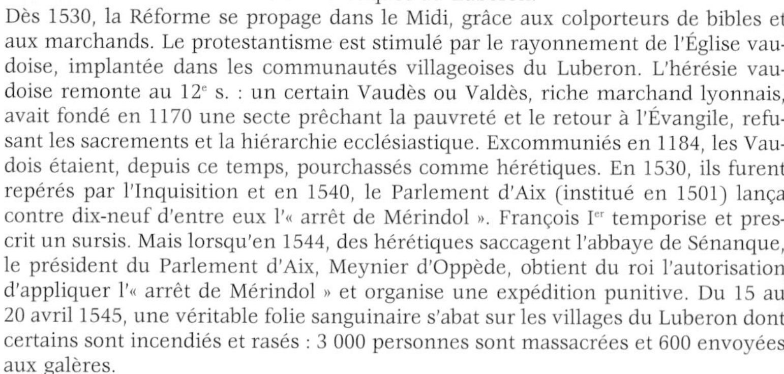

Dès 1530, la Réforme se propage dans le Midi, grâce aux colporteurs de bibles et aux marchands. Le protestantisme est stimulé par le rayonnement de l'Église vaudoise, implantée dans les communautés villageoises du Luberon. L'hérésie vaudoise remonte au 12e s. : un certain Vaudès ou Valdès, riche marchand lyonnais, avait fondé en 1170 une secte prêchant la pauvreté et le retour à l'Évangile, refusant les sacrements et la hiérarchie ecclésiastique. Excommuniés en 1184, les Vaudois étaient, depuis ce temps, pourchassés comme hérétiques. En 1530, ils furent repérés par l'Inquisition et en 1540, le Parlement d'Aix (institué en 1501) lança contre dix-neuf d'entre eux l'« arrêt de Mérindol ». François Ier temporise et prescrit un sursis. Mais lorsqu'en 1544, des hérétiques saccagent l'abbaye de Sénanque, le président du Parlement d'Aix, Meynier d'Oppède, obtient du roi l'autorisation d'appliquer l'« arrêt de Mérindol » et organise une expédition punitive. Du 15 au 20 avril 1545, une véritable folie sanguinaire s'abat sur les villages du Luberon dont certains sont incendiés et rasés : 3 000 personnes sont massacrées et 600 envoyées aux galères.

• **1555** – Nostradamus, né à St-Rémy, publie les *Centuries astrologiques*.
• **1558** – L'ingénieur salonnais Adam de Craponne fait creuser le canal qui porte son nom.
• **1567** – Massacre de la Michelade à Nîmes : 200 prêtres ou notables catholiques sont assassinés.

Le protestantisme continue à se répandre en dépit des massacres. Ses bastions se concentrent à l'Ouest du Rhône (Vivarais, Cévennes, Nîmes et Uzès) et dans la principauté d'Orange. En 1560, l'affrontement devient inévitable : nombre d'églises et d'abbayes sont saccagées par les huguenots tandis que les catholiques ripostent. Dans le tumulte des représailles réciproques, deux camps se dessinent nettement : la Provence adopte majoritairement le catholicisme, tandis que le Languedoc-Cévennes, sous la houlette des marchands et des artisans du textile qui animent le mouvement réformé, adhère à la cause protestante, dont Nîmes est le flambeau. L'âpreté de ces guerres de religion, qui se poursuivent encore au moment de l'insurrection des camisards (1702-1704), restera à jamais gravée dans la mémoire collective de ces peuples.

• **1622** – Louis XIII visite Arles, Aix et Marseille.
• **1660** – Louis XIV entre solennellement dans Marseille.
• **1685** – Révocation de l'édit de Nantes.
• **1713** – La principauté d'Orange, possession de la famille de Nassau depuis 1559, est acquise par la France au traité d'Utrecht.
• **1720** – La grande peste, partie de Marseille, décime les populations provençales.
• **1771** – Suppression du Parlement d'Aix.

La Marche des Marseillais, *illustration de A. Newton (18e s.).*

De la Révolution à nos jours

• **1790** – L'Assemblée constituante décide la création de trois départements dans le Sud-Est de la France : les Basses-Alpes (ch.-l. : Digne), les Bouches-du-Rhône (ch.-l. : Aix) et le Var (ch.-l. : Toulon).

• **1791** – Avignon et le Comtat Venaissin sont réunis à la France.

• **1792** – 500 volontaires marseillais défilent dans Paris au chant de l'armée du Rhin qui s'appellera *La Marseillaise.*

• **1815** – Chute de Napoléon. Assassinat du maréchal Brune à Avignon par des fanatiques royalistes (Terreur blanche).

• **1854** – Fondation du Félibrige, école littéraire provençale.

• **1859** – Frédéric Mistral publie le poème provençal *Mireille.*

• **1933** – Création de la Compagnie nationale du Rhône pour l'aménagement du fleuve.

• **1942** – Invasion de la Provence par les troupes allemandes le 11 novembre.

• **1944** – Débarquement des armées alliées le 15 août sur la Côte d'Azur.
Du 23 au 28 août, les troupes du général de Montsabert, aidées par les forces de la Résistance, libèrent Marseille de l'occupation allemande.

• **1962** – Mise en service des premières usines de l'aménagement hydroélectrique de la Durance.

• **1965** – Début de la construction de l'ensemble portuaire de Fos.

• **1970** – Marseille relié à Paris par les autoroute A 6 et A 7. Création du Parc naturel régional de Camargue.

• **1977** – Mise en service à Marseille de la première ligne du métropolitain.
Création du Parc naturel régional du Luberon.

• **1981** – Desserte de Marseille par le TGV.

• **1991** – Découverte dans la calanque de Sormiou, au Sud de Marseille, de la grotte ornée aujourd'hui appelée grotte Cosquer.

• **1993** – L'Olympique de Marseille est le premier club français à remporter une coupe européenne de football.

• **1994** – Découverte dans les gorges de l'Ardèche d'une grotte ornée aujourd'hui appelée grotte Chauvet.

• **1999** – Marseille fête ses 2 600 ans d'existence.

Affiche de David Dellepiane pour l'Exposition coloniale de 1906.

Arc de triomphe d'Orange.

La Provence antique

Aucune autre région de France ne conserve de telles traces de son passé antique : cela tient bien sûr à l'empreinte romaine, plus profonde et durable que dans tout le reste de la Gaule, mais aussi à l'exceptionnel état de conservation des monuments. Hormis les Romains, les autochtones celto-ligures, avec leurs oppidums, les Étrusques et les Grecs, avec leurs comptoirs, ont marqué l'histoire de la Provence antique.

Nos ancêtres les Ligures

Têtes celto-ligures trouvées à l'oppidum d'Entremont (musée Granet, Aix-en-Provence).

Aux Ligures, qui peuplent la région dès l'âge du bronze (1800 à 800 avant J.-C.), viennent se mêler des Celtes au 7e s., puis surtout aux 5e et 4e s. De ce brassage naissent les Celto-Ligures, qui s'installent progressivement sur les hauteurs, où ils édifient de véritables villes fortifiées : les oppidums.

Ils y vivent dans des maisons très simples, en pierre et brique crue, organisées selon un plan régulier à l'intérieur d'une enceinte, et se consacrent essentiellement à l'agriculture, à l'élevage et à la chasse.

Parmi les vestiges qu'ils nous ont laissés : leur statuaire, qui célèbre volontiers les guerriers morts, héros protecteurs de la cité. Il était en outre du dernier chic d'incruster dans le linteau de sa porte les têtes des ennemis vaincus ou, à défaut, leur représentation sculptée.

La bosse du commerce

Si les Rhodiens ne laissent guère que leur nom au grand fleuve provençal, Rodhanos, et si les Étrusques se limitent à quelques échanges commerciaux, les Phocéens, venus d'Asie Mineure (Ionie), sont les premiers à fonder une colonie permanente, vers 600 : Massalia, l'actuelle Marseille.

Peu à peu, la civilisation hellénique se diffuse dans toute la région. Son influence accélère notamment l'évolution de l'économie (introduction de la monnaie) et de la société (techniques de construction). Mais au 2e s., les relations commencent à se gâter entre les autochtones et la cité phocéenne, et la confédération salyenne (qui regroupe les peuplades provençales) réagit à « l'impérialisme massaliote ».

Rome à la rescousse

La cité phocéenne obtient en 154 la protection de Rome face aux menaces gauloises, et, dès 125, alors que la montée en puissance de l'empire arverne met en péril la sécurité du Midi de la Gaule, clé du trafic entre l'Italie et l'Espagne, les légions romaines ne se font pas prier pour répondre à l'appel des Massaliotes : elles soumettent facilement les Voconces de Vaison, puis les Salyens d'Entremont et,

Bas-relief gallo-romain, scène de halage.

après avoir fondé le camp d'Aquae Sextiae (Aix) en 122, infligent une sanglante défaite aux Arvernes et aux Allobroges.

La Transalpine, une nouvelle province – bientôt nommée la Narbonnaise, en référence à la première colonie romaine (Narbonne) – définie en 118 par le consul Domitius Ahenobarbus, reçoit le statut de *Provincia Romana* : la Provence en tirera sans doute son nom et, pour l'heure, Massalia conserve son indépendance et son territoire.

Des chemins qui mènent à Rome

Sitôt installés en Provence, les Romains mettent en place des voies de communication terrestres dont le tracé suit celui de chemins antérieurs (sentiers tracés par les Gaulois, ou drailles empruntées par les troupeaux). Pavées à l'entrée des villes, elles sont en rase campagne couvertes d'un paletage très compact, et jalonnées de ponts de bois ou de pierre, de bornes milliaires et de relais.

Trois grandes voies romaines sillonnent ainsi la Provence : la voie Aurélienne *(via Aurelia)* relie Rome au Rhône, en longeant la côte par Antibes, Fréjus, Aix et Salon-de-Provence, pour rejoindre la voie Domitienne à Tarascon ; la voie Domitienne *(via Domitia)* relie l'Italie du Nord à l'Espagne, en passant par Briançon, Gap, Sisteron, Apt, Cavaillon, Tarascon, Nîmes, Béziers, Narbonne et Perpignan. Enfin, la route d'Agrippa part d'Arles et suit la rive gauche du Rhône en direction de Lyon, en passant par Avignon et Orange.

Marius et César : la Paix romaine

En 102 avant J.-C., Marius vainc près d'Aix les Cimbres et les Teutons. Un juste retour des choses, après la cuisante défaite infligée par ces derniers aux légions romaines, à Orange, trois ans auparavant.

Dès lors, la domination romaine s'étend de manière irréversible sur le pays, avec son lot d'abus et de spoliations. La Gaule transalpine s'intègre rapidement au monde romain et soutient César sans états d'âme pendant la guerre des Gaules (58 à 51).

Mais dans la lutte qui oppose ensuite le général victorieux à son rival, Pompée, Marseille mise sur le perdant : assiégée (49 avant J.-C.), puis envahie, elle perd son indépendance, à l'heure où des villes comme Narbonne, Nîmes, Arles et Fréjus prennent leur envol.

Guerrier de Roquepertuse (musée d'Archéologie méditerranéenne de Marseille).

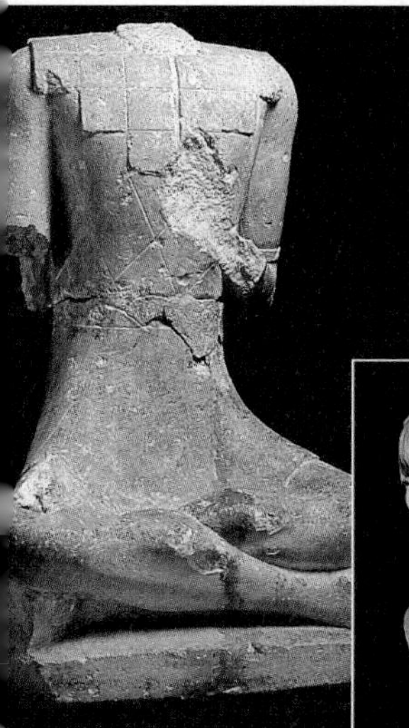

...du républicain Caius Marius ... de la Civilisation romaine, Rome).

La civilisation gallo-romaine connaît son apogée entre les 1er et 3e s., sous l'impulsion de l'empereur Auguste, et plus tard, d'Antonin le Pieux, nîmois d'origine. L'agriculture demeure la première activité de la Provence, tandis que le commerce enrichit les villes – Arles en particulier, qui profite de la disgrâce de Marseille. Cette prospérité urbaine se manifeste bientôt dans la vie quotidienne, entièrement tournée vers le confort, le luxe et les loisirs, dont témoignent encore nombre de vestiges.

Colonnes du théâtre antique d'Arles.

LA MAISON ROMAINE
Un large seuil donne accès au vestibule et au corridor. De là, on entre dans l'*atrium* **(1)**, grande salle dont la partie centrale, à ciel ouvert *(compluvium)*, est creusée d'un bassin *(impluvium)* alimenté par les eaux de pluie. Tout autour s'agencent une salle de réception **(2)**, le laraire (oratoire privé) et le *tablinum* du chef de famille (cabinet de travail). On pénètre ensuite par un couloir dans le péristyle **(3)**, cour verdoyante marquant le cœur de la partie strictement familiale de la maison. Sur ce havre de paix ouvrent les chambres, le *triclinium* **(4)** (la salle à manger) et le grand salon *(œcus)*.

Fonder une ville

Peu de villes sont créées *ex nihilo* par les Romains, la plupart succédant à un établissement indigène, plus ou moins hellénisé.
La fondation d'une ville romaine suit des règles bien précises : on détermine tout d'abord le centre de la future cité, puis on trace deux axes majeurs, le *cardo maximus* (orienté Nord-Sud) et le *decumanus maximus* (Est-Ouest). À partir de ces axes perpendiculaires se définit un quadrillage régulier, dont les mailles forment théoriquement des carrés d'une centaine de mètres de côté. À de rares exceptions près – comme Nîmes, Arles et Orange, qui se voient octroyer le privilège honorifique de s'entourer de remparts –, les villes restent ouvertes : à quoi bon des fortifications, puisque la « pax romana » règne désormais sur la contrée ?

Le forum, cœur de la cité

Autour de la grande place publique, entourée de portiques, s'agencent les bâtiments publics : le temple du culte impérial, la basilique (où l'on ne traite pas de religion, mais des affaires judiciaires et commerciales), la curie (où siègent les magistrats municipaux) et, parfois, une prison. Bref, ce que l'on nommerait aujourd'hui une cité administrative.

Des rues bien étudiées

Heureux temps où le piéton est roi ! Les promeneurs déambulent à l'ombre de portiques, qui les protègent également de la pluie. Bordée de caniveaux et revêtue de grandes dalles, la chaussée est en outre hérissée de bornes plates, de même hauteur que les trottoirs pour permettre aux piétons de traverser la rue sans effort, et séparées par un espace calculé pour laisser passer les chevaux et les roues des chars.

Demeures urbaines

Les fouilles de Vaison, de Glanum ou du quartier de la Fontaine à Nîmes ont révélé divers types de maisons : petite maison bourgeoise, maison de rapport à étages ouverte sur une cour intérieure, boutiques. Mais la plus imposante reste sans conteste l'habitation patricienne, grande et luxueuse demeure dont la sobriété de façade – seules de rares fenêtres rompent la nudité des murs – dissimule un riche intérieur, orné de mosaïques, de peintures, de statues et de marbre.

Les arcs

Improprement appelés arcs « de triomphe », les arcs « municipaux » provençaux d'Orange, des Antiques (près de St-Rémy), de Carpentras et de Cavaillon commémorent la fondation des cités et les exploits des vétérans légionnaires, et non, comme à Rome, le passage des généraux victorieux.

Cadastre romain d'Orange (musée municipal, Orange).

Mosaïque gallo-romaine de la villa du Paon à Vaison-la-Romaine (musée archéologique Théo-Desplans).

De l'eau, de l'eau !

Afin d'acheminer l'eau dans les villes, les Romains édifient des aqueducs, parfois grandioses, comme le Pont du Gard.

Il s'agit notamment d'alimenter les thermes. Expression d'un art de vivre raffiné, ces établissements de bains sont avant tout un lieu de détente : on s'y retrouve entre amis pour pratiquer des exercices physiques, flâner, lire ou écouter des conférences. Bref, on y passe une bonne partie de son temps. Dans ce cadre luxueux – colonnes et chapiteaux colorés, mosaïques, revêtements de marbre, fresques murales et statues – on se consacre au seul bien-être du corps et de l'esprit.

En sous-sol, foyers et hypocaustes assurent le chauffage des salles et de l'eau : l'air chauffé par la combustion du bois circule dans les murs par un système de tubulures, tandis qu'un circuit de canalisations distribue l'eau dans les différents bains.

Lors d'une journée aux thermes, le baigneur commence par s'enduire le corps d'huile, pour se livrer à quelques exercices d'échauffement dans le *palestre* (gymnase), avant de passer dans la salle tiède *(tepidarium)*. Là, il se nettoie la peau à l'aide de spatules métalliques *(strigiles)*. Dans le *caldarium* (salle chaude) l'attendent bain de vapeur, bain chaud collectif et massages. Ragaillardi par les bains glacés du *frigidarium* (salle froide), il ne lui reste plus qu'à se rhabiller pour aller s'adonner aux jeux de l'esprit dans les salles annexes.

Entrez dans les ordres

Dérivés des ordres grecs, les trois ordres architecturaux romains s'en distinguent néanmoins par quelques détails. Employé à l'étage inférieur des monuments, le **dorique** romain (ou toscan), jugé trop sévère pour son aspect simple et massif, ne se rencontre que rarement. De même, les architectes ont souvent dédaigné l'**ionique**, très élégant – avec ses chapiteaux ornés de deux volutes latérales – mais pas assez pompeux à leur goût. Seul le **corinthien** semble avoir eu leur faveur, pour la richesse de son ornementation. On le reconnaît aux deux rangs de feuilles d'acanthe, entre lesquelles s'élèvent des volutes, qui ornent ses chapiteaux. Quant à l'ordre **composite**, c'est une synthèse de l'ionique et du corinthien.

ois ordres ;
uche à droite :
ue, ionique
rinthien.

Canalisations du Pont du Gard, vues de dessus et de l'intérieur.

Théâtre antique de Vaison-la-Romaine.

Jeux du cirque et des arènes

Après une journée aux thermes, rien de tel qu'un bon spectacle. Au cirque, long espace rectangulaire, arrondi aux extrémités, se déroulent les courses de chars et de chevaux.Les sanglants combats de gladiateurs et de fauves ont lieu dans l'amphithéâtre (ou arène). À l'extérieur se dessinent deux niveaux d'arcades surmontés d'un étage réduit, l'attique, où l'on amarre une immense voile *(velum)* pour abriter les spectateurs à l'ombre. À l'intérieur, un mur protège les spectateurs des premiers gradins contre les bonds des bêtes féroces lâchées sur la piste. Au-dessus s'élèvent les gradins *(cavea)*, attribués à chacun selon sa classe sociale : tout est conçu pour éviter qu'un notable ne se trouve nez à nez avec un esclave ou un affranchi.

L'ART D'ACCOMMODER LES RESTES
Les arènes d'Arles et de Nîmes sont aujourd'hui le théâtre des manifestations les plus diverses : corridas et courses camarguaises, spectacles de variété, rencontres de coupe Davis, grandes représentations d'opéra...
Le théâtre d'Arles accueille aussi des concerts, celui d'Orange offre son cadre somptueux aux fameuses Chorégies.

Au théâtre ce soir

Les gradins du théâtre romain s'étagent en demi-cercle autour de l'*orchestra*, espace réservé aux sièges des dignitaires. Au fond de la scène, surélevée, se dresse un mur percé de trois portes par lesquelles les acteurs font leur entrée ; richement décoré de colonnes, niches à statues (dont celle de l'empereur, au centre), revêtements de marbre et mosaïques, il constitue souvent la plus belle partie de l'édifice. Derrière s'alignent les loges des acteurs et les magasins d'accessoires, qui cachent un jardin où les spectateurs peuvent se promener à l'entracte.

Un ingénieux système permet de changer rapidement les décors en les faisant coulisser. Quant aux acteurs, ils peuvent disparaître de scène ou surgir du sous-sol grâce à des trappes, ou encore, descendre du ciel et monter aux nues. Les machinistes savent aussi produire des fumées, des éclairs et du tonnerre...

L'excellente acoustique est obtenue par divers moyens. Dans les masques des acteurs, la bouche forme porte-voix. Au-dessus de la scène, un grand toit incliné rabat les sons qui se diffusent harmonieusement sur la courbe des gradins, tandis que les colonnades rompent l'écho et que des vases résonateurs, répartis sous les gradins, font office de haut-parleurs. Enfin, les portes de la scène, creuses, forment d'efficaces caisses de résonance lorsque les acteurs s'y adossent.

Statuette de gladiateur de la catégorie des Samnites (musée de l'Arles antique, Arles).

Lampe à huile : combat de gladiateurs (musée de l'Arles antique, Arles).

Acrotères en forme de masque tragique (musée de l'Arles antique, Arles).

Acrotères en forme de masque tragique (musée de l'Arles antique, Arles).

…n avec masques …céniques (musée archéologique Théo-Desplans, Vaison-la-Romaine).

Le chant du cygne

Après les incertitudes du 3e s., les 4e et 5e s. apportent des transformations religieuses et politiques considérables.

Au cours du 3e s., la Provence doit faire face à une série d'invasions (Allamans et Vandales) qui mettent à mal sa prospérité et le bel ordonnancement de la Paix romaine : déclin des villes (comme Nîmes et Glanum, abandonnée par ses habitants), appauvrissement des campagnes et insécurité entraînent une nouvelle occupation des sites de hauteur, abandonnés depuis trois siècles. Partout, des remparts s'élèvent.

Le christianisme – qui semble ne pas être apparu avant la fin du 2e s. – triomphe des autres religions après la conversion de Constantin. Ce dernier fait d'Arles sa ville favorite en Occident, la dotant notamment d'un palais impérial et de thermes. Véritable centre commercial où s'élaborent tissus, orfèvrerie, sarcophages, armes et navires, *Arelate* (qui faillit bien devenir *Constantina*, en hommage à son bienfaiteur) devient un important centre politique (Préfecture des Gaules en 395), puis religieux, en accueillant dans ses murs 19 conciles. Cette prospérité se prolonge jusqu'en 471, date de la prise de la ville par les Wisigoths. Pendant ce temps, Marseille redevient un port actif et Aix un important centre administratif.

La fin de la civilisation gallo-romaine

La prise d'Arles par les Wisigoths marque la fin de la civilisation gallo-romaine, en dépit d'une tentative de « restauration » menée par les Ostrogoths, qui remettent en vigueur les institutions romaines entre 476 et 508.

La vie religieuse poursuit son essor : les conciles se multiplient dans les villes de Provence, prescrivant notamment la création d'une école par paroisse afin de parfaire l'évangélisation des campagnes.

L'évêque d'Arles, Césaire, jouit d'un immense prestige en Gaule. En 536, la Provence entre dans le royaume franc et subit le sort incertain des autres provinces, ballottées au gré des partages successoraux de la dynastie mérovingienne. La décadence s'accélère.

La première moitié du 8e s. n'est que confusion et tragédies : Arabes et Francs transforment la région en véritable champ de bataille ; et, entre 736 et 740, Charles Martel la soumet avec une brutalité inouïe.

En 855 est érigé un royaume de Provence, dont les contours correspondent à peu près au bassin rhodanien. Mais, affaibli par la menace des Sarrasins et des Normands, il ne tarde pas à échoir aux rois de Bourgogne. Leurs possessions – du Jura à la Méditerranée – sont placées sous la protection des empereurs germaniques, qui en héritent en 1032. Cette date capitale fait de la Provence une terre d'empire.

Boucle de ceinture de saint Césaire, évêque d'Arles (musée de l'Arles antique, Arles).

Mireille et Vincent (museon Arlaten, Arles).

Une langue qui chante

Enfants du pays ou épris de cette terre de soleil, poètes et écrivains ont sans cesse puisé en Provence une inspiration féconde. Qu'ils chantent la nature, la vie quotidienne ou l'amour, beaucoup s'expriment en provençal, ce dialecte occitan dont l'accent mélodieux traduit si bien leurs sentiments...

L'art des troubadours

Folquet de Marseille (manuscrit du 13e s.).

Dérivé du latin vulgaire parlé à la fin de l'Empire romain, le provençal s'impose vers le 10e s. dans la littérature. Langue d'oc, ou occitan, parlée dans le Midi, il se distingue de la langue d'oïl (du Nord), ainsi nommées d'après leurs façons respectives de dire « oui ».

L'âge d'or de l'occitan

L'occitan doit sa fixation et son rayonnement au succès de la littérature courtoise au 12e s. De Bordeaux jusqu'à Nice, c'est l'Occitanie tout entière qui chante l'art des troubadours. Ses poètes, comme les Provençaux Raimbaut d'Orange, la comtesse de Die, Raimbaut de Vaqueiras ou Folquet de Marseille, sont appréciés jusque dans les cours étrangères. Source d'inspiration intarissable, l'amour – un amour courtois – se déclame avec patience et discrétion, longue suite de vers pleins d'inquiétude et d'espoir.

Au 13e s., les écrivains cultivent un autre genre, plus mordant bien que parfois élégiaque : le sirventès (poème satirique) et, en prose, les fameuses vidas (vies) des troubadours.

L'occitan n'en demeure pas moins la seule langue administrative (avec le latin), lue et comprise des élites européennes, et parlée à la cour des papes d'Avignon.

En dépit de l'édit de Villers-Cotterêts (1539), qui impose dans l'administration l'usage du français, la langue occitane survit jusqu'au 19e s. Dans la littérature, certains écrivains maintiennent le flambeau, tels Nicolas Saboly, au 17e s. ou, au siècle suivant, l'abbé Fabre.

Dans la vie quotidienne, seule une élite s'exprime en français, et l'on raconte que Racine, séjournant à Uzès en 1661, eut beaucoup de mal à se faire comprendre !

PÉTRARQUE, AMOUREUX TRANSI
Exilé en Avignon, Pétrarque (1304-1374) s'éprend, en 1327, de la belle Laure de Noves. Cette brûlante passion lui inspire les sonnets de son *Canzoniere (Chansonnier)*, pathétique hymne d'amour en langue occitane, à la gloire de la beauté spirituelle et physique de sa dulcinée. Mais le poète, retiré à Fontaine-de-Vaucluse, a aussi décrit, dans ses lettres, la vie et la nature provençales ; il nous parle ainsi des bergers, des pêcheurs de la Sorgue ou encore de son ascension au mont Ventoux.

Portrait de Pétrar (2e moitié du 16e

Le Félibrige

Loin de s'éteindre, la langue provençale connaît au contraire dans la seconde moitié du 19e s. un formidable renouveau. Amoureux de la Provence, sept jeunes poètes (Roumanille, Mistral, Aubanel, Mathieu, Tavan, Giéra et Brunet) fondent en 1854 le Félibrige. Ensemble, ils entendent restaurer leur langue et en codifier l'orthographe.

Figure de proue du groupe, Frédéric Mistral (1830-1914) connaît le succès dès 1859 avec *Mirèio* (Mireille), un poème épique qui chante les amours contrariées du Camarguais Vincent et de la belle Mireille, fille d'un riche fermier de la Crau. Une œuvre chaleureusement saluée par Lamartine, et adaptée au théâtre lyrique par Gounod. En 1867, son *Calendau* (« Noël ») fait revivre le passé de son pays. Dès lors, la gloire ne le quitte plus jusqu'à son dernier recueil, *Les Olivades* (1912), hymne à la figure éternelle de la Provence. Prix Nobel de littérature en 1904, Mistral œuvre aussi pour restituer l'orthographe de la langue d'oc, dans son monumental *Trésor du Félibrige*, une référence immuable.

Buste de Frédéric Mistral (museon Mistral, Maillane).

Dans la lignée du Félibrige

Forte de cette aura, l'école regroupe sous sa bannière des poètes et romanciers occitans aussi différents qu'Alphonse Daudet *(Les Lettres de mon moulin ; Tartarin de Tarascon)*, Paul Arène, Jean-Henri Fabre, Folco de Baroncelli et Joseph d'Arbaud, ou encore le théoricien royaliste Charles Maurras.

Marcel Pagnol

De Pagnol au « polar bouillabaisse »

Une littérature florissante

À la même époque, deux grands « Provençaux » illustrent la littérature française : Émile Zola, Aixois d'adoption, dont les *Rougon-Macquart* évoquent le cheminement d'une famille du Midi, et le Marseillais Edmond Rostand, qui émeut les foules avec son *Aiglon* avant de connaître gloire et fortune grâce au flamboyant *Cyrano de Bergerac*.

Nombre d'autres écrivains provençaux s'imposent à leur tour sur la scène littéraire, trouvant pour la plupart leur veine dans leur terre natale, tels Henri Bosco, du Luberon *(Le Mas Théotime)*, Jean Giono *(Regain)*, de Manosque, André Chamson, de Nîmes *(Roux le Bandit)*, Marcel Pagnol, d'Aubagne *(Marius)*, René Barjavel, de Nyons et, plus près de nous, André Gide, qui évoque ses attaches uzétiennes dans *Si le grain ne meurt*... Aussi différents soient-ils, tous expriment à leur manière une certaine vision de la nature et de l'amour, empreinte de sacralité. Quant au poète sorgois René Char, au Marseillais Antonin Artaud, ou encore aux chefs de file du roman noir marseillais, Philippe Carrèse et Jean-Claude Izzo, ils explorent des contrées plus universelles.

Plaque de rue en provençal (Pernes-les-Fontaines).

Un nouvel élan pour l'occitan ?

En dehors de la littérature, le provençal est quelque peu tombé en désuétude. Longtemps reléguée au second plan, la langue d'oc fait néanmoins son apparition dans les programmes scolaires. Par ailleurs, l'Institut d'études occitanes s'attache à renouer avec l'occitan originel, prenant ainsi la relève du Félibrige.

ABC d'architecture

Architecture antique

ORANGE – Théâtre antique (début du 1er s. avant J.-C.)

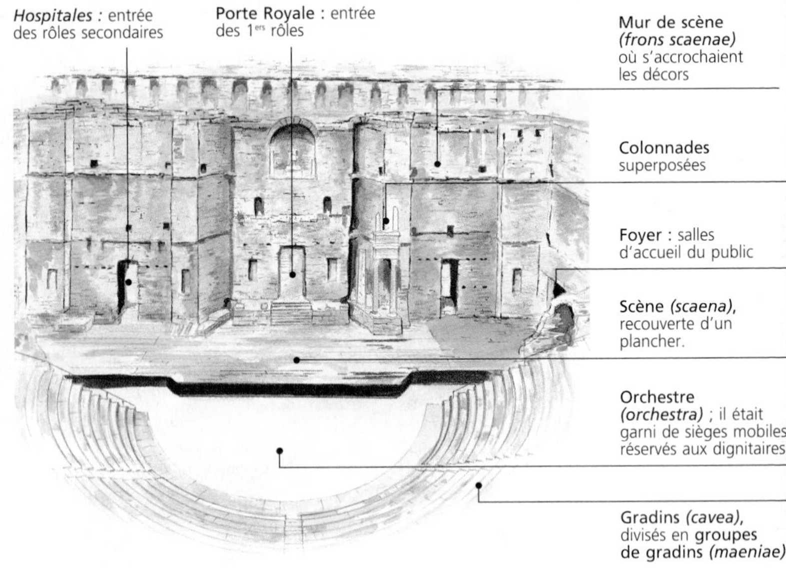

NÎMES – Maison carrée (fin du 1er s. avant J.-C.)

La Maison carrée de Nîmes est un temple consacré au culte impérial ; il se compose d'un vestibule délimité par une colonnade et d'une chambre de la divinité, la *cella*.

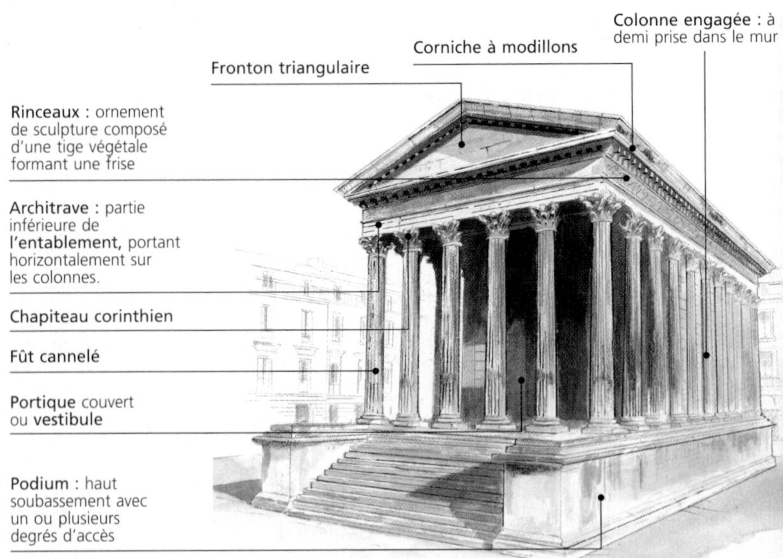

VAISON-LA-ROMAINE – Plan de l'ancienne cathédrale N.-D.-de-Nazareth (11e s.)

Cette cathédrale est de style typiquement provençal : son plan adopte celui des basiliques romaines, comportant une nef sans transept et se terminant sur une abside en hémicycle.

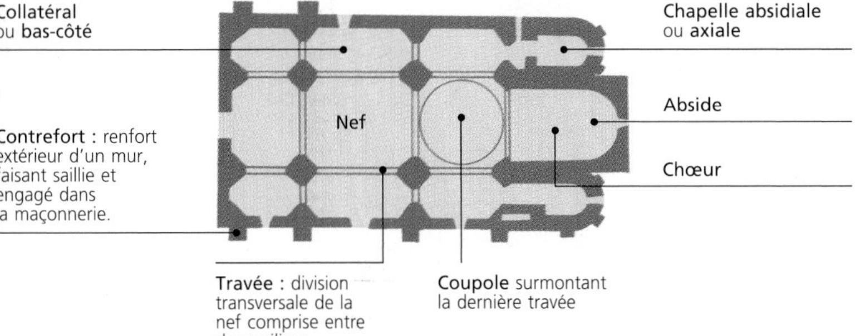

Coupe en élévation d'une église romane provençale

Nous proposons deux variantes de l'église romane provençale telle qu'on la rencontre le plus souvent.

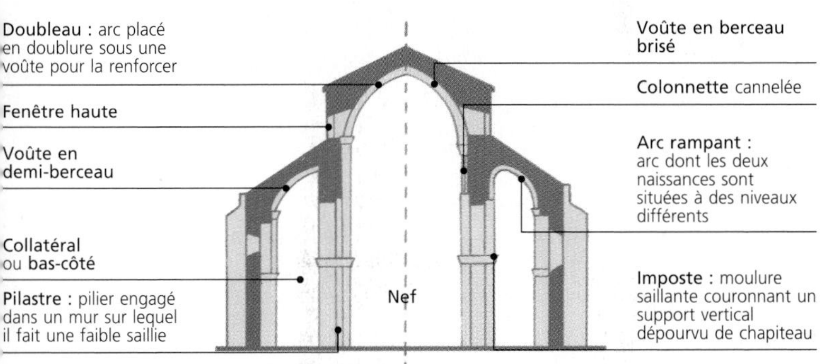

Abbaye de SILVACANE – Voûtes de la salle capitulaire (13e s.)

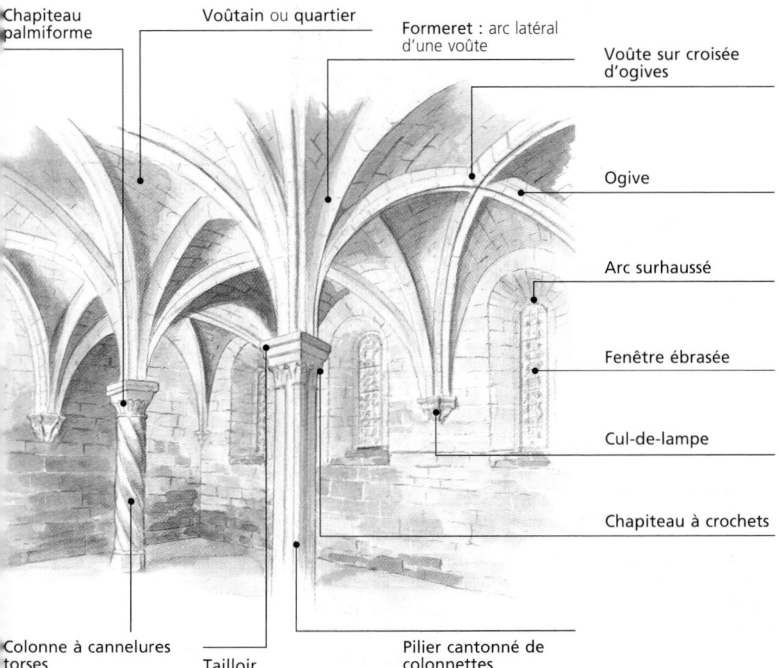

Abbaye de MONTMAJOUR – Chapelle Ste-Croix (12e s.)

Le plan rayonnant en forme de quatre-feuilles de la chapelle Ste-Croix est typique de l'architecture de plusieurs édifices provençaux de la même époque.

Toit en bâtière : à deux versants sur construction de plan massé
Lanternon
Baie en plein cintre
Talus de contrefort
Encoignure : arête rentrante formée par la rencontre de deux pans de murs
Massif central carré
Croupe ronde
Crête de pierre ajourée
Abside semi-circulaire imbriquée dans le massif central
Contrefort

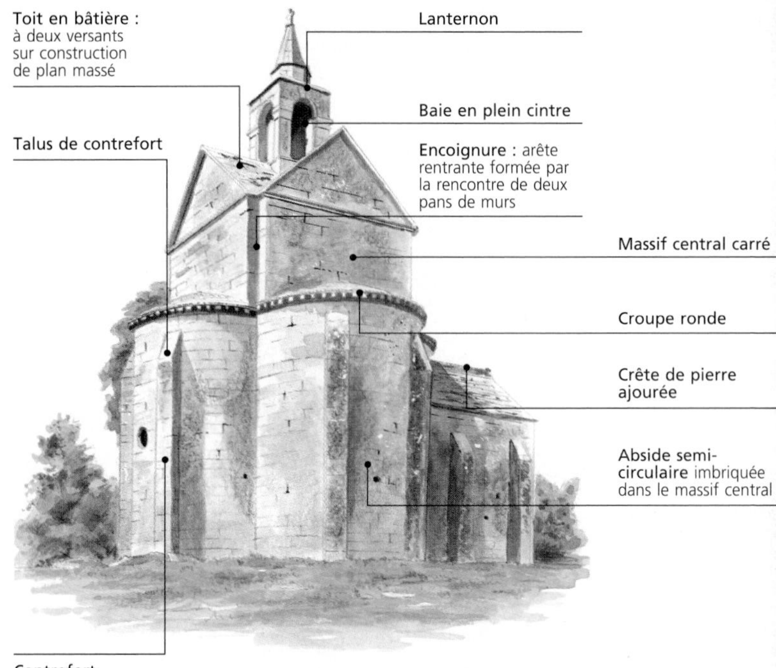

CARPENTRAS – Portail Sud de l'ancienne cathédrale St-Siffrein (fin du 15e s.)

Le portail Sud, ou porte Juive, est de style gothique flamboyant, phase terminale du gothique ; on le reconnaît aux découpes sinueuses du remplage des fenêtres, qui évoquent des flammes.

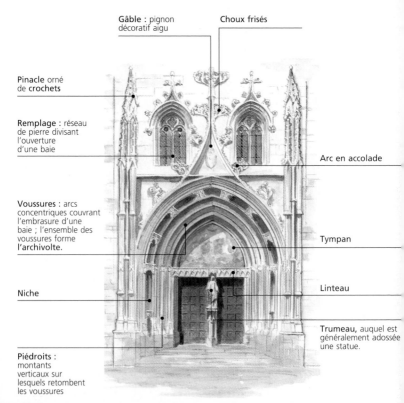

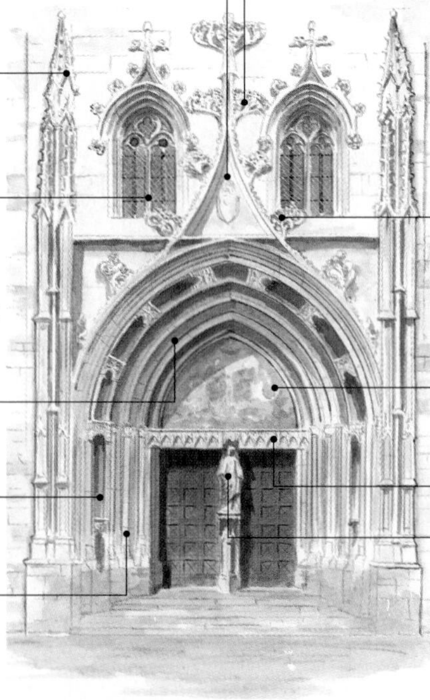

Gâble : pignon décoratif aigu
Choux frisés
Pinacle orné de **crochets**
Remplage : réseau de pierre divisant l'ouverture d'une baie
Arc en accolade
Voussures : arcs concentriques couvrant l'embrasure d'une baie ; l'ensemble des voussures forme **l'archivolte.**
Tympan
Linteau
Niche
Trumeau, auquel est généralement adossée une statue.
Piédroits : montants verticaux sur lesquels retombent les voussures

Abbaye de ST-MICHEL-DE-FRIGOLET – Retable de la chapelle N.-D.-du-Bon-Remède (17e s.)

Cette chapelle, du 11e s., a été recouverte de boiseries de style baroque au 17e s. Un retable monumental en occupe le fond.

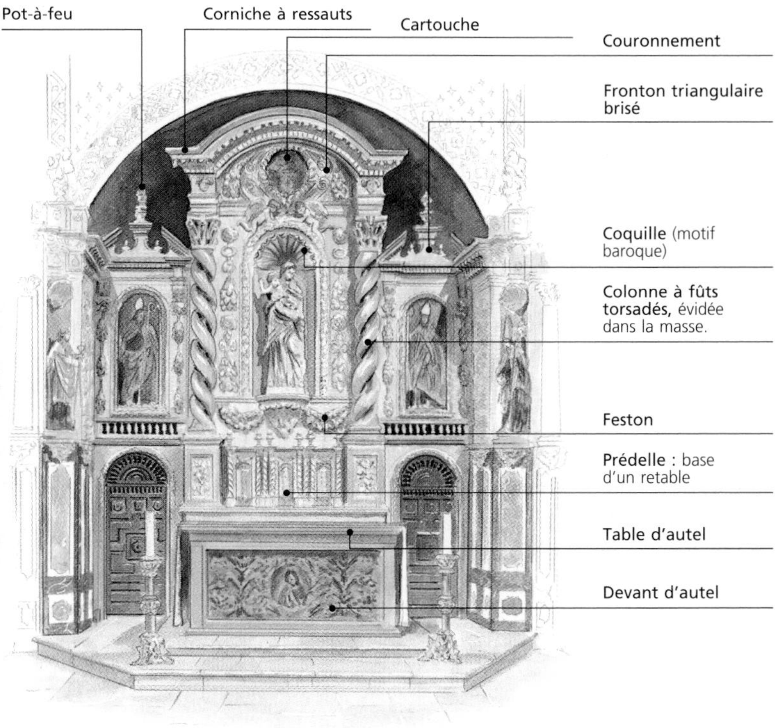

Pot-à-feu

Corniche à ressauts

Cartouche

Couronnement

Fronton triangulaire brisé

Coquille (motif baroque)

Colonne à fûts torsadés, évidée dans la masse.

Feston

Prédelle : base d'un retable

Table d'autel

Devant d'autel

UZÈS – Orgues de la cathédrale St-Théodorit (18e s.)

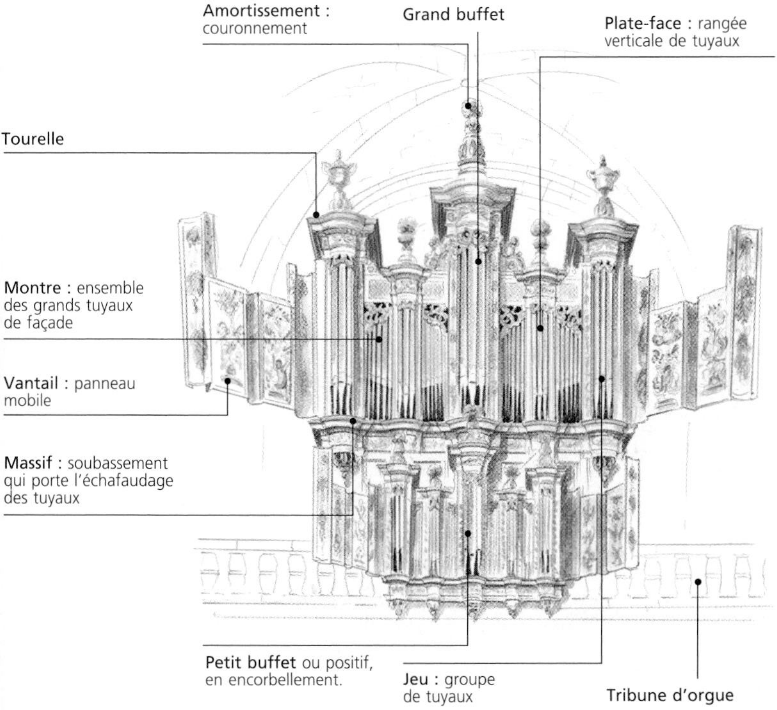

Amortissement : couronnement

Grand buffet

Plate-face : rangée verticale de tuyaux

Tourelle

Montre : ensemble des grands tuyaux de façade

Vantail : panneau mobile

Massif : soubassement qui porte l'échafaudage des tuyaux

Petit buffet ou positif, en encorbellement.

Jeu : groupe de tuyaux

Tribune d'orgue

Architecture militaire

TARASCON – Château fort (14e-15e s.)

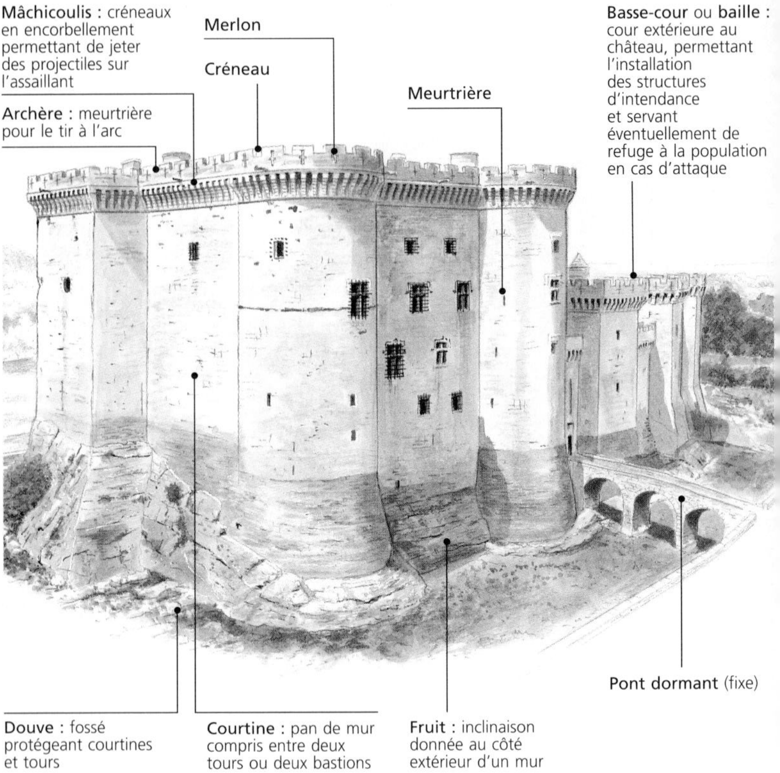

Mâchicoulis : créneaux en encorbellement permettant de jeter des projectiles sur l'assaillant
Archère : meurtrière pour le tir à l'arc
Merlon
Créneau
Meurtrière
Basse-cour ou **baille** : cour extérieure au château, permettant l'installation des structures d'intendance et servant éventuellement de refuge à la population en cas d'attaque
Pont dormant (fixe)
Douve : fossé protégeant courtines et tours
Courtine : pan de mur compris entre deux tours ou deux bastions
Fruit : inclinaison donnée au côté extérieur d'un mur

PORT-DE-BOUC – Fort (17e s.)

Ce fort fut construit par Vauban en 1664. Son système de défense supprime les angles morts et les secteurs sans feu en aménageant des angles saillants comme autant de bastions.

Chemin de ronde
Pas-de-souris : escalier raide appuyé à une fortification
Casernements
Guérite de surveillance
Bonnet de prêtre : ouvrage extérieur form
d'une tenaille entre deux ailes
Cavalier : terre-plein surélevé destiné aux pièces d'artillerie
Saillant
Fruit

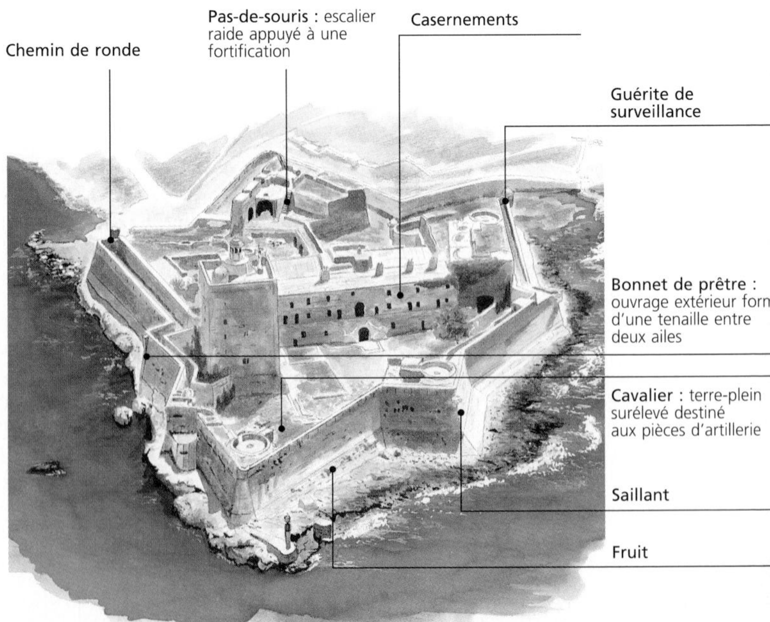

Architecture civile

AIX-EN-PROVENCE – Pavillon de Vendôme (17e-18e s.)

L'ordonnance de la façade est rythmée par la superposition des ordres dorique, ionique et corinthien, suivant le « grand ordre » prôné par Palladio dès la Renaissance.

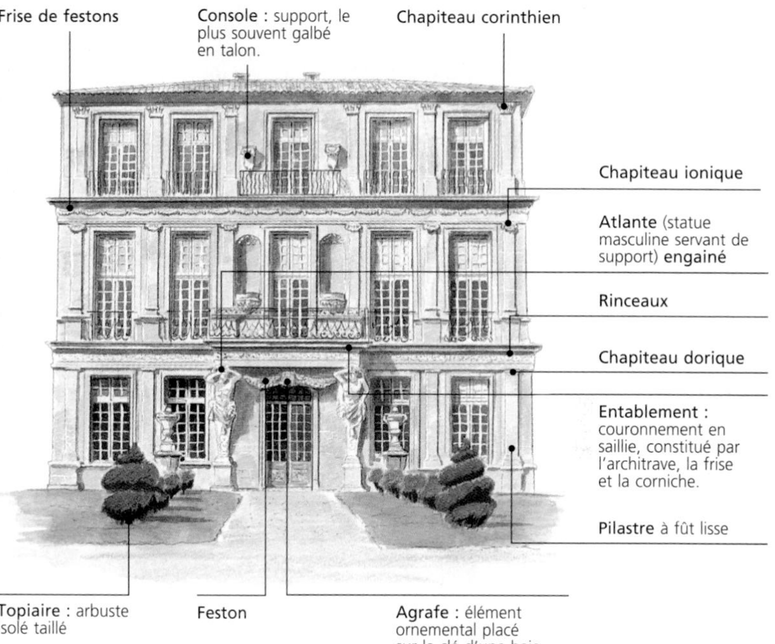

MARSEILLE – Château d'eau du palais Longchamp (19e s.)

S'inspirant de la colonnade du Bernin à St-Pierre de Rome, l'architecte Espérandieu a élevé une fontaine monumentale dont la décoration utilise à profusion le thème aquatique.

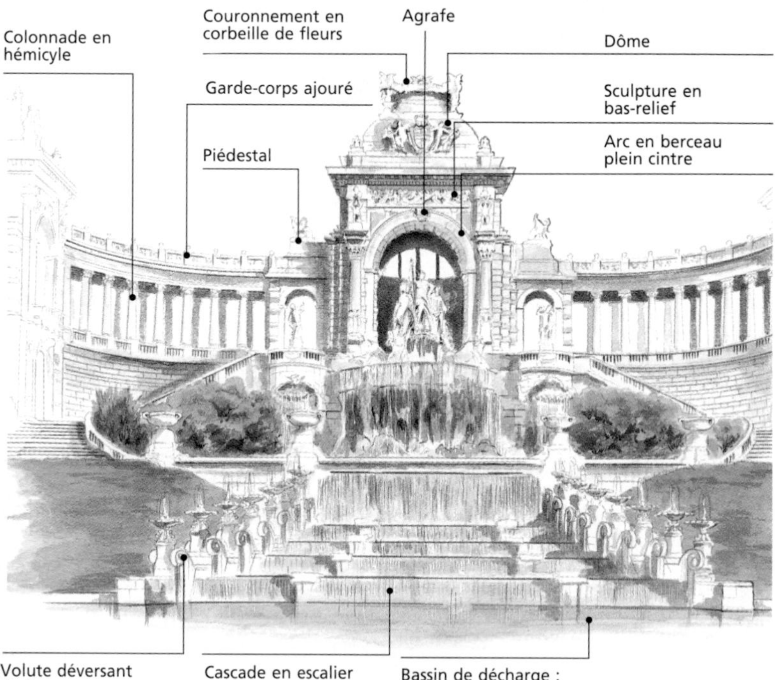

Église St-Michel à Salon-de-Provence, détail.

Cloître de St-Trophime, à Arles. (détail de chapiteau en haut à droi

La Provence romane

À la croisée de l'Antiquité et du Moyen Âge, l'architecture romane provençale témoigne, autour du 12e s., d'un renouvellement original des formes. En cette période féconde, le nouveau regard porté sur les monuments romains, qui subsistaient nombreux, crée cette union parfaite du génie antique et de l'idéal spirituel du temps.

Chapelle St-Sixte, à Eygalières.

Chapelles rurales et grands sanctuaires

Jeux d'ombre et de lumière

En cette terre de soleil, aveuglé par la lumière blanche du Midi, il fait bon pénétrer dans la pénombre apaisante d'une église provençale. Préservant une agréable fraîcheur, des murs épais soutiennent la voûte en berceau brisé de la nef. Les ouvertures se limitent généralement à quelques petites baies collatérales (les fenêtres hautes du vaisseau central, comme à St-Trophime, restent plutôt rares) qui éclairent la nef en un subtil clair-obscur. La lumière glisse, longe les piliers pour suspendre son cours et mieux se dérober... La nef s'anime et mène doucement vers le chœur lumineux de l'église.

Une renaissance de l'antique

Avec une fidélité manifeste à la conception romaine de l'architecture, les églises romanes méridionales conservent des plans et des volumes simples. En entrant dans ces lieux, le promeneur longe en principe une nef unique, sans transept ni collatéraux, qui l'amène insensiblement vers une abside dépourvue de chapelles rayonnantes (celle de N.-D.-de-Montmajour constitue une exception, liée à un important culte de reliques). Les volumes extérieurs masquent volontiers les dispositions intérieures, comme aux abords de la chapelle St-Quenin de Vaison, où l'on ne perçoit qu'une masse triangulaire.

Les façades trahissent plus encore l'influence romaine : le portail de St-Trophime d'Arles évoque un arc de triomphe ; celui de St-Gilles-du-Gard le mur de fond de scène d'un théâtre. La chapelle St-Gabriel, près de Tarascon, prend pour modèle un étage de l'amphithéâtre de Nîmes. En Avignon, N.-D.-des-Doms emprunte à l'arc d'Orange la disposition de sa baie centrale, et même ses proportions.

De la modeste chapelle rurale au grand sanctuaire de pèlerinage, toutes ces constructions se distinguent par la qualité de leur pierre de taille, inspirée des techniques romaines. La beauté des assises, soulignée par la nudité des parois, porte en elle toute l'esthétique épurée d'une architecture au décor confiné. En entrant, on est saisi par l'austérité de la nef, dont l'ornementation se fond dans la pénombre.

Chapiteau du cloître de l'abbaye de Sénanque.

Abbaye de Silvacane.

Au cœur des cloîtres, les chapiteaux d'inspiration corinthienne, qui avaient connu dès le 11e s. de nombreuses variations figurées, continuent de faire florès : à St-Trophime comme à St-Paul-de-Mausole, des animaux fabuleux s'agitent dans les acanthes.

Sur le chemin de saint Jacques

En suivant les pas des pèlerins de Compostelle, on découvre à St-Trophime d'Arles et à St-Gilles-du-Gard d'exceptionnels porches sculptés : ils concentrent à l'entrée de l'église toute l'ornementation de la façade en une prodigalité peu commune en Provence. À St-Gilles, les trois portails racontent de manière triomphale l'histoire de la Passion du Christ. On y trouve, placées dans des niches, de belles figures d'apôtres et d'archanges, très inspirées de l'antique.

Les moines bâtisseurs

À l'origine des plus belles constructions romanes du Midi se trouvent les communautés monastiques. L'exemple le plus majestueux de cette architecture, l'abbaye **N.-D.-de-Montmajour**, en réunit à elle seule toutes les qualités : des volumes simples, une épure décorative, une taille de la pierre inégalée... On y décèle, à travers les magnifiques chapiteaux du cloître, le même esprit fantastique qu'à St-Trophime.

Trois sœurs cisterciennes

L'architecture cistercienne a trouvé en Provence sa terre d'élection : les moines blancs de saint Bernard, dans leur souci de retourner aux sources de la vie monastique, ont reconnu dans l'épure des églises méridionales comme un écho de leur idéal architectural. Les abbayes de Sénanque, de Silvacane et du Thoronet mêlent à la fois l'austère et le sublime. Leur tracé rigoureux, leurs volumes parfaits et leur absolu dépouillement expriment l'essence même de la spiritualité cistercienne en quête de pureté. Ces églises poussent à l'extrême la sobriété ornementale. Les chapiteaux à feuilles d'eau de Silvacane, pourtant si simples, constituent même une entrave au règlement, qui bannit toute sculpture : monstres et démons ne doivent en aucun cas distraire les moines de la prière. Lieux de recueillement et de silence, donc... Tout juste rompu par le chant des cigales, et par les chœurs sacrés qui s'échappent parfois des voûtes de pierre...

Gothique, baroque et classicisme

Avec l'installation des papes en Avignon, au début du 14ᵉ s., la « nouvelle Rome » se couvre d'églises gothiques. Des artistes originaires de toute l'Europe y affluent, faisant de cette ville un intense foyer de création... Puis, parallèlement au courant classique, le règne de Louis XIV voit en Provence l'épanouissement d'un art baroque d'une vitalité extraordinaire, sur le chemin entre Rome et Paris.

L'Annonciation, *par Taddeo di Bartolo (musée du Petit Palais, Avignon).*

Le gothique des papes

Églises et chapelles

En Avignon, les papes ne se sont pas contentés de métamorphoser l'ancienne demeure épiscopale en un somptueux palais ; ils ont présidé à plusieurs chantiers d'envergure, telle la superbe chartreuse de Villeneuve-lès-Avignon.

À la fin du 14ᵉ s., les plans s'enrichissent, comme à l'église des Célestins. Les nefs s'illuminent, et plus encore les chœurs. À St-Martial, les fenêtres s'étirent entre les contreforts de l'abside : des flots de lumière se déversent sur un décor de fines dentelles, qui rendent plus sensible encore la légèreté de la structure.

Un goût pour le décor déjà manifeste dans les tombeaux des papes Jean XXII, à N.-D.-des-Doms, et Innocent VI, à la chartreuse de Villeneuve, véritables joyaux de la sculpture gothique avignonnaise, hélas mal conservés.

De Simone Martini à Nicolas Froment

Au 14ᵉ s., Avignon fait figure de « Nova Roma » : nombre d'artistes italiens affluent à l'appel des papes, tel Simone Martini, qui laisse sur le paysage comtadin l'empreinte d'une beauté idéale.

L'écho du faste de la cour des papes résonne dans le monde chatoyant peint par Matteo Giovannetti, qui ouvre la danse de la « peinture gothique internationale ».

Après le départ des papes, la vie picturale avignonnaise s'endort, bientôt relayée par Aix-en-Provence. Des artistes originaires du Nord ou des Flandres y découvrent le moyen d'unifier des compositions monumentales comme le triptyque de *L'Annonciation* dans l'église de la Madeleine à Aix. À la chartreuse de Villeneuve, le *Couronnement de la Vierge* d'Enguerrand Quarton marque le renouveau pictural avignonnais, tandis qu'à Aix, Nicolas Froment exécute pour la cathédrale le retable du *Buisson ardent*.

ENTRE DÉFENSE ET RÉSIDENCE

Au cours du 13ᵉ s., le Midi élève des enceintes urbaines considérables, comme à Aigues-Mortes, parangon de la fortification royale de la deuxième moitié du siècle. L'élément phare en est la Tour de Constance, défensive et symbolique, édifiée sur le modèle de la tour circulaire du Louvre de Philippe Le Bel. Ouvrages de défense, les châteaux deviennent aussi de plus en plus des lieux de vie : ainsi, dans le château de Tarascon reconstruit au 15ᵉ s., la fonction résidentielle finit par supplanter la fonction défensive.

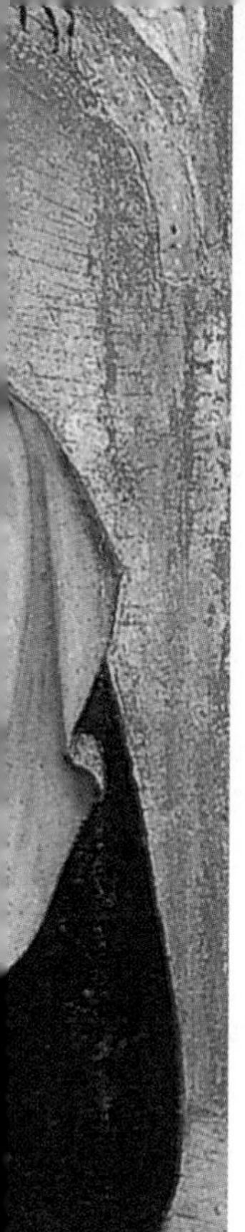

Le Faune, *par Pierre Puget (Musée des Beaux-Arts, Marseille).*

Baroque provençal

Un art de l'excès

Tel nous apparaît ce baroque provençal qui anime l'architecture en multipliant les fioritures. Statues et reliefs se déploient surtout dans le décor intérieur des chapelles de confréries, comme celle des Pénitents Noirs d'Avignon. Dans l'ancienne église marseillaise des Récollets, l'austérité extérieure rend plus saisissante encore l'exubérance de la nef. Cette faconde décorative, qui tire sa source d'un regard ébloui par la Rome du Bernin, prend toute sa splendeur dans la Gloire sculptée par Jacques Bernus dans le chœur de la cathédrale de Carpentras.

L'architecture entre en scène

Excellant dans l'agencement de l'espace, les architectes ménagent les effets de surprise. On découvre ainsi dans l'hôtel de ville d'Aix, conçu par Pierre Pavillon, l'un des plus anciens escaliers « à l'impériale » français. Celui de l'hôtel de Crillon, créé par Delbène, exploite les trompe-l'œil pour mieux dilater les volumes. Cette plastique de l'espace culmine à la fin du 17e s. dans la chapelle de la Charité de Pierre Puget, à Marseille.

L'embellissement des villes

Le paysage urbain n'échappe pas à cet art de la mise en scène. À Aix, l'aménagement du quartier Mazarin conduit à la création d'un cours planté d'ormeaux, tout de pierre et d'eau, d'arbres et de lumière. Pour magnifier cette plastique monumentale, on élève de somptueux hôtels, aux façades colossales percées de portails à atlantes.

Longtemps célébré comme « le plus bel endroit du monde », le cours de Marseille s'inspire de celui d'Aix. Puget a par ailleurs entrepris d'unifier les propriétés d'un îlot entier, sous l'apparence d'un hôtel particulier aux proportions démesurées. Un haut lieu de l'art baroque, hélas en grande partie disparu.

La tentation classique

À partir de la fin du 17e s., les architectes suivent une veine plus classique et s'inspirent de la Renaissance, en particulier dans leurs églises, où triomphent les modèles romains de la contre-réforme. Ils regardent aussi vers la capitale, dont les ouvrages influencent l'église St-Julien à Arles, ou encore celle des Chartreux à Marseille. Dès le milieu du 17e s., Pierre Mignard s'était fait l'apôtre d'un classicisme provençal en édifiant des hôtels d'un genre très parisien, particulièrement en vogue au siècle suivant.

Chasse au faucon, fresque du 14e s. (chambre du Cerf, palais des Papes, Avignon).

Atlante du pavillon Vendôme, à Aix-en-Provence.

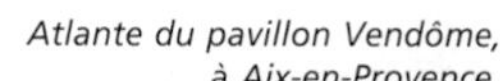

Lumière et couleurs

Terre natale pour certains, d'adoption pour beaucoup, la Provence invite à la création. D'une pureté sans égal, sa lumière inonde généreusement la terre, l'eau, la roche, éclatante palette contrastant à l'infini. Une source d'inspiration intarissable...

Les Collines d'Allauch, *par Paul Guigou, 1862 (musée des Beaux-Arts, Marseille).*

À la recherche de la lumière

Dans le sillage de J.-A. Constantin (1756-1844) et de F.-M. Granet (1775-1849), les peintres du 19e s. travaillent sur la luminosité qui baigne la nature provençale. Autour d'Émile Loubon (1809-1863), l'école paysagiste regroupe des artistes comme Paul Guigou (1834-1871), qui annonce déjà l'impressionnisme, et Adolphe Monticelli (1824-1886), dont les représentations confinent parfois à l'abstraction.

Dans leur lignée s'imposent à partir de 1870 les naturalistes, tels Achille Emperaire (1829-1898) et Joseph Ravaisou (1865-1925) à Aix, Clément Brun (1868-1920) et Paul Saïn (1853-1908) en Avignon. À Marseille, les premiers artistes plantent leur chevalet sur les collines de l'Estaque : Joseph Garibaldi (1863-1941), Alphonse Moutte (1840-1913) – avec des scènes de pêcheurs très réalistes – et J.-B. Olive (1848-1936), bientôt suivis par Félix Ziem (1821-1911). Ce dernier ouvre une voie nouvelle, traitant la couleur en tant que telle, non plus seulement comme effet de lumière.

Van Gogh en Provence

Loin de sa Hollande natale, Van Gogh (1853-1890) s'installe à Arles en 1888, pour « voir une autre lumière ». De fait, il la restitue en peinture avec un génie fiévreux, presque halluciné, tant dans ses paysages *(Vue d'Arles aux iris, Les Alyscamps)* que dans ses portraits *(L'Arlésienne, Vieux Paysan provençal)*. Par leurs couleurs vives et leurs formes exacerbées, les œuvres de ces années provençales expriment les « terribles passions » et souffrances

La Chambre de Van Gogh à Arles, *par Vincent Van Gogh, 1889 (musée d'Orsay, Paris).*

L'Estaque. Vue du golfe de Marseille, *par Paul Cézanne (musée d'Orsay, Paris).*

intérieures qui animent l'artiste. Interné à l'hospice de St-Rémy pendant près d'un an, il peint des toiles plus torturées, où la nature, qui se fait parfois menaçante, déploie à l'infini ses lignes sinueuses, accentuées par une touche tournoyante, comme dans *Les Blés jaunes au cyprès*, *Les Oliviers*, ainsi qu'une inquiétante série d'*Autoportraits*... Après deux années d'intense création, il quitte la Provence en 1890, et se suicide peu après.

Cézanne peint

Originaire d'Aix, Cézanne (1839-1906) côtoie à Paris les impressionnistes, avant de s'installer à l'Estaque en 1870. Comme eux, il cherche d'abord à traduire la vibration de la lumière et la subtile variation des teintes, le frémissement des reflets et des nuances. Mais dès 1879, qui ouvre sa période dite constructive, son style s'émancipe. Jouant davantage des volumes, il juxtapose les touches de couleur, déclinant les modules géométriques pour traiter – comme il l'écrit – « la nature par le cylindre, la sphère, le cône, le tout mis en perspective ». En quête de perfection, il consacre à la montagne Ste-Victoire une soixantaine de toiles... dont aucune ne le satisfait pleinement. Ses recherches – annonciatrices du cubisme – se poursuivront jusqu'à sa mort.

Pinède à Cassis, *par Derain (musée Cantini, Marseille).*

Une terre d'accueil

Tout au long du 20e s., la Provence continue d'attirer une foule d'artistes, dont beaucoup bouleversent durablement la peinture.
Afin de mieux contenir le flot de lumière du Midi et de rendre le contraste simultané des couleurs, Signac (1863-1935) fait évoluer sa technique pointilliste.
Devenue le rendez-vous privilégié de l'avant-garde, l'Estaque inspire dès 1908 les premières compositions cubistes de Braque et de Picasso.
Quant aux Fauves, Matisse, Dufy et Derain trouvent en Provence matière à exalter le pouvoir émotionnel de la couleur, généreusement déployée en aplats.
La génération qui émerge après-guerre explore à son tour des horizons nouveaux... Établi près d'Aix de 1947 à 1987, le père du « dessin automatique » surréaliste, André Masson, fait une série de *Paysages provençaux*. Dans un tout autre style, Nicolas de Staël séjourne lui aussi en Provence, tandis que Vasarely ouvre à Aix une fondation qui présente ses recherches optiques et cinétiques, et que le Nîmois Claude Viallat anime dans les années 1960 le mouvement Support/Surface.
Aujourd'hui, la création continue de foisonner : une pléiade de jeunes artistes, sortis pour certains de l'école d'art de Luminy, à Marseille, travaillent dans la région, où deux musées d'art contemporain se distinguent par l'audace de leurs choix, le MAC de Marseille et le Carré d'Art de Nîmes.

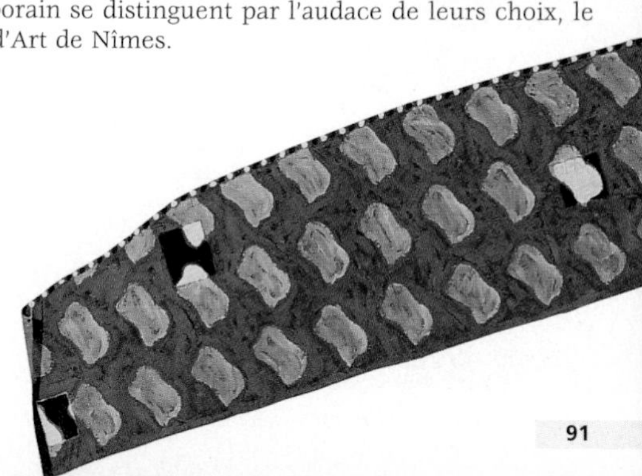

Taud de bateau peint par Claude Viallat, 1986 (Carré d'Art, Nîmes).

Roussillon, une ville ocre sur le ciel bleu de Provence.

Villes et sites

Aigues-Mortes★★

« Vaisseau de haut bord » (Chateaubriand) échoué entre étangs, salines, marais ou canaux, Aigues-Mortes apparaît tel un mirage, dressant ses longues murailles aux tons de miel, délicatement rosées par les rayons du couchant.

La situation

Cartes Michelin nos 240 pli 24 ou 83 pli 8 – Gard (30). Qu'on arrive de Nîmes par la D 769 ou d'Arles par la D 58, il faudra traverser une zone commerciale et artisanale, puis le canal du Rhône à Sète, pour découvrir la vieille ville depuis le pont (attention au virage à angle droit...) ; parking (payant) au pied des remparts. *Porte de la Gardette, 30220 Aigues-Mortes,* ☎ *04 66 53 73 00.*

VRAI SERPENT DE MER
Lorsque Saint Louis embarqua en 1248 pour la 7e croisade, la mer venait battre le pied des remparts d'Aigues-Mortes. Faux : d'abord il n'y avait pas de remparts. Quant aux navires, ils devaient emprunter un chenal, le canal vieil, pour atteindre la mer au Grau Louis, ouvert sur une vaste baie, l'anse du Repos, devenue depuis étang du Repausset.

Le nom

Aquae mortae : les eaux mortes. Les habitants du lieu trouvaient ce nom si lugubre qu'ils demandèrent en 1248 à Saint Louis d'adopter celui, plus optimiste, de Bona per forsa (« Bonne malgré tout », en latin de cuisine). Mais, pareille aux bras morts du Rhône, la requête se perdit dans les sables.

Les gens

6 012 Aiguesmortains, outre la statue de Saint Louis et les habitants involontaires de la tour de Constance, comme la huguenote Marie Durand qui y resta recluse 38 ans.

comprendre

VENGEANCE
Grevé de taxes (dont la fameuse gabelle instituée en 1226), le sel suscita une telle contrebande que Sully, agacé (et toujours soucieux des deniers publics), voulut faire noyer en 1596 tous les salins provençaux.

Au commencement était le sel – Sans doute exploitées dès l'Antiquité, les salines d'Aigues-Mortes attirèrent pêcheurs et sauniers dans ce lieu insalubre. Les moines bénédictins y établirent dès le 8e s. l'abbaye de Psalmodi afin d'exploiter cette denrée précieuse dans les étangs de Peccais. Les salines resteront très longtemps une des principales ressources de la ville.

Pour parvenir aux « tables saunantes », l'eau pompée dans la mer parcourt plus de 70 km dans des roubines ; la concentration de chlorure de sodium y passe de 29 à plus de 260 g/l. Récolté mécaniquement, le sel est amoncelé en de scintillantes « camelles » avant d'être conditionné. Récolté à Aigues-Mortes par la Compagnie des Salins du Midi, on le réserve à l'usage alimentaire.

Une opération immobilière – Comme beaucoup de ses prédécesseurs, Saint Louis avait une idée fixe : libérer les lieux saints des « infidèles ». Mais à cette époque, la

Aigues-Mortes vue de haut : une bastide au quadrillage régulier posée sur les étangs.

carnet pratique

Visite

Visites guidées de la ville – Elles donnent accès aux chapelles des Pénitents Blancs et Gris, invisibles autrement. Juil.-août : lun., mer. et ven. 10h. Durée : 2h. 30F. Sur réservation auprès de l'Office de tourisme 24h avant.

Tour de la ville en train touristique – *SEPTAM - ☎ 04 66 53 85 20 - Avr.-oct. : tlj. 23F (enf. : 15F).* Petit train d'Aigues-Mortes (1/2h), dép. porte de la Gardette toutes les 1/2h.

Visite commentée (1h) des salins du Midi à bord du petit train des Sauniers – Dép. à l'entrée de l'usine des salins d'Aigues-Mortes. *35F (enf. : 20F).*

Restauration

• *À bon compte*

Le Café de Bouzigues – *7 r. Pasteur - ☎ 04 66 53 93 95 - fermé janv.et nov., mar. soir et mer. d'oct. à mars - 89F.* Eh, non ! Vous ne mangerez pas les moules de Bouzigues ici. Mais quel plaisir de savourer la cuisine locale parfumée dans la salle colorée de ce café. À moins que vous ne préfériez sa cour, très originale avec sa collection de brocs et de cages à oiseaux.

• *Valeur sûre*

Les Arcades – *23 bd Gambetta - ☎ 04 66 53 81 13 - fermé 1er au 15 mars, 15 au 30 nov., lun. sf le soir en juil.-août et mar. midi sf j. fériés - 135/250F.* Cette demeure du 16e s. a du caractère avec ses arcades donnant sur la rue. La salle à manger aux jolies tomettes et pierres apparentes vous attend pour goûter une cuisine appétissante élaborée avec des produits frais. Quelques chambres spacieuses au mobilier provençal.

Hébergement

• *À bon compte*

Camping La Petite Camargue – *3,5 km à l'O d'Aigues-Mortes par D 62, rte de Montpellier - ☎ 04 66 53 98 98 - ouv. 21 avr. au 23 sept. - réserv. conseillée juil. et août - 611 empl. : 186F - restauration.* La plage est à 3 km mais si votre vélo est en panne, prenez la navette gratuite qui vous y emmènera. Ici, tous les sports sont à l'honneur, du tennis à la pétanque, en passant par la plongée et l'équitation, sans oublier la grande piscine avec cascade et solarium.

• *Une petite folie !*

Hôtel Les Templiers – *23 r. de la République - ☎ 04 66 53 66 56 - fermé 1er nov. à déb. mars - P - 11 ch. : à partir de 570F - ☕ 55F - restaurant 170/250F.* Cette demeure du 17e s. joliment restaurée est charmante. Derrière sa façade aux volets vert d'eau, sa cour fleurie, délicieuse à l'heure du petit-déjeuner, et ses chambres provençales aux tissus Souleïado et meubles anciens invitent à une douce paresse...

Sorties

Le Tac Tac – *R. de la République - ☎ 04 66 53 60 29 - Juin-sept. : tlj 13h-2h, oct.-mai : jeu.-mar. 13h-1h. Fermé 2e quinzaine d'oct.* Plus de 130 variétés de bières et 65 sortes de whiskies vous sont proposées dans ce petit pub à l'ambiance chaleureuse. En cas de fringale, pour une somme dérisoire, le patron propose à ses bons clients un énorme plateau de charcuteries locales, consommable à volonté ! Une très bonne adresse. Billard et tournoi de fléchettes. L'été, piano-bar le jeudi et concert le 2e vendredi du mois.

Achats

Maison du Sel – *5 r. de la République. De juin à fin sept.* Exposition sur l'histoire du sel... et point de vente de « la fleur de sel » de Camargue (La Baleine).

Domaines Listel – *Domaine de Jarras - quai de Jarras - ☎ 04 66 51 17 00.* Vin des sables.

Galerie Z – *4 pl. Saint-Louis - ☎ 04 66 53 61 98.* Artisanat.

La Bandido – *12 r. Pasteur - ☎ 04 66 53 72 31*: Chemises imprimées, vestes de velours noir, pantalons en peau de taupe, bottes et seden (lasso) pour jouer au gardian. Votre cheval est jaloux ? Qu'il se rassure : il y a un grand choix de selles à l'intérieur.

Marché – Marché traditionnel mercredi et dimanche.

Loisirs-Détente

Péniche Pescalune – *M. Griller - BP 76 - ☎ 04 66 53 79 47 - tlj sf dim. à 10h30 et 15h.* Dép. au pied de la tour de Constance. Promenade commentée de 2h1/2 par le chenal maritime du Grau-du-Roi, le cours du Vidourle et le canal du Rhône à Sète.

Rive de France – *Rte du Grau-du-Roi - Péniche St-Louis - ☎ 04 66 53 81 21 - réservations ☎ 01 41 86 01 01.* Location de bateaux sans permis pour 2 à 9 personnes sur le canal du Rhône à Sète.

Cinéma 3-D Relief – *Pl. de Verdun (à côté de la gare) - ☎ 04 66 53 68 50.* La Camargue comme si vous y étiez ! Film (1/2h) sur la Camargue, les gitans et les taureaux.

Calendrier

Fête de la Saint-Louis – Marché médiéval, défilés en costumes d'époque, tournois, jongleurs et troubadours... et embarquement du roi (dernier w.-end d'août).

Fête votive – Sa particularité, les courses camarguaises qui se donnent au pied des remparts dans le dernier « plan de théâtres » survivant : chaque famille possède son « théâtre », petit gradin de 2 m de large ; après avoir tiré au sort les emplacements, les théâtres sont montés côte à côte de façon à former une arène. Elles sont précédées d'abrivados et suivies de bandidos particulièrement animées ! (déb. oct.).

France ne comptait aucun port sur la Méditerranée. C'est chose faite (ou presque) en 1240 : les moines de Psalmodi cèdent un lopin de terre au souverain... Il y fait aussitôt aménager un port, construire la tour de Constance et l'église N.-D.-des-Sablons. Mais attirer des habitants en ce lieu plutôt insalubre et éloigné de tout n'était pas chose facile : on accorda donc maints privilèges aux intrépides qui acceptèrent de s'y établir... Et le 28 août 1248, 1 500 navires appareillèrent pour Chypre. L'expédition, qui dura 8 ans, ne donna guère de résultats, si bien que le roi décida de repartir en 1270. Victime du typhus, il dut s'aliter à Tunis et mourut quelques jours plus tard. C'est son fils Philippe le Hardi qui, en 1272, commanda la construction des remparts à un entrepreneur génois, Guillaume Boccanegra.

Macabre saumure

En 1421, les Armagnacs massacrèrent les Bourguignons qui tenaient la place. Mais que faire des corps? Traitons-les comme les poissons, se dirent les Armagnacs. On plaça donc dans la tour une couche de Bourguignons, une couche de sel et ainsi de suite. Si l'histoire reste sujette à caution, on avouera qu'elle ne manque pas de sel.

La lutte contre le sable – Des heurs et malheurs de son grand roi, Aigues-Mortes tira malgré tout une prospérité certaine, grâce au développement de son « port ». Les villes italiennes comme Venise l'utilisaient et diverses ordonnances lui accordèrent le monopole du commerce français en Méditerranée. Cependant, cette opulence allait péricliter avec l'ensablement du canal, puis la fermeture et la transformation en étang de l'anse du Repos au 16e s. Malgré des travaux continuels et le percement de l'actuel chenal maritime vers le Grau-du-Roi, le destin d'Aigues-Mortes ne sera plus lié à la mer. L'annexion de la Provence en 1482 donne la prééminence au port de Marseille et la création du port de Sète, en 1666, portera le coup de grâce aux aspirations maritimes des Aigues-mortains.

se promener

LE CENTRE-VILLE

Compter 1h.

Protégée du vent salé par ses hautes murailles, Aigues-Mortes semble avoir aussi échappé à l'usure du temps. Vous y trouverez de nombreux cafés, échoppes d'artisans, magasins de souvenirs et galeries d'art regroupés autour de la place St-Louis et des rues principales.

À savoir

La ville fut dessinée sur le modèle des bastides, selon un plan régulier de 550 sur 300 m quadrillé par des rues rectilignes.

Entrer par la porte de la Gardette que prolonge la Grand'Rue Jean-Jaurès et prendre à gauche la rue de la République.

Chapelle des Pénitents Blancs

Visite guidée lun., mer., ven. 10h-11h30 sur demande auprès de l'Office de tourisme.

Cette chapelle baroque, rendue au culte tous les ans pour le dimanche des Rameaux, abrite ostensoirs, dais ou lanternes qui étaient utilisés lors des processions par cette confrérie instituée en 1622.

Poursuivre tout droit par la rue Baudin, puis tourner à droite dans la rue Rouget-de-l'Isle et enfin à gauche dans la rue Paul-Bert.

Chapelle des Pénitents Gris

Juil-août : visite guidée lun., mer., ven. 10h-11h30 sur demande auprès de l'Office de tourisme. ☎ 04 66 53 73 00.

Baroque toujours, charmante chapelle encadrée de cyprès. Élevée en 1607, elle servit sous la Révolution d'entrepôt à fourrage : c'est sans doute ce qui a sauvé de la destruction l'imposant retable baroque sculpté par Jean Sabatier.

Revenir sur ses pas et prendre en face la rue Pasteur jusqu'à la place St-Louis.

Église Notre-Dame-des-Sablons★

Édifiée sous Saint Louis, l'église gothique fut parfois pillée, souvent remaniée... et subit bien des avatars (elle servit même, un temps, d'entrepôt à sel).

Lumière

Une belle charpente, un décor dépouillé sont mis en lumière par les vitraux contemporains de Claude Viallat, l'apôtre nîmois du groupe Supports/Surfaces.

Place St-Louis

Jolie place ombragée de platanes, cœur animé de la cité. Au centre, juché sur son piédestal, Saint Louis (par Pradier, 1849) surveille d'un œil indulgent la foule qui, l'été, envahit les terrasses des cafés et des restaurants. La chapelle des Capucins, édifiée au 17e s. avec des pierres venant de l'ancien môle de la Peyrade, servait de halle couverte jusqu'à sa reconversion en lieu d'exposition.

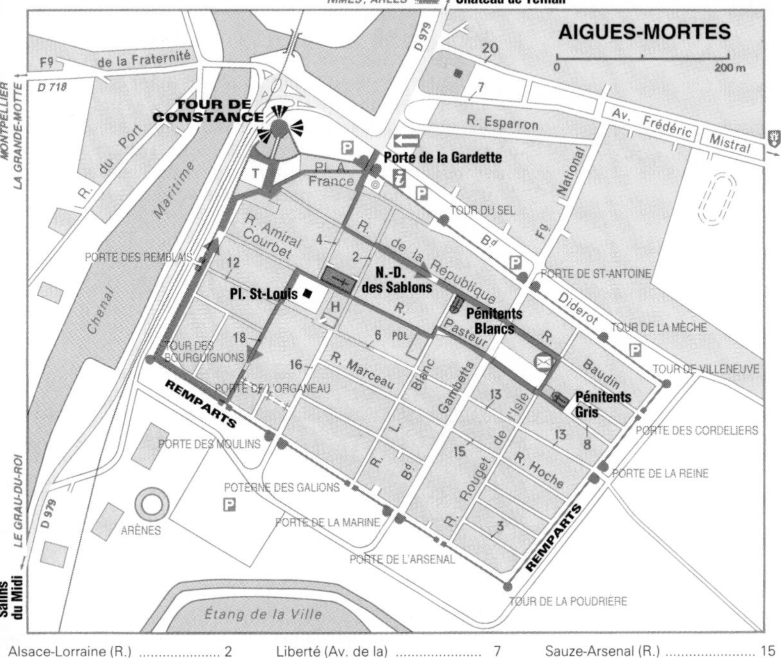

Alsace-Lorraine (R.)	2	Liberté (Av. de la)	7	Sauze-Arsenal (R.)	15
Arsenal (R. de l')	3	Paul-Bert (R.)	8	Theaulon (R.)	16
Grand'Rue Jean-Jaurès	4	Sadi-Carnot (R.)	12	Victor-Hugo (R.)	18
Jamais (R. Émile)	6	Salengro (R. Roger)	13	12-Avril (Faubourg du)	20

Rejoindre les remparts à la porte de l'Organneau par la rue Victor-Hugo et suivre à droite le boulevard intérieur Sud puis le boulevard Ouest, voies qui permettaient à la garnison de se déplacer rapidement. On rejoint ainsi la porte de la Gardette.

LES FORTIFICATIONS

3/4h – accès par la place Anatole-France. Mai et sept. : 9h30-19h (juin-août : 20h) ; oct. et fév.-avr. : 10h-18h ; de déb. nov. à fin janv. 10h-17h. Fermé 1er janv., 1er mai, 1er et 11 nov., 25 déc. 32F. ☎ 04 66 53 61 55.

Tour de Constance★★

Ce puissant donjon circulaire de 40 m de hauteur (y compris la tourelle) fut édifié entre 1240 et 1249 ; le châtelet d'entrée et le pont qui le relie au rempart datent, eux, du 16e s. La salle de garnison, voûtée de belles ogives a gardé son four à pain ; un oculus percé en son centre servait d'accès au cul de basse fosse. Un escalier à vis mène à l'oratoire du roi, petite pièce ménagée dans le mur, puis à la salle haute, où furent emprisonnés maints huguenots.

Les remparts★★

Un tour des remparts par le chemin de ronde permet de découvrir la ville, avec de belles perspectives sur le chenal maritime (aujourd'hui port de plaisance) et les salins d'Aigues-Mortes. Les plus imaginatifs se mettront sans peine dans la peau des soldats de la garnison chargés de

Du sommet de la tourelle de guet de la tour de Constance que surmonte une cage en fer forgé (elle protégeait jadis une lanterne servant de phare) un immense **panorama★★** se découvre au-delà des remparts sur les salins, la Camargue, les pyramides de la Grande-Motte, Sète et la barre bleutée des Cévennes.

CONSTANCE, LA BIEN NOMMÉE

On y avait enfermé des Templiers et quelques soudards accusés de trahison, mais c'est à partir de la révocation de l'édit de Nantes (1683) que la tour de Constance reçut ses pensionnaires les plus nombreux, les huguenots. En 1703, un chef camisard, Abraham Mazel, parvint à s'enfuir, avec seize de ses compagnons, en descellant une pierre de la pointe d'un couteau et en se glissant au pied des murs à l'aide d'une corde. En 1715, la tour de Constance fut choisie comme lieu de détention perpétuelle pour les femmes. Les dernières ne furent libérées qu'en 1768. Leur grande figure demeure la Vivaroise Marie Durand, incarcérée de 1730 à 1768, à qui l'on attribue le fameux « RESISTER », gravé dans la pierre de la margelle du puits central.

défendre la cité, à ceci près que les douves qui protégeaient l'enceinte ont été comblées. Édifiées à partir de 1270, les murailles d'Aigues-Mortes (pierre de Beaucaire et des Baux) nous sont parvenues intactes, ce qui en fait le meilleur exemple d'architecture militaire du 13e s. Elles dessinent un grand quadrilatère dont les murs, surmontés de chemins de ronde, sont flanqués de tours. Les plus fortes, placées aux angles et aux portes principales, sont couvertes de terrasses comprenant deux salles voûtées. S'il n'y avait que deux portes côté Nord, les quais d'embarquement du port de l'étang de la Ville (aujourd'hui asséché), côté Sud, étaient desservis par cinq portes. La porte de l'Organeau doit son nom à l'organeau (anneau de fer) où les nefs venaient s'amarrer. Quant à la porte des Galions, elle rappelle que les galères venaient se ranger à cet endroit.

Un petit creux ?
Saupoudrée de sucre glace et parfumée à la fleur d'oranger, la fougasse d'Aigues-Mortes saura vous requinquer avant d'entreprendre le tour des remparts.

Étincelantes dans la lumière camarguaise, les camelles, collines de sel posées sur les étangs.

alentours

Salins du Midi

3 km au Sud par la route du Grau-du-Roi. Juin-août : visite guidée (4h) en petit train dép. 10h, 11h15, 14h30, 15h45, 17h15, 18h30 ; avr.-mai et sept. dép. 11h15, 14h30, 15h45, 17h15. 35F en petit train (enfants : 20F). Réserver 1 j. av. à l'Office de tourisme. ☎ 04 66 53 85 20.

La visite permet de suivre les étapes de l'obtention du sel, autrefois et aujourd'hui.

Note salée
Le sel a toujours été considéré comme une matière précieuse : les légionnaires romains étaient payés pour partie en sel, ce qui a donné en français le mot salaire.

Caves de Listel

♿ *De mi-avr. à mi- oct. : visite guidée (1/2h, dernier dép. 3/4h av. fermeture) 10h-18h30 ; de mi-oct. à mi-avr. : tlj sf w.-end et j. fériés 10h-12, 14h-17h. Gratuit. ☎ 04 66 51 17 00.*

On visite les chais du domaine de Jarras (vin gris des sables).

Tour Carbonnière

3 km au Nord en direction de St-Laurent-d'Aigouze.

Tracée sur une digue parmi étangs et roseaux, la route, ancienne piste de sauniers, constituait autrefois le seul accès terrestre vers Aigues-Mortes. Rien d'étonnant qu'on y ait édifié au 14e s. cette tour afin de défendre la ville contre les visiteurs indésirables... pour y installer ensuite en 1409 un poste de péage... La garnison vivait dans une salle au 1er étage (cheminée et four à pain). De la plate-forme, vue sur les étangs.

Château de Teillan

13 km au Nord-Est par la D 979 puis, après St-Laurent d'Aigouze, prendre à gauche la D 288. De mi-juin à mi-sept. : visite intérieure guidée (1h1/2) tlj sf lun. 15h-19h. 30F. ☎ 04 66 88 02 38.

Castrum gallo-romain, puis prieuré de l'abbaye de Psalmodi, c'est depuis le 17e s. un château que surmonte une tour de guet (belle vue depuis la terrasse). Dans le parc, bien agréable en été, nombreux autels romains et bornes milliaires, ainsi qu'une remarquable *noria* avec une fraîche salle voûtée.

Aix-en-Provence★★

Cité classique des 17e et 18e s. avec ses avenues majestueuses, ses hôtels élégants aux façades mordorées, ses fontaines gracieuses, ses petites places discrètes et pleines de fraîcheur, la ville du calisson se veut aussi XXIe arrondissement de Paris et métropole étudiante aux brasseries et aux terrasses perpétuellement animées : une ville d'aujourd'hui, mais qui a su préserver un héritage culturel raffiné.

La situation

Cartes Michelin n° 84 pli 3, 114 plis 15 et 16, 245 pli 31 et 246 pli J – Bouches-du-Rhône (13). D'où que l'on arrive, on emprunte fatalement la ceinture de boulevards qui enserrent la vieille cité... Les places de parking étant rares, un conseil : cherchez du côté du bd du Roi-René, au Sud, ou sur le bd Aristide-Briand au Nord.

2 pl. du Gén.-de-Gaulle (dite familièrement La Rotonde), *13100 Aix-en-Provence,* ☎ *04 42 16 11 61.*

Le nom

Aquae Sextiae, ainsi se nommait le camp romain honorant à la fois les eaux thermales et le consul Sextius, qui réduisit les Salyens. Les gens du cru abrégèrent bientôt en Aquis, qui devint en provençal Aïs.

Les gens

134 222 Aixois. Dans une cité vouée à la musique, on ne peut faire moins que de distinguer un musicien : Darius Milhaud, membre du groupe des Six et compositeur du fameux *Bœuf sur le toit*, est en effet né à Aix en 1892.

Flash-back littéraire

Retrouvez l'atmosphère d'Aix et ses parfums en relisant Zola : l'auteur des *Rougon-Macquart* ouvre et referme son cycle avec *La Conquête de Plassans* et *Le Docteur Pascal*, ce dernier roman en particulier, tout imprégné de la ville et de sa campagne, au temps de Cézanne.

Une ville à vivre

Prenez le temps de visiter, ou mieux, celui de vivre Aix : ses nobles avenues bordées d'hôtels aux tonalités de cuivre, ses boulevards ombragés de magnifiques platanes, ses fontaines bruissantes y déploient le cadre somptueux d'une vie gaie et animée. Dans le dédale de ruelles du vieil Aix, sur le cours Mirabeau que l'on « fait » à la recherche d'un visage connu installé à une terrasse de café, dans les librairies où l'on passerait des heures en quête de l'oiseau rare, devant les vitrines des antiquaires, des galeries d'art, des boutiques de luxe... pour à la nuit tombante se mêler à la foule des étudiants, devant les cinémas d'exclusivité... puis, plus tard, choisir une table parmi les innombrables restaurants, et flâner encore, nez au vent, pour capter une dernière parcelle de cette magie qui émane des lieux, cet indéfinissable art de vivre, à la fois ludique et raffiné, qui les imprègne.

comprendre

La capitale du roi René – Certes, Aix n'a pas attendu le « bon roi René » pour exister. Mais c'est avec lui que la petite cité romaine fondée sur les décombres de l'oppidum d'Entremont, et déjà siège d'une université depuis 1409, allait connaître sa période la plus brillante.

Mais qui était au juste ce roi René (1409-1480) ? Avant tout, un lettré : polyglotte, mélomane à ses heures, peintre d'enluminures à l'occasion, volontiers rimailleur, féru de mathématiques et de théologie, expert en astrologie, bref un homme on ne peut plus cultivé, mais certainement pas austère, vu les fêtes somptueuses qu'il aimait organiser et le luxe dans lequel il vivait. Par malheur pour lui, il était également duc d'Anjou, roi très théorique de Naples et de Sicile et comte de Provence de surcroît, ce qui l'obligea à jouer un rôle politique pour lequel il était peu fait. S'il encouragea le commerce, se soucia de l'état sanitaire de la population, stimula l'agriculture, ce fut au prix d'une fiscalité pesante et d'une dépréciation de sa monnaie, qui inspirait assez peu confiance... C'est que la splendeur a un prix et le mécénat aussi : le roi s'était entouré

Descendance

Les enfants et petits-enfants du « bon roi » étant morts avant lui, son neveu Louis XI met l'Anjou dans son escarcelle... René désigne alors comme héritier Charles du Maine. Celui-ci s'éteint sans descendance en 1481 : la Provence à son tour tombe dans le domaine royal, sans coup férir.

Visite

Visites guidées de la ville – Classée Ville d'Art, Aix met à la disposition des visiteurs des guides agréés par le Centre des Monuments Nationaux pour leur faire découvrir la ville (2h). 50F. S'adresser à l'Office de tourisme.

Circuits thématiques – **Circuit Cézanne** sam. à 9h30 juil.-sept., à 15h oct-juin.

Promenade littéraire Zola mar. à 16h juil.-sept., à 15h en mai et sept., à 14h oct-avr.

Circuit commenté des bastides et jardins du pays d'Aix, dans les vallées de l'Arc et des Pinchinats ven. mai-sept.

Pour tout cela, une seule adresse, celle de l'Office de tourisme.

Restauration

• ***À bon compte***

À la Cour de Rohan – *10 r. Vauvenargues - ☎ 04 42 96 18 15 - 90/150F.* Difficile de faire un choix sur cette place de la vieille ville envahie de restaurants ! Nous avons jeté notre dévolu sur cette maison du 17e s. avec sa charmante salle et son patio. En dehors des repas, on y sert aussi des pâtisseries accompagnées de thés.

• ***Valeur sûre***

Yôji – *7 av. V.-Hugo - ☎ 04 42 38 48 76 - fermé lun. - 125/205F.* Une petite envie de dépaysement ? C'est un restaurant japonais avec sa salle à manger typique, au cadre épuré, sur deux niveaux ou sa terrasse sous la tonnelle. Cuisine japonaise et coréenne selon les goûts, d'un bon rapport qualité/prix.

Chez Maxime – *12 pl. Ramus - ☎ 04 42 26 28 51 - fermé 15 au 31 janv., lun. midi et dim. - 130/270F.* Sur une petite place, au cœur de la vieille ville. Sous le plafond de bois de cette maison accueillante ou en terrasse, découvrez une cuisine simple aux accents provençaux, en particulier les viandes du patron, ancien boucher. Atmosphère bistrot.

Le Poivre d'Ane – *7 r. de la Couronne - ☎ 04 42 93 45 56 - fermé j. fériés à midi, dim. et lun. - réserv. obligatoire - 155F.* C'est l'adresse des Aixois : on se serre les coudes dans la petite salle chaleureuse de ce restaurant qui doit son succès à sa cuisine de marché bien tournée et à ses produits frais. On peut en plus y consulter des guides et ouvrages sur la région.

• ***Une petite folie !***

Le Clos de la Violette – *10 av. de la Violette - ☎ 04 42 23 30 71 - fermé 7 au 20 août, vacances de fév., lun. sf le soir d'avr. à nov., mer. midi d'avr. à nov. et dim. - réserv. obligatoire - 300/600F.* Pour les papilles en recherche de mets succulents, ce restaurant peut les faire frémir. Cuisine raffinée et très soignée dans le cadre feutré et élégant d'une belle villa au milieu d'un jardin fleuri, planté de marronniers.

Hébergement

• ***Valeur sûre***

Hôtel St-Christophe – *2 av. Victor-Hugo - ☎ 04 42 26 01 24 - 🅿 - 52 ch. : 420/600F - ☕ 50F - restaurant 130/180F.* Cet hôtel est en plein centre-ville. Chambres au style années 1930 ou provençal. Certaines avec terrasse, un duplex pour les séjours en famille. La Brasserie Léopold, telle une vraie brasserie parisienne, vous accueille dans son décor style Art déco.

• ***Une petite folie !***

Hôtel des Augustins – *3 r. Masse - ☎ 04 42 27 28 59 - 29 ch. : à partir de 600F - ☕ 65F.* Voûtes de pierres et vitraux rappellent l'histoire du couvent du 15e s. dans lequel fut aménagé cet hôtel, à deux pas du cours Mirabeau. Chambres au décor tendance moderne. Deux d'entre elles sont dotées d'une terrasse donnant sur les toits.

Hôtel Aquabella – *2 r. des Étuves - ☎ 04 42 99 15 00 - 110 ch. : à partir de 750F - ☕ 60F - restaurant 120/150F.* Au pied des anciennes fortifications médiévales, cet hôtel de construction moderne est jumelé aux thermes. Ses chambres au décor provençal sont bien équipées. Aux derniers étages, la vue s'étend sur les toits d'Aix et la chaîne de l'Étoile. Cuisine traditionnelle.

Sorties

Café des Deux Garçons – *53 cours Mirabeau - ☎ 04 42 26 00 51 - Tlj 6h-3h ; jusqu'à 2h en hiver.* Bordé de platanes, le cours Mirabeau est surtout fréquenté par la bourgeoisie aixoise. On vient y chercher un peu de fraîcheur, assis à l'une des terrasses des treize cafés qui le bordent. Le café des Deux Garçons, plus familièrement appelé « les 2 G », est le plus ancien et le plus célèbre ; il date de 1792. Cézanne et Zola aimaient venir s'y retrouver tous les après-midi.

Café du Cours – *43-45-47 cours Mirabeau - ☎ 04 42 26 10 06 - Tlj 5h30-4h.* Cette brasserie accueille chaque soir un DJ. Spécialités culinaires provençales, cave à bières et whiskies, grand choix de vins. Tapas offerts de 18h à 21h. Clientèle de touristes mais aussi d'Aixois.

Château de la Pioline – *Château de la Pioline - ☎ 04 42 52 27 27 - Tlj 24h/24h.* Le bar de l'hôtel-restaurant du Château de la Pioline (datant du 14e s) est paré des décors les plus prestigieux comme ceux du salon Médicis (en souvenir de l'illustre Catherine) et du salon Louis XVI. Profitez absolument de la large terrasse qui regarde un jardin à la française de 4 ha.

Le Bistrot Aixois – *37 cours Sextius - ☎ 04 42 27 50 10 - Lun.-sam. 7h-2h. Fermé dim. et j. fériés.* C'est le bar-dancing le plus fréquenté (surtout d'une clientèle d'étudiants) et le plus branché d'Aix, en raison de son animation DJ chaque soir et de sa terrasse située dans une rue passante. Peintures murales réalisées par de jeunes artistes.

Achats

Marchés – Marché traditionnel tous les matins pl. Richelme ; mardi, jeudi et samedi pl. des Prêcheurs et pl. de la Madeleine.

Marché aux fleurs mardi, jeudi et samedi pl. de l'Hôtel-de-Ville ; les autres jours pl. des Prêcheurs.

Marché bio jeudi pl. de la Croix-Verte au Jas de Bouffan.

Brocante mardi, jeudi et samedi pl. Verdun.

Artisanat – Potiers, céramistes, tisserands, vanniers et orfèvres envahissent régulièrement le cours Mirabeau : à la fin mars, à la mi-mai, à la mi-juin, à la mi-oct. et à la mi-nov.

Calissons – Selon la légende, ils auraient été confectionnés pour dérider la reine Jeanne le jour de son mariage avec le roi René. La jeune épousée, en effet, ne manifestait guère d'enthousiasme jusqu'à ce qu'on lui présente ces friandises faites d'un tiers d'amandes, un tiers de sucre et un tiers de melon confit.

Maison L. Béchard – *12 cours Mirabeau - ☎ 04 42 26 06 78.* Spécialités de calissons et biscotins.

Calissons du Roy René – *7 r. Papassaudi.* Vente de calissons.

Calissons du Roy René – *La Pioline - ☎ 04 42 39 29 89.* Visite de la fabrique et vente de calissons.

Santons Fouque – *65 cours Gambetta - ☎ 04 42 26 33 38.* Visite de l'atelier de fabrication de santons.

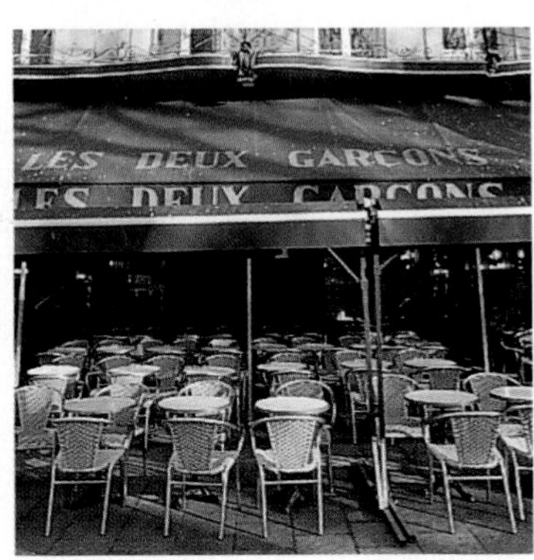

Tissus Carcassonne – *13 r. Chabrier.* Tissus provençaux décorés de motifs inspirés des étoffes manufacturées à Aix au 17e s.

Village des Antiquaires du Quartier de Lignane – *RN 7 - Lignane - 13540 Puyricard - ☎ 04 42 92 50 03.*

Loisirs-Détente

Cité du Livre – *8-10 r. des Allumettes - ☎ 04 42 25 98 65.* Elle propose un ensemble de services qui ne peuvent que réjouir les littéraires. Tout d'abord, la prestigieuse bibliothèque Méjanes, abritée sous une architecture de verre et de métal.

Plus spécialisée, la **Fondation St-John-Perse** fait accourir les amateurs de l'œuvre d'Alexis Léger. ♿ *Tlj sf w.-end et lun. 14h-18h. Fermé j. fériés. Gratuit. ☎ 04 42 25 98 85.*

Quant aux amoureux de musique lyrique, ils trouveront leur bonheur à la **vidéothèque internationale d'Art lyrique et de Musique.** *Tlj sf dim. et lun. 13h-18h, sam. 10h-12h, 13h-18h. Fermé en août et j. fériés. ☎ 04 42 37 70 89.*

Le Centre de Documentation Historique sur l'Algérie et des organismes de formation aux métiers du livre complètent cet ensemble doté de galeries d'exposition.

Thermes Sextius – *55 cours Sextius - ☎ 04 42 23 81 81.* Les thermes exploitent une eau minérale chaude à 36° pour soigner rhumatismes, mal de dos, problèmes dermatologiques, jambes lourdes, etc.

Calendrier

Festival d'Art lyrique et de musique – Créé en 1948 par Gabriel Dussurget, ce prestigieux festival se tient chaque été dans la cour du palais épiscopal transformée en théâtre (les nouveaux gradins, en teck, sont superbes !), tandis que concerts et récitals sont donnés dans la cathédrale, le cloître St-Sauveur et l'hôtel Maynier d'Oppède. Le programme, axé sur les grandes œuvres lyriques avec une coloration très « mozartienne », fait aussi la part belle à l'opéra baroque et à la musique contemporaine. Parmi les grands noms ayant contribué à la renommée du festival, des chefs (Hans Rosbeaud, Carlo-Maria Giulini), des chanteurs (Teresa Berganza), des metteurs en scène (Lavelli, Pier Luigi Pizzi), des décorateurs (Balthus, Derain, Masson)...

Foire aux santons – De fin novembre à fin décembre, sur le cours Mirabeau.

Antiquités - Foires à la brocante sur le cours Mirabeau en mai, août, oct. et déc. Foire aux Antiquaires à la mi-mai au même endroit et fin sept. à la Cité du Livre.

d'artistes de valeur, flamands comme Barthélemy d'Eyck (auteur du triptyque de l'Annonciation), bourguignons ou locaux, comme l'Uzétien Nicolas Froment (à qui l'on doit le fameux triptyque du Buisson ardent). Veuf d'Isabelle de Lorraine, le roi René épouse, à 44 ans, une jeune femme de 21 ans, Jeanne de Laval, la « reine Jeanne » qui devint bientôt aussi populaire en Provence que son époux.

Les nouveaux visages d'Aix – Une fois la ville réunie à la France, le roi se fait représenter à Aix par un gouverneur ; Aix se trouve alors désignée comme siège du

AIX-EN-PROVENCE

Agard (Passage) .... EX, CY 2
Albertas (Pl.) .... BY 3
Allumettes (R. des) .... AZ
Aude (R.) .... DY 4
Bagniers (R. des) .... DY, CY 5
Bedarrides (R.) .... DY 6
Belges (Av. des) .... AYZ
Bellegarde (Pl.) .... EX 7
Bon-Pasteur (R.) .... DX, BX 9
Boulégon (R.) .... BX 12
Boulégon (R.) .... DX
Briand (Bd Aristide) .... DX
Brossolette (Av.) .... AZ 13
Cabassol (R. Joseph) .... DY 14
Cardeurs (Pl. des) .... BY 16
Cardeurs (Pl. des) .... DXY
Cardinale (R.) .... DEY
Carnot (Bd) .... CY
Célony (R.) .... AY
Clemenceau (R.) .... DY, BY 18
Cordeliers (R. des) .... DY, BY 20
Curie (R. Pierre-et-Marie) .... DX 22
David (R. Émeric) .... EY
De-la-Roque (R. J.) .... DX, BX 25
Espariat (R.) .... DY, BY 26
Europe (Av. de l') .... AZ
Fabrot (R.) .... DY, BY 28
Foch (R. du Maréchal) .... DY 30
Forbin (Pl.) .... EY
Froment (Av. N.) .... AY
Gambetta (Cours) .... CZ
Gaulle (Pl. du Gén.-de) .... DY 36
Gaulle (Pl. Gén.-de) .... AY
Goyrand (R.) .... DY
Hôtel-de-Ville (Pl.) .... BY 37
Isaac (Av.J.) CX
Italie (R. d') .... CY 42
Italie (R. d') .... EY
Jean-Jaurès (Bd) .... ABX, DX
Jeanne-d'Arc (Pl.) .... BY
Laroque (R.) .... DY
Lattre-de-Tassigny (Av.de) .... AY 46
Lunel (Av. A.) .... AY
Martyrs-de-la-Résistance (Pl. des) .... DX 47
Matheron (R.) .... DY, BY 49
Mazarine (R.) .... DY
Méjanes (R.) .... DY, BY 51
Mignet (R.) .... EXY
Minimes (Crs. des) .... AY 52
Miollis (Pl.) .... CY
Mirabeau (Cours) .... DY, BY
Molle (R. de la) .... AX
Montigny (R. de) .... DY, BY 55
Moreau (R. I.) .... AY
Napoléon-Bonaparte (Av.) .... AY 57
Narvik (Pl. de) .... AY
Nazareth (R.) .... DY, BY 58
Niollon (Pl. B.) .... AY
Opéra (R.de l') .... EY, CY 62
Pasteur (Av.) .... DX, BX 64
Paul-Bert (R.) .... DX, BX 66
Pontier (Av. H.) .... AX
Portalis (R.) .... EY 69
Prêcheurs (Pl. des) .... EY, CY 70
René (Bd du Roi) .... BCZ
République (Bd de la) .... AY
Richelme (Pl.) .... DY, BY 72
St-Honoré (Pl.) .... DY 73
St-Louis (Bd) .... EXY
Saporta (R. G.-de) .... DX, BX 75
Sextius (Cours) .... AY
Tanneurs (Pl. des) .... DY
Thiers (R.) .... EY, CY 80
Vauvenargues (R.) .... DY 82
Verdun (Pl. de) .... EY, CY 85
Victor-Hugo (Av.) .... DY 86
Villevielle (Av. J.) .... AY
Zola (Bd Émile) .... EX
4-Septembre (R.) .... DY, BZ 87

Répertoire des sites, voir page 106.

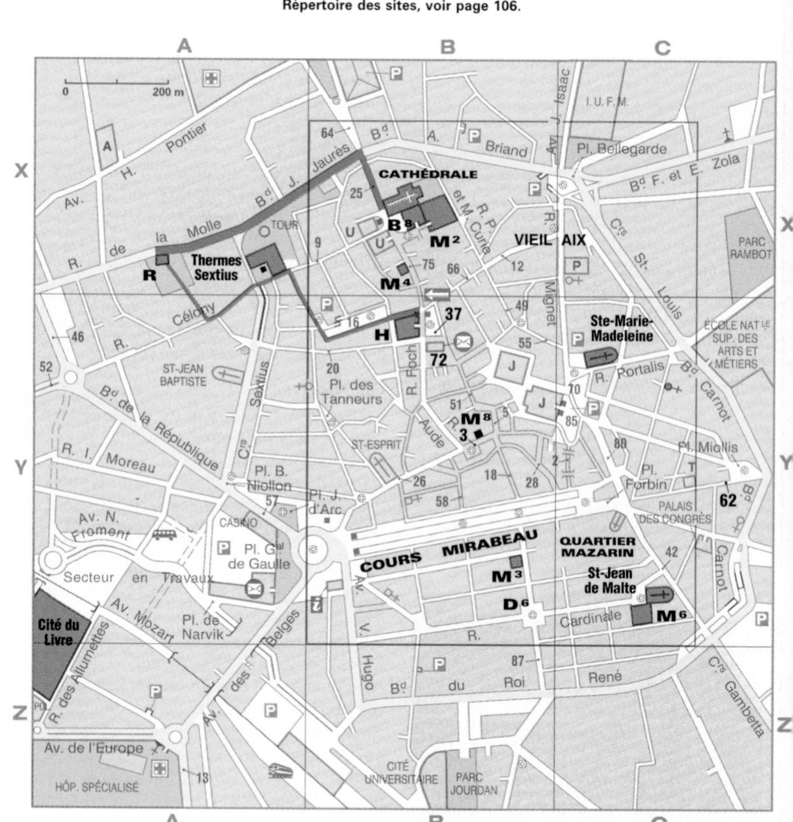

Parlement, institué en 1501. Elle va connaître une seconde période de splendeur au 17e s. avec l'émergence d'une catégorie sociale, les « gens de robe » ou « robins ». Ces magistrats et juristes fortunés se font construire de splendides hôtels particuliers, les remparts sont rasés et remplacés par un « cours à carrosses » (l'actuel cours Mirabeau) au-delà duquel surgissent des quartiers nouveaux, comme le quartier Mazarin. Toujours prospère, la ville continue à s'embellir au 18e s. avec de larges avenues, des places, des fontaines, de nouveaux bâtiments publics comme le palais de justice qui, signe des temps, prend la place du vieux palais comtal...

Après la Révolution, Aix va souffrir du développement de Marseille. Il lui faut attendre les années 1970 pour connaître un renouveau s'appuyant sur deux axes : industriel avec les entreprises du secteur *high-tech* (zone d'activité des Milles et technopole du plateau d'Arbois) ;

culturel avec le rayonnement de son université et de son festival d'Art lyrique. Cet essor économique et démographique s'accompagne d'un grand projet d'urbanisme dans le prolongement des cours Sextius et Mirabeau (la Cité du Livre en est la première réalisation), qui doit donner naissance à l'Aix du 21ᵉ s.

découvrir

LA VILLE DE CÉZANNE

Fils d'un chapelier, Paul Cézanne est né à Aix en 1839. Après des études au collège de Boulbon où il se lie d'amitié avec Émile Zola, il fait son droit tout en commençant à peindre dans la campagne du Jas de Bouffan, demeure entourée d'un parc, aux portes d'Aix, achetée en 1859 par son père. À Paris, il fréquente les impressionnistes, mais n'y rencontre aucun succès. De retour à Aix, malgré les louanges de Monet, Manet, Sisley et surtout Pissarro, il s'affranchit assez vite de la « technique » mise au point par ses amis, pour travailler sur les couleurs (il ose des rapports jamais usités avant lui) et les volumes. Après un séjour à l'**Estaque** *(voir p. 256)*, qui sera pour lui une révélation, il connaîtra la (très tardive) consécration parisienne au Salon d'automne de 1904.

Circuit Paul-Cézanne

Mis en place par l'Office de tourisme, il permet de repérer en ville les lieux fréquentés par le peintre et, dans les environs, les lieux de la campagne aixoise qui l'ont inspiré, en particulier la **Sainte-Victoire** *(voir ce nom)*.

Les Baigneuses *(musée Granet) : une peinture essentielle dans l'œuvre de Cézanne.*

Atelier Paul Cézanne

9 av. Paul-Cézanne, au Nord de la ville, par l'av. Pasteur. 10h-12h, 14h-17h (avr.-sept. : fermeture à 18h). Fermé 1ᵉʳ janv., 1ᵉʳ mai, 25 déc. 25F. ☎ 04 42 21 06 53.

Cézanne avait fait construire en 1897 ce pavillon d'architecture traditionnelle, entouré d'un jardin dont les frondaisons colorées montent à l'assaut du 1ᵉʳ étage. C'est là, dans l'atelier des « Lauves », qu'il créa notamment *Les Grandes Baigneuses* et vécut jusqu'à sa mort en 1906. Quelques souvenirs du peintre sont exposés dans l'atelier conservé en l'état.

se promener

LE VIEIL AIX**

Compter une demi-journée.
Partir de la Rotonde, où s'élève une fontaine monumentale.

Cours Mirabeau**

Aix, art de vivre... Vous le goûterez en premier lieu sous les superbes platanes du cours, vaste tunnel de verdure ponctué de fontaines, d'hôtels aux balcons (cariatides, atlantes) sculptés par Pierre Puget (17ᵉ s.) ou ses disciples, mais aussi aux terrasses des cafés.

Hôtel d'Isoard de Vauvenargues – Au n° 10. Édifié vers 1710. Beau balcon en fer forgé et linteau à cannelures, théâtre d'un sanglant fait divers lorsque le marquis d'Entrecasteaux, président du Parlement, y assassina sa femme, Angélique de Castellane.

Hôtel de Forbin – Au n° 20. Édifié en 1656. Balcon orné de belles ferronneries.

Fontaine des Neuf Canons – Au centre du cours. Elle date de 1691.

Fontaine d'eau thermale – La fontaine moussue que l'on rencontre à hauteur de la rue Clemenceau jaillit à 34° et date de 1734.

Hôtel Maurel de Pontevès – Au n° 38. Une annexe de la cour d'appel est venue s'y loger. Il reçut en 1660 la Grande Mademoiselle, Anne-Marie de Montpensier.

Petits métiers aixois d'autrefois et de toujours : celui d'atlante n'était pas de tout repos...

Fontaine du roi René – Œuvre de David d'Angers (19e s) : elle se dresse à l'extrémité du cours. Le roi y est représenté tenant à la main une grappe de raisin muscat, variété qu'il avait introduite en Provence.

Hôtel du Poët – Au bout du cours dont elle ferme la perspective, façade à trois étages décorée de mascarons (1730).

Prendre la rue à droite de l'hôtel du Poët.

Rue de l'Opéra

Au n° 18, hôtel de l'Estang-Parade (1650), au n° 24, hôtel de Bonnecorse, du 18e s., et au n° 26, hôtel de Grimaldi, bâti, dit-on, sur des dessins de Puget. **Maison natale de Cézanne** au n° 28.

Revenir vers le théâtre du Jeu de Paume, en prenant à droite puis à gauche dans la rue Émeric-David.

Hôtel de Panisse-Passis

Au n°16. Élevé en 1739 ; superbe portail.

Un détour à droite conduit devant l'imposante façade de l'**ancienne chapelle des Jésuites** puis dans la rue Portalis.

Hôtel de Panisse-Passis : figures fantastiques, ferronneries ouvragées ou l'euphorie des robins.

Église Ste-Marie-Madeleine

Sa façade est sans grâce mais l'édifice (17e s.) abrite quelques œuvres intéressantes, en particulier une belle **Vierge★** en marbre de Chastel (18e s.) et, surtout, le volet central du **triptyque de l'Annonciation★**, datant de 1445, attribué à Barthélemy d'Eyck (parent de Jan Van Eyck ?).

Fontaine des Prêcheurs

Sur la place du même nom (Sade y fut pendu en effigie), elle est également l'œuvre de Chastel.

Au n°2, on remarquera les atlantes qui ornent le portail de l'**hôtel d'Agut** avant d'emprunter la rue Thiers où se dresse, au n°2, l'**hôtel de Roquesante**, du 17e s.

La rue Thiers nous conduit en haut du cours Mirabeau dont on emprunte le trottoir de droite. Au n°55, on distingue encore l'enseigne d'une chapellerie fondée en 1825 par le père de Cézanne.

Prendre la rue Fabrot à droite.

On entre ici dans le Vieil Aix proprement dit. La rue Fabrot, piétonne et commerçante, mène à la place St-Honoré.

Prendre la rue Espariat.

Hôtel Boyer d'Éguilles

Au n°6. Le muséum d'Histoire naturelle y est installé. Que vous le visitiez ou non, entrez dans la cour d'honneur par le portail à carrosses pour découvrir la façade de l'hôtel édifié en 1675, très probablement par Pierre Puget.

Place d'Albertas★

Ouverte en 1745 et ordonnancée à la façon des places parisiennes, il en émane un charme prenant, tant elle paraît hors d'atteinte des siècles. On y donne des concerts chaque été.

Au n° 10, l'**hôtel d'Albertas**, édifié en 1707, a été décoré par le sculpteur toulonnais Toro.

Comme un décor d'opéra, la petite place d'Albertas est un véritable miracle d'équilibre.

Prendre à droite dans la rue Aude où l'**hôtel Peyronetti** *(n° 13)*, de style Renaissance italienne, date de 1620, avant de poursuivre par la rue du Mar.-Foch qui conduit à la place de l'Hôtel-de-Ville. Au passage, on remarquera les beaux atlantes de l'**hôtel d'Arbaud** *(n° 7)* avant de traverser la **place Richelme** que borde la façade Sud de l'ancienne halle aux grains : à voir le matin, lorsqu'elle accueille le marché aux primeurs.

Place de l'Hôtel-de-Ville★

Elle prend tout son éclat le samedi matin lorsque s'y tient le marché aux fleurs. L'**hôtel de ville**, édifié de 1655 à 1670 par un architecte parisien, Pierre Pavillon, se signale par un balcon orné d'une belle ferronnerie et une magnifique grille d'entrée. **Cour★** pavée de galets et entourée de bâtiments à pilastres. Au Sud de la place, sur la façade de l'**ancienne halle aux grains**, un fronton sculpté (œuvre de Chastel) représente le Rhône et la Durance.

Hautes saisons

La **tour de l'Horloge**, ancien beffroi de la ville (16e s.), supporte à son sommet une cloche dans sa cage de ferronnerie où un personnage, chaque fois différent, marque le passage des saisons.

Prendre la rue Gaston-de-Saporta.

Sur la place des Martyrs-de-la-Résistance, s'élève, au fond, l'**ancien archevêché**, du 17e s., dont la cour accueille le festival d'art lyrique et les bâtiments le **musée des Tapisseries★** *(voir description dans « visiter »)*.

La cathédrale St-Sauveur : du mérovingien au baroque, il y en a pour tous les goûts.

Cloître Saint-Sauveur★

Tlj sf pdt offices 8h-12h, 14h-18h. Possibilité de visites guidées. Renseignements ☎ 04 42 96 12 25.

Une merveille d'art roman dont on admirera la légèreté et l'élégance, due en particulier aux colonnettes jumelées et aux chapiteaux, à feuillages ou historiés ; sculptures malheureusement assez abîmées.

Cathédrale St-Sauveur★

Par le cloître, on entre dans la nef romane de la cathédrale St-Sauveur où voisinent tous les styles, du 5e au 17e s.

Mais il faut absolument visiter la cathédrale le mardi entre 15h et 16h : c'est le seul moment où vous pourrez admirer le merveilleux **triptyque du Buisson ardent★★**, désormais attribué à Nicolas Froment après l'avoir longtemps été au roi René lui-même.

Le roi René et la reine Jeanne sont représentés agenouillés de part et d'autre de la Vierge, qui tenant l'Enfant, siège dans un buisson de feu : rappel de celui où Dieu apparut à Moïse, selon la Bible.

Les autres jours, on se consolera avec une peinture sur bois attribuée à l'atelier de Nicolas Froment, et les **vantaux★** en noyer sculptés de quatre prophètes et de douze sibylles païennes (masqués par de fausses portes) dus à Jean Guiramand.

En sortant, un coup d'œil sur la façade permet de voir un petit portail de style roman provençal (à droite), une partie gothique flamboyante (au centre) et, à gauche, un clocher gothique.

Revenant à la place de l'Hôtel-de-Ville par les rues Vauvenargues, Méjanes, des Bagniers et Clemenceau, aussi étroites qu'animées, on gagnera le cours Mirabeau où,

Ancienne chapelle des Jésuites .... EY **B**
Ancienne chapellerie .... DY **B**[4]
Ancienne halle aux Grains .... DY **B**[6]
Cathédrale St-Sauveur ... BX, DX
Cloître St-Sauveur .... BX, DX **B**[8]
Église Ste-Marie-Madeleine ... CY, EY
Église St-Jean-de-Malte .. CY, EY
Fontaine d'eau thermale .... DY **D**
Fontaine des Neuf Canons .... DY **D**[2]
Fontaine des Prêcheurs .... EY **D**[4]
Fontaine des Quatre Dauphins ... BY, DY **D**[6]
Fontaine du roi René .... EY **D**[8]
Hôtel Boyer de Fonscolombe DX **D**[10]
Hôtel d'Agut .... EY **E**
Hôtel d'Albertas .... DY **E**[2]
Hôtel d'Arbaud .... DY **E**[4]
Hôtel d'Arbaud-Jouques .... DY **E**[6]
Hôtel d'Isoard de Vauvenargues .... DY **E**[8]
Hôtel de Boigelin .... DEY **E**[10]
Hôtel de Bonnecorse .... EY **F**
Hôtel de Caumont .... DY **F**[2]
Hôtel de Châteaurenard .... DX **F**[4]
Hôtel de Forbin .... DY **F**[6]
Hôtel de Grimaldi .... EY **F**[8]
Hôtel de Lestang-Parade .... EY **G**
Hôtel de Marignane .... DY **G**[2]
Hôtel de Maynier d'Oppède ... DX **G**[4]
Hôtel de Panisse-Passis .... EY **G**[6]
Hôtel de Roquesante .... EY **G**[8]
Hôtel de Ville .... BY, DY **H**
Hôtel de Villeneuve d'Ansouis DY **K**
Hôtel du Poët .... EY **L**
Hôtel Maurel de Pontevès .... DY **L**[2]
Hôtel Peyronetti .... DY **L**[4]
Maison natale de Cézanne .... EY **L**[6]
Musée bibliographique et archéologique Paul-Arbaud .... BY, DY **M**[3]
Musée des Tapisseries ... BX, DX **M**[2]
Musée du vieil Aix .... BX, DX **M**[4]
Musée Granet .... CY, EY **M**[6]
Muséum d'Histoire naturelle (Hôtel Boyer d'Eguilles) BY, DY **M**[8]

Répertoire des rues, voir page 102.

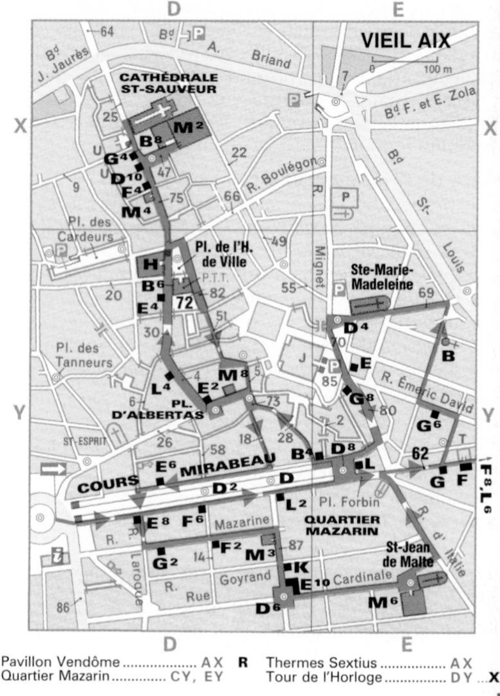

Pavillon Vendôme .... AX **R**
Quartier Mazarin .... CY, EY
Thermes Sextius .... AX
Tour de l'Horloge .... DY ... **X**

au n°19, l'**hôtel d'Arbaud-Jouques** présente une façade finement décorée.

Après avoir traversé le cours, la rue Laroque puis, à gauche, la rue Mazarine donnent accès au **quartier Mazarin**, réalisé entre 1646 et 1651 par l'archevêque Michel Mazarin, frère du cardinal.

Quartier Mazarin★

Au n° 12, l'**hôtel de Marignane**, de la fin du 17e s., fut le théâtre des douteux exploits du jeune Mirabeau : aussi désargenté que débauché, il séduit une riche héritière, Mlle de Marignane. Le mariage devient inévitable mais le beau-père coupe les vivres au jeune ménage. Mirabeau accumule les dettes chez les commerçants de la ville jusqu'à ce que ceux-ci le fassent interner au château d'If. Libéré, il séduit une femme mariée et s'enfuit avec elle. Convoqué à Aix en 1783 suite à la demande en séparation formulée par sa femme, il présente lui-même sa défense et sa prodigieuse éloquence lui fait gagner le procès en première instance !

Hôtel de Caumont – *3 r. Joseph-Cabassol.* Le conservatoire de musique et de danse Darius Milhaud occupe une élégante demeure de 1720, aux balcons et frontons superposés.

Une des nombreuses fontaines qui font la réputation d'Aix et dans lesquelles on peut se rafraîchir les mains, au plus chaud de la journée.

Église St-Jean-de-Malte – Au bout de la rue Cardinale, l'église St-Jean-de-Malte, élevée à la fin du 13e s., est le premier édifice gothique aixois. Si la façade offre un aspect sévère, à l'intérieur, la **nef**★, toute de simplicité et d'élégance, ne manque pas de charme. *Lun.-sam. 8h30-12h, 15h-19h.*

La rue d'Italie, sur la gauche, conduit au cours Mirabeau.

visiter

Muséum d'Histoire naturelle

10h-12h, 13h-17h ; pdt expos. : 10h-18h. Fermé 1er janv., 1er mai, 25 déc. 10F. ☏ 04 42 26 23 67.

Belles portes du 17e s., peintures et sculptures offrent un cadre remarquable et valent à elles seules la visite de ces collections de paléontologie générale et provençale.

Grosse omelette
Celle que l'on aurait pu préparer avec les **œufs de dinosaure** retrouvés sur les pentes de la Sainte-Victoire.

Musée des Tapisseries*

Tlj sf mar. 10h-12h, 14h-18h. Fermé 1er janv., 1er mai, 25 déc. 10F. ☎ 04 42 23 09 91.

Bel ensemble de 19 tapisseries exécutées à Beauvais aux 17e et 18e s., et les 9 célèbres panneaux de la vie de Don Quichotte d'après des cartons de Natoire.

Musée Granet*

Tlj sf mar. 10h-12h, 14h-18h. Fermé j. fériés. 10F. ☎ 04 42 38 14 70.

Superbe collection de peintures, provenant de divers legs, dont celui du peintre aixois François-Marius Granet (1775-1849).

On s'attardera devant les Primitifs avignonnais (volets du *Triptyque de la reine Sanche*, de Matteo Giovanetti, le peintre du palais des Papes), italiens et flamands avant d'aborder les œuvres des grandes écoles européennes du 16e au 19e s. Pour l'école française, Philippe de Champaigne, Le Nain, Rigaud, Largillière, Greuze, Géricault, ainsi que des tableaux de l'école provençale avec en particulier Loubon, Achille Emperaire et le maître des lieux. Parmi les autres écoles, œuvres de Guerchin, Rubens et de l'école de Rembrandt.

À VOIR
Les huit tableaux de Cézanne dont une *Nature morte* (1865), *La Femme nue au miroir* (1872), *Les Baigneuses* (1895), etc.

Musée du Vieil Aix

17 r. Gaston-de-Saporta. Avr.-sept. : tlj sf lun. 10h-12h, 14h30-18h ; nov.-mars : tlj sf lun. 10h-12h, 14h-17h. Fermé en oct. et j. fériés. 15F. ☎ 04 42 21 43 55.

Les férus d'histoire locale apprécieront les marionnettes évoquant les « crèches parlantes » et les processions de la Fête-Dieu, la collection de faïences de Moustiers et de santons.

Musée bibliographique et archéologique Paul-Arbaud

2a r. du 4-Septembre. Mar. et jeu. 14h-17h. Fermé j. fériés. Se renseigner pour les autres j. d'ouv. 15F. ☎ 04 42 38 38 95.

Installé dans un hôtel de la fin du 18e s., il présente une collection de faïences régionales ainsi que des livres relatifs à la Provence.

Pavillon Vendôme

32 r. de la Molle. Avr.-oct. : tlj sf mar. 10h-12h, 14h-18h ; fév.-mars : tlj sf mar. 10h-12h, 13h30-17h30 ; nov.-janv. : 10h-12h, 13h-17h. Fermé 1er janv., 1er mai, 25 déc. 10F. ☎ 04 42 21 05 78.

Maison de campagne construite en 1667 pour le cardinal de Vendôme par Pierre Pavillon et A. Matisse. Ce bel édifice abrite une collection de meubles et d'objets d'art provençaux.

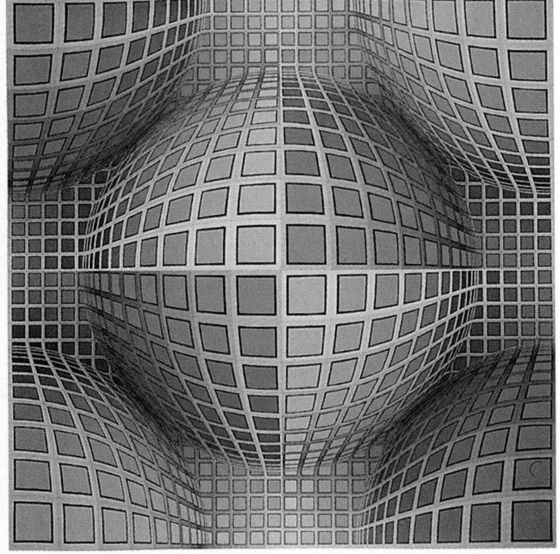

Victor Vasarely – Lava, *1984 : quand l'image crée l'illusion en jouant avec nos nerfs optiques.*

Fondation Vasarely*

10h-13h, 14h-19h, w.-end 10h-19h. Fermé 1er janv., 1er mai, 25 déc. 40F. ☏ 04 42 20 01 09.

Située à 2,5 km à l'Ouest sur la colline du Jas de Bouffan, là où se trouvait la propriété de Cézanne que Vasarely admirait.

Enfin réouverte au public, elle propose dans une architecture résolument moderne (16 structures hexagonales dont les sobres façades sont décorées de cercles blancs et noirs alternés) un panorama des recherches de Victor Vasarely (1906-1997) portant sur les déviations linéaires (à partir de 1930) puis sur la lumière et l'illusion de mouvement (dès 1955).

alentours

Oppidum d'Entremont

Mœurs barbares
Entre deux tours du rempart s'élevait un portique où, suppose-t-on, les Salyens exposaient les crânes de leurs ennemis.

Quitter Aix au Nord par l'avenue Pasteur, puis la D 14. À 2,5 km, prendre à droite le chemin qui conduit au plateau d'Entremont. Tlj sf mar. 9h-12h, 14h-18h. Fermé 1er janv., 1er mai, 1er et 11 nov., 25 déc. Gratuit. ☏ 04 42 21 97 33.

Cette ville forte des Salyens était protégée par des escarpements naturels et, au Nord, derrière un rempart aux fortes courtines renforcées de tours.

À l'intérieur, une première ville, la « ville haute » se trouvait elle-même isolée par une fortification.

La « ville basse » semble avoir été un quartier artisanal, comme en témoignent des restes de fours et de pressoirs à huile.

Les Salyens

Peuple celto-ligure, les Salyens occupaient au 3e s. avant J.-C. la Basse Provence occidentale et avaient fixé leur capitale à l'oppidum d'Entremont. Si les fouilles (et la statuaire du musée Granet) révèlent une civilisation urbaine évoluée, cette urbanité n'allait pas sans une certaine rudesse : témoin, leur usage, rapporté par le naturaliste romain Strabon, de couper la tête de leurs ennemis et de la suspendre à l'encolure de leurs chevaux pour la rapporter chez eux et la clouer dans leur entrée en guise de trophée. Les Massaliotes, que ces rudes voisins gênaient dans leurs opérations commerciales, firent appel aux Romains en 124 avant J.-C. Sous la direction du consul Sextius, ceux-ci réduisirent les Salyens en esclavage, détruisirent la ville et fondèrent un camp non loin des sources thermales, Aquae Sextiae : Aix allait pouvoir naître.

Complément
La section archéologique du musée Granet complète utilement la visite de l'oppidum d'Entremont : effigies de personnages accroupis, bustes de guerriers, têtes masculines et féminines. Un des guerriers accroupis tenait sur ses genoux, suppose-t-on, un groupe de têtes coupées aux yeux crevés.

Les **fouilles** ont permis de retrouver un abondant matériel attestant d'un niveau de développement assez élevé et des traces de sa destruction par les Romains, notamment des boulets de pierre. La statuaire d'Entremont est exposée au musée Granet.

Éguilles

10 km à l'Ouest, par la N 7 en direction de Salon. À 2,5 km tourner à gauche dans la D 543.

Dominant la vallée de l'Arc, le village, semé de vieux lavoirs, est situé sur la voie Aurélienne, devenue la D 17. Bel hôtel de ville, ancienne demeure des Boyer d'Éguilles et, depuis l'esplanade, vue sur la chaîne de l'Étoile et les Milles.

Jardins d'Albertas

Divinités et monstres peuplent le jardin à l'italienne, créé par le divin marquis d'Albertas.

11 km. Quitter Aix par la N 8 en direction de Marseille. À Luynes, prendre à gauche la D 59A vers Bouc-Bel-Air. ♿ De mai à fin oct. : w.-end et j. fériés 14h-18h (juin-août : tlj 15h-19h). 20F. ☏ 04 42 22 29 77.

Ce jardin de 8 ha, aménagé en 1751 par le marquis d'Albertas marie harmonieusement les traditions italienne (terrasses, statues dans le goût antique, grotte artificielle), française (parterre, canal et perspective) et provençale, avec une rangée de platanes.

circuit

VALLÉE DE L'ARC

43 km - environ 2h.

Quitter Aix par la D 9 et traverser la zone d'activité des Milles.

Château de la Pioline

15h-18h. Gratuit. ☎ 04 42 20 07 81.

Ancienne résidence d'été des membres du Parlement d'Aix. Un corps de logis flanqué de deux ailes s'ouvre sur une cour d'honneur ornée d'une pièce d'eau. À l'intérieur, une suite de salons richement meublés, ainsi que la galerie des miroirs, témoignent d'un passé fastueux.

Après avoir longé le **réservoir du Réaltor**, belle nappe d'eau de 58 ha entourée d'une abondante végétation, prendre à droite la D 65[D] qui franchit le canal de Marseille.

Après la Mérindolle, tourner à gauche.

Aqueduc de Roquefavour*

Construit de 1842 à 1847 par l'ingénieur de Montricher pour permettre au canal de Marseille de franchir la vallée de l'Arc, cet aqueduc, long de 375 m et haut de 83 m (contre 275 m et 49 m pour le Pont du Gard) s'étage sur trois niveaux : le dernier, qui porte la canalisation conduisant à Marseille les hauts de la Durance, est soutenu par 53 arceaux.

VU DE HAUT

On pourra, en suivant sur 2,1 km un chemin non revêtu à droite *(direction de Petit Rigouès)* puis en prenant à droite vers la maison du garde, s'avancer jusqu'à la crête de l'ouvrage, que la canalisation franchit à ciel ouvert.

Revenir à la D 64 et tourner à droite.

Ventabren

Petit village aux ruelles pittoresques dominé par les ruines du château de la reine Jeanne. Du pied des ruines *(emprunter la rue du Cimetière)*, vue sur l'étang de Berre, Martigues et la trouée de Caronte, et la chaîne de Vitrolles.

Par la D 64[A] et la D 10 à droite, regagner Aix-en-Provence.

Ventabren : un viaduc qui met la Canebière à 3 h 30 de Paris : « Ô collègue, tu galèjes ? ! »

Les Alpilles**

Crêtes déchiquetées, sommets arides se découpant dans une atmosphère transparente évoquant la Grèce, oliveraies argentées de lumière, rangées de cyprès dressant leur fuselage sombre : Frédéric Mistral voyait dans les Alpilles un « véritable belvédère de gloire et de légendes ».

La situation

Cartes Michelin n°s 83 pli 10, 84 pli 1 et 245 pli 29 – Bouches-du-Rhône (13). Entre Arles et Avignon, cette chaîne calcaire, prolongement géologique du Luberon, se divise en Alpilles des Baux, à l'Ouest, et Alpilles d'Eygalières, à l'Est ; en son centre, elle domine St-Rémy-de-Provence.

carnet pratique

Visite

Visite guidée de la Caume (voir p. 112.) – Visite guidée « nature » sur demande à l'Office du tourisme de St-Rémy-de-Provence, ☎ 04 90 92 05 22.

Restauration

• À bon compte

La Pitchoune – *21 pl. de l'Église - 13520 Maussane-les-Alpilles - ☎ 04 90 54 34 84 - fermé 15 nov. au 5 janv. et lun. - 92/149F.* Toute proche de l'église, cette demeure bourgeoise du 19e s. est mignonnette avec ses salles sobrement meublées et son carrelage en mosaïque ancienne au sol. Terrasse abritée par des pins en été. Cuisine familiale.

• Valeur sûre

Le Relais du Coche – *Pl. Monier - 13430 Eyguières - 9 km au NO de Salon par D 17 - ☎ 04 90 59 86 70 - fermé 2 au 25 janv., dim. soir d'oct. à juin, mar. de juil. à sept. et lun. - 158/208F.* N'y cherchez plus les chevaux, ils ont déserté ce relais de poste depuis longtemps. Les tables sont dressées sous les poutres de l'ancienne écurie aux murs de pierres. Terrasse ombragée sur l'arrière.

• Une petite folie !

Bistrot d'Eygalières – *R. de la République - 13810 Eygalières - 12 km au SE de St-Rémy par D 99 et D 24B - ☎ 04 90 90 60 34 - fermé déb. fév. au 15 mars, 6 au 9 août, et 27 nov. au 16 déc. - réserv. obligatoire - 280/430F.* Le charme provençal est au rendez-vous dans ce bistrot chic avec ses meubles peints et ses poutres. Une ardoise circule pour présenter le menu. Cuisine régionale soignée au goût du jour servie par une jeune équipe souriante.

Hébergement

• À bon compte

Chambre d'hôte Canto Cigalo – *Quartier du Pin - 13430 Eyguières - 9 km au NO de Salon par D 17 - ☎ 04 90 59 89 85 - ⌿ - 3 ch. : 240/280F.* Cette maison récente s'ouvre sur la campagne et un immense verger. Ses chambres à l'étage sont d'une propreté impeccable et leur décor sobre, meublé à l'ancienne, est rehaussé de voilages colorés. Aire de jeux pour les enfants.

• Valeur sûre

Chambre d'hôte Le Mas du Petit Puits – *Chemin Mario Prassinos - 13810 Eygalières - 0,5 km rte de St-Rémy-de-Provence par D 74A - ☎ 04 90 95 91 18 - 4 ch. : 430/1150F - repas 145F.* Dans ce mas centenaire, avant de poser vos bagages dans une des chambres au mobilier d'époque, arrêtez-vous près de la piscine pour admirer la chaîne des Alpilles. Certains soirs, vous pourrez déguster une cuisine provençale.

Loisirs-Détente

Aéroclub de Romanin – *En bordure de la D 99 et du canal des Alpilles - ☎ 04 90 92 08 43.* Propose à tous ceux qui se sentent des fourmis dans les ailes baptêmes de l'air, vols d'initiation et stages de perfectionnement de vol à voile.

Randonnée pédestre – Parcours de 15 km sur les crêtes des Alpilles, de Glanum à Eygalières, par le Val Saint-Clerg que suit le GR 6.

Le nom

Le mot *alpe* signifie « montagne », « sommet », tout simplement. Et, pour bien montrer qu'on sait être modeste, même en Provence, on y a rajouté un diminutif.

Tartarin

Grand escaladeur de cimes (imaginaires), Tartarin partait s'entraîner... dans les Alpilles.

◄ Les gens

Frédéric Mistral et Marie Mauron les chantèrent, Alphonse Daudet y puisa l'inspiration de ses contes.

circuits

1 LES ALPILLES DES BAUX**

Circuit au départ de St-Rémy-de-Provence.
40 km – environ 4h.

Saint-Rémy-de-Provence* (*voir ce nom*)

Quitter St-Rémy au Sud-Ouest par le chemin de la Combette, puis prendre à droite le Vieux Chemin d'Arles.

Gracieuse maison de campagne du 16e s. ornée de fenêtres, de frises et d'un balcon Renaissance : la **tour du Cardinal**.

Tourner à gauche dans la D 27.

Juste avant le haut de la côte, sur la gauche, une route revêtue tracée en corniche permet d'aller contempler le **panorama***** des Baux.

De retour sur la D 27, on serpente dans le **Val d'Enfer**.

Les Baux-de-Provence*** (*voir ce nom*)

Suivre la D 27.

Après avoir traversé la patrie du poète Charloun Rieu (1846-1924), le Paradou, emprunter la D 78E qui court parmi les olivettes.

« La chaîne des Alpilles, ceinturée d'oliviers comme un massif de roches grecques » (Frédéric Mistral).

Aqueducs de Barbegal

1/4h à pied. Ruines de deux aqueducs gallo-romains jumelés. L'un alimentait Arles en eau d'Eygalières. L'autre actionnait une vaste meunerie hydraulique construite sur le flanc Sud de la colline. Les ruines de cette meunerie sont un des rares exemples de bâtiments industriels romains qui nous soient parvenus.

Fontvieille

Ce bourg typiquement provençal est un centre d'extraction d'une roche calcaire, la pierre d'Arles.

Mais Fontvieille est surtout connu grâce au **moulin de Daudet**. La salle du 1er étage présente le système de meules utilisé pour moudre le grain ; remarquez, à hauteur du toit, les noms des vents locaux, inscrits en fonction de leur provenance. Au sous-sol, petit musée réunissant quelques souvenirs de l'écrivain : manuscrits, portraits, photos, éditions rares. *Avr.-sept. : 9h-19h ; oct.-mars : 10h-12h, 14h-17h. Fermé en janv sf dim. 10F. ☎ 04 90 54 60 78.*

Du moulin, **vue★** remarquable sur les Alpilles, les châteaux de Beaucaire et de Tarascon, la vallée du Rhône et l'abbaye toute proche de Montmajour.

On peut rejoindre le moulin de Daudet en suivant une route bordée de magnifiques pins parasols.

Une colline inspiratrice

Eh non, Alphonse Daudet ne vivait pas dans le moulin : lorsqu'il venait à Fontvieille, il préférait le confort du château de Montauban, au pied de la colline. Et les fameuses *Lettres de mon moulin* ont été écrites à Paris. Mais il aimait venir flâner sur la colline d'où l'on embrasse le cadre de son œuvre provençale. Quant aux récits du meunier, peut-être s'en inspira-t-il ?

Sentier de chèvre...

En suivant le « parcours découverte », entre le moulin de Daudet et le château de Montauban, on découvrira le cabanon « coudière » et le « trou du renard » qui évoquent la chèvre de ce « pôvre » Monsieur Seguin.

Parmi olivettes, pinèdes et champs de primeurs, la D 33 remonte vers le Nord.

Chapelle St-Gabriel★

Chapelle fermée mais clé disponible en semaine à l'office de tourisme de Tarascon de 9h-12h30, 14h-18. ☎ 04 90 91 03 52.

Cette chapelle du 12e s. présente une remarquable façade sculptée. À l'intérieur, bel exemple, très dépouillé, d'architecture romane.

Prendre la D 32 pour regagner St-Rémy.

2 LES ALPILLES D'EYGALIÈRES★★

Circuit au départ de St-Rémy-de-Provence – 42 km – environ 3h.

Quitter St-Rémy par la D 5 en direction de Maussane.

La route passe devant le monastère de St-Paul-de-Mausole *(voir p. 314)* puis le plateau des Antiques *(voir p. 310)* avant de partir à l'assaut de la chaîne des Alpilles, dans un paysage où dominent les pins. À 4 km, au sommet de l'ascension, laisser sa voiture en bordure de la route pour emprunter à pied un chemin en montée.

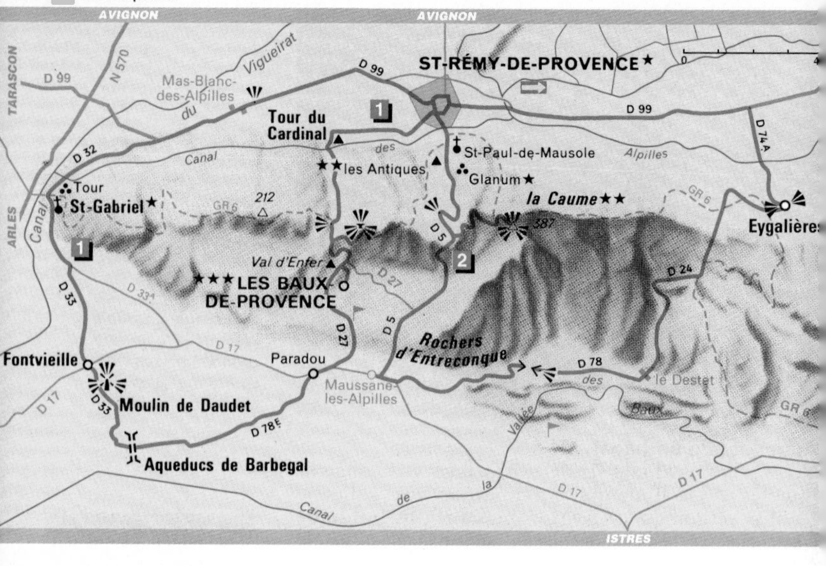

Bleu des volets, ocre des murailles, jardinière de fleurs, patine du soleil : couleurs de Provence à Eygalières.

Sanctuaire pour rapaces

L'aigle de Bonelli, le vautour percnoptère et le hibou grand duc ont leurs habitudes à la Caume. Aussi, pour ne pas troubler ces espèces fragiles, on s'abstiendra de sortir des chemins balisés.

Panorama de la Caume★★

Alt. 387 m. Vaste panorama depuis le rebord Sud du plateau, au-delà de l'enceinte du relais de télévision, sur la chaîne des Alpilles, la plaine de la Crau et la Camargue, tandis que le rebord Nord révèle la plaine rhodanienne, le Guidon du Bouquet avec sa silhouette en forme de bec, le Ventoux et la vallée de la Durance.

Revenir à la D 5.

Après avoir traversé de petites gorges, on aperçoit sur la gauche d'anciennes carrières de bauxite, les **rochers d'Entreconque**, à la couleur rougeâtre très particulière. Puis apparaissent des vergers où abondent oliviers, abricotiers, amandiers et cerisiers.

À l'entrée de Maussane-les-Alpilles, prendre à gauche la D 17 puis, immédiatement à gauche la D 78.

Longeant le massif au milieu des olivettes, la route s'élève doucement vers un col qui ménage une belle vue sur les Opiès, petit mont que surmonte une tour. Au Destet, prendre à gauche la D 24 en montée (on verra sur la gauche la crête de la Caume).

Après 7,5 km, la D 24B sur la droite conduit à Eygalières.

Eygalières

Au pied d'un vieux donjon juché sur une colline, Eygalières (la cité des eaux) étire ses rues tortueuses. C'est ici que les Romains puisaient l'eau pour alimenter Arles. Du sommet du village, belle vue sur la montagne de la Caume et la vallée de la Durance.

Par la D 74A, rejoindre la D 99 qu'on prendra sur la gauche pour rentrer dans St-Rémy.

Ansouis

Entre Durance et Luberon, le village d'Ansouis se dore paresseusement au soleil, sous l'ombre protectrice du prestigieux château des Sabran-Pontevès, l'un des trois grands noms du Luberon.

La situation

Cartes Michelin nos 84 pli 3, 114 pli 2 et 245 pli 31 – Vaucluse (84). À 8 km à l'Est de Lourmarin par la D 21, puis la D 135, et à 10 km de Cadenet par la D 973 (qui longe la Durance), puis sur la gauche, avant Villelaure, la D 37.

84240 Ansouis, ☎ 04 90 09 86 98.

Le nom
Les plus fantaisistes y voient une déformation d'*in sosciis*, les « meurtrières » en latin. Les plus observateurs remarquent que le bourg est situé sur une éminence, et que cela correspond au sens de la racine ligure *ant-*.

Les gens
Sans mettre en doute leur piété et leur aptitude à la sainteté, on peut penser que les 1 033 Ansouisiens ne partagent pas tous la vertu ni surtout la remarquable précocité d'Elzéar de Sabran qui, dès son plus jeune âge, par souci de mortification, refusait le lait de sa nourrice le vendredi !

visiter

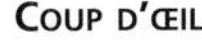

Château★
De fév. à la Toussaint : visite guidée (3/4h) à partir de 14h30 (de mi-juil. à fin août : à 11h et à partir de 14h30) ; Toussaint-Pâques : tlj sf mar. à partir de 14h30. Fermé en janv. 30F (enfants : 15F). ☎ *04 90 09 82 70.*

Demeure de la lignée des Sabran-Pontevès dont chaque génération s'est plu, au cours des siècles, à embellir le patrimoine, c'est à la fois une forteresse (ce qu'elle fut à l'origine, lorsque les barons d'Ansouis l'ont élevée au 12e s.) et une habitation de plaisance, depuis les remaniements effectués aux 17e et 18e s. en particulier dans la partie Sud.

COUP D'ŒIL
Depuis la terrasse, sur les jardins suspendus, décorés de buis et d'arbres au feuillage sombre : un cadre idéal pour les âmes romantiques.

Les feuillages sombres du parc, écrin romantique pour un château, mi-forteresse, mi-palais.

Une vaste esplanade plantée de marronniers conduit à la façade de pierres dorées, aussi monumentale qu'harmonieuse. Des « pointes de diamants » agrémentent le portail d'entrée que surmontent les armes des Sabran. Par l'escalier d'honneur (au risque de rater une marche, jetez un coup d'œil sur la voûte), on accède à la salle de Gardes et ses armures ; un étroit couloir mène à la chapelle, puis à la salle à manger décorée de tapisseries flamandes. Un luxueux salon Charles X permet d'accéder à la chambre de saint Elzéar et sainte Delphine de Sabran où sont rassemblés des souvenirs de ces deux bienheureux.

ÉTINCELANTS
Les cuivres de la cuisine provençale : pour conforter une vocation de cordon-bleu ?

Église
Elle a été édifiée au 13e s. sur la première enceinte fortifiée du château : d'où les meurtrières étroites du mur Sud qui paraissent plus adaptées à un usage militaire que religieux...

Musée Extraordinaire
Visite guidée (3/4h) tlj sf mar. 14h-18h (avr.-sept. : fermeture à 19h). Fermé janv.-fév. 22F. ☎ *04 90 09 82 64.*

Le monde sous-marin sur les contreforts du Luberon ? Pourquoi pas puisque, dans des temps (très) reculés, la mer recouvrait la région... Une grotte marine a été aménagée dans les caves voûtées du 15e s. ; également, tableaux et céramiques de G. Mazoyer.

Apt

Capitale de l'ocre (elle conserve la seule usine encore en exploitation) et du fruit confit, Apt vous réserve d'autres surprises, tout aussi singulières : à l'écart des chemins trop fréquentés, le charme paisible de ses ruelles, ou l'animation de son grand marché, vous retiendront peut-être plus longtemps que prévu dans cette sympathique cité.

La situation

Cartes Michelin n°s 81 pli 14, 114 pli 2 et 245 pli 31 – Vaucluse (84). Apt ne se laisse pas aborder sans peine : lorsqu'on arrive de l'Ouest par la N 100, il faut en effet traverser de longs faubourgs avant de franchir le Calavon, pour soudain se retrouver sur la place de la Bouquerie, âme de la petite cité. Parkings aménagés sur les quais ou sur les berges, sauf le samedi, jour du fameux marché. Auquel cas, on tentera sa chance au grand parking de l'avenue Victor-Hugo, en bordure de la rivière, juste avant le pont. **i** *20 av. Philippe-de-Girard, 84400 Apt, ☎ 04 90 74 03 18.*

ADRESSE
Visite de la confiserie **Aptunion**, sur la RN 100 (à l'entrée de la ville). *Tlj sf w.-end 9h-12h, 14h-17h30, visite guidée de la fabrique mer. 10h. Fermé 3 sem. en juil.-août et j. fériés. Gratuit. ☎ 04 90 76 31 43.*

Le nom

La Colonia Julia Apta fut une prospère colonie romaine établie sur la voie Domitienne au début de notre ère.

Les gens

11 172 Aptésiens. L'un de leurs ancêtres, Auzias Maseta, fut intronisé en 1348 par le pape Clément VI « écuyer en confiture », preuve que le fruit confit d'Apt (naguère appelé « confiture sèche ») était déjà apprécié en très haut lieu.

UN CHAUDRON DE CONFITURE

C'est ainsi que Mme de Sévigné appelait Apt. Les fruits furent d'abord confits dans du miel avant que le sucre ne soit introduit à l'époque des Croisades ; depuis lors, l'élaboration du fruit confit n'a pas changé : il s'agit de conserver le fruit en remplaçant son eau par du sucre. Pour cela, une seule méthode : le plonger dans des sirops portés à ébullition et en répéter l'opération entre 5 et 12 fois en l'espace d'un mois.

Il faut découvrir Apt le samedi matin lorsque la ville s'anime pour le grand marché qui investit places et ruelles du centre : étals débordant de fruits et légumes, tissus provençaux aux couleurs chatoyantes, infinies variétés de miel, produits « bio » du Luberon, objets d'artisanat, rempailleurs de chaises, : tout ce dont on peut avoir un jour besoin, sans même s'en douter, se trouve au marché d'Apt.

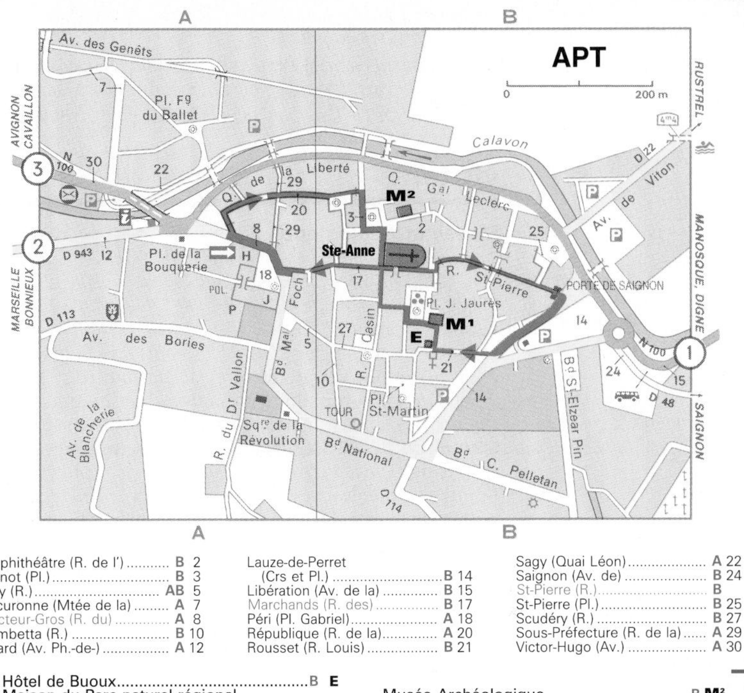

Amphithéâtre (R. de l') .... B 2
Carnot (Pl.) .... B 3
Cély (R.) .... AB 5
Cucuronne (Mtée de la) .... A 7
Docteur-Gros (R. du) .... A 8
Gambetta (R.) .... B 10
Girard (Av. Ph.-de-) .... A 12
Lauze-de-Perret (Crs et Pl.) .... B 14
Libération (Av. de la) .... B 15
Marchands (R. des) .... B 17
Péri (Pl. Gabriel) .... A 18
République (R. de la) .... A 20
Rousset (R. Louis) .... B 21
Sagy (Quai Léon) .... A 22
Saignon (Av. de) .... B 24
St-Pierre (R.) .... B
St-Pierre (Pl.) .... B 25
Scudéry (R.) .... B 27
Sous-Préfecture (R. de la) .... A 29
Victor-Hugo (Av.) .... A 30

Hôtel de Buoux .... B **E**
Maison du Parc naturel régional du Luberon .... B **M1**
Musée Archéologique .... B **M2**

se promener

Compter 1h environ, 2 ou plus les jours de marché...
Prendre, depuis la place de la Bouquerie la rue de la République jusqu'à la place du Septier ornée de beaux hôtels particuliers, puis la place Carnot, et sur la droite, la rue Ste-Anne.

Cathédrale Ste-Anne

Tlj sf lun. 10h-12h, 15h-17h (14h-16h en hiver). ☎ *04 90 04 61 71*

Élevée entre le 11e et le 12e s. mais très remaniée depuis : s'y mêlent allègrement roman (bas-côté droit) et gothique (bas-côté gauche) tandis que la nef date du 18e s. La coupole sur trompes, soutenant le clocher roman, est semblable à celle de N.-D.-des-Doms d'Avignon. Un remarquable vitrail du 15e s., au fond de l'abside, représente sainte Anne tenant dans ses bras la Vierge et l'Enfant.

Dans la **chapelle Sainte-Anne**, bâtie en 1662, après qu'Anne d'Autriche fut venue à Apt en pèlerinage, reliquaire de la sainte et groupe sculpté (sainte Anne et la Vierge Marie enfant), œuvre en marbre de Carrare due à Benzoni ; reliques de St-Elzéar de Sabran *(voir Ansouis)* et de saint Castor, évêque du lieu, mort en 422. Dans la salle du **Trésor**, châsses en émaux de Limoges (12e s.), coffrets en bois dorés florentins (14e s.), manuscrits liturgiques et un étendard arabe tissé en 1097 à Damiette. ♿ *Juil.-août visites tlj sf lun. 11h, 17h, dim. et j. fériés 11h ; visite sur demande de sept. à fin juin : visite guidée (1/4h) 11h-12h, 17h-18h. Gratuit.* ☎ *04 90 04 61 71.*

Crypte sur deux étages : le niveau supérieur, roman, conçu comme une minuscule église, contient un autel du 5e s. ; l'étage inférieur est d'époque carolingienne.

Poursuivre par la rue des Marchands, qui passe sous le clocher-porte, jusqu'à la place du Postel.

La rue St-Pierre conduit à la **porte de Saignon**, vestige de l'enceinte de la cité.

Suivre à droite le cours Lauze-de-Perret jusqu'à la rue Louis-Rousset par laquelle on entre à nouveau dans la cité.

Au coin de la rue Paul-Achard, **hôtel de Buoux** (16e s.). La **Maison du Parc du Luberon** y est installée dans un

ROYALE PÈLERINE

Un pèlerinage très suivi a lieu chaque année le dernier dimanche de juillet : sainte Anne est connue pour rendre les femmes fécondes : Anne d'Autriche lui devrait la naissance de Louis XIV, un Aptésien honoraire en quelque sorte !

La porte de Saignon, ouverture médiévale sur les ruelles de la capitale de l'ocre et du fruit confit.

On gagne par la rue Casin (à droite) la rue des Marchands qu'on prend sur la gauche.

Sur la place Gabriel-Péri, belle façade classique de la sous-préfecture flanquée de deux fontaines à dauphins.

Par la rue du Dr-Gros, on rejoint la place de la Bouquerie.

visiter

Musée archéologique

Tlj sf dim. et mar. 14h-17h, lun. 14h30-16h30, sam. 10h-12h, 14h30-17h30 (juin-sept. : tlj sf mar. 10h-12h, 14h-17h30, lun. et sam. 10h-12h, 14h30-17h30, dim. 14h-18h). Fermé j. fériés. 10F. ☎ 04 90 74 00 34.

Installées dans un hôtel du 18e s., derrière la place Carnot, collections de préhistoire, de protohistoire et d'archéologie gallo-romaine (mosaïques, céramique, verrerie, bijoux), ainsi que des objets découverts sur le site de l'oppidum du Chastellard-de-Lardiers, près de Banon (Alpes-de-Haute-Provence). Au 2e étage, collection de faïences aptésiennes du 17e au 19e s. : œuvres d'un potier-céramiste local, Léon Sagy (1863-1939) et nombreux ex-voto.

Maison du Parc naturel régional du Luberon

Indispensable
... avant de partir à la découverte de la région : bornes interactives, panneaux lumineux, fresques animées, diaromas... et vous saurez tout (ou presque) sur le Luberon.

60 pl. Jean-Jaurès. De mi-avr. à mi-sept. : tlj sf dim. 8h30-12h, 13h30-19h ; de mi-sept. à mi-avr. : tlj sf dim. 8h30-12h, 13h30-18h, sam. 8h30-12h. ☎ 04 90 04 42 00, minitel 3615 Luberon, Internet : www.parcduluberon.com.

Excellente introduction pour une première approche du parc du Luberon. Dans la cave, l'accent est mis sur la géologie et l'évolution des espèces vivantes, présentées de façon ludique et intéressante. Au rez-de-chaussée, les grands milieux naturels, l'habitat et les villages perchés.

circuit

CIRCUIT DE L'OCRE★★

49 km – environ 3h1/2.

Quitter Apt par la N 100 en direction de Cavaillon.

Pont-Julien

Ce pont de l'antique voie Domitienne a été jeté sur le Coulon (ou Calavon) en 3 avant J.-C. On remarquera les ouvertures, pratiquées dans les piles de façon que les eaux s'écoulent rapidement en cas de fortes crues.

Roussillon★★ *(voir ce nom)*

Quitter le village par la D 227 (belles vues à droite sur les falaises d'ocre et le Luberon, à gauche sur le plateau de Vaucluse) puis prendre à droite la D 2 et, tout de suite à droite, la D 101.

Dans un champ à droite, une vingtaine de bassins de décantation ont été creusés pour le traitement de l'ocre que l'on extrait des carrières voisines.

Gargas
On y extrait encore l'ocre de nos jours ; c'est également un centre de fabrication artisanale de fruits confits.

Prendre sur la gauche, à l'entrée de Gargas, la D 83, puis à nouveau à gauche la D 943.

St-Saturnin-lès-Apt

Ce village perché, adossé aux premiers contreforts du plateau de Vaucluse, est dominé par les vestiges des murailles du château qui semblent nées de la falaise. Sa chapelle romane et son moulin à vent offrent un tableau d'un charme tout provençal. Tout en haut, la porte Ayguier (15e s.) a conservé une partie de son système de défense. Les ruelles étroites et sinueuses, les maisons aux murs de pierre sèche et la tranquillité de ce village (qui consacre toute son énergie à la culture des cerises) en font une agréable base pour randonneurs : près de 200 km de sentiers sont balisés sur les anciens chemins de transhumance des alentours.

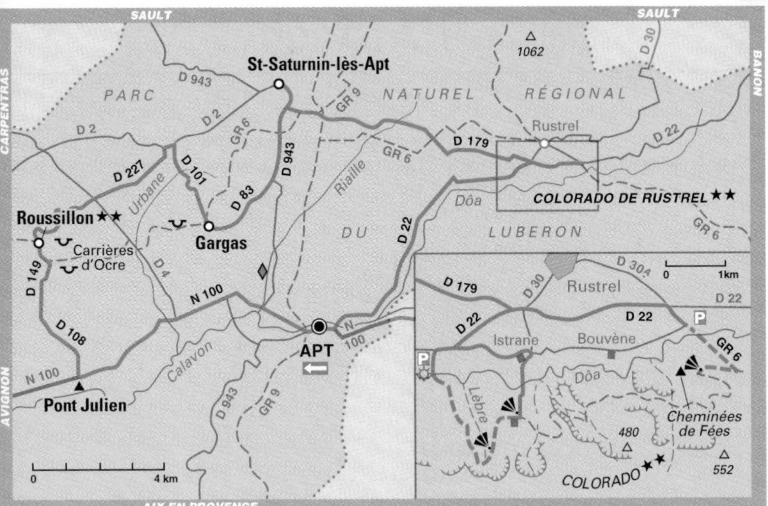

Colorado de Rustrel★★

Plusieurs promenades permettent de découvrir quelques sites de ce gigantesque colorado et sa majestueuse procession de carrières d'ocre.

L'une d'elles peut s'effectuer à partir du parking *(accès gratuit mais une contribution est demandée pour le petit plan, peu clair du reste, qui est distribué)* aménagé en bordure de la Dôa, sur la D 22, puis par une route en descente. Après avoir franchi la rivière, suivre le balisage jaune. Une montée assez abrupte (et parfois glissante) s'ouvre sur une série de belvédères : ils dominent l'ensemble des carrières, spectaculaires, avec les pans de falaises coiffés ou « cheminées de fée », œuvres communes de l'activité humaine et de l'érosion *(compter 1h AR)*.

On peut également laisser sa voiture au camping du Colorado, en bordure de la D 22 et suivre le balisage jaune. On laisse alors à droite l'ancienne usine de fer de Rustrel avant de découvrir les roches vermillon au cours de la descente dans le vallon de Lèbre. On le remonte jusqu'aux « terres vertes », anciennes carrières de phosphate puis, après avoir traversé un paysage de pinèdes et de bruyères, on débouche sur l'ancienne carrière d'Istrane. Le retour s'effectue par l'ancien chemin de Rustrel à Caseneuve et une petite route rurale *(2h AR environ)*.

Après un rafraîchissement bien mérité dans l'agréable village de Rustrel, rentrer à Apt par la D 22.

HÉBERGEMENT

Le Moulin de Mauragne - *3 km au S d'Apt, dir. Lourmarin puis rte à gauche après 800 m du rd-pt - ☎ 04 90 74 31 37 - www.moulin-de-mauragne.com - fermé déb. nov. à mi-mars - 4 ch. : 500/850F.* Charmant mas provençal aux meubles et bibelots d'ailleurs, délicieux salons, douillettes chambres colorées, draps brodés et boutis qui font de cette maison un lieu rare. Caves millénaires, piscine et vaste parc.

D'étranges cheminées : quand l'homme et la nature s'unissent pour créer un paysage fantastique.

Gorges de l'Ardèche★★★

Entre ses falaises vertigineuses, torturées par l'érosion, les eaux vertes ou turquoise de l'Ardèche se fraient un chemin parmi d'énormes rochers ruiniformes : façonné par le temps, classé réserve naturelle en 1993, ce « Grand Site d'intérêt national » offre une multitude de panoramas grandioses.

La situation

Cartes Michelin n°s 80 plis 9 et 10, 245 plis 1, 2, 14, 15 et 246 pli 23 – Ardèche (07). À la sortie du bassin de Vallon, l'Ardèche creuse ses gorges dans le plateau calcaire du Bas-Vivarais. De part et d'autre s'étendent le plateau des Gras (sur la gauche) et le plateau d'Orgnac (sur la droite), truffés de grottes et plantés d'un fouillis de chênes verts.

Le nom

Il vient d'*ardica* (ou *adrica*), bas-latin que l'on rattache à une racine italique, *atr-*, signifiant « noir », ou « sombre ».

Les gens

Randonneurs, canoéistes, visiteurs, pique-niqueurs et campeurs... mieux vaut éviter la foule estivale pour apprécier en toute quiétude ce site majestueux.

Les caprices de l'Ardèche

Prenant sa source à 1 467 m d'altitude dans le massif de Mazan, l'Ardèche se jette dans le Rhône, après 119 km de course, 1 km en amont de Pont-St-Esprit. Si la pente est surtout très forte dans la haute vallée, c'est dans le bas pays que l'on rencontre les exemples d'érosion les plus étonnants : ici, la rivière a dû se frayer un passage dans les assises calcaires du plateau, déjà attaqué par les eaux souterraines. Ses affluents, qui dévalent brutalement de la montagne, accentuent son régime irrégulier : maximum en automne, faible débit hivernal, crues au printemps et basses eaux en été. Le débit de l'Ardèche peut passer de 2,5 m^3/s à plus de 7 000 lors des fameux et redoutables « coups de l'Ardèche » : c'est un véritable mur d'eau qui s'avance à la vitesse de 15 ou 20 km/h au point de repousser le flot du Rhône. La décrue quant à elle est tout aussi soudaine.

circuit

À savoir

Ce circuit permet de découvrir les gorges de l'Ardèche par la D 290, route panoramique qui domine l'entaille du plateau, sur la rive gauche de l'Ardèche puis, après avoir franchi la rivière à St-Martin-d'Ardèche, de rentrer à Vallon par le plateau d'Orgnac.

◄ *88 km – compter une journée.*

Quitter Vallon-Pont-d'Arc vers le Sud en direction du Pont d'Arc.

Après être passée au pied du château du vieux Vallon, la route franchit l'Ibie avant de rejoindre l'Ardèche. Sur la gauche s'ouvrent la **grotte des Tunnels** (une rivière souterraine y coulait autrefois) puis la **grotte des Huguenots** (exposition sur la spéléologie et la préhistoire). *De mi-juin à fin août : 10h-19h. 20F (enfants : 12F). ☎ 04 75 88 06 71.*

Pont d'Arc★★

Laisser votre voiture aux parkings, de part et d'autre du belvédère. Un sentier s'amorçant à 150 m du belvédère, côté Vallon, permet d'accéder au pied du Pont d'Arc.

Cette étonnante arche naturelle, haute de 34 m, large de 59 m, enjambe la rivière.

Le paysage, à partir du Pont d'Arc, devient grandiose. Au fond d'une gorge déserte, longue de 30 km, cernée par des falaises dont certaines atteignent 300 m de hauteur, les eaux vertes de la rivière dessinent d'harmonieux méandres, entrecoupés de rapides. Après Chames, la route effectue un long crochet au fond de l'imposant **cirque**★ rocheux du **vallon de Tiourre,** avant de gagner, en corniche, le rebord du plateau.

carnet pratique

Restauration

• À bon compte

L'Auberge Sarrasine – *R. de la Fontaine - 30760 Aiguèze - ☎ 04 66 50 97 03 - fermé la sem. de nov. à mars et mer. - 100/155F.* En vous promenant dans les ruelles anciennes du village, vous découvrirez ce petit restaurant installé dans trois salles voûtées, datant du 11e s. Le chef, d'origine aiguegoise, marie dans sa cuisine les saveurs provençales.

• Valeur sûre

Chambre d'hôte Le Mas de la Ville – *R. Basse - 30430 Barjac - 6 km à l'O de l'aven d'Orgnac par D 317 et D 176 - ☎ 04 66 24 59 63 - ⊭ - 4 ch. : 310/340F.* Un havre de paix dans le village. Ce mas du 18e s. vous accueille dans un cadre raffiné où les chambres décorées avec soin sont meublées à l'ancienne, tout comme son superbe salon voûté. Dans son joli jardin, un potager d'aromates et une piscine...

Chambre d'hôte La Sérénité – *Pl. de la Mairie - 30430 Barjac - 6 km à l'O de l'aven d'Orgnac par D 317 et D 176 - ☎ 04 66 24 54 63 - ⊭ - 3 ch. : 340/500F.* Au cœur du village, cette demeure du 17e s. aux volets bleus est gagnée par la vigne vierge. Meubles chinés, bibelots, patine des murs, carrelages et tomettes habillent les chambres aux décors personnalisés. Délicieux petit-déjeuner devant la cheminée. Un petit bijou !

Hôtel Le Clos des Bruyères – *Rte des Gorges - 07150 Vallon-Pont-d'Arc - ☎ 04 75 37 18 85 - fermé oct. à mars - P - 32 ch. : 360F - ☕ 40F - restaurant 65/155F.* Vous serez au départ de la route des gorges de l'Ardèche, près de la rivière. Une maison moderne dans le style du pays, avec ses arcades ouvrant sur la piscine d'été. Chambres avec balcon ou en rez-de-jardin. Cuisine du terroir au restaurant avec terrasse.

Descente en barque ou en canoe

Elle peut s'effectuer de mars à fin nov. (conseil d'ami : privilégier les mois de mai et juin, lorsque les journées sont longues et que la foule n'a pas encore envahi les gorges).

Locations – Une cinquantaine de loueurs sont implantés à Vallon Pont-d'Arc, Salavas, Ruoms, St-Martin ou St-Remèze. Deux formules : location simple ou accompagnée pour 1 ou 2 j. Forfait de 120F à 150F par personne. Liste des loueurs aux syndicats d'initiative de Ruoms, Vallon-Pont-d'Arc et St-Martin-d'Ardèche.

Prudence – Il faut savoir que, par mesure de sécurité, les locations de canoës sont suspendues lorsque le niveau d'eau est au-dessus de la côte 0,80 m sous le pont de Salavas. Prévoir de 6 à 9h pour la descente et savoir qu'après 18h, le dép. est interdit. En outre, certains passages difficiles (rapides) réservent l'expérience à des canoéistes confirmés. Ajoutons qu'il est impératif de porter un gilet de sauvetage et de savoir nager, prudent de se procurer le plan-guide des gorges de l'Ardèche édité par l'association Tourena et pas inutile de consulter le règlement de la navigation, disponible chez les loueurs, dans les mairies, les offices de tourisme et les gendarmeries.

Bivouac – L'arrêt pique-nique est libre, mais le bivouac n'est autorisé que sur les aires de Gaud et de Gournier (25 à 35F par personne et par nuit). Pour des arrêts de plus longue durée, camping naturiste des Templiers et camping « textile » des grottes de St-Marcel.

Descente à pied

Les adeptes de la randonnée à pied au fond des gorges, doivent impérativement s'informer sur le niveau des eaux avant d'entreprendre leur périple, afin de s'assurer qu'ils pourront traverser les gués en toute sécurité : il faudra en franchir deux, celui « des Champs » et celui « de Guitard », si l'on choisit la rive gauche, au départ de St-Martin ou de Charmes. Renseignements auprès des gendarmeries locales ou du service départemental d'Alerte des Crues, ☎ 04 75 64 54 55. La randonnée ne peut s'effectuer « au sec » que sur la rive droite, au dép. de Salavas ou d'Aiguèze. Un précieux auxiliaire, le plan-guide de l'association Tourena.

Belvédère du Serre de Tourre**

Il est établi à la verticale de l'Ardèche qu'il surplombe d'une hauteur de 200 m. De là, la vue sur le méandre du **Pas de Mousse** est superbe. Seules traces d'occupation humaine, les ruines du château d'Ebbo (16e s.), vissées sur l'échine rocheuse, ajoutent à la grandeur du lieu.

Largement tracée dans le taillis de chênes verts des bois Bouchas puis Malbosc, la route épouse le relief tourmenté des falaises.

Sous l'arche ne se déversait autrefois qu'un simple cours d'eau souterrain. On suppose que l'Ardèche, à la faveur d'une forte crue, aurait abandonné son ancien cours pour se glisser à travers l'orifice qu'elle a peu à peu agrandi, donnant naissance au Pont d'Arc.

Depuis les **belvédères de Gaud★★**, on découvre la partie amont du méandre de Gaud et les tourelles de son château (19e s.).

Belvédères d'Autridge★

INOUBLIABLES et sans cesse changeantes, les vues que l'on découvre depuis les belvédères successifs.

Une boucle en déviation permet d'y accéder. Vues sur l'aiguille de Morsanne, semblable à la proue d'un navire. 500 m après la majestueuse combe d'Agrimont, du bord de la route, s'offrent de superbes **perspectives★★** sur la courbe que domine l'aiguille de Morsanne.

Belvédères de Gournier★★

À 200 m au-dessus de l'Ardèche, les belvédères de Gournier voient la rivière se frayer un passage parmi les rochers de la Toupine de Gournier.

Suivre la D 290 puis prendre sur la droite la route d'accès en descente qui mène au porche d'entrée de la grotte de la Madeleine (parking).

Grotte de la Madeleine★

À l'intérieur de la grotte de la Madeleine, riche décor de draperies sonores, orgues de 30 m de hauteur, excentriques en forme de cornes, etc.

D'avr. à fin oct. : visite guidée (1h) 10h-18h (dernière visite 17h30). 40F (enf. : 24F). ☎ 04 75 04 22 20.

Découverte en 1887, la grotte a été forée par un ancien cours d'eau souterrain qui drainait jadis une partie du plateau des Gras. On y pénètre par la grotte Obscure, d'où un tunnel taillé dans le roc *(escalier assez raide)* permet d'atteindre la salle du Chaos. Une magnifique coulée blanche entre deux amas rouges de draperies évoque une cascade par sa fluidité et ses concrétions en forme de rose des sables. Les parois de la salle sont couvertes de petites cristallisations semblables à des coraux.

Gagner l'aven de Marzal par la route qui court sur le plateau des Gras. (D 590, face à la route d'accès à la grotte de la Madeleine).

Aven de Marzal★

Avr.-oct. : visite guidée (1h) 10h-18h ; mars et nov. : dim. et j. fériés 11h-17h. 43F (enf. : 28F). ☎ 04 75 55 14 82 ou ☎ 04 75 04 12 45.

S'enfonçant sous le plateau des Gras, cet aven est riche en concrétions de calcite, que colorient divers oxydes allant de l'ocre brun au blanc neigeux.

On accède aux grottes par un escalier métallique qui emprunte l'orifice naturel et débouche dans la Grande Salle, ou salle du Tombeau. Tout près, remarquer les ossements d'animaux tombés dans la grotte (ours, cerfs, bisons). La **salle du Chien**, dont une coulée de draperies blanches surmonte l'entrée, contient des concrétions très variées : orgues de couleurs vives, formations excentriques, en disques et en grappes de raisins. Par la richesse de ses coloris, la **salle de la Pomme de Pin** est un enchantement.

RICHE Terme de la visite, la **salle des Diamants** (130 m audessous du sol) scintille de milliers de cristaux, en une féerie de reflets et de couleurs.

En sortant, un **musée du Monde souterrain** évoque les grandes étapes de la spéléologie en France : équipements ayant appartenu ou ayant été mis au point par les

UN GARDE FORESTIER BIEN TATILLON

En occitan, *marzal* désigne une graminée sauvage. Ce fut le sobriquet dont on affubla le garde forestier de St-Remèze, Dechame, qui avait infligé une amende à sa propre femme, coupable d'avoir cueilli cette plante dans le champ d'un voisin pour nourrir ses lapins. Or peu après, Marzal fut tué par un habitant de la commune qui, pour se débarrasser du corps, le jeta dans un aven dit « Trou de la Barthe ». Le crime découvert, le trou prit le nom de la victime. L'aven ne fut cependant véritablement connu qu'en 1892 lorsque le spéléologue E.-A. Martel (1859-1938) en fit la première exploration. Mais on oublia sa situation exacte et il ne fut redécouvert qu'en 1949.

pionniers de cette spécialité tels que Martel, Robert de Joly, Élisabeth et Norbert Casteret ou Guy de Lavaur. ♿ *Avr.-oct. : 10h-18h ; mars et nov. : dim. et j. fériés 11h-17h. Gratuit.* ☎ *04 75 04 12 45 ou* ☎ *04 75 55 14 82.*

On peut compléter la visite par un parcours ombragé de 300 m, aménagé en « **zoo préhistorique** », qui présente des reproductions, plus ou moins crédibles, de quelques spécimens de la faune locale d'autrefois. ♿ *Avr.-oct. : 10h-18h ; mars et nov. : dim. et j. fériés 11h-17h. 43F (enf. : 28F).* ☎ *04 75 55 14 82 ou* ☎ *04 75 04 12 45.*

GRANDEUR NATURE

Dimétrodon, stégosaure, brachiosaure, tyrannosaure et mammouth... bref, de quoi réjouir les fans de *Jurassic Park*.

Revenir au grand carrefour de la Madeleine et gagner les parcs de stationnement du belvédère de la Madeleine.

La Haute Corniche★★★

Dans cette partie, la plus spectaculaire du parcours, les belvédères offrent des vues parfois saisissantes sur les gorges.

C'est le cas du **belvédère de la Madeleine★** avec sa perspective sur le « fort » de la Madeleine barrant vers l'aval l'enfilade des gorges.

Belvédère de la Cathédrale★★

1/4h à pied. Point de vue imprenable sur un immense rocher ruiniforme, la « Cathédrale », qui dresse ses flèches de pierre en amont de la rivière.

UN BALCON

En aval du belvédère de la Cathédrale, le **balcon des Templiers** doit son nom aux ruines d'une maladrerie de Templiers posée en contrebas sur un éperon.

Belvédère de la Maladrerie

Il permet d'apercevoir la « Cathédrale » sous un autre angle ; celui de la **Rouvière** donne sur les « remparts » du Garn.

Belvédère de la Coutelle

Plus vertigineux, ce belvédère est situé à pic sur la rivière qui coule à 180 m plus bas ; à gauche on aperçoit les rochers de Castelviel et les rapides de la Fève et de la Cadière.

Grand Belvédère★

Il donne sur la sortie des gorges et le dernier méandre de l'Ardèche.

À 200 m en aval du Grand Belvédère, sur la gauche de la D 290, se trouve le bâtiment d'accueil de la grotte St-Marcel.

Haute protection
Écosystème fragile, la réserve naturelle des gorges de l'Ardèche (zone comprise entre Charmes et Sauze) fait l'objet de mesures de protection : on s'abstiendra donc d'y faire du feu, d'y abandonner des détritus, d'arracher les plantes ou d'ébrancher les arbres et de s'écarter des sentiers. Campings et bivouacs sont interdits en dehors des aires autorisées. L'usage des planches à voile est interdit. Pour tous renseignements d'ordre pratique, contacter la maison de la réserve à Gournier (☎ 04 75 38 63 00).

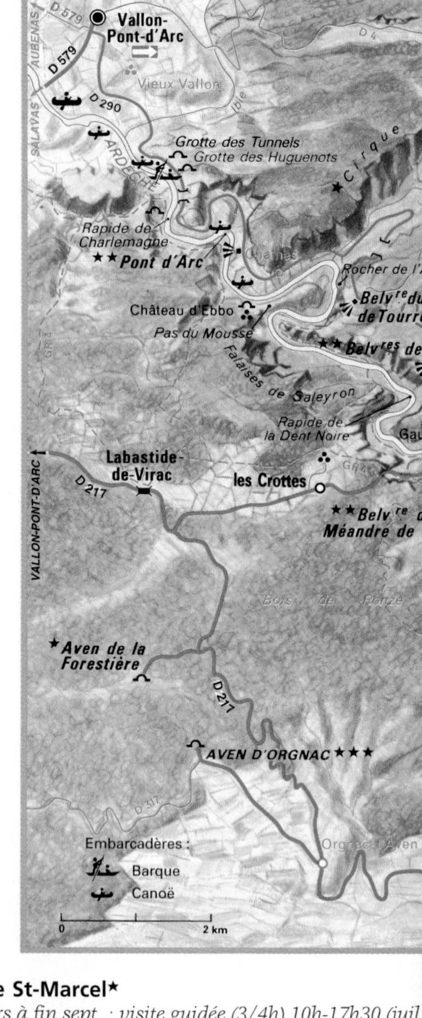

Grotte de St-Marcel : la lumière met en scène les dentelles des cascades de gours.

Grotte de St-Marcel★

De mi-mars à fin sept. : visite guidée (3/4h) 10h-17h30 (juil. août : 10h-18h30) ; d'oct. à mi-nov. : 10h-17h. 40F (enfants 22F). ☎ *04 75 04 38 07.*

Découverte en 1835 par un chasseur d'Aiguèze, cett grotte, creusée par une rivière souterraine, s'ouvr naturellement par un abri sous roche au flanc de gorges. Aujourd'hui, une partie des galeries (dont le tota atteint 32 km) est ouverte aux visiteurs.

Un tunnel donne accès à d'impressionnants couloirs o abondent stalactites, stalagmites, draperies, fistuleuse et autres excentriques. On rencontre ainsi la salle de l Fontaine de la Vierge, la Galerie des Peintres, striée d bandes blanches (calcite), rouges (oxyde de fer) et noire (manganèse), la Salle des Rois, la Cathédrale.

Un sentier pédestre tracé autour du site fait découvrir l flore locale (chênes verts, buis, cistes, etc.) et deu monuments mégalithiques *(dépliant remis à la caisse).*

Reprendre la D 290.

Belvédère du Colombier★

On découvrira un méandre aux berges entièremen rocheuses puis, après le promontoire de Dona Vierna e un long détour dans le vallon du Louby, le dernie méandre encaissé de l'Ardèche.

Belvédère du Ranc-Pointu★★

Il permet de distinguer stries, marmites et grottes, dif férents phénomènes dus à l'érosion.

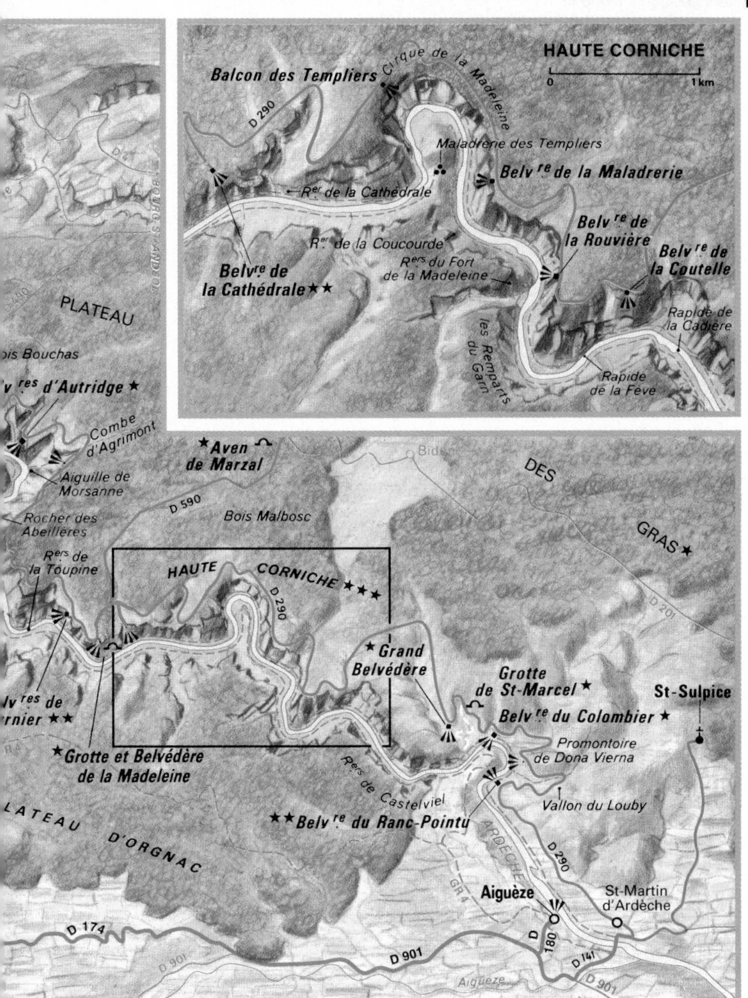

Une vallée cultivée largement ouverte vers le Rhône succède brusquement au paysage tourmenté des gorges. Sur la droite, on aperçoit Aiguèze, agrippée à une crête rocheuse dominant l'Ardèche avant de traverser St-Martin-d'Ardèche, première ville rencontrée depuis Vallon.

De St-Martin, franchir l'Ardèche sur le pont suspendu puis prendre à droite la D 901 et tout de suite à droite la D 180.

DÉTOUR
Par une petite route à gauche de St-Martin-d'Ardèche (direction Trignan), on accède, au milieu des vignes, à la chapelle romane de **Saint-Sulpice**, d'une éblouissante blancheur.

Aiguèze

Village médiéval aux rues pavées. On pénètre dans l'ancienne forteresse du 14e s. par un arc taillé dans le rocher : depuis le chemin de ronde, **coup d'œil★** sur la sortie du canyon, les tours en ruine et, en contrebas, le pont suspendu que l'on vient de franchir.

Revenir à la D 901, jusqu'à Laval-St-Roman, puis prendre, sur la droite, la D 174. Dans la commune d'Orgnac-l'Aven, prendre sur la gauche la petite D 317 jusqu'à l'aven.

Aven d'Orgnac★★★ *(voir ce nom)*

De retour à Orgnac, reprendre la D 217. Bientôt, sur la gauche, une petite route permet d'accéder à l'aven de la Forestière.

Aven de la Forestière★

Avr.-sept. : visite guidée (1h1/4) 10h-18h (juil.-août : 10h-19h) ; oct.-mars : w.-end et j. fériés 10h-12h, 14h-18h. Fermé 1er janv. et 25 déc. 33F (enf. : 16F). ☎ 04 75 38 63 08.

On remarquera l'extrême finesse des concrétions de la grande salle : cristallisations en forme de chou-fleur, longs macaronis pendant de la voûte, excentriques aux formes capricieuses, draperies de stalactites aux couleurs variées et imposant plancher de stalagmites mis en lumière. Un zoo cavernicole présente crustacés, poissons, batraciens et insectes.

Peu avant Labastide, une route à droite permet de traverser **Les Crottes**, village martyre dont les habitants furent massacrés par les nazis le 3 mars 1944. Au **belvédère du Méandre de Gaud★★** belle vue sur l'Ardèche et le cirque de Gaud.

Labastide-de-Virac

Au Nord de cette bastide (le mot signifie ici « village fortifié »), point de départ d'excursions sur le plateau et dans les gorges, se dresse le **château des Roure**, édifié au 15e s. Cour de style florentin, belle cheminée de la grande salle du 1er étage et magnanerie en activité (exposition des productions de soieries locales). *De Pâques à fin sept. : tlj sf mer. 14h-18h (juil.-août : tlj 10h-19h). 30F.* ☎ *04 75 38 61 13.*

HISTOIRE
Pris d'assaut par les camisards de Jean Cavalier en 1702, le château des Roure appartient depuis 1825 à la famille du sculpteur James Pradier, dont les ascendants étaient métayers des comtes de Roure.

Poursuivre la D 217 jusqu'à la D 579, à droite, qui permet de rentrer à Vallon en passant par Salavas.

découvrir

AU FOND DES GORGES

La **descente des gorges en barque, en canoë ou à pied★★★**, de Vallon-Pont-d'Arc à St-Martin-d'Ardèche, est une expérience inoubliable. *Recommandations : voir le « carnet pratique ».*

En barque ou en canoë

Après un calme plan d'eau, l'Ardèche pénètre en méandre dans les gorges. L'impressionnant rapide du Charlemagne, que domine le monumental rocher du même nom, précède le passage sous le porche naturel du Pont d'Arc. Sur la gauche, se déploie le cirque d'Estre où s'ouvre la grotte Chauvet ; puis, peu après, on aperçoit sur la droite l'entrée de la grotte ornée d'Ebbo, avant l'étroit Pas du Mousse qui donne accès au plateau. Sur la gauche se détache le rocher de l'Aiguille.

ACCROCHEZ-VOUS...
Le rapide du Charlemagne, ou celui de la Dent Noire, risquent de chahuter les cœurs sensibles...

Après les falaises de Saleyron, quelques battements de cœur au passage du rapide de la Dent Noire... Puis retour au calme dans le méandre du cirque de Gaud. Les rapides alternent alors avec de magnifiques plans d'eau surplombés par d'impressionnantes parois : aiguille de Morsanne à gauche et, à droite, les arrachements rouges et noirs des Abeillères. Après les rochers et les trous de la Toupine de Gournier (le fond peut y atteindre 18 m) on aperçoit au loin, après environ 4 h de navigation, la majestueuse « Cathédrale » et, sur la gauche, une des entrées naturelles de la grotte de la Madeleine. Peu après la « Cathédrale », on contourne la presqu'île des Templiers qui ont cédé aujourd'hui le terrain aux naturistes. Au pied d'énormes falaises, le cirque de la Madeleine est l'un des plus beaux passages des gorges. Le singulier rocher de la Coucourde (de *cogorda*, mot désignant en provençal une « courge » et, donc, un crâne !) et le surplomb de Castelvieil précèdent l'entrée de la grotte St-Marcel. Puis, après le promontoire de Dona Vierna et le belvédère du Ranc-Pointu, les falaises s'abaissent à l'entrée de la percée finale. Sur la droite, la tour d'Aiguèze domine la vallée, désormais élargie.

C'EST BEAU !
Détroits, rapides et plans d'eau irisés se succèdent tandis que les chênes verts contrastent avec les parois dénudées.

À pied

Pour rester au sec, on empruntera la rive droite, depuis Salavas ou Aiguèze, car le trajet sur la rive gauche oblige à traverser deux fois la rivière à gué. Les moins vaillants noteront avec intérêt que, depuis le plateau, de nombreux parcours en boucle sont possibles.

Arles★★★

Joyau posé sur le Rhône, sous un ciel transparent purifié par le mistral, cette cité antique et romane, riche d'un patrimoine architectural unique au monde, est aussi capitale de l'image, qui avec son Arlésienne et avec ses ferias endiablées, a depuis toujours inspiré artistes et poètes.

La situation

Cartes Michelin n°s 83 pli 10, 245 pli 28 et 246 pli 26 – Bouches-du-Rhône (13). Sitôt quittée la voie rapide, on se trouve sur le boulevard des Lices, centre nerveux de la ville qui longe le tracé des anciens remparts. Une suggestion : se garer sous les platanes du boulevard Georges-Clemenceau. Une mise en garde : ne pas s'aventurer en voiture dans le dédale de ruelles du vieil Arles !

43 bd de Craponne, 13200 Arles, ☎ 04 90 18 41 20.

Le nom

Du celte *ar* (« hauteur ») *lath* (« près des marais »), elle est devenue l'Arelate des romains – mais elle faillit bien être rebaptisée « Constantina » en l'honneur de l'empereur Constantin qui la couvrit de bienfaits.

Les gens

53 057 Arlésiens ou Arlatens (en provençal). Parmi eux, le flamboyant couturier Christian Lacroix qui s'est inspiré pour ses créations du costume traditionnel provençal.

ESPRIT
Dans cette cité règne un esprit, quelque chose d'insaisissable qui retient artistes et esthètes. Il faut savoir s'y arrêter, et y perdre son temps...

comprendre

De main en main – Les Celto-Ligures établirent à cet endroit leur oppidum, Théliné, que les Grecs de Marseille colonisèrent dès le 6e s. avant J.-C. Bientôt rebaptisée Arelate, la ville prit son essor lorsque le consul Marius la fit relier, en 104 avant J.-C., au golfe de Fos par un canal, ce qui facilita la navigation. Après la prise de Marseille par César en 49 avant J.-C., Arelate devient une colonie romaine prospère : carrefour de plusieurs routes (sept au total), grand port maritime et fluvial.

Une colonie romaine – Colonie des vétérans de la 6e légion, la ville reçoit le privilège de ceinturer les 40 ha de la cité officielle d'un rempart. Un forum, des temples, une basilique, des thermes, un théâtre sont édifiés ; un aqueduc amène à la ville l'eau pure des Alpilles. La ville se développe au 1er s. : amphithéâtre, chantiers navals au Sud, quartier résidentiel à l'Est. Sur la rive opposée du Rhône, à Trinquetaille, mainiers, bâteliers et marchands entretiennent l'animation et un pont de bateaux est lancé sur le fleuve.

« VIN DE POIX »
Ainsi appelait-on dans l'Antiquité le vin noir et épais des coteaux du Rhône, qui s'est fort heureusement allégé depuis....

Les bords du Rhône à Arles, derrière lesquels se dissimule le clocher de l'église St-Trophime.

carnet pratique

VISITE

Visites guidées de la ville – Arles a reçu le label « Ville d'Art et d'Histoire » ; les visites guidées (2h), organisées par l'Office de tourisme, sont commentées par des guides agréés par le Centre des Monuments Nationaux. 25F.

Sites et musées arlésiens – Il existe un « pass » donnant accès à tous les monuments et musées de la ville : on peut se le procurer à l'entrée du premier d'entre eux, à l'exception du Museon Arlaten. 65F.

RESTAURATION

• *À bon compte*

Le Criquet – *21 r. Porte-de-Laure - ☎ 04 90 96 80 51 - fermé 10 janv. au 25 fév. et mer. - ⌿ - 82/115F.* Préférez la salle de ce petit restaurant à deux pas des Arènes ; avec ses pierres apparentes et ses poutres, elle a beaucoup plus de charme que sa terrasse, installée dans le passage. Tranquillement attablé, vous pourrez savourer la bourride du jeune chef... et autres spécialités.

La Charcuterie – *51 r. des Arènes - ☎ 04 90 96 56 96 - fermé 25 juil. au 20 août, dim. et lun. - 98/150F.* Authentique ripailleur lyonnais, le jovial propriétaire des lieux ne pouvait choisir mieux qu'une ancienne charcuterie, aux comptoirs de marbre, pour régaler les amateurs de cochonnailles. Des saucisses d'Arles aux pieds de cochon de Lyon, tout est choisi avec soin...

Jardin de Manon – *14 av. des Alyscamps - ☎ 04 90 93 38 68 - fermé vacances de fév., de Toussaint, dim. soir d'oct. à Pâques et mer. - 98/200F.* À l'écart du centre-ville, ce restaurant porte bien son nom. Sa cour intérieure arborée et fleurie séduira les amateurs de dîners à la belle étoile. Deux accueillantes salles à manger avec boiseries murales. Cuisine régionale avec les produits du marché d'un bon rapport qualité/prix.

• *Valeur sûre*

La Gueule du Loup – *39 r. des Arènes - ☎ 04 90 96 96 69 - fermé 7 janv. au 4 fév., 18 au 27 nov., lun. midi et dim. - 140F.* Dans cette maison du 17e s., on entre par la cuisine aux carreaux provençaux décorés. La patronne y mitonne une cuisine qui chante les saveurs du Sud. Son mari, magicien à ses heures, fait parfois quelques tours de passe-passe entre deux commandes...

HÉBERGEMENT

• *À bon compte*

Hôtel Le St-Trophime – *16 r. Calade - ☎ 04 90 96 88 38 - fermé 16 nov. au 14 fév. - P - 22 ch. : 245/350F - ☕ 35F.* Cet ancien hôtel particulier des 12e et 17e s. est situé dans une ruelle près du théâtre antique, de l'église et du cloître St-Trophime. Un imposant escalier vous mène dans des chambres spacieuses aux styles variés. Et le patio avec sa petite fontaine a du charme...

• *Valeur sûre*

Hôtel Calendal – *5 r. Porte-de-Laure - ☎ 04 90 96 11 89 - 27 ch. : 380/450F - ☕ 40F.* Cet hôtel a la coquetterie des maisons provençales, avec sa façade colorée, son joli jardin intérieur ombragé et son salon cosy. Ici, le jaune et le bleu habillent meubles, étoffes et faïences. Petit salon de thé.

Mireille – *2 pl. St-Pierre, Trinquetaille - ☎ 04 90 93 70 74 - fermé 6 nov. au 28 fév. - P - 34 ch. : 399/650F - ☕ 59F - restaurant 110/170F.* C'est au calme que vous plongerez dans la piscine d'été de cet hôtel un peu excentré, oubliant son environnement urbain. Chambres de bonne taille aux couleurs gaies et meubles de Provence. Salle à manger lumineuse avec ses étoffes rouges et jaunes.

Hôtel D'Arlatan – *26 r. Sauvage, près pl. du Forum - ☎ 04 90 93 56 66 - P - 41 ch. : 500/850F - ☕ 62F.* Vous tomberez sous le charme de cet ancien hôtel particulier du 15e s. à deux pas de la place du Forum. Admirez les vestiges romains sous le sol de verre au bar et au salon. Chambres meublées à l'ancienne et jolis tissus. Petite cour arborée où le petit-déjeuner est servi en été.

LE TEMPS D'UN VERRE

Bar de l'Hôtel Nord Pinus – *Pl. du Forum - ☎ 04 90 93 44 44 - www.nord.pinus.com - Tlj 10h-1h.* Étape arlésienne incontournable, le petit bar de l'hôtel Nord Pinus, construit au 17e s., a accueilli pêle-mêle artistes, écrivains, vedettes du cinéma et de la tauromachie : Picasso, Jean Cocteau, Yves Montand, Nimeno 2, Ruiz Miguel, Jean Giono... Le charme du lieu se nourrit de petits riens comme ces lustres bateaux, ce bar taurin, ces fauteuils crapauds et, en sourdine, une musique flamenco très racée.

Café Van Gogh – *Pl. du Forum - ☎ 04 90 96 44 56 - Hors saison : tlj 9h-0h ; juil.-août 9h-2h.* Ce café et sa grande terrasse sur la place du Forum doit sa célébrité à Vincent Van Gogh qui en a fait le sujet de l'une de ses toiles en 1888 : « Voilà un tableau de nuit sans noir, rien qu'avec du beau bleu et du violet et du vert et, dans cet entourage,

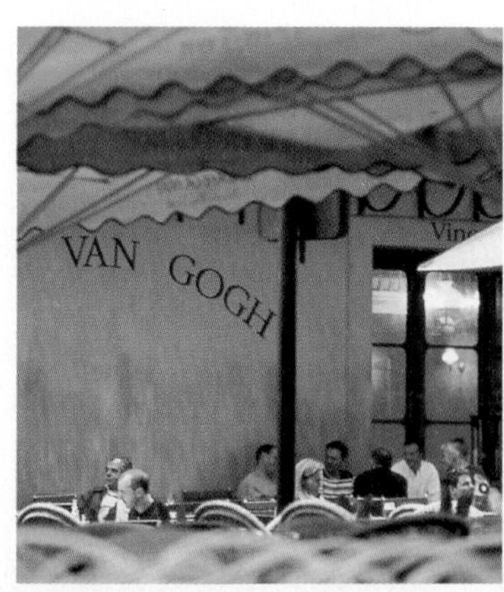

la place illuminée se colore de soufre pâle, de citron vert. Cela m'amuse énormément de peindre la nuit sur la place... » (extrait d'une lettre de Van Gogh à sa sœur Wilhelmine, datée de septembre 1888).

Sorties

Dans *Le César*, journal gratuit diffusé à l'Office de tourisme et dans les lieux culturels, programme de tout ce qui se passe à Arles.

Théâtre de la Calade – *Grenier à sel - 49 quai de la Riquette - ☎ 04 90 93 05 23.*

Cinéma Le Méjan Actes Sud – *23 quai Marx-Dormoy - ☎ 04 90 93 33 56.* Salles d'art et d'essai du complexe Actes-Sud.

L'Entrevue – *23 quai Marx-Dormoy - ☎ 04 90 93 37 28 - Oct.-mai. : tlj sf dim. soir 8h30-0h ; juin-sept. : tlj 8h30-2h.* Nul n'ignore qu'Arles est le berceau des florissantes éditions Actes Sud : les éditeurs de Paul Auster et de Nina Berberova sont également à l'origine de la création de ce café-restaurant attrayant qui est en même temps le foyer culturel de l'ancienne capitale romaine. À l'autre bout de la place, une salle accueille concerts, lectures-spectacles et expositions de photographie.

Cargo de Nuit – *7 av. Sadi-Carnot - ☎ 04 90 49 55 99 - www.cargodenuit.com - Soirs de concerts 20h-3h. Fermé août.* On embarque à bord de ce « cargo de nuit » comme dans les soutes d'un navire au long cours. Mais ici le capitaine est particulièrement indulgent : il est possible de boire un coup au bar à vin ou de profiter de la carte brasserie disponible jusqu'à 2h du matin. Et surtout, c'est l'endroit rêvé pour découvrir des groupes de musique du monde dans une salle de concert climatisée de 300 places : par exemple le groupe de flamenco Pepe Linarés.

Achats

Marchés – Marché traditionnel mercredi bd Émile-Combes et samedi bd des Lices et bd Clemenceau. Brocante le 1er mercredi du mois, bd des Lices.

Les Étoffes de Romane (maison Carcassonne) – *10 bd des Lices - ☎ 04 90 93 53 70.* Tissus provençaux.

Huiles Jamard – *46 r. des Arènes - ☎ 04 90 49 70 73 - pjamard@aol.fr - Mar.-sam. 11h-12h30, 16h-18h.* D'origine provençale mais aussi espagnole, grecque et italienne, les huiles d'olive recèlent chacune une saveur particulière. En compagnie de Pierre, maître huilier et ancien ingénieur, vous dégusterez plusieurs variétés d'huiles tout en recueillant, avec force anecdotes, les secrets de leur fabrication.

Maison Chave – *14 rd-pt des Arènes - ☎ 04 90 96 15 22 - Mai-sept. : mar.-sam. 9h-19h. Hors saison : 9h-12h30, 14h-19h. Fermé janv.* Dans cet atelier, quatre personnes moulent et décorent ces petites figurines. Grande variété proposée à la vente. Exclusivité de santons faits main à base de deux ou trois terres. Ici, on est santonnier depuis trois générations.

De Moro – *24 r. du Prés.-Wilson (près de l'espace Van Gogh) - ☎ 04 90 93 14 43.* Délicieux croquants.

Melani Frédéric – *Rte d'Eyguières - Pont-de-Crau - ☎ 04 90 49 72 83.* Galerie d'art et de mobilier provençal. Visite de l'atelier sur RV.

Christian Lacroix – *52 r. de la République - ☎ 04 90 96 11 16.* Mode et bijoux.

Librairie Actes Sud – *Passage Le Méjan - 43 r. du Dr-Fanton - ☎ 04 90 49 56 77.* Pour acheter les dernières parutions de la célèbre maison d'édition arlésienne.

Calendrier

Rencontres internationales de la Photographie – En juil., soirées au théâtre antique, expositions et colloques un peu partout en ville. Contact : *10 rond-point des Arènes - ☎ 04 90 96 76 05.*

Fête des Gardians – Le 1er mai : messe en provençal à la Major, bénédiction des chevaux, jeux camarguais, farandoles, fifres et tambourins... et Arlésiennes en beauté, avec l'élection de la reine d'Arles.

Tauromachie – Si une visite des arènes permet d'en apprécier l'architecture, rien de tel que d'y pénétrer un jour de corrida ou de course camarguaise pour y trouver une ambiance, sans doute guère éloignée de ce qu'elle était dans l'Antiquité. En dehors des spectacles isolés, les **corridas** se donnent lors des ferias de Pâques (ven.-lun., matin et ap.-midi), des Fêtes d'Arles (déb. juil.) et des Prémices du Riz (2e w.-end de sept.) et réunissent le gotha de la tauromachie. De grandes **courses camarguaises** ont lieu au déb. du printemps (« le Printemps des Royales ») mais les grands rendez-vous sont la **Cocarde d'Or** (déb. juil.) et, un an sur deux, en oct., en alternance avec Nîmes, la finale du **Trophée des As**.

Réservations au Bureau des Arènes (à droite de l'entrée principale), *☎ 04 90 96 81 18.*

Un siècle d'or – Au 5e s., Arles est un actif centre industriel ; on y fabrique des tissus, de l'orfèvrerie, des navires, des sarcophages, des armes. Un atelier impérial bat monnaie. On exporte le blé, la charcuterie, l'huile et le vin. L'importance politique accompagne bientôt cette prospérité : Constantin s'y installe. L'extension d'Arles atteint alors son maximum : l'empereur fait remodeler le quartier Nord-Ouest où il édifie un palais impérial et les thermes de la Trouille. En 395, la cité devient préfecture des Gaules (Espagne, Gaule proprement dite, Bretagne). Dans ses murs se tiennent 19 conciles grâce au rayonnement de ses évêques (comme saint Césaire) qui en font une importante métropole religieuse.

Apogée

Au 5e s., la ville possède cinq corporations de mariniers : certains arment des navires sillonnant la Méditerranée, d'autres naviguent sur Rhône et Durance, ou à bord de radeaux portés par des outres gonflées d'air (les utriculaires) sur les étangs qui couvrent le pays.

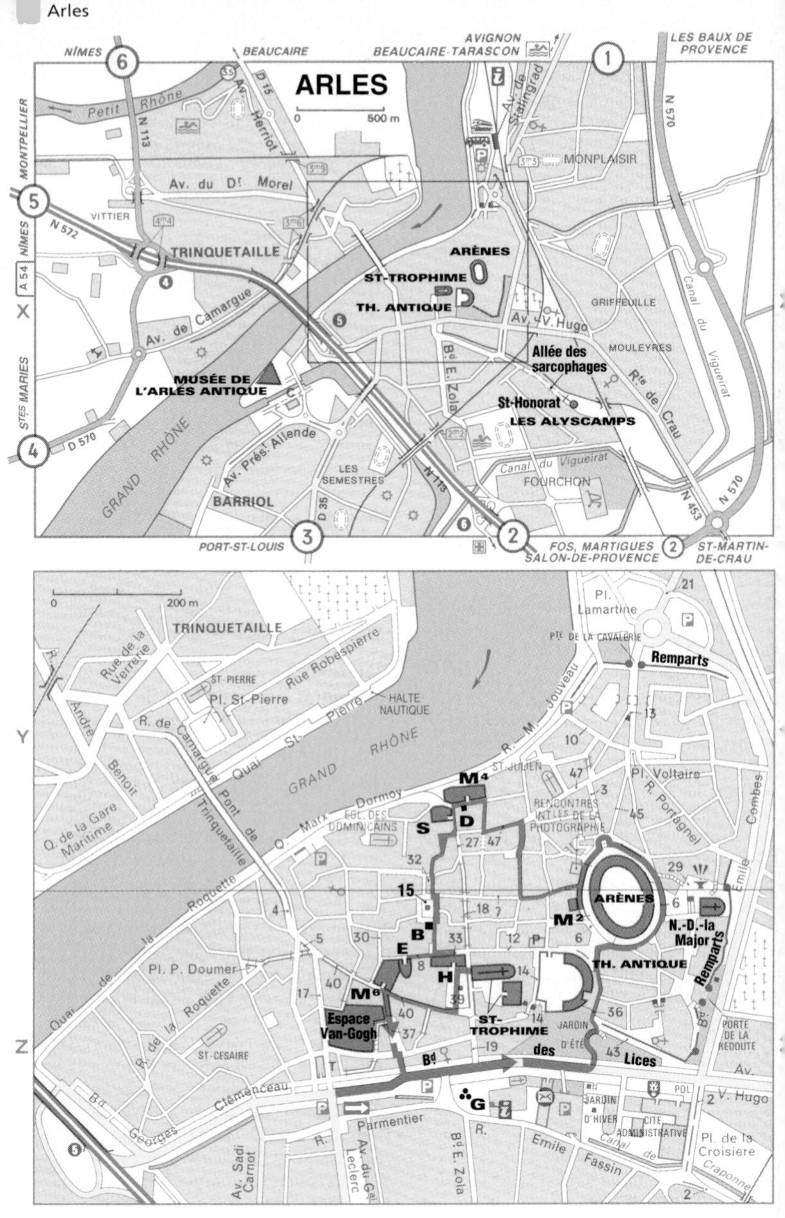

ARLES

Allende (Av. Président) X
Alyscamps (Av. des) .... Z 2
Amphithéâtre (R. de l') .... Y 3
Anatole-France (R.) .... Z 4
Antonelle (Pl.) .... Z 5
Arènes (Rd-Pt des) .... YZ 6
Arènes (R. des) .... YZ 7
Balze (R.) .... Z 8
Benoît (R. André) .... Y
Blum (R. Léon) .... Y 10
Calade (R. de la) .... Z 12
Camargue (Av. de) X
Camargue (R. de) .... Y
Carnot (Av. Sadi) .... Z
Cavalerie (R. de la) .... Y 13
Clemenceau (Bd Georges) .. Z
Cloître (R. du) .... Z 14
Combes (Bd Émile) .... YZ
Crau (Rte de) X
Croisière (Pl. de la) .... Z
Docteur-Morel (Av. du) X
Dormoy (Q. Marx) .... Y
Doumer (Pl. Paul) .... Z
Fassin (R. Émile) .... Z
Forum (Pl. du) .... Z 15
Gambetta (R.) .... Z 17
Gare Maritime (Q. de la) ..... Y
Herriot (Av.) X
Hôtel-de-Ville (R. de l') .... Z 18
Jean-Jaurès (R.) .... Z 19
Jouveau (R. Marius) .... Y
Lamartine (Av.) .... Y 21
Lamartine (Pl.) .... Y
Leclerc (Av. du Général) ...... Z
Lices (Bd des) .... Z
Maïsto (R. Dominique) .... Y 27
Major (Pl. de la) .... Y 29
Mistral (R. Frédéric) .... Z 30
Parmentier (R.) .... Z
Place (R. de la) .... Y 32
Plan-de-la-Cour (R. du) .... Z 33
Portagnel (R.) .... Y
Porte-de-Laure (R.) .... Z 36
Président-Wilson (R. du) ..... Z 37
République (Pl. de la) .... Z 39
République (R. de la) .... Z 40
Robespierre (R.) .... Y
Roquette (Q. de la) .... Z
Roquette (R. de la) .... Z
Sarcophages (Allée des) X
Stalingrad (Av. de) X
St-Pierre (Pl.) .... Y
St-Pierre (Quai) .... Y
Trinquetaille (Pont de) .... Y
Vauban (Montée) .... Z 43
Verrerie (R. de la) .... Y
Victor-Hugo (Av.) .... X, Z
Voltaire (Pl.) .... Y
Voltaire (R.) .... Y 45
Zola (Bd Émile) .... X, Z
4-Septembre (R. du) .... Y 47

Alyscamps X
Arènes .... Z
Collégiale N.-D.-de-la-Major .... Z
Colonnes corinthiennes .... Z **B**
Commanderie Ste-Luce .... Y **D**
Cryptoportiques .... Z **E**
Église Ste-Trophime .... Z
Église St-Honorat X
Espace Van-Gogh .... Z
Fondation Vincent-Van-Gogh-Arles .... Z **M²**
Fouilles de l'Esplanade ..... Z **G**
Hôtel de Ville .... Z **H**
Musée de l'Arles antique ... X
Musée Réattu .... Y **M⁴**
Museon Arlaten .... Z **M⁶**
Remparts .... YZ
Théâtre antique .... Z
Thermes de Constantin .... Y **S**

Le déclin – Francs et Sarrazins se disputent au 8e s. le pays, avec les ravages qu'on imagine... et au 9e s., la ville n'est plus que l'ombre d'elle-même lorsqu'elle devient la capitale du royaume d'Arles, comprenant la Bourgogne et une partie de la Provence. Il faudra attendre le 12e s. pour voir l'amorce d'un renouveau : l'empereur Frédéric Barberousse vient se faire couronner roi d'Arles en 1178 dans la toute nouvelle cathédrale Saint-Trophime. En 1239, les bourgeois arlésiens se rallient au comte de Provence et dès lors, la ville suit les destinées de sa province. Aix la détrône dans le domaine politique, Marseille prend sa revanche dans l'ordre économique. Le Rhône assure néanmoins une certaine prospérité, d'autant que le pays est mis en valeur par l'irrigation de la Crau et la bonification des marais. Mais l'avènement du chemin de fer, détruisant le rôle commercial du fleuve, lui porte un coup fatal. Arles n'est plus désormais que le marché agricole de la Camargue, de la Crau et des Alpilles.

se promener

CENTRE MONUMENTAL

Compter une journée.

On se promènera avec plaisir sous le soleil du boulevard des Lices, avec ses grands platanes, ses terrasses de cafés et son animation, particulièrement colorée lorsque au samedi matin le marché envahit l'avenue.

Par l'agréable jardin d'été, puis la rue Porte-de-Laure ► avec ses nombreux restaurants, on accède à l'Arles antique, débouchant devant la masse majestueuse de l'amphithéâtre, tandis que sur la gauche, parmi pins et mélèzes, se dressent les colonnes du théâtre antique.

UNE OASIS DE CALME
Dans le quartier silencieux et serein qui s'élève entre la rue Porte-de-Laure et les remparts, des demeures souvent restaurées y réservent bien des surprises : ici une gargouille, là une fenêtre géminée, là encore une colonne cannelée encastrée dans une façade...

Théâtre antique**

Mars-oct. : (dernière entrée 1/2h av. fermeture) 9h-12h, 14h-18h (mai-sept. : 9h-19h) ; nov.-fév. : 10h-12h, 14h-17h. Fermé 1er janv., 1er mai, 1er nov. 25 déc. 20F. ☎ 04 90 18 41 20.

Construit vers 27-25 av. J.-C., il est malheureusement très dégradé. Carrière au Moyen Âge, réduit fortifié ensuite, il disparut complètement sous les habitations et ne fut dégagé qu'à partir de 1827. D'un diamètre de 102 m., l'édifice s'appuyait non pas sur une colline (comme celui d'Orange) mais sur un portique extérieur de 27 arches dont une travée a subsisté. Ne restent du mur de scène que deux admirables colonnes, composant avec la végétation un paysage on ne peut plus romantique. La scène, la fosse du rideau, l'orchestre et une partie des gradins sont encore visibles.

Prenant sur la droite des arènes, on accède au parvis de la collégiale romane **N.-D.-de-la-Major**, l'un des hauts lieux de la confrérie des Gardians. Une terrasse permet d'apprécier la vue sur les toits de tuiles romaines aux teintes rose orangé, puis sur l'abbaye de Montmajour, la Montagnette et les Alpilles et, au loin, les Cévennes délicatement bleutées.

Poursuivre sur la droite jusqu'aux marches donnant accès à l'amphithéâtre.

Arènes**

Mêmes conditions de visite que le théâtre antique. Fermé lors des spectacles taurins.

L'amphithéâtre date vraisemblablement de la fin du 1er s. et mesure 136 m sur 107 m. L'arène, de 69 m sur 40 m, était séparée des gradins par un mur de protection et recouverte d'un plancher : sous ce dernier se trouvaient les machineries, les cages aux fauves et les coulisses.

Après avoir parcouru les voûtains supérieurs sur la moitié de l'ellipse, on pourra faire le tour des arènes au niveau inférieur des grandes arcades.

UNE VILLE DANS LA VILLE
C'est ce que devinrent les arènes au Moyen Âge. Sous les arcades bouchées, sur les gradins et sur la piste s'élevaient plus de 200 maisons et 2 chapelles, construites avec des pierres prélevées sur l'édifice. Mutilé mais préservé de la destruction par cette utilisation continue, le monument fut dégagé, puis restauré à partir de 1825.

L'amphithéâtre pouvait recevoir plus de 20 000 spectateurs friands des combats de gladiateurs (interdits en 404 sous l'influence du christianisme) et des jeux divers qui s'y déroulaient.

Remonter le long des arènes jusqu'au palais de Luppé, édifice du 18e s. qui abrite la fondation Vincent Van Gogh *(voir description dans « visiter »).*

Prendre à droite du palais la rue des Arènes puis la seconde rue à droite.

On passe devant l'ancien grand prieuré des chevaliers de Malte, bel édifice du 15e s. qui abrite aujourd'hui le **musée Réattu** *(voir description dans « visiter »).* En face, ne pas hésiter à jeter un coup d'œil dans la cour de la commanderie de Sainte-Luce (Centre d'action sociale).

Chemins buissonniers
En contournant les thermes et la place Constantin, on rencontre l'église des Prêcheurs, en attente de restauration, puis, accédant au quai Marx-Dormoy, la place Nina-Berberova, haut lieu culturel de la ville avec les éditions Actes Sud.

Palais Constantin★ (thermes de la Trouille)

Accès par la rue Maïsto. Mêmes conditions de visite que le théâtre antique.

Ces thermes, dont seule une partie a été dégagée, datent du règne de Constantin (4e s.). Ce sont les plus vastes qui subsistent en Provence (98 m sur 45 m). On y pénètre par la salle tiède, le *tepidarium*, avant d'accéder à la salle chaude (le *caldarium*) qui a conservé son hypocauste, fourneau souterrain permettant de transformer la salle en étuve.

Remonter par la rue Maïsto, à gauche, puis encore à gauche la place et la rue du Sauvage.

Belles demeures dont l'ancien palais des comtes d'Arlatan de Beaumont (15e s.) abritant aujourd'hui l'hôtel Arlatan. *Continuer jusqu'à la place du Forum.*

Place du Forum

Animée par des terrasses de cafés, présidée par la statue de Mistral où aiment à se percher des pigeons peu respectueux des valeurs du Félibrige, cette place, malgré son nom (récent), n'est pas située à l'emplacement du forum de la ville romaine, qui s'étendait plus au Sud. Remarquer, incluses dans la façade du légendaire hôtel Nord-Pinus, deux colonnes corinthiennes, restes de la façade d'un temple du 2e s.

Par la petite rue à gauche, on accède au Plan de la Cour, placette bordée de bâtiments anciens dont l'hôtel des Podestats (12e-15e s.) et l'hôtel de ville.

Place des Hommes
Tel était le nom de la place du Forum où les journaliers se regroupaient chaque matin pour se louer aux propriétaires terriens venus embaucher leur personnel temporaire.

Hôtel de ville

Lorsqu'il le réédifia en 1675 sur des plans de Hardouin-Mansart, l'Arlésien Peytret conserva de l'édifice précédent la tour de l'Horloge (16e s.), inspirée du mausolée du plateau des Antiques. On remarquera dans le vestibule la **voûte★** presque plate, chef-d'œuvre qui faisait l'admiration des compagnons du tour de France.

La rue Balze sur la gauche permet d'accéder à la chapelle des Jésuites dans laquelle s'ouvrent les cryptoportiques.

Cryptoportiques★

Mêmes conditions de visite que le théâtre antique.

Cette double galerie souterraine en fer à cheval date de la fin du 1er s. avant J.-C. Les deux couloirs voûtés sont séparés par un alignement de piliers massifs tandis que des soupiraux diffusent la lumière du jour. On ignore si ces substructions du forum antique avaient une autre fonction que celle d'en assurer la stabilité : grenier à blé ? Promenade souterraine ?

De retour au Plan de la Cour, traversant le vestibule de l'hôtel de ville, on débouche sur la place de la République, où un bel obélisque provenant du cirque romain d'Arles complète le décor composé par la façade classique de l'hôtel de ville et le somptueux portail de Saint-Trophime.

Impression de fraîcheur appréciée des visiteurs estivaux : la fontaine de l'obélisque.

Église St-Trophime★

Cette église, vouée à celui qui fut sans doute le premier évêque d'Arles, au début du 3e s., a été bâtie à l'emplacement d'un sanctuaire antérieur, d'époque carolingienne (partie de la façade en petits moellons), puis reconstruite au 11e s. (transept) et dans la première moitié du 12e s. (nef). C'est vers 1190 qu'elle s'est embellie du magnifique **portail sculpté★★** que nous admirons aujourd'hui : un parfait exemple de roman méridional tardif.

Ce portail affecte la forme d'un arc de triomphe, influence courante en Provence de l'art de l'Antiquité sur les bâtisseurs romans.

Sauvegarde

Inscrit par l'UNESCO sur la liste du patrimoine mondial, le portail de St-Trophime a été récemment restauré selon des procédés sophistiqués, alors que rongé par les vents, la pluie et la pollution, il était menacé de disparition.

À l'intérieur, on sera surpris par la hauteur du vaisseau et l'étroitesse des bas-côtés, ainsi que par la sobriété romane de la nef qui contraste avec les nervures et les moulures du chœur gothique. Parmi les œuvres d'art, on remarquera des sarcophages du 4e s. (dont celui représentant le Passage de la mer Rouge servant d'autel à la chapelle de Grignan), et une très belle *Annonciation* de Finsonius, dans le transept gauche.

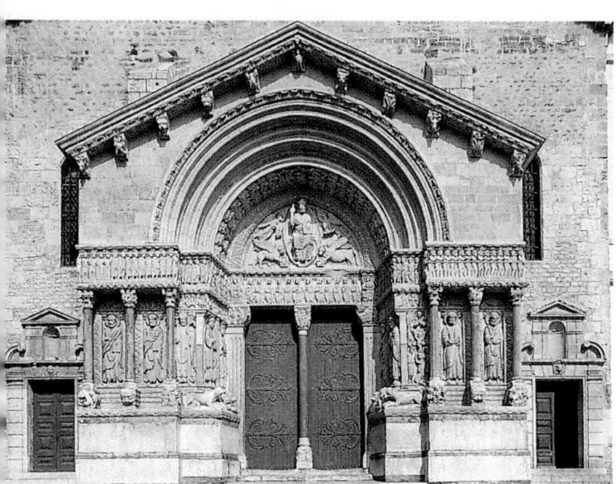

Au portail de St-Trophime, on ne se lassera pas d'admirer les sculptures d'aspect archaïque, sans doute liées à la tradition romaine, représentant le thème du Jugement dernier.

Cloître St-Trophime★★

Mêmes conditions de visite que le théâtre antique.

C'est le plus célèbre de Provence par l'élégance et la finesse de sa décoration sculptée, peut-être due à certains des artistes de St-Gilles. Remarquez en particulier les sculptures sur les chapiteaux et les magnifiques piliers d'angle de la galerie Nord (à gauche en entrant). Les chapiteaux et les piliers de la galerie Est évoquent la vie du Christ, ceux de la galerie Sud celle de St-Trophime ; quant à la galerie Ouest, elle est consacrée à des thèmes provençaux, comme sainte Marthe et la tarasque. Depuis la galerie Sud, on découvre le cloître, les anciens locaux du chapitre, la nef de l'église et, dominant le tout, son robuste clocher. Bordant la galerie Est, le réfectoire et le cloître accueillent des expositions temporaires, dont la fameuse foire annuelle aux santons.

Ne pas manquer

Sur le pilier Nord-Est, une statue de saint Paul aux plis profondément incisés, très longs sous les coudes, œuvre d'un artiste qui, visiblement, connaissait le portail central de St-Gilles.

Prendre à droite la rue de la République puis la rue du Prés.-Wilson qui conduit à l'ancien Hôtel-Dieu.

Van Gogh peignit le jardin de l'ancien Hôtel-Dieu, aujourd'hui reconstitué grâce au témoignage de sa toile, Le Jardin de la maison de santé à Arles.

Espace Van Gogh

7h30-19h. Gratuit.

C'est dans cet ancien Hôtel-Dieu, à la cour bordée d'arcades, que Van Gogh se fit soigner en 1889. Le lieu abrite aujourd'hui diverses galeries, la médiathèque, les archives de la ville et le collège des traducteurs littéraires qui tiennent leurs assises à Arles chaque année.

Vincent à Arles

Le 21 février 1888, Vincent Van Gogh descend du train en gare d'Arles. Là, il découvre la lumière extraordinaire des paysages provençaux. Son style s'écarte alors de l'impressionnisme et il peint sans cesse. Tout l'inspire : la nature, les travaux des champs, la ville, les personnages familiers. En tout, plus de 200 toiles et 100 dessins. *La Maison de Vincent*, *Les Alyscamps*, *L'Arlésienne*, *La Crau*, *Le Pont de Langlois* sont quelques-unes des œuvres les plus saisissantes de sa période arlésienne. Mais les « crises » reprennent et se multiplient et, après la rupture brutale avec Gauguin (24 décembre 1888), le peintre se mutile l'oreille gauche. Il est interné à la maison de santé, où il se sent abandonné : son ami le facteur Roulin vient d'être muté à Marseille ; en février 1889, une pétition réclame l'enfermement de ce fou. Il est temps de quitter la ville : le 3 mai 1889, à sa propre demande, Vincent Van Gogh est interné à l'asile de St-Paul-de-Mausole, près de St-Rémy.

LES ALYSCAMPS★★★

Compter 1/2h. ♿ Mêmes conditions de visite que le théâtre antique.

Quitter l'avenue des Lices à hauteur des fouilles de l'Esplanade.

Fouilles de l'Esplanade

Les vestiges d'un quartier gallo-romain, détruit au 3e s. et qui ne se releva que partiellement aux siècles suivants, ont été ici mis au jour : thermes, boutiques et maisons (belle mosaïque représentant Léda et le cygne).

Continuer dans la rue Émile-Fassin jusqu'à l'allée des sarcophages.

Allée des sarcophages

S'engager par le porche du 12e s. (vestige de l'abbaye St-Césaire). On remarquera que bon nombre de sarcophages sont de type grec (toit à double pente et quatres coins relevés), les autres (à couvercle plat) de type romain. Sur certains sont sculptés un fil à plomb et un niveau de maçon, symbolisant l'égalité des hommes devant la mort, tandis qu'une sorte de hache, la doloire, était censée protéger le sarcophage contre les voleurs.

Petits cadeaux

Offrir à un défunt, comme marque d'affection, une tombe aux Alyscamps était chose courante : il suffisait d'expédier au fil du Rhône son cercueil muni d'une obole pour les fossoyeurs qui, interceptant le colis au pont de Trinquetaille, se chargeaient de l'inhumation.

Église St-Honorat

Reconstruite au 12e s. par les moines de St-Victor de Marseille, gardiens de la nécropole, elle est dominée par un puissant clocher ou tour-lanterne à deux étages percés de huit baies en plein cintre. Outre le clocher, ne subsistent que le chœur, plusieurs chapelles et un portail sculpté.

Une nécropole trois étoiles

Les Alyscamps (« Champs Elysées ») ont été, de l'époque gallo-romaine jusqu'à la fin du Moyen Âge, une des plus prestigieuses nécropoles d'Occident. Le voyageur antique, arrivant à Arles par la voie Aurélienne, était accompagné, ici comme dans la plupart des villes du monde romain, par un long cortège de tombeaux et de mausolées gravés d'inscriptions. Mais le grand essor des Alyscamps est venu lors de la christianisation de la nécropole, autour des reliques de saint Trophime et du tombeau de saint Genès, fonctionnaire romain qui, ayant refusé de transcrire un édit de persécution contre les Chrétiens, fut décapité en 250. Mais le déclin allait venir, après le transfert des reliques de saint Trophime à la cathédrale en 1152. La nécropole, bientôt jugée démodée, sera petit à petit dépecée par les seigneurs et édiles qui offraient en souvenir à leurs hôtes de marque des sarcophages choisis parmi les mieux sculptés, tandis que les moines puisaient dans les pierres tombales pour bâtir des couvents ou enclore leurs jardins. Par bonheur quelques pièces admirables ont pu être sauvées et recueillies au musée de l'Arles antique.

Dans cette allée bordée de grands arbres et d'une double rangée de sarcophages, l'émotion subsiste et l'imagination ne peut se défendre d'évoquer les 80 générations qui sont venues se recueillir à cet endroit.

visiter

Musée de l'Arles antique★★

Accès par le bd Georges-Clemenceau que l'on suit jusqu'au Rhône, avant de passer à gauche sous la voie rapide. ♿ 9h-19h (nov.-fév. : 10h-17h). Fermé 1er janv., 1er mai, 1er nov., 25 déc. 35F (enf. : 25F). ☎ 04 90 18 88 88.

Cet audacieux bâtiment bleu de forme triangulaire, conçu par Henri Ciriani, abrite, en bordure du Rhône, les riches collections arlésiennes d'art antique, jusqu'alors disséminées en divers lieux de la ville. Accueilli par le lion de l'Accoule (1er s.), le visiteur découvre la grande statuaire : statues de danseuses, autels dédiés à Apollon, moulage de la fameuse **Vénus d'Arles** hellénistique (l'original est au Louvre) et grand **bouclier votif d'Auguste** (26 avant J.-C.) illustrant la romanisation rapide d'Arles.

Des maquettes illustrent la civilisation romaine à l'époque impériale. Les plans d'urbanisme qui jalonnent l'édification des grands monuments d'époque augustéenne (forum, théâtre), flavienne (amphithéâtre), antonine (cirque) et constantine (thermes) permettent de suivre l'évolution d'Arelate.

La statue colossale d'Auguste ornait le mur de scène du théâtre (musée de l'Arles antique).

La vie quotidienne des Arlésiens (équipement domestique, parures, soins médicaux) est présentée en parallèle avec leurs activités traditionnelles (agriculture, élevage, artisanat, industrie) par des objets (outils, vaisselle) ou des bas-reliefs provenant de sarcophages. Quant à l'économie arlésienne, elle est évoquée par le réseau routier (bornes milliaires) et le commerce terrestre ou maritime (amphores et dolia). Une aire est consacrée aux cultes : petit faune en bronze (1er s. avant J.-C.), torse de Sarapis (2e s.) autour duquel s'enroule un serpent.

Du haut d'une passerelle, on découvre les motifs et les coloris de somptueuses mosaïques provenant des riches villas de Trinquetaille, témoignages des fastes de l'époque impériale. Décors géométriques ou à thème, illustrant l'Enlèvement d'Europe, Orphée ou les Quatre Saisons.

AVEC LE TEMPS...
Dans le médaillon central de la mosaïque de l'Aiôn, le dieu du temps tient à la main l'inexorable roue du zodiaque.

Mais on s'attachera surtout à l'éblouissante **série de sarcophages★★**, païens ou chrétiens : ces œuvres magnifiques, généralement taillées dans le marbre aux 3e et 4e s. par les sculpteurs arlésiens, proviennent pour partie des Alyscamps. Remarquer le sarcophage « de Phèdre et Hippolyte », celui de « la Trinité » ou encore celui « des Époux ». Le parcours se termine sur l'Antiquité tardive avec la boucle en ivoire de saint Césaire (6e s.) représentant les soldats endormis devant le tombeau du Christ.

Pablo Picasso – Pierrot et Arlequin. *Un arlequin pour les Arlésiens par un familier des lieux.*

Musée Réattu★

Avr-sept. : 9h-12h30, 14h-19h ; mars : 9h-12h30, 14h-17h30 ; oct. : 10h-13h, 14h-18h ; nov. : 10h-12h30, 14h-17h ; fév. : 10h-12h, 14h-17h ; déc.-janv. : 10h-12h, 14h-16h30. Fermé 1er janv., 1er mai, 1er nov., 25 déc. 20F. ☎ 04 90 49 36 74.

Il doit son nom au peintre arlésien Jacques Réattu (1760-1833) qui habita les lieux et à qui cinq salles sont consacrées.

Outre des peintures italiennes, françaises, hollandaises ou provençales du 16e au 18e s., le musée présente une collection de sculptures contemporaines (César, Richier, Bourdelle, Zadkine), des peintures modernes regroupant Dufy, Vlaminck, Sarthou, Prassinos et Alechinsky et surtout la **donation Picasso★** comprenant 57 dessins et une toile exécutés en 1971 et, enfin, un important fonds photographique.

Museon Arlaten★

Dans l'hôtel de Laval-Castellane (16e s.), r. de la République. Juin-août : (dernière entrée 1h av. fermeture) 9h30-13h, 14h-18h30, juin : fermé lun. ; sept.-mai : tlj sf lun. d'oct.-mai 9h30-12h30, 14h-17h (avr.-mai et sept. : 18h). Fermé 1er janv., 1er mai, 1er nov., 25 déc. 25F. ☎ 04 90 93 58 11.

LA BOURSE NOBEL

C'est avec l'argent du prix Nobel de littérature obtenu en 1904 que Frédéric Mistral a pu aménager entre 1906 et 1909 cet hôtel pour y déposer ses collections, ultimes témoignages d'un monde en voie de disparition...

Voilà un passionnant musée dont la visite est indispensable à tous ceux qui souhaitent mieux connaître les traditions de la Provence rhodanienne. Quant au côté désuet de la présentation, avec ses étiquettes soigneusement calligraphiées de la main de Mistral, il ne fait que renforcer le charme de l'endroit...

D'innombrables objets sont exposés dans une trentaine de salles, gardées par une Arlésienne revêtue de son inévitable (et magnifique) costume.

Dans la cour, vestiges d'un petit forum qui donnait accès à une basilique du 2e s.

Meubles, costumes, objets, céramiques, documents, reconstitutions d'intérieurs (voir la « veillée de Noël » dans la salle à manger du mas) évoquent la vie quotidienne, les métiers traditionnels, la batellerie du Rhône, l'habitat, les rites religieux, la musique et les fêtes d'autrefois en pays d'Arles ; l'ensemble fait de ce musée ethnographique, aménagé avec ferveur, le plus complet de Provence.

Van Gogh : Autoportrait *(Saint-Rémy, 1889 – Musée d'Orsay) : un grand rouquin ébloui par la lumière.*

Fondation Vincent Van Gogh-Arles

D'avr. à mi-oct. : 10h-19h ; de mi-oct. à fin mars : 9h30-12h, 14h-17h30. Fermé 1er janv. et 25 déc. 30F. ☎ 04 90 49 94 04.

Sa collection permanente, qui rassemble des tableaux (Bacon, Hockney, Botero, Debré), sculptures (Appel, César), photos (Doisneau, Clergue), des œuvres littéraires (Tournier, Viviane Forrester), musicales (Dutilleux) et même des créations de mode (Lacroix), offre une excellente opportunité de revisiter l'œuvre du peintre hollandais.

Expositions temporaires consacrées à l'un des donateurs, chaque année, lorsque la collection permanente voyage sous d'autres cieux.

Abbaye de Montmajour★

2 km d'Arles en direction de Fontvieille. Voir ce nom.

découvrir

LA CRAU

Cette vaste plaine de galets et de graviers accumulés, en certains points, sur 15 m d'épaisseur, s'étend sur 50 000 ha entre le Rhône, les Alpilles, les hauteurs de St-Mitre et la mer.

Des cultures sur des cailloux – Deux zones fertilisées se développent simultanément au Nord. L'une, partant d'Arles, dépasse déjà St-Martin-de-Crau ; l'autre fait tache d'huile à l'Ouest de Salon. Ces deux zones, cou-

DU FOIN

On récolte chaque année près de 100 000 t de l'excellent « foin de Crau », fort réputé, en trois coupes. La 4e n'est pas effectuée et vendue sur pied aux éleveurs des quelque 100 000 moutons qui peuplent la Crau d'octobre à début juin.

Fins gourmets, les moutons de la Crau apprécient particulièrement l'herbe fine des « coussouls » qui pousse entre les pierres.

vertes de prairies, de cultures maraîchères et fruitières abritées par des haies de peupliers et de cyprès, tendent à se rejoindre, si bien qu'en parcourant la N 113, d'Arles à Salon, on n'a qu'une très faible idée de l'aspect désertique de la Crau non irriguée, ou Grande Crau.

Le royaume du mérinos – La Grande Crau est une immense steppe vouée à l'élevage très extensif des moutons, les mérinos d'Arles. Certains éleveurs s'installent chaque printemps en location sur les coussouls qui comprennent, outre les espaces de parcours, une « jasse » (de *jaç* : « bergerie ») et un puits constitué d'une couronne de pierre des Alpilles taillée d'un seul bloc.

Le départ pour l'alpage a lieu début juin quand l'herbe disparaît et que l'eau se raréfie. Jadis la transhumance vers la Savoie et le Briançonnais se faisait par les « drailles », chemins coutumiers le long desquels s'égrenait le cortège des brebis, des chèvres, des chiens et des ânes lourdement chargés, guidé par le bayle-berger assisté de ses pâtres. Il fallait environ douze jours de marche pour arriver dans les Alpes, après avoir traversé maints villages qui attendaient à date fixe le sympathique défilé. Le retour, aux premières neiges, se faisait dans la même ambiance et ce n'était pas sans joie que l'on retrouvait la douceur de la Crau...

Aujourd'hui, le transport se fait par bétaillères et l'élevage, pourtant bien intégré à l'économie rurale locale, rencontre de nombreux problèmes : le mérinos d'Arles n'est pas suffisamment rentable, les bergers se font rares et la superficie des territoires de parcours diminue.

Jasses

Il subsiste une quarantaine de jasses, toutes construites entre 1830 et 1880 selon un plan identique : bâtiment rectangulaire de 40 m sur 10 m, bâti en pierre de Fontvieille ou en galets disposés en arêtes de poisson, ouvert aux deux extrémités.

En voie de disparition

La figure légendaire du berger tend à disparaître. Ce « gavot » (homme de la montagne) connaissait les secrets de la nature, notamment les simples qui guérissent, et savait tout faire : bûcheron, maçon, menuisier, bourrelier, mais aussi artiste à ses heures, lorsqu'il sculptait de son couteau les magnifiques colliers en bois de cytise porteurs des sonnailles.

CIRCUIT DE LA CRAU

Circuit de 93 km – compter 3h, visite du Vigueirat non comprise.

Quitter Arles par la N 453.

Saint-Martin-de-Crau

Le bourg mérite un arrêt pour son **écomusée de la Crau** qui instruit sur les spécifités de cette région originale. Des visites accompagnées dans le domaine de Peau de Meau permettent de découvrir le milieu naturel. *9h-12h, 14h-18h. Fermé 1er janv. et 25 déc. Gratuit.* ☎ *04 90 47 02 01.*

Prendre la D 24 au Sud jusqu'à la voie rapide qu'on suit en direction de Martigues.

La Grande Crau

Le paysage verdoyant se dégrade progressivement vers le Sud jusqu'à devenir désertique. On ne rencontre ni hameau, ni mas, ni cultures, mais seulement de loin en loin quelques-unes de ces bergeries basses qui témoignent des activités pastorales en déclin. Le développement de la zone portuaire de Fos a fermé l'horizon cher à Mistral. Les cultures, les aérodromes colonisent petit à petit le « désert provençal ».

À la Fossette, prendre à droite la N 268 jusqu'à Port-St-Louis-du-Rhône, puis encore à droite la D 35 en direction de Mas-Thibert et Arles.

La Coustière de Crau

On accède à la Crau humide, ou Coustière de Crau, région marécageuse en bordure du Grand Rhône où subsistent de nombreux élevages de taureaux de combats, race espagnole destinée aux novilladas de la région.

Marais du Vigueirat*

S'adresser à l'Office de tourisme d'Arles. Compter 6h et se munir d'un pique-nique, de chaussures de marche.

Drôles d'oiseaux
La visite permet d'observer de nombreux oiseaux tels que hérons pourpres et cendrés, colverts, vanneaux huppés, échasses blanches ou encore percnoptère d'Égypte et lusciniole à moustaches.

◄ Ce domaine qui s'étend entre le canal d'Arles à Bouc, creusé en 1827, et le canal du Vigueirat (1642) est l'œuvre d'un ingénieur hollandais, témoignage émouvant de la lutte séculaire de l'homme contre les éléments. Grâce à des roubines et à des pompes, le niveau des eaux et leur salinité sont contrôlés, permettant de maintenir les différents écosystèmes camarguais.

Revenir vers Arles par la D 35. Prendre une petite route à droite (signalée).

Pont de Langlois

L'original, dont Van Gogh fit un tableau fameux, a été détruit en 1926. Identique à celui du tableau, ce pont à bascule a été démonté et réédifié ici, sur le canal reliant Arles à Fos, à quelques dizaines de mètres de son emplacement d'origine.

Aubagne

Dans la vallée de l'Huveaune, aujourd'hui fortement industrialisée, Aubagne doit à ses carrières d'argile une tradition potière, déjà reconnue à l'époque gallo-romaine. Cette vocation a retrouvé un nouveau souffle avec les santonniers qui attirent dans la ville nombre de visiteurs.

Un écrivain lié à sa terre
Créateur de personnages inoubliables, de scènes mémorables, de reparties inénarrables, Marcel Pagnol a su jouer de plusieurs registres : le comique, la critique sociale mordante (*Topaze*) ou l'émotion (Merlusse). Mais ce sont ses trois volumes autobiographiques (*La Gloire de mon père*, *Le Château de ma mère* et *Le Temps des secrets*) qui resteront l'œuvre maîtresse de cet écrivain, lié comme peu d'autres à la terre qui l'a vu naître.

La situation

Cartes Michelin nos 84 plis 13 et 14, 114 plis 29, 30, 245 pli 45 et 246, pli L – Bouches-du-Rhône (13).

On accède à Aubagne par l'autoroute Marseille-Toulon. La ville, dominée par le massif de l'Étoile, est désormais une banlieue de Marseille. Sur les grands cours ombragés du centre, les places de parking sont rares. À défaut, parking public payant situé en face de la mairie.
🅸 *Av. A.-Boyer, 13400 Aubagne,* ☎ *04 42 03 49 98.*

Le nom

Non, les Romains n'ont pas cherché à faire trempette dans l'Huveaune, si bien que faire dériver le nom Aubagne d'*ad balnea* (« au bain ») semble une hypothèse fantaisiste. Il semble qu'un certain Albanius, propriétaire local, soit le seul responsable de l'appellation de la cité connue vers l'an mille comme *Villa Albanea*.

Aubagne, une ville où lorsqu'on naît santonnier, on pétrit l'argile avant même de savoir marcher.

carnet pratique

Visite

Circuits Marcel-Pagnol – À Aubagne, Pagnol est toujours présent (sa maison natale se trouve 16 cours Barthélemy). L'Office de tourisme a mis en place les derniers dim. de sept. à juin un circuit touristique pédestre (9 km) du massif du Garlaban, qui permet de retrouver les paysages de ses films. À faire de préférence le dim. qui précède ou suit le jour anniversaire de la mort de Pagnol (18 avr.), lors de la sortie annuelle des « fans » de Pagnol. 80F (prévoir le pique-nique).

Circuit commenté en bus (1 journée) pour les mêmes destinations mer. et sam. à 9h30 en juil.-août ; 160F (déjeuner compris). Mini-circuit (2h1/2) en bus : 40F.

Le Petit Monde de Marcel Pagnol – *Espl. De-Gaulle*. On y retrouve les personnages les plus connus de l'œuvre pagnolesque sous forme de santons. 9h-12h30, 14h30-18h. Fermé le 1er mai, 1re quinzaine de fév. et 2e quinzaine de nov. Gratuit. ☎ *04 42 03 49 98.*

Sorties

La Belle Époque – *4 cours Mar.-Foch - ☎ 04 42 03 13 66 - Tlj 7h-2h.* On ne compte plus les raisons de fréquenter cet endroit à la fois branché et culturel, au semainier bien rempli : mercredi, journée échecs ; vendredi ou samedi, concert de rock ; un lundi par mois, comptoir philosophique. Et ponctuellement, la Belle Époque se métamorphose en café-théâtre.

Achats

Santons et faïence – On pourra découvrir une vingtaine d'ateliers de santonniers et de céramistes dans le centre-ville, tlj sf dimanche. S'adresser à l'Office de tourisme pour en obtenir liste et adresses.

Grand marché potier (Argilla) tous les 2 ans (années impaires) en août. Journées nationales de la faïence en mai (les années paires) et foires aux santons sur le cours Mar.-Foch, en été et en déc.

Marius Chave – *8 cours Mar.-Foch - ☎ 04 42 03 86 33 - Lun.-sam. 8h-12h30, 14h-19h ; dim. 9h-12h.* Ami de Marcel Pagnol, Marius Chave a représenté sous forme de santons la célèbre partie de cartes disputée par Raimu et ses amis dans *Marius*. Aujourd'hui, son petit fils est dépositaire de ce savoir-faire familial et continue de porter haut les couleurs de la tradition provençale du santon.

Atelier d'Art-Maison Sicard – *2 bd Émile-Combes - ☎ 04 42 70 12 92.* Santons et faïences, dont la fameuse cigale.

Poterie Ravel – *Av. des Goumes - ☎ 04 42 82 42 00 - 8h-12h, 14h-18h.* Poteries de jardin (dont les fameuses jarres provençales) et vaisselle.

Marché – Marché traditionnel mercredi, jeudi, samedi et dimanche sur le cours Voltaire. Brocante le dernier dimanche du mois, à la Tourtelle.

Les gens

42 638 Aubagnais. Le plus connu est bien sûr Marcel Pagnol (1895-1974), écrivain, dramaturge et cinéaste. Sa renommée n'a fait que s'amplifier avec la réalisation des films que Claude Berri (*Jean de Florette et Manon des Sources,* 1986) et Yves Robert (*La Gloire de mon père, Le Château de ma mère,* 1990) ont tirés de son œuvre. Comment oublier Yves Montand dans le rôle du « papet » ?

découvrir

Santonniers et céramistes

Ici, l'argile est reine : à l'époque gallo-romaine, on y fabriquait amphores et céramiques ; au Moyen Âge, Aubagne était un grand centre de production de tuiles ; enfin, au 19e s., l'apparition des crèches domestiques a permis l'essor des santonniers qui, aujourd'hui, perpétuent cet art dans une vingtaine d'ateliers.

On pourra les découvrir dans le petit centre historique qui occupe l'ancienne cité fortifiée dont seule subsiste la porte Gachiou (14e s.). De boutique en atelier, on apercevra au passage le curieux clocher triangulaire de la chapelle de l'Observance (fin 17e s.), le campanile en fer forgé qui coiffe la tour de l'Horloge ou la façade baroque de la chapelle des Pénitents Noirs *(chemin de St-Michel).*

Ateliers Thérèse Neveu

Tlj sf lun. 10h-12h, 14h-18h. Fermé le 25 décembre et le 1er janvier. Gratuit. ☎ *04 42 03 43 10.*

Vaste salle installée à l'emplacement des ateliers de cette ancienne santonnière aubagnaise : dans ce lieu voué aux arts de la terre, exposition permanente consacrée à l'histoire de la céramique à Aubagne et expositions temporaires sur les thèmes de la poterie et des santons.

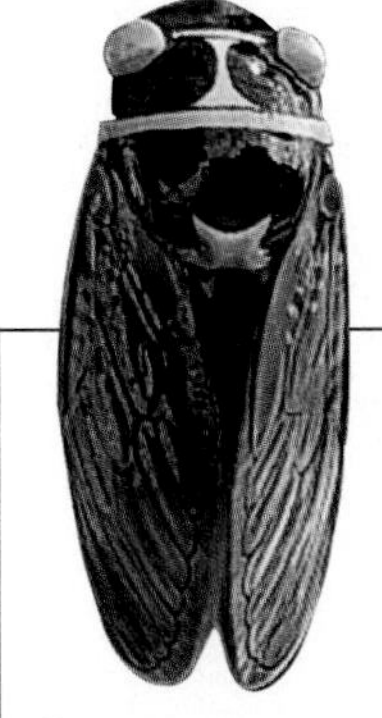

Qu'on les aime ou non, elles sont partout. Elles, ce sont ces cigales en céramique qu'on trouve sur les façades des maisons, ou en applique, dans les couloirs... et, sous forme de copies plus ou moins réussies, dans la plupart des magasins de souvenirs. Le responsable ? Un céramiste d'Aubagne, Louis Sicard, qui conçut cet objet décoratif en 1895.

alentours

Musée de la Légion

On y accède par la D 2 en direction de Marseille, puis la D 44^A à droite. Juin-sept. : tlj sf lun. 10h-12h, 15h-19h, ven. 10h-12h ; oct.-mai : mer. et w.-end 10h-12h, 14h-18h. Gratuit. ☎ 04 42 18 82 41.

Indispensable pour les admirateurs de ce corps de durs-à-cuire : souvenirs des chefs qui ont marqué l'histoire de la Légion, crypte renfermant la liste des légionnaires morts au combat et musée où documents, uniformes, armes et photographies retracent les grandes heures du légendaire régiment qui fit vibrer le cœur des midinettes. Les plus nostalgiques ne manqueront pas la reconstitution, dans la cour d'honneur, de la « Voie sacrée » du quartier Viénot de Sidi-Bel-Abbès, aboutissant au monument aux Morts de la Légion, rapatrié d'Algérie.

Hommage

30 avril 1863, Camerone (Mexique) : 64 légionnaires résistent pendant 9 h aux assauts de 2 000 Mexicains. Fait d'armes désespéré, mais qui restera dans la légende : depuis lors, chaque 30 avril, le plus jeune des officiers lit le récit de ce combat homérique devant les soldats au garde-à-vous.

Chapelle St-Jean-de-Garguier

5,5 km au Nord-Est par la D 2 en direction de Gémenos, la N 396 à gauche, puis la D 43^D à droite.

Vouée à saint Jean-Baptiste, cette chapelle du 17e s., lieu d'un pèlerinage le 24 juin, émeut par ses ex-voto peints sur bois, sur toile ou sur zinc. Il y en a plus de 300, datant pour la plupart des 18e et 19e s., naïves et touchantes expressions de la piété populaire.

Parc d'attractions OK Corral

16 km à l'Est par la N 8. Voir p. 206.

Avignon★★★

Cité des papes et du théâtre, ville d'art à l'origine d'une véritable explosion culturelle, son étincelante beauté illumine le Rhône ; remparts, clochers et toits de tuiles roses s'y reflètent, surplombés par sa cathédrale et son majestueux palais.

La situation

Cartes Michelin n°s 81 plis 11 et 12, 245 pli 16 et 246 pli 25 – Vaucluse (84). Il faut approcher Avignon le soir, par Villeneuve-lès-Avignon, pour admirer la ville dans toute sa splendeur. Passé le pont puis les remparts, gagner sans hésiter le parking souterrain (payant) du palais des Papes.

41 cours Jean-Jaurès, 84000 Avignon, ☎ 04 32 74 32 74.

Le nom

Une racine préceltique *av* désignant à la fois une hauteur et un cours d'eau semble expliquer le nom d'Avignon : le

Avignon en scène

Difficile, pour le profane, d'imaginer Avignon pendant le festival : une foule énorme envahit la cité, investissant les terrasses des cafés, les restaurants, éphémères ou non ; hôtels, pensions, chambres d'hôtes, campings s'emplissent des lieues à la ronde, alors qu'au petit matin des silhouettes ébouriffées émergent de sacs de couchage sur les pelouses des squares. Dans la cité des papes, devenue un immense théâtre, chacun mène sa vie : on dîne tranquillement en attendant l'heure du « jingle » qui invite les spectateurs à prendre place ou l'on se laisse aller à l'inspiration du moment, explorant salles de fortune, garages ou entrepôts. La clé du succès ? La nouveauté du concept (cadre grandiose de la cour d'Honneur, spectacles commençant à l'heure dite) y fut pour beaucoup ; de grandes mises en scène qui ont fait date (Gérard Philipe dans le rôle de Rodrigue a marqué toutes les mémoires), de prestigieux invités, l'explosion du « off » à partir de 1968 ont peu à peu transformé le festival des pionniers en une immense foire théâtrale où quelque 500 spectacles différents sont proposés chaque année.

carnet pratique

Transports

Bateau-bus – Traversée du Rhône d'Avignon à Villeneuve. *Juil.-août. 40F (enf. : 20F).*

Visites

Visite guidée de la ville (2h) – Avr.-oct. mar. et jeu. 10h. 50F. RV à l'Office de tourisme.

En petit train touristique – Dép. sur la place du palais des Papes. *Visite commentée (40 mn) 10h-19h. Fermé de mi-oct.-mi-mars. 35F (enf. 25F).* ☎ *04 90 82 64 44.*

Croisières sur le Rhône – *Promenades sur le Rhône au dép. d'Avignon, pour Arles, Châteauneuf-du-Pape, la Camargue, etc. S'adresser aux « Grands Bateaux de Provence », allée de l'Oulle.* ☎ *04 90 85 62 25.*

Carte-Pass – Pour visiter Avignon et Villeneuve-lès-Avignon avec d'intéressantes réductions de tarif pdt 15 j. (musées et monuments, visites guidées de la ville, promenades en bateau, en petit train touristique, excursions en autocar). Pour l'obtenir, il suffit de payer plein tarif l'une des entrées inscrites sur le passeport. Renseignements à l'Office de tourisme d'Avignon.

Jean Vilar et Gérard Philipe.

Restauration

• *À bon compte*

Bloomsbury's – *11 r. de la Balance -* ☎ *04 90 82 91 56 - fermé 1er au 21 fév. et dim. - 100/160F.* Dépaysement garanti dans cette salle où l'atmosphère « british » contraste avec l'environnement provençal. Cuisine anglaise parfois inspirée de l'Orient et l'après-midi, pâtisseries de la patronne servies autour d'un thé, comme il se doit... Terrasse agréable aux beaux jours.

• *Valeur sûre*

La Vache à Carreaux – *14 r. de la Peyrolerie -* ☎ *04 90 80 09 05 - fermé 15 au 31 août, sam. midi, lun. midi et dim. - 104/117F.* Proche du palais des Papes, dans une rue paisible, ce restaurant sert une cuisine simple à base de fromages et un plat du jour dans ses deux salles en pierres apparentes au parquet ancien. Le jeune patron, connaisseur en vins, vous les fera découvrir au verre.

Entrée des Artistes – *1 pl. des Carmes -* ☎ *04 90 82 46 90 - fermé 25 août au 10 sept., sam. et dim. - 129F.* Dans un décor de bistrot parisien où se mêlent affiches et objets de cinéma et vieilles publicités, vous consommerez une cuisine traditionnelle au coude à coude. L'accueil est convivial et dans l'air flotte un parfum de méditerranée.

Le Moutardier – *15 pl. du Palais-des-Papes -* ☎ *04 90 85 34 76 - 150F.* Inscrite au patrimoine mondial, cette bâtisse du 18e s. est un cadre exceptionnel pour un repas simple et frais. Ambiance sympathique dans sa salle bistrot, dont les fresques relatent l'histoire du « moutardier du Pape », ou sur sa terrasse en face du palais des Papes.

Le Grand Café – *Cours Maria-Casares - La Manutention -* ☎ *04 90 86 86 77 - fermé 1 sem. en janv., 1 sem. en sept., dim. midi et lun. sf juil.-août - réserv. conseillée - 160F.* Adossée aux contreforts du palais des Papes, cette ancienne caserne est devenue un lieu incontournable de la vie locale. Étudiants, commerçants et touristes s'y retrouvent pour boire un verre ou pour découvrir une cuisine inventive aux accents provençaux. Plaisant décor mariant esprit bistrot et café viennois. Agréable terrasse.

La Cuisine de Reine – *Le Cloître des Arts - 83 r. J.-Vernet -* ☎ *04 90 85 99 04 - fermé lun. soir et dim. - 185/250F.* Ce restaurant est installé dans un cloître du 15e s. avec dans sa cour, une superbe terrasse. Deux salles à manger panachent styles ancien et contemporain. Cuisine provençale au goût du jour. Le cloître abrite aussi une librairie, une galerie, une école d'art et un fleuriste.

Hébergement

• *À bon compte*

Hôtel Médiéval – *15 r. de la Petite-Saunerie -* ☎ *04 90 86 11 06 - 34 ch. : 240/350F -* ☕ *40F.* Hôtel simple dans une petite rue du centre-ville, le Médiéval propose une formule de location intéressante pour les séjours d'une semaine et plus : des studios avec kitchenettes accueillent ainsi les festivaliers, à deux pas du palais des Papes.

• *Valeur sûre*

Hôtel Garlande – *20 r. Galante -* ☎ *04 90 80 08 85 - 12 ch. : 380/450F -* ☕ *40F.* Installé dans une ancienne maison rénovée, ce petit hôtel familial est à deux pas de l'église St-Didier, dans une rue tranquille. Chambres colorées de tissus fleuris, réparties dans deux bâtiments, aux multiples escaliers.

Chambre d'hôte La Prévoté – *354 chemin d'Exploitation - 84210 Althen-les-Paluds - 17 km au NE d'Avignon dir. Carpentras -* ☎ *04 90 62 17 06 - fermé 15 nov. au 1er mars - ⊭ - 6 ch. : 365/550F.* Après une nuit paisible passée dans l'une des chambres spacieuses et colorées de cet ancien mas, vous apprécierez le petit-déjeuner servi à l'ombre de la treille ou sous le marronnier. De là, laissez courir votre regard sur les pommiers ou faites un plongeon dans la piscine.

• *Une petite folie !*

Chambre d'hôte La Ferme Jamet - Domaine de Rhodes – *Île de la Berthelasse - 5 km au NO d'Avignon par pont E.-Daladier puis D 228 - ☎ 04 90 86 88 35 - www.avignon-et-provence.com/ferme-jamet - fermé nov. à avr. - 8 ch. : à partir de 590F.* À seulement deux pas du centre d'Avignon, cette bâtisse du 16ᵉ s. qui s'ouvre sur un joli parc respire la quiétude. L'authenticité des lieux et son atmosphère provençale vous assurent un séjour agréable. Trois « cottages » pour ceux qui souhaitent s'isoler un peu.

Hôtel Cloître St-Louis – *20 r. Portail Boquier - ☎ 04 90 27 55 55 - P - 77 ch. : à partir de 850F - ☕ 75F - restaurant 75F.* Dans un cloître du 16ᵉ s., une partie de cet hôtel a été réalisée par l'architecte Jean Nouvel, alliant le verre, l'acier et les pierres séculaires. Chambres au style design très dépouillé. Piscine et solarium sur le toit. Messe dominicale dans la chapelle au cœur de l'hôtel.

Le temps d'un verre

Café In&Off – *Pl. du Palais-des-Papes - ☎ 04 90 85 48 95 - Hors saison : tlj 7h30-20h. Été : tlj 7h30-22h et jusqu'à 3h pdt le festival. Fermé de mi-nov. à fin-fév.* Impossible de manquer le seul café qui jouit d'une vue imprenable sur le palais des Papes. Si l'intérieur ne manque pas d'agrément, c'est la terrasse qui est la signature de l'établissement.

Cloître des Arts – *83 r. Joseph-Vernet - ☎ 04 90 85 99 04 - Mar.-sam. 10h-19h. Fermé au mois d'août.* Dans un cadre très séduisant avec sa belle cour intérieure ornée de rosiers en fleurs et ses façades classiques de pierre claire, le cloître contient en son sein un salon de thé où vous sont proposées des dégustations de pâtisseries et 25 variétés de thé (également en vente à emporter).

Gambrinus – *62 r. Carreterie - ☎ 04 90 86 12 32 - www.avignon-et-provence.com/gambrinus/ - Tlj 7h-1h30 sf dim. Pdt le festival 7h-3h. Fermé les quinze premiers jours de jan.* Soixante variétés de bières artisanales de toutes les provenances et une déco ad hoc attirent beaucoup d'étudiants, séduits par l'atmosphère de décontraction qui flotte ici. Billard.

Sunset Café – *Zone commerciale Courtine - ☎ 04 90 16 05 55 - Ouv. mer.-ven.-sam.-dim. 21h-5h.* Si l'on vient au Sunset Café, c'est pour se plonger dans l'atmosphère d'un studio hollywoodien où, en butte à un producteur despotique, le metteur en scène aurait été remplacé au pied levé par un DJ, présent tous les soirs sauf le mercredi (karaoké) et le vendredi (soirée à thème). Par ailleurs, et l'on ne sait s'il faut s'en réjouir ou le déplorer, la carte est moins hollywoodienne que latino-américaine.

Woolloomooloo – *16B r. des Teinturiers - ☎ 04 90 85 28 44 - www.wooll.com - Tlj 12h-1h.* Affublé d'un long cri sauvage en guise de nom, ce bar-restaurant occupe néanmoins le site policé d'une ancienne imprimerie, elle-même sise dans la plus vieille rue de la ville. Les mille et un objets rapportés par le patron au fil de ses pérégrinations autour du globe enjolivent un lieu où tout évoque le voyage, des soirées musicales du bar aux plats exotiques (toujours conçus à partir de produits frais du marché).

Spectacles

Consulter avec intérêt *Le César*, « quinzomadaire » gratuit du « triangle d'or » Arles-Avignon-Nîmes, diffusé à l'Office de tourisme et dans certains lieux culturels : programme des spectacles et adresses. La bible !

Le Rouge-Gorge – *10 bis r. Peyrolerie - ☎ 04 90 14 02 54 - www.lerougegorge.fr - Mar.-dim. 20h30-3h. Fermé juil.-août.* Unique cabaret de la cité d'Avignon, le Rouge-Gorge, pudiquement abrité derrière le palais des Papes, dévoile les charmes sensuels de sa revue chaque vendredi et samedi à partir de 20h30 tandis qu'il vous convie deux dimanches par mois à un déjeuner d'opérette. En semaine, l'ambiance n'a pas le temps de se refroidir grâce aux nombreuses soirées à thème (corse, latino, orientale...).

Achats

Georges Poutet – *15 r. des Trois-Faucons - ☎ 04 90 82 93 96 - Tlj 7h30-20h sf dim. jusqu'à 18h. Fermé pdt vac. scol. de fév. et trois premières sem. d'août.* Connaissez-vous les papalines ? Cette spécialité avignonnaise a été créée en 1960 par le père de l'actuel propriétaire des lieux : ce sont d'exquis chaudrons roses fourrés à la liqueur d'origan, plante du Comtat Venaissin.

Miellerie des Butineuses – *189 r. de la Source - 84450 St-Saturnin-lès-Avignon - ☎ 04 90 22 47 52 - polenia@wanadoo.fr -* Miel, pollen, gelée royale...

Marchés – Marché traditionnel tlj sf lundi aux Halles. Marché aux fleurs samedi matin pl. des Carmes. Marché forain samedi et dimanche au rempart St-Michel. Marché aux puces samedi pl. des Carmes.

Calendrier

Le festival d'Avignon « in » et « off » – Festival « in »: pièces de théâtre, danse, lectures, expositions, rencontres, concerts dans la cour d'honneur du palais des Papes, au théâtre municipal, dans de nombreux cloîtres et églises de la ville et de la périphérie comme à Villeneuve-lès-Avignon, la carrière de Boulbon, Montfavet ou Châteaublanc. Festival « off » : partout dans la ville.

Outre les spectacles, le festival sera l'occasion de découvrir des lieux non accessibles à la visite ou à l'écart des circuits traditionnels, tels que le cloître des Célestins ou l'Hôtel-Dieu.

Réservations du festival – Programme et locations auprès du Bureau du Festival d'Avignon, *8 bis r. de Mons,* ☎ *04 90 27 66 50*, réservations au ☎ *04 90 14 14 14.* Les locations, ouvertes dès la 1re quinzaine de juin, peuvent également être faites par minitel 3615 avignon, aux bureaux de location FNAC, St-Louis d'Avignon (rue Portail-Bocquier) ou au bureau d'accueil de la Chartreuse de Villeneuve-lès-Avignon.

Programme du festival off disponible par courrier (joindre une enveloppe affranchie à 11,50F) à *Avignon Public Off - BP 5 - 75521 Paris Cedex 11 -* ☎ 01 48 05 01 19 *ou minitel 3615 avignonoff.*

Hivernales d'Avignon – En février, festival consacré pour l'essentiel à la chorégraphie : pas (encore) l'ambiance de l'été, d'autant que (fort heureusement !) les spectacles ne se donnent pas en plein air.

Cheval en fête – Quant aux amateurs d'équitation, c'est en janvier qu'ils se donnent rendez-vous en Avignon pour une manifestation consacrée à ce noble équidé : dressage, monte de haute-école, concours, démonstrations et spectacles, le tout au Palais des Sports.

rocher des Doms et le Rhône justifient l'hypothèse, même si certains font dériver le nom de l'ancienne *Avenio* du celte « aven ».

Les gens

253 580 Avignonnais. Le Sétois Jean Vilar (1912-1971), ▶ directeur du TNP jusqu'en 1963, fonda en 1947 le Festival d'Avignon.

Les « Mystères »

On pourrait faire remonter la tradition festivalière d'Avignon aux « Mystères » de la Pentecôte de 1400. Gigantesques tableaux vivants accompagnés de défilés, ils mettaient en scène, pendant trois jours, une grandiose Passion du Christ, réunissant un nombre considérable d'acteurs et un public estimé à 12 000 spectateurs.

comprendre

Ombres et lumières – Il ne reste que de rares vestiges des monuments de la florissante Avenio, cité gallo-romaine. Après les invasions barbares, le renouveau vient aux 11e et 12e s. : profitant alors des rivalités entre Toulouse et Barcelone qui se disputaient la Provence, Avignon constitue une petite république municipale. Mais, toujours malchanceux, son engagement en faveur des Albigeois lui attire des représailles, et en 1226, Louis VIII s'empare de la ville, l'obligeant à raser ses fortifications. Toutefois, la ville se relève bien vite et connaît à nouveau la prospérité sous la suzeraineté de la maison d'Anjou.

Quand le destin bascule – À Rome, les sempiternelles querelles de partis rendent aux papes la vie impossible. Élu en 1305 sous le nom de Clément V, le Français Bertrand de Got, lassé, choisit de se fixer dans ses terres du Comtat Venaissin, propriété papale depuis 1274. Mais si Clément V entre solennellement le 9 mars 1309 à Avignon, il n'y réside pas, préférant le calme du prieuré du Groseau près de Malaucène ou du château de Monteux, près de Carpentras. C'est Jacques Duèze, élu pape sous le nom de Jean XXI, qui installe durablement la papauté en Avignon où, de 1309 à 1377, sept papes, tous français, se succèdent. Parmi eux, Benoît XII fait édifier le palais et Clément VI achète la cité à la reine Jeanne en 1348.

Des pontifes fort édifiants – Avignon devient alors un immense chantier : partout s'édifient des couvents, des églises, des chapelles, de splendides « livrées » cardinalices, tandis que le palais pontifical s'agrandit et s'embellit sans cesse. L'université (fondée en 1303) compte des milliers d'étudiants. Le pape se veut le plus puissant des princes de ce monde. Si sa richesse éblouit, elle ne va pas sans susciter quelques convoitises à une époque où les « routiers » pullulent dans le pays. Ces soldats licenciés vivent de pillages et de rapines et le pape doit se protéger, en faisant de son palais une forteresse et en élevant des remparts pour protéger la ville.

Les livrées

C'était le nom que l'on donnait aux vêtements, arborant les armes et les couleurs des courtisans des cardinaux. Par extension, il désigna ces courtisans eux-mêmes, puis les luxueux palais que les princes de l'église firent édifier dans Avignon ou sur l'autre rive du Rhône, à Villeneuve.

Liberté, tolérance et prospérité, rien d'étonnant à ce que la cité pontificale attire du monde : sa population passe rapidement de 5 000 à 40 000 habitants. Terre d'asile, elle accueille des proscrits politiques (comme le poète Pétrarque), mais aussi des condamnés en fuite, des aventuriers, des contrebandiers, des faux-monnayeurs, et des aigrefins en tous genres. Les papes commencent alors à songer au retour à Rome. Urbain V part en 1367 pour la Ville éternelle. Mais les troubles qui secouent l'Italie l'obligent à revenir au bout de trois ans. Grégoire XI quitte Avignon en septembre 1376 et meurt en 1378.

Gentil surnom

Tripots et maisons de plaisir se multiplient, scandalisant les Italiens qui réclament le retour de la papauté à Rome et appellent ces années exils « la seconde captivité de Babylone ».

Papes, antipapes et légats – Les réformes du nouveau pape Urbain VI, un Italien, irritent les cardinaux (en majorité languedociens) du Sacré Collège : en représailles, ils élisent un autre pape, Clément VII (1378-1394) qui retourne en Avignon : c'est le Grand Schisme, qui divise la chrétienté. La France, Naples et l'Espagne prennent parti pour Avignon contre Rome. Papes et antipapes s'excommunient allègrement. Successeur de Clément VII, Benoît XIII n'a plus le soutien du roi de France. Il s'enfuit d'Avignon en 1403 mais ses partisans résistent dans le palais jusqu'en 1411. Le Grand Schisme prend officiellement fin en 1417 avec l'élection de Martin V. Dès lors, Avignon sera, jusqu'à la Révolution, gouvernée par un légat puis un vice-légat du pape. Les brimades envers la communauté juive se multiplient : installés dans un quartier à part, la « carrière », dont on verrouille chaque soir les portes, les juifs doivent porter un chapeau jaune, verser une redevance, écouter des sermons obligatoires, ne pas fréquenter de chrétiens et n'exercer que certaines activités (tailleur, fripier, usurier, commerçant). Quant aux tensions sociales entre riches et pauvres, elles s'exaspèrent, et de durs affrontements les opposent entre 1652 et 1659. À la Révolution, l'Assemblée constituante vote la réunion du Comtat Venaissin à la France.

découvrir

LE PALAIS DES PAPES***

Compter entre 1 et 2h. Avr.-nov. : (dernière entrée 1h avant fermeture) 9h-19h ; de mi-mars à fin mars : 9h30-18h30 ; de nov. à mi-mars : 9h30-17h45. 45F (55F pdt expos.). ☎ 04 90 27 50 74.

Cette résidence de 15 000 m² se compose de deux édifices distincts : le Palais Vieux et le Palais Neuf dont la construction dura au total une trentaine d'années.

Benoît XII, après avoir rasé l'ancien palais épiscopal, confia en 1334 à son compatriote Pierre Poisson, de Mirepoix, l'exécution du **Palais Vieux** : forteresse d'architecture austère, ses quatre ailes ordonnées autour d'un cloître sont flanquées de tours dont, au Nord, la tour de Trouillas, à la fois donjon et prison.

Clément VI, grand prince d'Église, artiste et prodigue, dut trouver le nid bien sévère : il commanda en 1342 à Jean de Louvres, architecte d'Île-de-France, un nouveau palais, le **Palais Neuf**. La tour de la Garde-Robe et deux nouveaux corps de bâtiments vinrent fermer la cour d'Honneur, jusqu'alors place publique. Si l'aspect extérieur ne changeait guère, l'intérieur fut transformé par une équipe d'artistes, dirigée par Simone Martini puis par Matteo Giovanetti, qui en décora somptueusement les différentes pièces. Les travaux se poursuivirent jusqu'en 1363, avec quelques ajouts ultérieurs.

Quelque peu détérioré après les deux sièges de 1398 et de 1410-1411, le palais fut, après le départ des papes, affecté aux légats, mais, bien que restauré en 1516, il continua à se dégrader. En piteux état lors de la Révolution, il fut livré au pillage : mobilier dispersé, statues et sculptures brisées. Après quelques épisodes sanglants en 1791, le palais dut sa survie à sa transformation en prison et en caserne, même s'il fut encore mis à rude épreuve.

PRÉSERVATION

Nul ne songerait à vanter les qualités artistiques du badigeon réglementaire des casernes. Du moins a-t-il ici permis de protéger les chefs-d'œuvre qu'il recouvrait. Un regret ? Que cette sauvegarde toute militaire ait été tardive : des soldats, soucieux d'arrondir leur solde, avaient eu le temps de découper l'enduit des fresques et d'en vendre les morceaux.

Rez-de-chaussée

Entrer par la porte de Champeaux et prendre à droite dans la salle des gardes (accueil et billetterie) que décorent des fresques du début du 17e s. **(1)**.

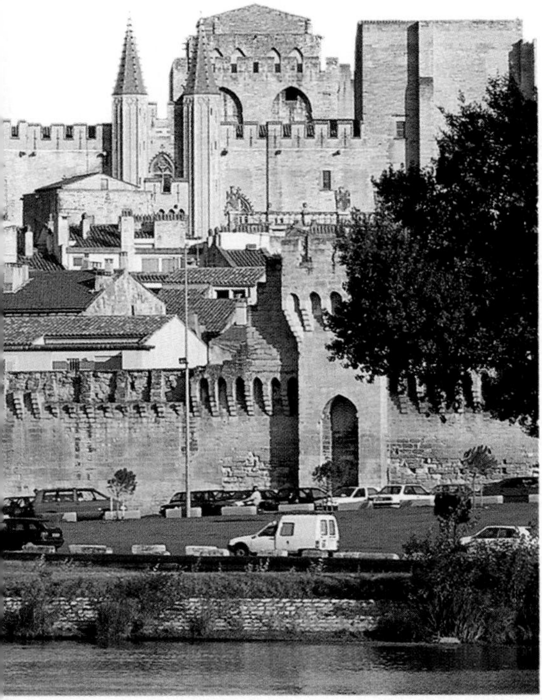

À la fois forteresse et palais, l'énorme citadelle dresse sur son rocher tours imposantes (certaines dépassent 50 m de hauteur) et murailles étayées d'immenses arcs supportant les mâchicoulis.

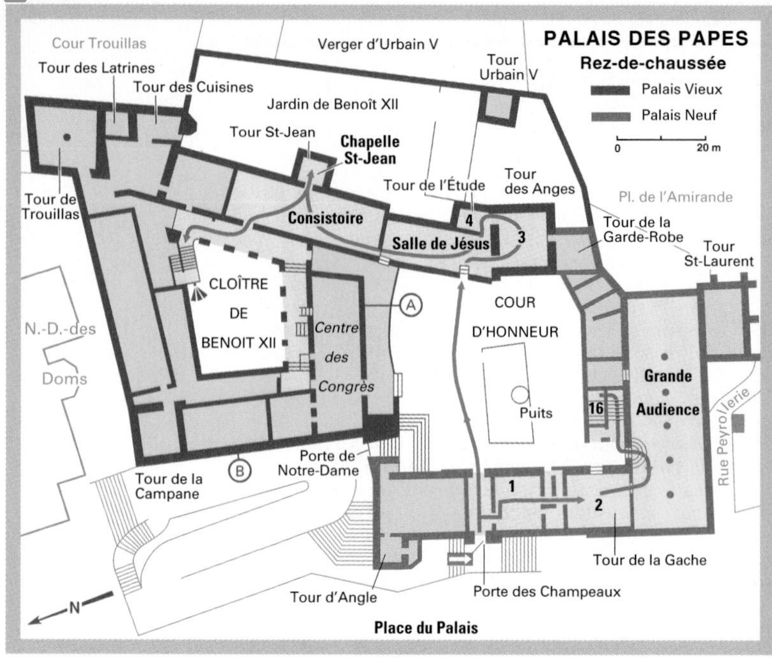

Après la **Petite Audience (2)**, décorée de peintures en grisaille représentant des trophées, franchir à nouveau la porte de Champeaux.

Cour d'Honneur

Bordée sur la gauche par l'aile du Conclave Ⓐ, actuel Palais des Congrès, et sur la droite par une façade gothique percée d'ouvertures irrégulières (à l'étage, fenêtre de l'Indulgence **(15)** d'où le pape donnait sa triple bénédiction), c'est ici que sont aujourd'hui données les représentations du festival.

Trésor Bas et Grande Trésorerie

Creusée au pied de la tour des Anges, la salle voûtée du **Trésor Bas** constituait en quelque sorte le coffre-fort du palais. Là, dans des caches ménagées sous le dallage, les richesses étaient mises à l'abri tandis que les armoires fixées aux murs abritaient livres comptables et archives. Contiguë, la **Grande Trésorerie**, dont la remarquable cheminée occupe tout un mur. Par sa partie haute, accès à la salle de Jésus *(escalier)* autrefois vestibule des appartements privés.

Chambre du Camérier

Au 3ᵉ niveau de la tour des Anges, cette salle **(3)**, située juste en dessous de la chambre du pape possède un magnifique plafond à poutres peintes datant du 14ᵉ s. Là aussi, méfiance : des caches, aménagées dans le dallage permettaient de protéger objets et documents précieux. Au 2ᵉ niveau de la tour de l'Étude, le **Revestiaire pontifical (4)**, où le pape revêtait ses vêtements consistoriaux, fut au 17ᵉ s. transformé en chapelle par les vice-légats. Les murs sont recouverts de boiseries du 18ᵉ s.

Le camérier

Sacs d'or et d'argent, pièces d'orfèvrerie, vaisselle d'or (celle de Clément VI pesait près de 200 kg !), la richesse des papes était considérable. Rien d'étonnant donc si le principal dignitaire de la cour était le camérier, seul habilité, avec le trésorier et le pape lui-même, à accéder au Trésor Bas.

Consistoire

Dans cette vaste salle, rez-de-chaussée de l'aile Est du cloître de Benoît XII, se réunissait le Consistoire, assemblée des cardinaux chargée de délibérer, sous la présidence du pape, des affaires, religieuses ou politiques, de l'Église : procès en canonisation, audiences des souverains et des ambassadeurs s'y tenaient également. C'est ici que sont exposées les **fresques de Simone Martini** qui ornaient autrefois le tympan de N.-D.-des-Doms.

Chapelle St-Jean (ou du Consistoire)

Elle est ornée de fresques peintes entre 1346 et 1348 par **Matteo Giovanetti**, peintre officiel de Clément VI.
En suivant la galerie inférieure du cloître Benoît XII, on emprunte l'escalier qui mène au Grand Tinel. Belle vue sur l'**aile des Familiers** Ⓑ où étaient logés les officiers (personnages chargés des divers offices) et les principaux serviteurs, la tour de la Campane et la chapelle de Benoît XII.

1er étage

Grand Tinel (ou salle des Festins)

Dans cette salle où se déroulaient les banquets, une des plus vastes du palais (48 m de long sur 10,25 m de large), une immense voûte lambrissée en carène figure la voûte céleste. Aux murs, trois tapisseries des Gobelins.

Festin de pape

Il fallut abattre 118 bœufs, 1 023 moutons, 101 veaux, 914 chevreaux, acheter 39 980 œufs et confectionner 50 000 tartes pour le banquet du couronnement de Clément VI.

Fermez les yeux...

À parcourir ce dédale de salles vides, il est bien difficile de se faire une idée du palais des Papes de jadis. Alors fermez les yeux un instant et imaginez, dans un cadre somptueusement décoré et richement meublé, les allées et venues feutrées des prélats et des serviteurs, la parade des gardes en grand uniforme, le mouvement incessant de toute une cour de cardinaux, de princes et d'ambassadeurs, les intrigues et les chuchotements, les pèlerins massés dans la cour pour recevoir la bénédiction du pape ou le voir sortir, juché sur sa mule blanche, la foule des plaideurs et des avocats qui s'agite autour des tribunaux pontificaux...

La visite se poursuit par la **cuisine haute (5)**, avec son immense cheminée en forme de pyramide octogonale, aménagée au dernier étage de la tour des Cuisines. La tour était aussi affectée au garde-manger et au magasin à vivres.
La tour voisine, dite tour des Latrines, puis appelée au 17e s. « de la Glacière », ne se visite pas.

Chapelle du Tinel (ou St-Martial)

Superposé à la chapelle St-Jean, cet oratoire doit son nom aux fresques peintes entre 1344 et 1345 par Matteo Giovanetti qui retracent en 35 épisodes la vie de saint Martial, apôtre du Limousin, patrie du pape Clément VI : dans une belle unité chromatique de bleus, gris et bruns, faux-semblants et trompe-l'œil composent un paysage urbain fantasmagorique où évolue une foule de personnages peints avec minutie.

Le Studium : les pontifes ne l'arpentaient, dit-on, que chaussés de mules...

Chambre de parement

Antichambre du pape, attenante à sa chambre à coucher : il y recevait ceux qui avaient obtenu une audience particulière et y tenait les consistoires secrets. Aux murs, deux tapisseries des Gobelins (18e s.). À côté, dans la tour de l'Étude, se trouve le **Studium** ou cabinet particulier de Benoît XII **(6)** dont le magnifique carrelage, remis au jour, est le seul authentique du palais. Accolée au mur occidental de la chambre de parement se trouvait la salle à manger particulière du pape **(7)** ou Petit Tinel, et, contiguë à celle-ci, la cuisine secrète **(8)** ; cette partie des appartements a été entièrement détruite en 1810.

Chambre du pape (9)

Cette pièce est remarquable pour les décorations sur fond bleu qui ornent les murs : oiseaux, écureuils, sarments de vigne et branches de chêne s'y enchevêtrent ; volières peintes sur les ébrasements des fenêtres.

Chambre du Cerf (10)

Dans ce cabinet de travail de Clément VI, d'élégantes **fresques**, exécutées sans doute par des artistes italiens, représentent des sujets profanes sur fond de verdure. De cette « chambre » intime et gaie, une fenêtre donne sur Avignon, l'autre sur les jardins.

Un pontife près de la nature

Scènes de chasse (dont celle au cerf qui a donné son nom à la pièce), de pêche, de cueillette et de bain ornent sa chambre, dont le plafond de mélèze s'orne lui aussi d'une décoration fouillée.

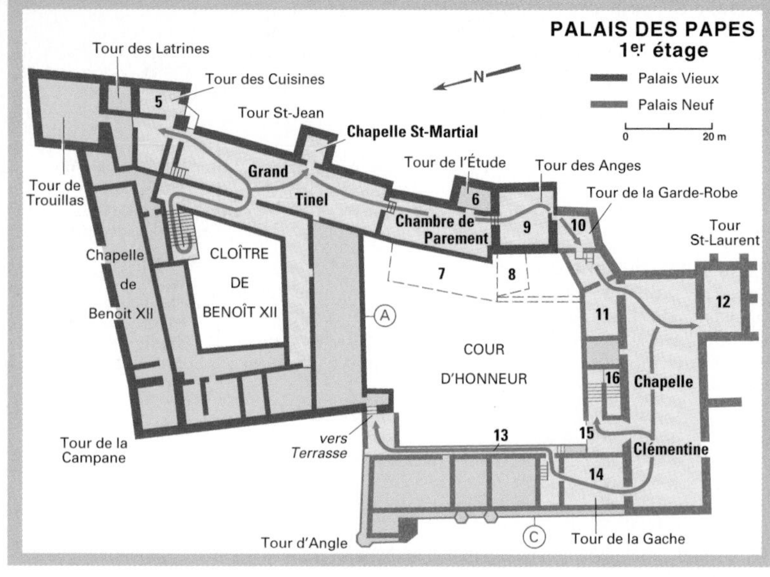

Pour gagner la Grande Chapelle, on traverse la **sacristie du Nord (11)**, abritant des moulages de personnages ayant compté dans l'histoire de la papauté avignonnaise. Dans la travée orientale aboutissait le pont bâti par Innocent VI, reliant le Petit Tinel à la Grande Chapelle.

Grande Chapelle (ou chapelle Clémentine)

À droite de l'autel, une baie donne accès au **revestiaire des Cardinaux (12)**, situé dans la tour St-Laurent et où le pape changeait d'ornements au cours des cérémonies. Il contient les moulages des gisants des papes Clément V, Clément VI, Innocent VI et Urbain V.

Dans cette chapelle, les cardinaux du Conclave venaient entendre la messe ; ils regagnaient l'aile du Conclave Ⓐ par un étroit passage, la **galerie du Conclave (13)** dont la voûte est un chef-d'œuvre d'élégance.

La **chambre neuve du Camérier (14)** occupe l'extrémité Sud de l'aile des Grands Dignitaires ©, qui abrite également la **chambre des Notaires** et l'appartement du Trésorier.

Sous clé

Le Conclave (qui signifie « sous clé ») se réunissait dix jours après la mort du pape pour élire son successeur. On utilisait le 1er étage du Palais Vieux et, pour isoler du monde le Sacré Collège ; les portes se refermaient sur eux et ne se rouvraient plus avant qu'il ait désigné un pape à la majorité des deux tiers.

Terrasse des Grands Dignitaires

Au 2e étage de l'aile des Grands Dignitaires. Ample **vue**★★ sur les parties hautes du palais des Papes, la tour de l'Horloge, la coupole de N.-D.-des-Doms, le Petit Palais et, dans une perspective plus lointaine, sur le pont St-Bénézet et Villeneuve-lès-Avignon.

En retournant sur vos pas, vous découvrirez la fenêtre de la loggia, parvis de la Grande Chapelle. De son balcon, le pape bénissait les fidèles massés dans la cour d'Honneur. D'où son nom de fenêtre de l'Indulgence **(15)**.

Palais Neuf (rez-de-chaussée)

Descendez par le **Grand Escalier (16)**, dont la rampe droite, nouveauté pour l'époque, conduit vers la Grande Audience.

La Grande Audience

Magnifique salle divisée en deux nefs par une colonnade. Cette salle s'appelle aussi « palais des grandes causes ». Là se tenaient les treize juges ecclésiastiques formant le tribunal de la « rote », nom provenant du banc circulaire (*rota*, « roue ») sur lequel ils siégeaient et qui se trouve placé dans la dernière travée Est de la salle. Autour du tribunal se groupaient les gens de loi et les fonctionnaires de la cour. Le reste de la salle servait au public : des sièges étaient ados-

Matteo Giovannetti : La Fresque des prophètes (détail). Ciel étoilé pour prophètes inspirés...

sés aux murs sur tout le pourtour. Sur la voûte, remarquable **Fresque des prophètes**, peinte en 1352 par Matteo Giovanetti sur un fond bleu nuit parsemé d'étoiles.

Traversant ensuite la salle de la Petite Audience **(2)** *et la salle des gardes, on sort du palais par la porte des Champeaux.*

se promener

1 PLACE DU PALAIS ET QUARTIER DE LA BALANCE

Circuit autour de la place du Palais – compter 4h.

Circuit
Notez la mise en place progressive de circuits à travers la ville, jalonnés de panneaux explicatifs afin d'aider les visiteurs à découvrir le patrimoine historique d'Avignon.

« Promenade des papes »

Contournant le palais, elle permet d'en apprécier, de l'extérieur, les monumentales proportions.

Depuis la place du Palais, emprunter l'étroite rue Peyrollerie qui s'amorce à l'angle Sud-Ouest, contre les murailles du palais, pour passer sous l'énorme contrefort étayant la chapelle Clémentine, avant de déboucher sur une place bordée par un bel hôtel du 17e s. Par la rue du Vice-Légat, sur la gauche, on atteint le verger d'Urbain V puis, après un passage sous voûte, la cour Trouillas. Les escaliers Ste-Anne, offrant de nouvelles vues sur le palais, conduisent au rocher des Doms.

Rocher des Doms**

Un beau jardin aux essences variées a été aménagé sur le rocher des Doms. Au gré des terrasses, belles **vues**** sur le Rhône et le pont St-Bénézet, Villeneuve-lès-Avignon avec la tour Philippe-le-Bel et le fort St-André, les dentelles de Montmirail, le Ventoux, le plateau de Vaucluse, le Luberon, les Alpilles.

Petit Palais

Cette ancienne livrée du cardinal Arnaud de Via fut achetée par le pape en 1335 pour y installer l'évêché. L'édifice, qui a subi des dégradations lors des sièges successifs du palais des Papes, a dû être restauré et transformé à la fin du 15e s., notamment par le cardinal de La Rovère, devenu par la suite le pape Jules II. Il accueille aujourd'hui les peintures du musée du Petit Palais *(voir description dans « visiter »)*.

Hôtes illustres
César Borgia en 1498, François Ier en 1533, puis Anne d'Autriche et le duc d'Orléans en 1660, lors de la visite de Louis XIV à Avignon, ont couché au Petit Palais. Et si les murs pouvaient parler...

Cathédrale N.-D.-des-Doms

Bâtie au milieu du 12e s., la cathédrale, maintes fois endommagée, saccagée à la Révolution a subi de nombreux et importants remaniements. Au 15e s., le grand clocher fut reconstruit à partir du 1er étage et, depuis 1859, une imposante statue de la Vierge le surmonte. Une discrète tour-lanterne couronne la travée précédant le chœur. Ajouté à la fin du 12e s., le porche abrite deux tympans superposés (un semi-circulaire surmonté d'un autre, triangulaire), jadis peints de magnifiques fresques de Simone Martini que l'on peut maintenant admirer dans le palais des Papes.

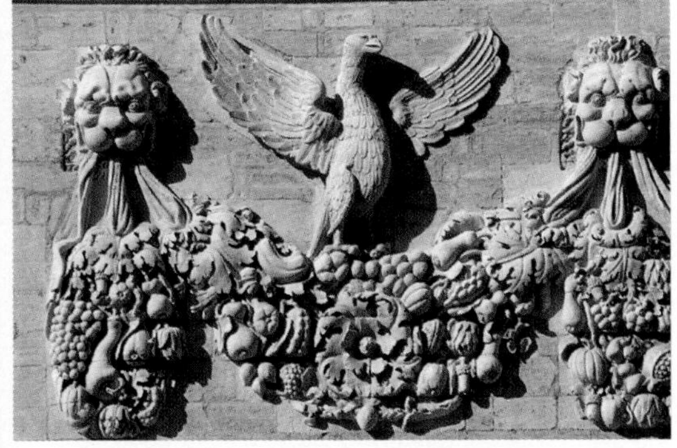

Les armes des Borghèse sur la façade de l'hôtel des Monnaies, aujourd'hui dévolu aux musiciens.

AVIGNON

Amirande (Pl. de l') EY 2
Annanelle (R.) DZ
Arroussaire (Av. de l') FZ 3
Aubanel (R. Théodore) EZ 5
Balance (R. de la) EY 7
Banasterie (R.) FY
Bancasse (R.) EY 9
Bec (Av. Ferdinand) GZ
Bertrand (R.) FY 10
Boneterie (R.) EY
Bon-Martinet (R. du) FZ 13
Bouquerie (R.) EYZ
Buffon (R.) GYZ
Campane (R.) FY 14
Capdevila (Bd) GYZ
Carmes (pl. des) FY
Carnot (Pl.) EY
Carnot (R.) FY
Carretene (R.) FGY
Cloître St-Pierre (Pl.) EY
Collège-d'Annecy (R. du) EZ 18
Collège-du-Roure (R. du) EY 19
Corps-Saints (Pl. des) EZ 20
Crillon (Pl.) EY
Croix (R. de la) FY
Daladier (Pont Édouard) DY
David (R. Félicien) EY 22
Dorée (R.) EY 23
Dr.-Pons (Rte touristique du) GY
Eisenhower (Av.) DZ
Fabre (R. Henri) EZ
Folco-de-Baroncelli (R.) EY 28
Folie (R. de la) GY
Four (R. du) FY 33
Fourbisseurs (R. des) EY 34
Four-de-la-Terre (R. du) FZ 35
Galante (R.) EY 37
Grande-Fusterie (R. de la) EY 39
Grottes (R. des) EY 41
Horloge (Pl. de l') EY
Infirmières (R. des) FY
Italiens (Av. des) GY 44
Jean-Jaurès (Cours) EZ
Jérusalem (Pl.) FY 45
Ledru-Rollin (R.) FY 47
Lices (R. des) FZ
Ligne (Pte de la) FY
Limas (R. du) EY
Limbert (Porte) GZ
Lyon (Rte de) GY
Magnanen (Porte) FZ
Manivet (R. P.) EFZ 48
Marchands (R. des) EY 49
Masse (R. de la) FZ 52
Molière (R.) EY 54
Monclar (Av.) EZ 55
Mons (R. de) EY 59
Montfavet (Rte de) GZ
Muguet (R.) GY 62
N.-D.-des-Sept-Douleurs (R.) FGY
Ortolans (R. des) EZ 63
Oulle (Bd de l') DY
Oulle (Pte de l') DEY
Oulles (Allées des) DY
Palais (Pl. du) EY 64
Palapharnerie (R.) FY 66
Pasteur (R. Louis) FGY
Petite-Calade (R. de la) EY 67
Petite-Fusterie (R. dela) EY 68
Petite-Saunerie (R. de la) FY 70
Pétramale (R.) EZ 72
Peyrollerie (R.) EY 73

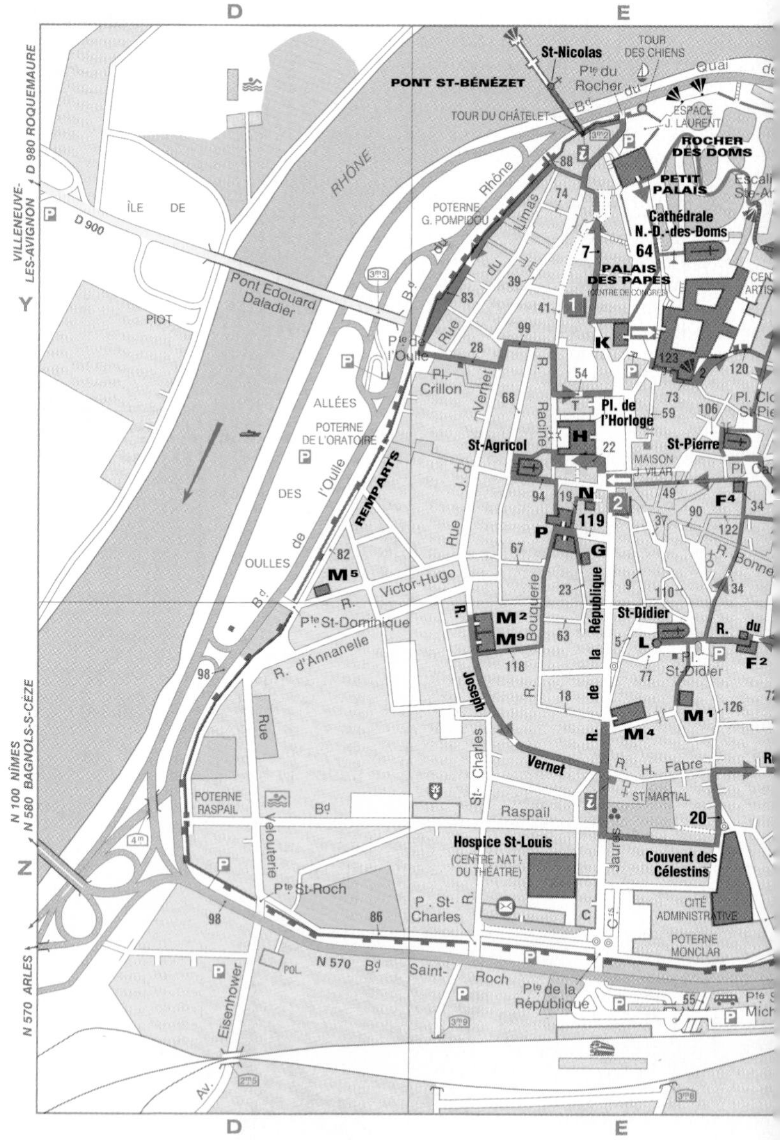

Ancienne Aumône générale (École des Beaux-Arts) FZ **B**
Cathédrale N.-D.-des-Doms EY
Chapelle des Pénitents Gris FZ
Chapelle des Pénitents Noirs FY
Chapelle St-Nicolas EY
Clocher des Augustins FY
Cloître FY **E**
Couvent des Célestins EZ
Église de la Visitation FY
Église St-Agricol EY
Église St-Didier EZ
Église St-Pierre EY
Église St-Symphorien FY
Fondation Angladon-Dubrujeaud EZ **M**[1]
Hospice St-Louis EZ
Hôtel Berton de Crillon, Hôtel d'Honorati, Hôtel de Fonseca FY **E**[3]
Hôtel de Fortia de Montréal EZ **F**[2]

Philonarde (R.) .... FZ
Pie XII (Pl.) .... FY
Pignotte (Pl.) .... FY
Pont (R. du)........................ EY 74
Portail-Magnanen (R. du) ... FZ
Président-Kennedy (Cours). EZ 76
Prévot (R.)............................ EZ 77
Puy (R. Guillaume).............. FYZ
Quai de la ligne (Bd du) ..... EFY
Racine (R.) .... EY
Rascas (R. de) .... GY 79
Raspail (Bd)......................... DEZ
Rempart-St-Lazare
(R. du) .... FGY
Rempart-de-l'Oulle (R.du)... DY 82
Rempart-du-Rhône
(R. du) .... EY 83
Rempart-St-Michel
(R. du) .... FZ 84
Rempart-St-Roch (R. du) .... DEZ 86
République (Pte de la)......... EZ
République (R. de la)......... EYZ
Rhône (Bd du) .... DEY
Rhône (Pte du)..................... EY 88
Rocher (Pte du) .... EY
Roi-René (R. du) .... EFZ

Rouge (R.)............................ EY 90
Saïn (R.Paul)........................ FY
St-Agricol (R.)...................... EY 94
St-Bénézet (Pont)................ EY
St-Bernard (R.) .... GY
St-Charles (Pte)................... EZ
St-Charles (R.)..................... EZ
St-Christophe (R.) .... FZ 97
St-Didier (Pl.)....................... EZ
St-Dominique (Bd) .... DZ 98
St-Dominique (Porte).......... DZ
St-Étienne (R.)..................... EY 99
St-Jean (Chemin de)........... GZ
St-Jean-le-Vieux (Pl.)......... FY 101
St-Jean-le-Vieux (R.)........... FY 102
St-Joseph (Pl.)..................... FY
St-Joseph (Pte) .... FY
St-Joseph (R.) .... FY 104
St-Lazare (Bd) .... FGY
St-Lazare (Pte) .... GY
St-Michel (Bd)...................... FZ
St-Michel (Pte)..................... EZ
St-Michel (R.)....................... EZ 105
St-Pierre (Pl.)....................... EY 106
St-Roch (Bd)........................ DEZ
St-Roch (Porte) .... DZ

St-Ruf (Av.)........................... FZ 108
Ste-Anne (Escaliers) .... EY
Ste-Catherine (R.) .... FY 109
Saraillerie (R. de la) .... EYZ 110
Semard (Av. Pierre) .... GZ
Soulier (Bd Denis)................ GZ
Sources (Av. des) .... FZ
Synagogue (Av. de la) .... GY
Teinturiers (R. des).............. FZ
Thiers (Pte) .... GZ
Thiers (R.) .... FYZ
Tour (R. de la)...................... GY 116
Trillade (Av. de la)................ FGZ
Vallin (R. Ninon)................... FZ
Velouterie (R.)...................... DZ
Vernet (R. Horace)............... EZ 118
Vernet (R. Joseph)............... EYZ
Viala (R. Jean)...................... EY 119
Vice-Légat (R.) .... EY 120
Victor-Hugo (R.)................... DEY
Vieux-Sextier (R. du)........... EFY 122
Vilar (R. Jean)...................... EY 123
3-Colombes (R. des)............ FY
3-Faucons (R. des).............. EZ 126
3-Pilats (R. des)................... FY 127
58e-R.I. (R. du)..................... FGZ

Hôtel de Rascas .... EY F[4]
Hôtel de Sade .... EY G
Hôtel de Salvan Isoard .. FZ G[2]
Hôtel de Ville................. EY H
Hôtel des Jonquerettes,
Hôtel des Monnaies....... EY K
Hôtel Gasqui
de la Bastide .... FY K[2]

Hôtel Salvador................ FZ K[4]
Livrée Ceccano............... EZ L
Maison du Roi René ...... FZ
Musée Calvet.................. EZ M[2]
Musée lapidaire.............. EZ M[4]
Musée Louis-Vouland .... DY M[5]
Muséum Requien............ EZ M[9]
Palais des Papes .... EY

Palais du Roure .... EY N
Petit Palais .... EY
Pont St-Bénézet.............. EY
Préfecture .... EY P
Remparts .... DY, GY
Rocher des Doms .... EY

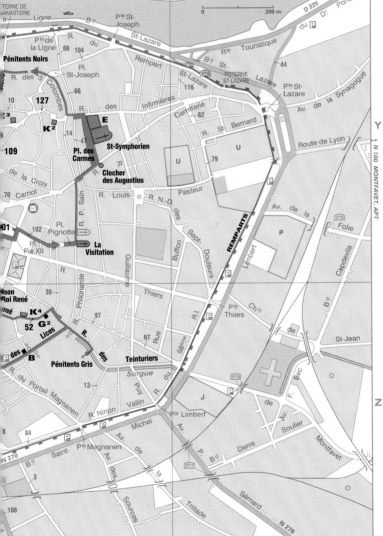

Ne manquez pas
À l'entrée du chœur, sur la gauche, beau siège épiscopal du 12ᵉ s. en marbre blanc, curieusement orné sur les côtés d'un lion et d'un bœuf, symbolisant saint Marc et saint Luc.

À l'intérieur, l'adjonction de chapelles latérales (14ᵉ-17ᵉ s.), la reconstruction de l'abside et l'édification de tribunes baroques au 17ᵉ s. ont quelque peu altéré le caractère roman de l'édifice. Reste la **coupole★** romane, remarquable, qui couvre la croisée du transept. Dans la chapelle attenante à la sacristie s'élève le tombeau gothique flamboyant du pape Jean XXII dont le gisant, perdu pendant la Révolution, a été remplacé par celui d'un évêque.

Hôtel des Monnaies

En face du palais des Papes, arrêtez-vous un instant devant cet hôtel du 17ᵉ s., aujourd'hui conservatoire de musique. **Façade★** richement sculptée de dragons et d'aigles, emblèmes des Borghèse, d'angelots, de guirlandes de fruits.

Par la rue qui s'ouvre sur la droite de l'hôtel des Monnaies, gagner le quartier de la Balance.

Habité par les gitans au 19ᵉ s., le **quartier de la Balance**, qui s'étend jusqu'aux remparts et au célèbre « pont d'Avignon », a été complètement rénové dans les années 1970.

Rue de la Balance

Principale rue du quartier auquel elle a donné son nom. D'un côté se dressent de vieux hôtels aux belles façades ornées de fenêtres à meneaux ; de l'autre, immeubles modernes aux lignes « méditerranéennes », patios fleuris, arcades et magasins de luxe.

Pont St-Bénézet★★

Avr.-oct. : 9h-19h ; nov.-mars : 9h30-17h45 (mars jusqu'à 18h30) dernière entrée 1/2h avant fermeture. 19F. ☎ 04 90 27 50 73.

Ce célèbre pont, avec ses 900 m de long et ses 22 arches, aboutissait à Villeneuve-lès-Avignon, au pied de la tour Philippe-le-Bel. Sur une des piles se dresse la chapelle St-Nicolas qui comprend deux sanctuaires superposés, l'un roman, l'autre gothique.

Selon la légende, un jeune pâtre, Bénézet, entendit en 1177 des voix lui ordonnant de construire un pont sur le Rhône : un ange le conduisit à l'endroit où il devrait s'élever. Traité de fou par les autorités, Bénézet convainquit le peuple de sa mission en déplaçant des pierres énormes. Des volontaires se joignirent à lui et formèrent la confrérie de l'Œuvre. En huit ans, le pont fut édifié. Il sera reconstruit en 1237, restauré puis définitivement brisé par les crues du Rhône au milieu du 17ᵉ s.

Quittant la salle des gardes du Châtelet, on peut accéder au rocher des Doms en passant par la tour des Chiens dans la partie Nord du rempart.

On y danse ?
N'en déplaise à la chanson, le pont était bien trop étroit pour qu'on y danse tous en rond... C'était au-dessous des arches, dans l'île de la Bartelasse, que les Avignonnais des temps anciens entraînaient les belles dames à « faire comme ça »...

Remparts★

Longue de 4,3 km, l'enceinte (14ᵉ s.) n'avait guère de valeur sur le plan militaire : les papes avaient simplement voulu dresser un premier obstacle en avant de leur palais. On en découvre la section la plus intéressante de la rue du Rempart-du-Rhône jusqu'à l'agréable place Crillon.

Rejoindre la place de l'Horloge par la rue Folco-de-Baroncelli, puis la rue St-Étienne que bordent des hôtels particuliers, la rue Racine à droite et la rue Molière à gauche.

Agréable...
... sans doute, mais pas pour tout le monde : la place Crillon fut le théâtre de l'assassinat du maréchal Brune, le 2 août 1815...

2 LE VIEIL AVIGNON

Circuit au départ de la place de l'Horloge – compter une 1/2 journée.

Cette promenade dans la vieille ville permet de découvrir les églises, musées et hôtels particuliers de la partie d'Avignon qui s'étend au Sud et à l'Est du palais des Papes, mais aussi de mieux faire connaissance avec une cité pleine de contrastes, à la fois jeune et animée.

Place de l'Horloge

C'est là, sur cette vaste place ombragée de platanes et en partie investie par les terrasses des cafés que bat le cœur d'Avignon.

Sur les murs
Dans les petites rues avoisinantes, les fenêtres peintes d'effigies de comédiens célèbres rappellent que chaque année, l'espace d'un mois, la cité devient capitale mondiale du théâtre.

Construit au 19e s., l'**hôtel de ville** englobe la **tour de l'Horloge** (14e-15e s.), ancien beffroi qui abrite une horloge à jaquemart.

Emprunter, à gauche de l'hôtel de ville, la rue Félicien-David et contourner le chevet de l'église St-Agricol. Au passage, on aperçoit les vestiges d'un rempart gallo-romain.

Église St-Agricol

Un large escalier conduit au parvis : belle façade sculptée du 15e s. À l'intérieur, nombreuses œuvres d'art : un bénitier en marbre blanc du milieu du 15e s., des tableaux de Nicolas Mignard et Pierre Parrocel et, sur le bas-côté droit, près de la porte de la sacristie, le retable des Doni, œuvre en pierre de Boachon (1525) représentant l'Annonciation.

Prendre sur la droite la rue Bouquerie.

La **rue Jean-Viala** qui s'ouvre bientôt sur la gauche est bordée par deux hôtels du 18e s., en vis-à-vis (bureaux préfectoraux et Conseil général) : au Nord, l'**hôtel de Forbin de Ste-Croix**, ancien collège du Roure et, en face, l'**hôtel Desmarez de Montdevergues**. Sur la gauche de la préfecture, la rue du Collège-du-Roure abrite (au n°3) le **palais du Roure**, ancien hôtel de Baroncelli-Javon qu'occupe aujourd'hui la fondation de Flandreysy-Espérandieu, centre d'études provençales. *Visite guidée (1h1/4) mar. à 15h ou sur demande 1 sem. av. Fermé en août. 20F. ☎ 04 90 80 80 88.*

Revenir sur ses pas pour rejoindre la rue Dorée où se dresse, au n°5, l'**hôtel de Sade**, avec ses gracieuses fenêtres à meneaux. Dans la cour, belle tourelle d'escalier.

Par les rues Bouquerie et Horace-Vernet, gagner la rue Joseph-Vernet.

Rue Joseph-Vernet

Sur la droite, deux hôtels abritent l'un le musée Calvet, l'autre le muséum Requien *(voir descriptions dans « visiter »).*

Rue de la République

Très animée, cette artère rectiligne, avec le cours Jean-Jaurès qui la prolonge, reliant ainsi la place de l'Horloge aux remparts (en face de la gare), est le véritable axe de la cité. On la prendra sur la gauche si l'on souhaite visiter le musée lapidaire *(voir description dans « visiter),* installé dans l'ancienne chapelle du collège des Jésuites (superbe façade baroque).

Revenir vers l'Office de tourisme.

Par le cours Jean-Jaurès, sur la droite (remarquer dans le square les arcades, seuls vestiges de l'ancienne abbaye **St-Martial**), puis, à gauche, la rue Agricol-Perdiguier, on peut accéder au couvent des Célestins, construit en style gothique nordique. L'église, qui présente un beau chevet, et le cloître (devenu un haut lieu du festival) ont été restaurés.

Remonter au Nord vers la rue des Lices (sur la droite).

Comme son nom l'indique, la rue des Lices correspond au tracé de l'enceinte du 13e s. Sur la gauche, l'école des beaux-arts (étages de galeries en façade) est installée dans l'ancienne Aumône générale (18e s.).

Au bout de la rue des Lices, sur la droite, la **rue des Teinturiers**, pavée de galets et bordée de platanes, longe la Sorgue, ici à ciel ouvert. Sur la droite, se dresse le clocher des Cordeliers, restes d'un couvent dans lequel aurait été enterrée la Laure si longtemps pleurée par Pétrarque. Plus loin, un ponceau jeté sur la rivière donne accès à la **chapelle des Pénitents Gris** *(au n°8)* qui abrite des tableaux de Mignard et Parrocel et, au-dessus de l'autel, une belle gloire dorée de Péru (17e s.). *8h-12h, 14h30-18h30, dim. 8h-12h.*

Quelques-unes des grandes roues à aubes qui actionnaient jusqu'à la fin du 19e s. les fabriques d'indiennes ont été préservées dans la rue des Teinturiers et font de cette rue un des lieux les plus pittoresques de la ville.

Les pénitents d'Avignon

Apparues dès le 13e s., les confréries de pénitents, sociétés à la fois d'entraide et « à but humanitaire », ont connu leur apogée aux 16e et 17e s. Si le phénomène a touché nombre de cités provençales, comme Aigues-Mortes, Avignon est particulièrement riche avec des confréries de pénitents gris, blancs, bleus, noirs, violets et rouges, nommées selon la couleur du sac de toile dont se revêtaient les pénitents, qui, lors des processions, souvent nocturnes, défilaient coiffés d'une cagoule à la lueur des torches, portant reliquaires et emblèmes. Chacune possédait une chapelle et si la Révolution porta un coup à leur activité, plusieurs ont néanmoins survécu.

Revenir sur vos pas jusqu'à la rue de la Masse, à gauche.

Beaux hôtels dont celui de **Salvan Isoard** du 17e s. *(au no 36)* avec ses fenêtres encadrées de moulures et, au no 19, l'**hôtel Salvador** vaste demeure en équerre, du 18e s.

Rue du Roi-René

La **maison du roi René** subsiste à l'angle de la rue Grivolas : le souverain y habitait lors de ses séjours à Avignon. Plus loin, quatre hôtels forment un remarquable **ensemble★** des 17e et 18e s. : hôtels d'Honorati et de Jonquerettes *(nos 10 et 12)* avec leurs façades simples ornées de frontons triangulaires ou en anse de panier; puis, au no 7, **hôtel Berton de Crillon** avec son imposante façade ornée de médaillons à personnages, de masques, de guirlandes de fleurs et d'un gracieux balcon en fer forgé. Dans la cour, très bel escalier à balustres de pierre. En face, les frontons de l'hôtel Fortia de Montréal *(no 8)* reposent sur des visages grimaçants.

Église St-Didier

Du plus pur style provençal, cette église contient un dramatique **retable★** du Portement de la Croix (15e s.), qu'on surnomme parfois N.-D.-du-Spasme tant la douleur vécue par les personnages s'exprime de manière saisissante, dans cette œuvre de Francesco Laurana. Un ensemble de fresques, attribuées à des artistes de l'école de Sienne, décorent la chapelle des Fonts Baptismaux.

Livrée Ceccano

De qui ricane-t-il ce méphistophélique diablotin qui ne dépare pas dans la capitale du théâtre ? (Livrée Ceccano).

Face au flanc Sud de l'église s'élève la tour de l'hôtel (ou livrée) du cardinal de Ceccano, englobée plus tard dans le collège des Jésuites, qui abrite aujourd'hui la médiathèque.

Emprunter la rue des Fourbisseurs jusqu'à la place Carnot.

À l'angle de la rue des Marchands et de la rue des Fourbisseurs, belle demeure à encorbellement du 15e s., **l'hôtel de Rascas**.

Sur la Place Carnot, prendre à droite vers la petite place Jérusalem où s'ouvre la synagogue, autrefois au cœur du ghetto ou « carrière ».

On rejoint la place **St-Jean-le-Vieux** : la haute tour carrée qu'on aperçoit à un de ses angles est le seul vestige de la commanderie St-Jean-de-Jérusalem.

Par la rue St-Jean-le-Vieux gagner la place Pignotte, puis la rue P. Saïn que l'on prend à gauche.

Après la façade délicatement sculptée de l'**église de la Visitation**, remonter jusqu'à la rue Carreterie, qui conduit à la place des Carmes.

Place des Carmes

Au Sud de la place, le **clocher des Augustins** se dresse, coiffé depuis le 16e s. d'un campanile en fer forgé, seul vestige d'un couvent fondé en 1261. L'**église St-Symphorien** (ou des Carmes) mérite une visite pour les trois belles statues en bois peint du 16e s. exposées dans la première chapelle, à gauche. Dans les chapelles suivantes, tableaux de Pierre Parrocel, Nicolas Mignard et Guillaume Grève. Sur la gauche de l'église, une grille permet d'apercevoir le cloître du 14e s.

Infatigables

Peintres d'église, on retrouve un peu partout en Provence les tableaux de Pierre Parrocel et Nicolas Mignard.

Emprunter, au Nord de la place, la rue des Infirmières (à gauche) puis, tout de suite à droite, la rue des Colombes.

Chapelle des Pénitents Noirs

S'adresser à l'Office de tourisme.

Ornant l'exubérante façade, la tête de saint Jean-Baptiste rappelle que la confrérie fut fondée sous l'emblème de la Décollation. L'intérieur baroque présente un bel ensemble de boiseries et de marbres, ainsi que des peintures de Levieux, Nicolas Mignard et Pierre Parrocel.

Rue Banasterie

Elle doit son nom à la corporation des vanniers (*banasta* en provençal désigne un panier d'osier). Au n° 13, hôtel de Madon de Châteaublanc du 17e s., à la façade ornée de guirlandes de fruits, d'aigles et de masques.

Église St-Pierre

En façade, beaux **vantaux**★ Renaissance. Traitées en perspective, les sculptures exécutées en 1551 par Antoine Valard représentent, à droite, la Vierge et l'ange de l'Annonciation, à gauche, saint Michel et saint Jérôme. Dans le chœur, élégantes boiseries du 17e s. encadrant des panneaux peints et belle chaire de la fin du 15e s.

Par la place Carnot et, à gauche, la rue des Marchands, rejoindre la place de l'Horloge.

visiter

Petit Palais★★

D'oct. à fin mai : tlj sf mar. 9h30-13h, 14h-17h30 ; de juin à fin sept. : tlj sf mar. 10h-13h, 14h-18h. Fermé 1er janv., 1er mai, 14 juil., 1er nov., 25 déc. 30F. ☎ 04 90 86 44 58.

Ce musée présente, dans ses deux premières salles, une section de **sculptures romanes et gothiques**. Remarquer le « transi » qui formait la base du tombeau du cardinal de Lagrange (fin du 14e s.) : le réalisme du cadavre décharné anticipe sur les représentations macabres des 15e et 16e s.

Les salles suivantes sont consacrées à la **collection Campana**, ensemble de toiles italiennes du 13e au 16e s. La présentation des œuvres, par école et par période, permet au long de cette promenade d'apprécier l'évolution des styles en Italie : on s'attardera notamment devant les œuvres du 13e s. influencées par l'art byzantin, l'école siennoise représentée par Simone Martini et Taddeo di Bartolo, le style gothique international (Lorenzo Monaco, Gherardo Starnina), la peinture florentine et la finesse du tracé particulièrement chez Bartolomeo della Gatta (*L'Annonciation*), la redécouverte de l'Antiquité (autour de 1500).

Arrêtez-vous donc un instant devant La Vierge et l'Enfant, *chef-d'œuvre de jeunesse de Botticelli, le grand maître florentin.*

Enfin, les trois dernières salles *(17, 18 et 19)* permettent de mieux connaître la **peinture et la sculpture avignonnaises**, sorte de synthèse entre le réalisme flamand et la stylisation italienne. *Le Retable Requin* (1450-1455) dû à **Enguerrand Quarton**, est une des pièces maîtresses du musée. Les sculptures de Jean de la Huerta et d'Antoine le Moiturier (Anges), qui travaillèrent tous deux pour les ducs de Bourgogne, font pendant à une remarquable *Vierge de Pitié* datée de 1457.

Musée Calvet★

Tlj sf mar. 10h-13h, 14h-18h. 30F. Fermé 1er janv., 1er mai, 25 déc. ☎ 04 90 86 33 84.

Cet illustre musée doit son nom au médecin Esprit Calvet, créateur de la fondation qui rassemble, dans des salles aujourd'hui rénovées, de nombreuses œuvres d'art. Ses points forts ? Une collection très hétéroclite de sculptures, une belle collection de pièces d'orfèvrerie et de faïences (donation Puech) et bien sûr, les peintures,

Sereins

Matin à la mer et *Soir à la mer* de Joseph Vernet : mer étale, lumière diffuse et grands voiliers par le maître du genre.

françaises, italiennes ou flamandes, du 16e au 19e s. On remarquera notamment une pathétique *Mort de Joseph Bara* par David, des œuvres de Nicolas Mignard *(Les Quatre Saisons)*, Élisabeth Vigée-Lebrun, Victor Leydet, Corot et, bien sûr, de grandes marines du peintre avignonnais Joseph Vernet (1714-1780).

Modigliani – La Blouse rose *(1919) : un des nombreux moments forts d'une collection de choix.*

Fondation Angladon-Dubrugeaud**

5 r. des Laboureurs. Tlj sf lun. et mar. : 13h-18h, j. fériés 15h-18h (juil. : 19h). 30F. ☎ 04 90 82 29 03.

Cet hôtel particulier du 18e s. fut acquis en 1977 par un couple de peintres avignonnais, Jean Angladon-Dubrujaud (1906-1979) et Paulette Martin (1905-1988) afin d'y exposer leurs deux collections. Celle, d'art moderne, qui leur fut léguée par le couturier parisien Jacques Doucet comprend quelques peintures remarquables de Cézanne *(Nature morte au pot de grès)*, Sisley, Manet, Derain, Picasso, Modigliani et Foujita. Un tableau de Van Gogh, les *Wagons de chemin de fer*, peint lors de son séjour arlésien, est le seul tableau de Vincent en Provence.

À l'étage, la collection rassemblée par le maître de céans, présentée selon son souhait de façon que les visiteurs « aient l'impression que les habitants viennent de sortir » présente, entre mobilier et tableaux, un condensé de l'art du Moyen Âge à nos jours : salle à manger Renaissance, bibliothèque 18e s. avec une toile de Joseph Vernet, salon chinois fameux pour sa collection de porcelaines de l'époque Kangxi (fin du 17e s.) et atelier où sont exposés les travaux du couple.

Musée lapidaire*

Tlj sf mar. 10h-13h, 14h-18h. Fermé 1er janv., 1er mai, 25 déc. 10F. ☎ 04 90 86 33 84.

Dans le cadre somptueux d'une chapelle à nef unique flanquée de tribunes latérales, vestiges des civilisations qui se sont succédé dans la région ; bestiaire de tradition celtique, en particulier la « Tarasque » de Noves, statues grecques, gréco-romaines (remarquable copie de l'*Apollon Sauroctone* de Praxitèle) et régionales (guerriers gaulois de Vachères et de Mondragon). Plusieurs portraits d'empereurs (Tibère, Marc Aurèle) ou de simples quidams, bas-reliefs (remarquez celui, trouvé à Cabrières d'Aigues qui représente une scène de halage), sarcophages et un remarquable ensemble de masques provenant de Vaison complètent une collection qui passionnera tous les amateurs d'archéologie.

Musée Louis-Vouland

Mai-oct. : tlj sf dim. et lun. 10h-12h, 14h-18h ; nov.-avr. : tlj sf dim. et lun. 14h-18h. Fermé j. fériés. 20F. ☎ 04 90 86 03 79.

Ses collections, surtout consacrées au **mobilier**, sont représentatives du 18e s. français : une commode signée Migeon, une table de tric-trac marquetée, un bureau de changeur de monnaie et un amusant service de voyage aux armes de la comtesse Du Barry retiennent l'attention. Belle collection de porcelaines et de **faïences*** (Moustiers et Marseille), tapisseries des Flandres, d'Aubusson ou des Gobelins *(Le Retour de chasse de Diane)*, quelques peintures et, pour les orientalistes, vases, plats chinois et statuaires d'ivoire polychrome.

À DÉGUSTER
Avec gourmandise et une pointe de jalousie, un petit tableau de l'école de Joos Van Cleve : *Enfant mangeant des cerises.*

Muséum Requien

Tlj sf dim. et lun. 9h-12h, 14h-18h. Fermé j. fériés. Gratuit. ☎ 04 90 82 43 51.

Botanistes amateurs ou... en herbe, ne manquez sous aucun prétexte la visite de ce musée : véritable Eden, son herbier contient 200 000 échantillons du monde entier !

TOUT SAVOIR
Sur l'imprimerie avec, entre autres, une belle presse à bras et dans les vitrines, des éditions rares et des documents relatifs à la vie avignonnaise.

alentours

Villeneuve-lès-Avignon★

Sur la rive droite du Rhône. Quitter Avignon par le pont Édouard-Daladier, N 100 direction Nîmes. Voir ce nom.

Parc du soleil et du Cosmos

Après Villeneuve, au grand giratoire, prendre la 1re route à droite en direction des Angles, puis à gauche vers les carrières. Visite guidée (1h1/2) tlj sf lun. et mar. à 14h30-16h. D'avr. à déb. oct. : 10h, 14h30, 16h. Fermé entre Noël et Jour de l'an. 40F (enfants : 25F). ☎ 04 90 25 66 82.

Tracé au milieu des pins et des chênes verts, ce parc d'animation astronomique invite à un voyage imaginaire dans l'espace et dans le temps. L'architecture des bâtiments en terrasses superposées évoque celle des ziggourats de l'ancienne Mésopotamie, édifices symbolisant, croit-on, l'union de la Terre et du Ciel. Le parcours en labyrinthe parmi planètes, étoiles et autres astéroïdes résume de façon ludique l'évolution des connaissances que les hommes ont de l'univers.

Montfavet

6 km par la N 100 et la N 7F à droite.

Imposante **église**, reste d'un monastère construit au 14e s. par le cardinal Bertrand de Montfavet. Des sculptures intéressantes ornent le linteau du portail ; nef très sobre, soutenue par de belles voûtes gothiques.

circuit

ENTRE ALPILLES ET DURANCE

2h environ.

Quitter Avignon par la D 571.

Châteaurenard

Du château du seigneur Reynard ne subsistent que deux tours sur une colline. La petite cité s'est établie en contrebas, avec son actif et sympathique marché de primeurs. On peut accéder au château à pied (par l'escalier à droite de l'église) ou en voiture (1 km par l'avenue Marx-Dormoy et une route signalée). Un **musée d'histoire locale** est installé dans les tours : du sommet de celle du Griffon, agréable **panorama★**. *Juin-sept. : visite guidée (1/2h) tlj sf ven. 10h-12h, 15h-18h30, sam. 15h-18h30, dim. et j. fériés 10h-12h, 15h-18h30 ; oct.-mai : tlj sf ven. 15h-17h, dim. et j. fériés 10h-12h, 15h-17h. Fermé 1er janv., 1er mai, 1er nov., 25 déc. 20F. ☎ 04 90 24 25 50.*

Poursuivre vers l'Est par la D 28.

Les charrettes

Tirées par des chevaux de trait et somptueusement décorées, les charrettes défilent dans les rues de Châteaurenard pour la Saint-Éloi, début juillet (elles sont alors garnies de buis et de blé), pour la Madeleine (début août avec fruits et légumes) et pour la Saint-Omer à la mi-septembre.

Noves

Le village a conservé deux portes, vestiges de son enceinte médiévale. Une couverture en dalles de pierre abrite l'église, commencée au 12e s.

Quitter Noves par la N 7 en direction d'Avignon puis, après avoir franchi l'autoroute, prendre à droite vers Cavaillon. La chartreuse est bientôt signalée sur la gauche de la route.

Chartreuse de Bonpas

Été : tlj sf dim. 9h-12h, 14h30-18h30, j. fériés 14h30-18h30 ; hiver : tlj sf dim. 9h-12h, 14h-17h30, j. fériés 14h-17h30. Fermé 1er janv. et 25 déc. 15F. ☎ 04 90 23 09 59.

Couvent créé par les hospitaliers au 13e s., la chartreuse connut la prospérité au 17e s., époque à laquelle fut élevée la salle capitulaire. Les bâtiments très bien restaurés abritent aujourd'hui une exploitation agricole (côtes-du-rhône fort appréciés) où l'on fera quelques emplettes après avoir parcouru les jardins à la française.

Le retour vers Avignon peut s'effectuer par la N 7.

Imprenable

La vue depuis les jardins : certains pourront y méditer sur la faculté de l'homme à bouleverser son environnement.

Bagnols-sur-Cèze

Le vieux Bagnols ne manque pas de charme avec sa ceinture de boulevards et ses demeures anciennes (en particulier la rue Crémieux et la place Mallet) ou son musée d'art moderne figuratif. Quant aux amoureux de la nature, ils trouveront leur bonheur tout au long de la paisible vallée de la Cèze.

La situation

Cartes Michelin nos 80 plis 10 et 20, 245 pli 15 et 246 pli 24 – Gard (30). Accès par la N 86, au Sud des gorges de l'Ardèche, Bagnols offre une bonne base de départ pour sillonner le Bas-Vivarais, à l'Ouest. *Espace St-Gilles, 30200 Bagnols-sur-Cèze, ☎ 04 66 89 54 61.*

Le nom

Banhols en provençal évoque les thermes qu'appréciaient les Romains établis à proximité.

Les gens

18 103 Bagnolais aujourd'hui, en comptant la cité nouvelle née avec la centrale de Marcoule. Si Auguste Renoir ne mit sans doute jamais les pieds à Bagnols, il mériterait d'en être citoyen d'honneur : car c'est lui qui, par ses dons à son ami Albert André, conservateur en détresse d'un musée vide, permit à la cité gardoise d'accueillir le premier musée d'art moderne jamais ouvert en province.

carnet pratique

Restauration

• Valeur sûre

La Ferme du Gubernat – *Rte de Salazac - 30200 St-Laurent-de-Carnols - 12,5 km au NO de Bagnols-sur-Cèze par N 86 puis D 298 dir. Barjac et D 23 - ☎ 04 66 82 21 27 - fermé 20 déc. au 20 janv., 1er au 25 juil., sam. midi et lun. - ⊄ - réserv. obligatoire - 130/210F.* C'est sur les fondations d'un moulin médiéval ayant appartenu à la chartreuse de Valbonne que s'est installée cette ferme agricole qui produit aussi vins et canards... Les amateurs les retrouveront d'ailleurs à table... et à toutes les sauces !

Hébergement

• À bon compte

Camping Château de Boisson – *30500 Boisson - 15 km au S de Lussan par D 37 puis D 16 - ☎ 04 66 24 85 61 - ouv. 29 avr. à sept. - réserv. conseillée juil. et août - 174 empl. : 145F - restauration.* Ici, on serait tenté de vous conseiller la location d'un mobile home sur la colline : ils offrent une très belle vue sur les Cévennes. C'est là, avec le château et les bâtiments restaurés et aménagés avec soin, le principal attrait de ce camping. Tennis et deux piscines dont une couverte.

• Valeur sûre

Chambre d'hôte La Tonnelle – *Pl. des Marronniers - 30200 La Roque-sur-Cèze - 17 km au NO de Bagnols-sur-Cèze par N 86 puis D 298 dir. Barjac et D 166 - ☎ 04 66 82 79 37 - fermé fin nov. à déb. mars - ⊄ - 6 ch. : 260/360F.* Attablé sous la tonnelle, au petit-déjeuner, vous pourrez admirer le village situé en surplomb. Côté repos, chacune des chambres porte un nom de fleur. Pour les inconditionnels de la baignade, piscine entourée d'un jardin et de vignes.

Loisirs-Détente

Cap Canoë – *Rte de Barjac - 30500 St-Ambroix - www.canoe-france.com - ☎ 04 66 24 25 16.* 3 parcours (4, 8 et 30 km) sur la Cèze, 1 parcours (15 km) dans les gorges de la Cèze.

visiter

Musée d'art moderne Albert-André★

Pl. Mallet, 2e étage de l'hôtel de ville. Tlj sf lun. 10h-12h, 14h-18h (de mi-juin à mi-sept. : tlj sf lun. 10h-12h, 14h30-18h30). Fermé en fév. et j. fériés. 20F. ☎ 04 66 50 50 56.

Par Toutatis !
Unique, cette enseigne d'un tailleur de pierre ornée d'un niveau, d'un marteau et de deux ciseaux. Obélix n'en avait pas une si belle !

Ce bel édifice du 17e s. contient des collections figuratives d'art moderne réunies par le peintre Albert André, conservateur de 1918 à 1954. Des peintres amis tels que Monet, Marquet, Signac et Bonnard et surtout Renoir enrichirent cette collection que compléta la donation Besson, fort bel ensemble de peintures, aquarelles, dessins et sculptures signés Renoir, Valadon, Matisse ou Van Dongen.

Les pompiers au service de l'art

Si les pompiers bagnolais n'avaient pas trop arrosé la Sainte-Barbe en 1923, Bagnols n'aurait peut-être pas aujourd'hui de musée d'art moderne. Mais voilà : ils firent tant et si bien qu'ils... mirent le feu au musée Léon-Alègre qui présentait dans un agréable désordre peintures, animaux empaillés, pièces archéologiques et outils agricoles. Albert André, à la tête d'un musée sans collection, fit alors appel à ses amis peintres... et les dons affluèrent, permettant de constituer la collection du premier musée d'art moderne de province.

Musée d'archéologie Léon-Alègre

Maison Jourdan, 24 r. Paul-Langevin. ♿ Jeu.-sam. 10h-12h, 14h-18h (de mi-juin à mi-sept. : jeu.-sam. 10h-12h30, 14h-18h30). Fermé en fév. et j. fériés. 20F. ☎ 04 66 89 74 00.

Collections d'origine rhodanienne illustrant différentes périodes de l'Antiquité : la civilisation celto-ligure et ses liens avec les grecs de Marseille (6e au 1er s. avant J.-C.) évoquée par des poteries et des objets en bronze, gallo-romaine avec des céramiques, amphores, verrerie et objets usuels et une évocation de la naissance du vignoble local.

Bons thermes

Une salle est consacrée à l'oppidum de St-Vincent-de-Gaujac avec une reconstitution d'un angle de la salle chaude des thermes.

alentours

Belvédère de Marcoule★

Accès par la D 138 à l'Est de Chusclan.

Difficile de ne pas apercevoir l'usine de retraitement nucléaire de Marcoule, avec ses hautes cheminées qui se dressent dans un cadre de garrigues et de vignobles. Les passionnés de la chose pourront visiter le **centre d'information** de ce haut lieu de l'industrie nucléaire et satisfaire leur curiosité quant au cycle du combustible ou aux différents types d'énergie. *Juil.-août : mer. 13h30-17h, ven. 8h30-12h. Sur demande préalable ☎ 04 66 89 54 61 (office de tourisme de Bagnols).*

Les autres les attendront sur la terrasse séparant les deux salles d'exposition en tentant d'apercevoir Orange et le mur du théâtre antique, le Ventoux, les Alpilles et le bas pays gardois.

circuits

LE BAS-VIVARAIS

153 km – compter une journée.

Quitter Bagnols par la N 86 au Nord et prendre à gauche la D 980 en direction de Barjac. Après 10 km, prendre à gauche la D 166.

À 2 km, sur une crête empanachée de vieux cyprès, se dresse le village de la **Roque-sur-Cèze**, couronné par une chapelle romane, dans un **site★** d'une sereine beauté. Un pont ancien à plusieurs arches et avant-becs pointus franchit la Cèze. *Suivre le chemin sur la rive gauche, sans franchir le pont.*

Les eaux de la Cèze ont profondément fissuré un large banc calcaire qui leur faisait obstacle : d'où un enchevêtrement de marmites, de cascatelles et de biefs naturels d'un aspect singulier (cascade du Sautadet).

Cascade du Sautadet★

Cette chute est surtout curieuse par son profil en creux dans le lit de la rivière et par le réseau complexe de crevasses où s'enfonce la Cèze. En franchissant des chenaux abandonnés, on peut approcher des principales crevasses. De l'extrémité Sud de la chute, jolie vue.

Revenir à la D 980 et prendre en face la D 23 sur 5 km puis la route à gauche.

Chartreuse de Valbonne

De mi-juin à fin sept. : 9h-12h30, 15h-19h30 ; de janv. à mi-juin : 10h-12h, 13h30-17h30, sam. 13h30-17h30 ; d'oct. à fin déc. : tlj sf sam. 10h-12h, 13h30-17h30. Fermé 25 déc. 18F. ☎ 04 66 90 41 24.

Zen ?
Pour méditer, la **cellule** reconstituée où ont été rassemblés le mobilier et les objets évoquant la vie quotidienne des chartreux. *Possibilité de visite dans le cadre des visites guidées (1h) de la chartreuse. 23F.*

◀ Fondé en 1203, reconstruit aux 17e et 18e s., occupé aujourd'hui par un établissement médical, ce long bâtiment flanqué de tourelles de style provençal enfouit ses tuiles de bois vernissé au cœur d'une épaisse forêt. Accès à la cour d'honneur par un portail du 17e s. En face, s'élève l'église baroque.

Riche **décoration intérieure★** : stucs, colonnes torses, mouvement, euphorie du baroque. Par un passage s'ouvrant à droite, on gagne l'une des galeries de l'immense cloître vitré ouvrant une perspective de plus de 100 m et sur laquelle donnaient autrefois les cellules des moines.

Revenir à la D 980.

Goudargues

On appelle Goudargues « la petite Venise gardoise » ... Canaux et petits ponts, ne manquez pas cette halte pleine de charme et de fraîcheur.

◀ Entouré de platanes gigantesques, le bourg est dominé par son église, ancienne abbatiale dont la haute abside romane s'orne intérieurement d'un double étage d'arcatures.

On reprendra la route, non sans avoir remarqué, sur la droite, le village perché de **Cornillon** ni, au carrefour avec la D 901, la **vue★** sur le vieux village de **Montclus** que domine une tour.

Après avoir pris à gauche la D 901, bifurquer à droite dans la D 712 et la D 417.

Aven d'Orgnac★★ *(voir ce nom)*

Revenir sur la D 901 puis la D 980 avant d'emprunter, à droite, peu avant St-André-Roquepertuis, la D 167 qui court à travers un plateau d'une farouche solitude.

À Méjannes-le-Clap, la D 979 sur la droite, offre de jolies **vues★** sur les gorges de la Cèze.

De retour sur la D 167, laisser à droite le village de Tharaux et prendre la direction de Rochegude par la D 16 puis, sur la gauche, la D 7 jusqu'à Brouzet-les-Alès.

Guidon du Bouquet★★

Point culminant de la serre du Bouquet, avec sa silhouette en forme de bec, il domine un vaste horizon entre le Gard et l'Ardèche.

L'accès se fait par une route en forte montée au cours de laquelle on apercevra, parmi les taillis de chênes verts, les ruines du château du Bouquet. Du sommet, le **panorama★★** s'étend sur les causses cévenols, l'enchevêtrement des serres du Bas-Vivarais, le Ventoux et les Alpilles. Depuis la statue de la Madone, à-pic vertigineux dominant la garrigue de l'Uzège. En arrière du relais de télévision, jolie vue sur la serre du Bouquet.

De retour à Brouzet, reprendre la D 7 avant de tourner à droite dans la D 37.

Le parcours offre à la montée une vue sur les **ruines★** du château d'Allègre avant de se poursuivre à travers la garrigue jusqu'au site de **Lussan** juché en acropole.

Prendre la D 143 puis, à gauche, la D 643 qui, bordée de buis taillés mène, à travers la garrigue de chênes verts, aux gorges de l'Aiguillon désignées sous le nom de Concluses.

Laisser votre voiture au terme de la route, de préférence au second parc de stationnement : aménagé sur un terre-plein, en contre-haut, il forme un belvédère sur la partie amont des gorges ; de là, on distingue nettement les marmites de géant qui parsèment le lit du torrent.

L'arbousier, dit aussi arbre aux fraises, porte des fruits rouges à chair farineuse dont le goût rappelle celui des fraises. Signe particulier, il porte à la fois ses fleurs et ses fruits, de novembre à mars.

Les Concluses**

1h à pied AR.

Le torrent de l'Aiguillon, à sec en été, seul moment de l'année où la promenade est possible, a eu beaucoup de mal à se frayer un passage dans le plateau calcaire, d'où son tracé sinueux.

> **C**'est à cause des cuvettes et des conques, les *conclusas* en occitan, que les gorges de l'Aiguillon ont fini par s'appeler Concluses.

Emprunter à droite le sentier signalé vers le Portail.

Observez en descendant les cavités ouvertes dans les parois de la rive opposée, notamment la Baume de Biou (grotte des Bœufs). Un promontoire rocheux marque l'entrée du plan de Beauquier, élargissement boisé encadré d'escarpements magnifiques : au flanc de la falaise, trois aires d'aigles abandonnées.

Au bas du sentier, on atteint le **Portail**. Les parois des gorges se referment à leur sommet ; leur base s'arrondit en forme de goulet, par où l'Aiguillon s'écoule en période de crue. Passant sous le Portail, on pénètre dans les détroits rocheux et l'on suit le lit du torrent sur 200 m environ : une profonde impression de solitude s'empare du visiteur... Tandis que les plus philosophes s'attarderont en méditant devant la petitesse de l'homme face à la nature avant de revenir sur leurs pas, les randonneurs confirmés emprunteront sans états d'âme *(1/4h de marche supplémentaire)* le lit du torrent en amont, jusqu'au pied de la grotte des Bœufs ; de là, un sentier très rude permet de regagner directement la voiture.

Revenir à la D 143 pour rejoindre Bagnols par St-André-d'Ollérargues.

Sabran

Encore un village perché... Du pied de la statue colossale de la Vierge, au milieu des vestiges du château fort, vaste **panorama***.

ENTRE GARRIGUES ET VIGNOBLES

50 km – environ 3h.

Quitter Bagnols par la N 86 au Sud (direction Remoulins) jusqu'à Gaujac ; prendre à droite la D 310 qui passe en contrebas du village puis un chemin de terre (fléchage) peu carrossable en montée.

Oppidum de St-Vincent de Gaujac

Ce site de hauteur en pleine forêt a été occupé par intermittence du 5e s. avant J.-C. au 6e s. de notre ère puis entre le 10e et le 14e s. À l'époque romaine, ce fut un sanctuaire rural avec temples et thermes. Une porte fortifiée (vestige d'une enceinte) donne accès aux ruines de l'essart médiéval avec sa citerne, puis aux fouilles gallo-romaines, ensemble du haut Empire (1er-3e s.) : en haut, un fanum, petit temple indigène romanisé ; en contrebas, les thermes (restes de canalisations). Le sanctuaire fut abandonné au 3e s. pour une raison inconnue.

Reprendre la N 86 puis, après Pouzilhac, tourner à gauche dans la D 101.

> **DÉTOUR**
> Sur la gauche de la D 101, une petite route conduit à une chapelle isolée, parmi les vignobles des côtes du Rhône bénéficiant ici de plusieurs appellations : lirac et tavel sont les plus connues.

La route, étroite et sinueuse, traverse un paysage caractéristique de garrigues et de forêt. Peu avant St-Victor se dressent les ruines d'un imposant château féodal, démantelé lors de la croisade contre les Albigeois.

St-Victor-la-Coste

À la limite de la garrigue et des vignobles, le village se blottit au pied de son château.

St-Laurent-des-Arbres

Autrefois propriété des évêques d'Avignon, le village conserve quelques vestiges médiévaux dont une église romane, fortifiée au 14e s. : les murs ont été surélevés et munis d'un parapet crénelé ; à l'intérieur, coupoles ornées des symboles des évangélistes. Près de l'église, donjon rectangulaire du château des sires de Sabran : la partie inférieure, surhaussée au 14e s. d'un étage en retrait, remonterait à la fin du 12e s. En haut du village, se dresse une autre tour carrée du 12e s.

Par la D 26, gagner Lirac (vins rouges ou rosés assez corsés) et Tavel, occasion de quelques emplettes avant le retour à Bagnols par St-Laurent et la N 580.

Barbentane

Au pied de la tour Angelica, ce village, tout imprégné des senteurs de la Montagnette, a conservé quelques vestiges de l'époque médiévale. Mais c'est avant tout le château qui retiendra votre attention.

Hébergement
Chambre d'hôte La Lézardière – *5 r. du Château - ☎ 04 90 95 68 48 - ⊠ - 3 ch. : 250/290F.* Qu'il fait bon vivre dans cette bastide récente, aux murs patinés de jaune et aux meubles anciens. Voisine du château, elle vous réserve des moments délicieux, comme le petit-déjeuner, pris dans le jardin, entre lauriers roses et pins centenaires...

La situation

Cartes Michelin nos 81 pli 11, 245 pli 29 ou 246 pli 25 – Bouches-du-Rhône (13). Adossée au versant Nord de la Montagnette, Barbentane domine la plaine maraîchère située près du confluent du Rhône et de la Durance. *Mairie, 13570 Barbentane, ☎ 04 90 95 50 39.*

Le nom

Pour les uns, il viendrait d'un certain Barbus, Romain qui aurait possédé quelques arpents à cet endroit. Mais pour d'autres, il dériverait d'une *Insula Barbentina* formée alors par la Durance et aujourd'hui rattachée à la terre ferme : c'est là que les autochtones, précurseurs de Robinson, se seraient réfugiés pour échapper aux barbares. La chose se discute encore, paraît-il, à l'heure du pastis.

Les gens

3 645 Barbentanais, dont un ambassadeur à Florence, au 18e s., qui contribua à donner au château son style italianisant.

L'apparition inattendue d'un château d'Île-de-France sur les versants de la Montagnette.

visiter

Château★★

Pâques-oct. : visite guidée (3/4h) tlj sf mer. 10h-12h, 14h-18h (juil.-sept. : tlj) ; nov.-Pâques : dim. et j. fériés 10h-12h, 14h-18h (dernière entrée 1/2h av ; fermeture). Fermé 1er janv. et 25 déc. 35F. ☎ 04 90 95 51 07.

Façade classique (17e s.), terrasses, balustrades en pierre décorées de lions ou de corbeilles de fleurs s'ouvrent sur une pièce d'eau et un parc à l'italienne. L'intérieur présente une riche décoration du 18e s. d'inspiration très italienne. Les voûtes utilisant une technique de taille des pierres très particulière, les gypseries, les médaillons peints, les marbres de couleur, les meubles Louis XV et Louis XVI, les porcelaines de Chine, les faïences de Moustiers confèrent à l'ensemble un charme indéniable.

se promener

S'il n'en reste qu'un...
Une courte promenade dans la pinède mène au **moulin de Bretoul** (18e s.), dernier des nombreux moulins de la région : jolie vue sur la plaine rhodanienne.

Vieux village

Il a conservé de son enceinte fortifiée la **porte Calendale** et la **porte Séquier**. La **maison des Chevaliers**, du 12e s., possède une belle façade Renaissance composée d'une tourelle et de deux grandes arcades surmontées d'une galerie à colonnes. En face, l'église du 12e s. a été souvent remaniée. La **tour Angelica**, donjon du château féodal disparu, domine la ville. De la terrasse, belle vue sur Avignon, Châteaurenard et le mont Ventoux.

Les Baux-de-Provence★★★

Un éperon dénudé – 900 m de long sur 200 m de large – qui se détache des Alpilles, bordé de deux ravins à pic, un château fort détruit et des vieilles maisons constituent l'extraordinaire site★★★ minéral du village des Baux, fier héritier d'un passé glorieux.

La situation

Cartes Michelin nos 83 pli 10 et 245 pli 29 ou 246 pli 26 – Bouches-du-Rhône (13). Arrivant par la D 78, depuis Fontvieille, on aperçoit soudain, dans un lacet, les premières maisons perchées du vieux village. On pourra laisser la voiture sur l'un des parkings *(20 F en durée illimitée, 15 F pour horodateur)* mais à la belle saison, il sera sûrement nécessaire de se garer au bord de la route, parfois loin, et de faire une partie de l'ascension à pied. *Ilot « Post Tenebras Lux », 13520 Les Baux-de-Provence. ☎ 04 90 54 34 39.*

Le nom

Du provençal *bàus* qui désigne un rocher escarpé, devenu par un pluriel abusif les Baux : la cité allait plus tard donner son nom à la bauxite, découverte en 1822 sur son territoire.

Les gens

434 Baussencs. Les lecteurs de la presse du cœur noteront avec intérêt que le hasard de l'histoire a fait des Baux un fief de la famille Grimaldi : en effet, Caroline, Stéphanie et Albert sont bel et bien les enfants de l'actuel marquis des Baux, le prince Rainier de Monaco.

L'étoile de la Nativité sur le blason des seigneurs des Baux ? Rien de plus normal lorsqu'on descend d'un Roi mage !

comprendre

Au hasard Balthazar – Telle était la fière devise des seigneurs des Baux qui affirmaient descendre du Roi mage Balthazar... Mistral les décrivait comme une « race d'aiglons jamais vassale ». Dès le 11e s., ils comptent parmi les plus puissants féodaux du Midi. De 1145 à 1162, ils entrent en guerre contre la maison de Barcelone dont ils contestent les droits sur la Provence ; appuyés un moment par l'empereur allemand, ils devront finalement se soumettre après avoir subi un siège dans leur fief. Les uns deviennent alors princes d'Orange, d'autres vicomtes de Marseille, d'autres encore, ayant suivi en Italie du Sud l'expédition des princes d'Anjou, sont faits comtes d'Avellino, puis ducs d'Andria. L'un d'eux épouse Marie d'Anjou, sœur de Jeanne Ire, reine de Sicile et comtesse de Provence, la première reine Jeanne.

Coussin, cousine

Très belle, très aimée des Provençaux, la première reine Jeanne connaîtra un destin tragique : trois fois veuve, elle meurt en 1382, étouffée (!) par un ambitieux et fort oppressant... cousin.

Où finit la roche, où commence le château ? Les Baux, une forteresse du vertige en Provence.

Visites insolites

Cathédrale d'Images★ – Au bord de la D 27, à 500m au Nord du village dans les carrières de pierre des Baux. Ce décor colossal, oublié pendant plus d'un siècle, a été « inventé » par Albert Plécy (1914-1977) qui a trouvé là un espace pour sa recherche de « l'image totale ». Dans la pénombre, les parois calcaires immaculées des hautes salles et des piliers servent d'écrans à trois dimensions pour une projection féerique et géante de diapositives où le spectateur est immergé dans un univers visuel et musical. Ce spectacle d'1/2h change de thème chaque année. ♿ *De mi-fév. à mi-janv. : 10h-18h (mars-sept. : 10h-19h). 43F (enf. : 27F). ☎ 04 90 54 38 65.*

Fondation Louis-Jou – Incunables, reliures anciennes, gravures de Dürer et de Goya, admirables suites de bois gravés et d'ouvrages édités par Louis Jou. De l'autre côté de la rue fonctionne encore l'atelier d'imprimerie avec ses presses à bras. *Visite guidée (3/4h) sur demande préalable 8h-22h. 20F. M. Corbillon. ☎ 04 90 54 34 17.*

Vignoble des Baux – Il s'étend autour du village, dans l'aire d'appellation « Les Baux de Provence ». Grâce au micro-climat dont il bénéficie et à la nature du sol, ce vignoble, déjà connu dans l'Antiquité, mais amélioré depuis grâce à des soins vigilants, donne des vins de caractère et d'excellente qualité. L'encépagement est à dominante de rouge et de rosé. Produits en plus faible quantité, les blancs demeurent d'excellent niveau. *Possibilité de visite guidée des domaines viticoles, s'adresser au Syndicat des Vignerons des Baux-de-Provence, Château Romanin, 13210 St-Rémy de Provence. ☎ 04 90 92 45 87 ou aux Offices du tourisme des Baux-de-Provence et de St-Rémy.*

Restauration

• ***Valeur sûre***

Café Cinarca – *26 r. du Trencat - ☎ 04 90 54 33 94 - fermé 15 nov. au 15 fév.*, le soir du 15 sept. au 31 mai et mar. - *120/140F.* Un peu de courage, vous arrivez au but ! Et vous ne serez pas déçu du voyage : sur le chemin du château, ce café sert une cuisine revigorante de solides plats « à l'ancienne » dans un décor original où objets variés, affiches, photos et vieux outils s'entassent. Terrasse sous les mûriers.

• ***Une petite folie !***

La Riboto de Taven – *☎ 04 90 54 34 23 - fermé 4 janv. au 10 mars, mar. soir hors sais. et mer. - 330F.* À flanc de rocher, ce vieux mas provençal regarde la colline des Baux. Salle à manger d'inspiration médiévale prolongée par une terrasse donnant sur un coquet jardin fleuri. Une table, aux accents locaux, bien tournée et soignée. Chambres taillées dans le rocher...

Hébergement

• ***À bon compte***

Camping Municipal les Pins – *13990 Fontvieille - 9 km au SO des Baux par D 78F et D 17 - ☎ 04 90 54 78 69 - ouv. avr. au 14 oct. - réserv. conseillée juil. et août - 166 empl. : 60F.* À l'ombre de ses pins, vous n'aurez pour vous réveiller que le bruit des cigales... Ici, à quelques pas du moulin d'Alphonse Daudet, vos vacances seront sans aucun doute paisibles. D'ailleurs, ce camping a du succès...

Camping Municipal les Romarins – *13520 Maussane-les-Alpilles - 2,5 km au S des Baux sur D 5 - ☎ 04 90 54 33 60 - ouv. 15 mars au 15 oct. - réserv. conseillée - 144 empl. : 80F.* Bon accueil assuré dans ce camping parfaitement tenu. Avec son entrée fleurie, ses emplacements bien délimités et ombragés, ses équipements simples et propres, il est régulièrement occupé. Tennis et piscine à proximité.

• ***Une petite folie !***

Auberge de la Benvengudo – *2 km au SO des Baux sur D 27 - ☎ 04 90 54 32 54 - fermé 1er nov. au 14 mars - 🅿 - 20 ch. : à partir de 630F - ☕ 70F - restaurant 260F.* Blottie au milieu du maquis, dans les oliviers, cette auberge provençale couverte de vigne vierge est un paradis au pied des Alpilles. Les chambres sont cossues, meublées à l'ancienne. Repas le soir seulement. Terrasse au bord de la piscine.

Hôtel Mas de l'Oulivié – *2,5 km au SO des Baux sur D 27 - ☎ 04 90 54 35 78 - fermé 13 nov. au 16 mars - 🅿 - 23 ch. : à partir de 780F - ☕ 60F.* Ce joli mas au cœur d'une oliveraie séduira les amateurs de farniente. Au crépuscule, à l'heure où les grillons s'éveillent, paressez au bord de la piscine paysagée. Chambres au style provençal dont certaines de plain-pied, face au jardin.

Achats

Le Rendez-Vous des Arts – *R. de l'Orme - ☎ 04 90 54 40 00 - helene.liotar@wanadoo.fr - Tlj 9h-19h. Juil.-août 9h-20h.* Propriétaire des lieux, Hélène Liotar expose ses peintures dans cette galerie d'art qui accueille aussi les sculptures, les poteries et les bijoux d'autres artistes.

Calendrier

À ne manquer sous aucun prétexte, la messe de minuit dans l'église St-Vincent : devant une foule considérable, les bergers drapés dans leurs grands manteaux et précédés par des joueurs de tambourins et de galoubets font l'offrande d'un agneau nouveau-né placé dans un petit char tiré par un bélier.

Un charmant garçon – « Le fléau de la Provence », tel était l'affectueux sobriquet du vicomte Raymond de Turenne. Devenu en 1372 tuteur de sa nièce, Alix des Baux, ses ambitions déchaînent une terrible guerre civile. La distraction favorite de cet agréable personnage

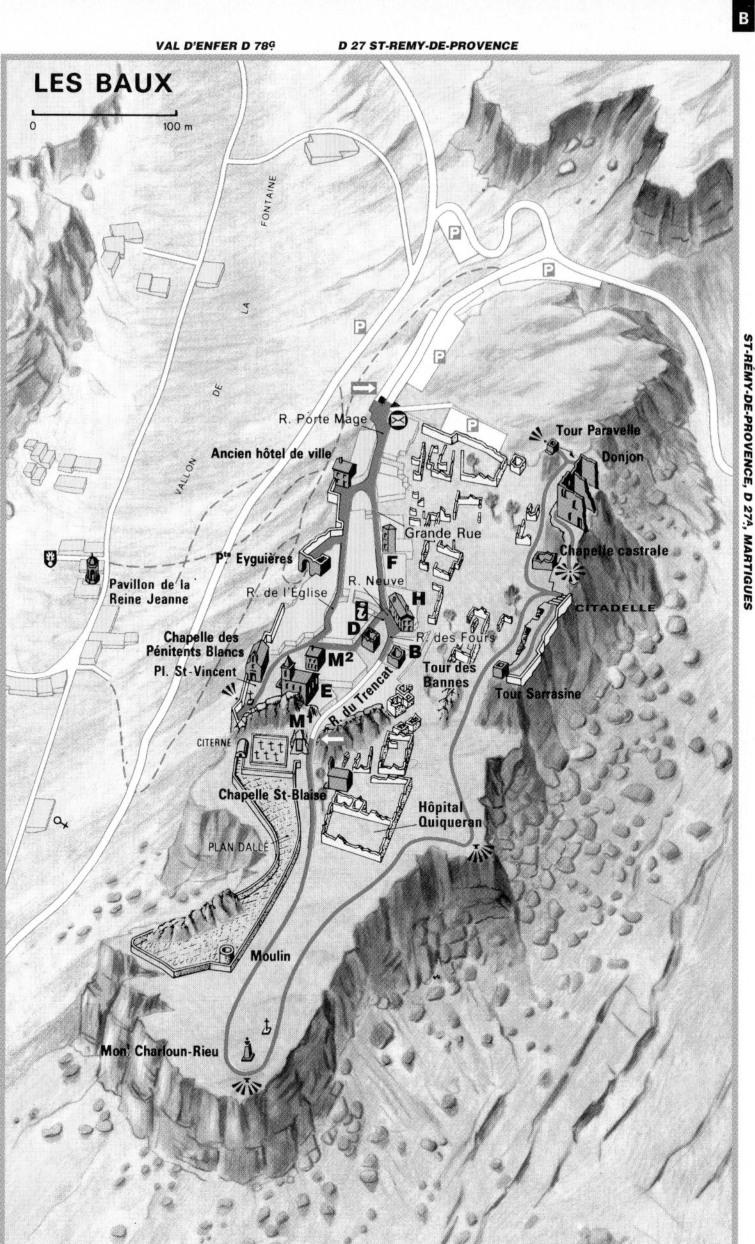

Anciens fours banaux	B	Hôtel de Manville	H
Ancien temple protestant	D	Musée d'Histoire des Baux	M¹
Église St-Vincent	E	Musée Yves-Brayer	M²
Fondation Louis-Jou	F		

ɔst d'obliger les prisonniers à se précipiter dans le vide ɖu haut du château des Baux : leurs hésitations et leur ɑngoisse l'amusent énormément. Le pape et le souve-ɾain de Provence recrutent des mercenaires pour se ɖéfaire de ce fâcheux dont le sens de l'humour leur ɛchappe totalement. Mais les routiers engagés ne font ɡuère de distinction entre territoires amis ou ennemis ; l faut les licencier et les éloigner, prime à l'appui. Bien ɛntendu, la lutte renaît bientôt. Le roi de France se joint ɑux adversaires du vicomte qui, en 1399, finit par être ɔerné dans son repaire des Baux d'où il parvient à s'échapper et à fuir en France.

Une terre turbulente – Alix est la dernière princesse des Baux. À sa mort, en 1426, la seigneurie, incorporée à la Provence, n'est plus que simple baronnie. Le roi René la donne à sa femme Jeanne de Laval, la seconde reine Jeanne. Réunie à la couronne de France avec la Provence, la baronnie se révolte en 1483 : Louis XI fait alors démanteler la forteresse. À partir de 1528, le connétable Anne de Montmorency, qui en est titulaire, entreprend d'importantes restaurations et la ville connaît à nouveau une période faste. Les Baux deviennent un foyer de protestantisme sous la famille de Manville qui administre la baronnie pour la couronne. Mais en 1632 Richelieu, fatigué de ce fief turbulent et indocile, fait démolir le château et les remparts. C'est la fin des Baux.

UN COMBLE
Non seulement les habitants voient leur fief réduit à l'état de ruines, mais ils doivent encore payer une amende de 100 000 livres, et les frais... de démolition !

se promener

LE VILLAGE★★★

Compter 1h.

Une promenade dans les ruelles des Baux constitue un véritable enchantement, du moins quand elles ne sont pas trop envahies par la foule et les étals des vendeurs de bibelots...

On pénètre dans le village par la porte Mage, pour prendre la rue à gauche vers la place Louis-Jou.

L'ancien **hôtel de ville**, chapelle désaffectée, a conservé trois salles voûtées où se niche un **musée des Santons**. Une ruelle à droite permet d'atteindre la Porte Eyguières, jadis seule entrée de la ville.

Au bout de la Calade, prendre vers la droite la rue de l'Église.

De la **place St-Vincent★**, jolie vue sur le vallon de la Fontaine et le val d'Enfer. Au coin de la place, l'**hôtel Porcelet** abrite aujourd'hui le musée Yves-Brayer (belles fresques du 17e s. à côté de l'accueil). Le peintre a également décoré de scènes pastorales (paysages des Alpilles et du val d'Enfer) les murs de la **chapelle des Pénitents Blancs**, bâtie au 17e s.

Recroquevillées autour du château et surplombant le val d'Enfer, les maisons des Baux.

Flanquée sur le côté gauche d'une gracieuse « lanterne des morts », l'**église St-Vincent★**, en partie creusée dans le rocher, émeut par sa simplicité lumineuse (vitraux de Max Ingrand).

Remontant par la rue de l'Église, puis celle des Fours, prendre à gauche la rue du Château, pour passer devant l'**ancien temple protestant**, vestige d'un logis de 1571. En face, l'**hôtel de Manville** (belle façade ornée de fenêtres à meneaux) abrite la mairie.

LUMINEUX
Au linteau d'une des fenêtres du temple, la devise calviniste : « Post tenebras lux » (Aux ténèbres succède la lumière) est tout à fait appropriée pour un bâtiment qui abrite l'Office de tourisme.

En remontant la Grande Rue, on passera devant les **fours banaux** où les habitants venaient cuire leur pain. La rue du Trencat, creusée dans la roche, mène au château *(voir description dans « visiter »)*.

En descendant la Grande Rue, on remarquera la **maison Renaissance** Jean de Brion : ce fut celle de Louis Jou (1881-1968), graveur, éditeur et imprimeur qui a consacré sa vie à l'art du livre.

Rejoindre la porte Mage.

visiter

LE CHATEAU★

Accès par le musée d'Histoire des Baux, à l'extrémité de la rue du Trencat. Visite : 3/4h.

Musée d'Histoire des Baux

Mars-oct. : 9h-19h30 (juil.-août : 9h-21h30) ; nov.-fév. : 9h-17h. 37F (enf. : 20F). ☎ 04 90 54 55 56.

Depuis 1991, le château fait l'objet d'un vaste projet de sauvegarde et de mise en valeur. Ancienne demeure de la puissante famille de la Tour du Brau, elle accueille dans la belle salle basse une exposition qui a le mérite de relater brièvement les grandes heures de l'histoire des Baux. Deux maquettes de la forteresse aux 13e et 16e s. permettent de suivre l'évolution du site.

FOUILLES
Les campagnes de fouilles menées en 1992 ont permis de déterminer trois temps forts dans l'occupation de l'éperon rocheux avant l'époque moderne : les 2e et 1er s. avant J.-C., les 5e et 6e s. (construction d'un rempart et d'un habitat disséminé), et l'époque médiévale (élévation du donjon).

Des façades caressées par le soleil, le soir venu, lorsque la foule se retire.

Chapelle St-Blaise

Siège de la confrérie des cardeurs de laine et des tisserands (12e s.), elle abrite un petit musée de l'olivier. On peut y suivre un spectacle audiovisuel sur le thème de « Van Gogh, Gauguin, Cézanne au pays de l'olivier ».

Édifié au 16e s. par Jehanne de Quiqueran, l'**hôpital Quiqueran** voisin devrait être restauré.

Sur le vaste terre-plein a été installée une reconstitution d'une machine de guerre médiévale. On passera devant le moulin « banal » (chaque fois qu'on l'utilisait, le seigneur des Baux percevait une taxe) qui borde un plan dallé destiné à recueillir les eaux de pluie, conduites dans une citerne creusée dans le roc.

Monument Charloun-Rieu

Depuis le monument élevé à la mémoire du poète provençal **Charloun Rieu** (1846-1924), on découvre une **vue**★ très étendue sur l'abbaye de Montmajour, Arles, la Crau, la Camargue (par temps clair, on distingue les Stes-Maries-de-la-Mer et Aigues-Mortes) et la plaine jusqu'à l'étang de Berre.

Citadelle

Les ruines imposantes de la citadelle longent le flanc Est de l'éperon rocheux. Au Sud subsistent la **tour Sarrasine** (du sommet, belle **vue** sur le village et le château) et la **tour des Bannes**, dominant un groupe d'habitations du 16e s. La **chapelle castrale** (12e-16e s.) conserve une belle travée d'ogives.

On accède au château et au donjon par un escalier assez difficile *(visiteurs sujets au vertige s'abstenir)*. Du rocher que couronne le donjon, magnifique **panorama**★★. ▶ Adossée au rempart Nord, la tour Paravelle offre une jolie **vue**★ sur le village des Baux et le val d'Enfer.

Saisissante

La vue embrassant le pays d'Aix et la Sainte-Victoire, le Luberon, le mont Ventoux et les Cévennes, ou, plus proches, les formes tourmentées du val d'Enfer au Nord, contrastant avec le riant vallon de la Fontaine, à l'Ouest.

Musée Yves-Brayer★

Tlj sf mar. en oct.-mars 10h-12h30, 14h-17h30 (18h30 en été). Fermé janv.-fév. 25F. ☎ 04 90 54 36 99.

Très attaché aux Baux, le peintre figuratif Yves Brayer (1907-1990) y repose aujourd'hui. Dans le musée, toiles consacrées à l'Espagne, à l'Italie et au Maroc avec des tons contrastés de noir, de rouge et d'ocre ; scènes tauromachiques, aquarelles de voyage... Mais c'est sans doute la lumière des paysages provençaux qui lui a inspiré ses œuvres les plus réussies : sa palette s'éclaircit alors dans des œuvres telles que *Les Baux*, ou *Le Champ d'amandiers*.

alentours

Panorama★★★

Poursuivre la D 27 environ 1 km et prendre à droite une route en montée (signalisation, parking).

De cette avancée rocheuse (table d'orientation), vous pourrez contempler le village des Baux dans son étrange cadre minéral. La vue porte loin, et de tous les côtés : vers Arles et la Camargue, la vallée du Rhône et les Cévennes, le pays d'Aix, le Luberon, le mont Ventoux.

Val d'Enfer

Accès à partir de la D 27 par la D 78ᴳ.

L'enfer !
De nombreuses légendes ont fait de ce lieu un univers de sorcières, de fées, de lutins et autres créatures merveilleuses.

À l'entrée du val d'Enfer, un sentier *(1/4h à pied AR)* permet de parcourir cette curieuse gorge au relief tourmenté, dont les grottes ont servi d'habitations.

Pavillon de la reine Jeanne

Sur la D 78ᴳ. Un sentier permet d'y accéder directement du village par la porte Eyguières.

À l'entrée du vallon de la Fontaine, ce joli petit édifice Renaissance est un kiosque de jardin construit par Jeanne des Baux vers 1581. Mistral en a fait exécuter une copie pour son tombeau de Maillane.

Beaucaire★

Fièrement dressée face à Tarascon l'impériale, et fameuse dans toute l'Europe pour sa foire qui des siècles durant draina les foules, la citadelle des comtes de Toulouse aujourd'hui a tout d'une belle endormie. Il ne tient qu'à vous d'aller la réveiller...

La situation

Cartes Michelin nᵒˢ 83 pli 10, 245 pli 28 et 246 pli 25 – Gard (30). Qu'on arrive de Tarascon en traversant le Rhône, de Nîmes par la D 999, d'Arles et Fourques au Sud, de Remoulins au Nord, on aboutit le long du canal du Rhône à Sète où a été aménagé un port de plaisance. Parking sur les deux rives du canal. En été, on préférera l'ombre des platanes sur le cours Gambetta.

24 cours Gambetta, 30300 Beaucaire, ☎ 04 66 59 26 57.

Le redoutable taureau Goya.

Le nom

L'antique Ugernum a été peu à peu supplanté par le nom de Castrum Bellicadri, qui en occitan donna naturellement *bèu caire*, le *caire* désignant une pierre de taille (et, donc, le château qui domine la ville).

Les gens

13 748 Beaucairois. Il existe à Beaucaire une association fort active, le « cercle des amis de Goya » qui commanda une statue... de taureau. Redoutable « cocardier », Goya, car tel était son nom, fit en effet régner la terreur dans les arènes provençales.

comprendre

La foire de Beaucaire – On a peine aujourd'hui à imaginer ce que représentait, à son apogée (18ᵉ s.), la foire de Beaucaire : durant tout un mois, 300 000 visiteurs se retrouvaient dans la cité pour vendre, acheter et se distraire. Son prestige était tel que les prix alors négociés devenaient la référence pour tout le royaume. Chaque rue était spécialisée : rues du Beaujolais (vins), des Bijoutiers, des Marseillais (huiles, savons) en témoignent aujourd'hui ; ici, on vendait laine, soie, draps, indiennes, dentelles, rouennerie, là, vêtements, armes ou quincaillerie, plus loin, cordages, sellerie, bourrellerie. Sur les quais, poissons en saumure, sucre, cacao, café, cannelle, vanille, citron, oranges, dattes. Au champ de foire, jouets, bagues, pipes, parfumerie, chapeaux, chaussures, faïences, porcelaines, paniers, bouchons et outils ; chevaux, ânes et mulets étaient également marchandés. D'où vient ce succès ? Sans doute la position de Beaucaire, au carrefour de voies commerciales, terrestres et fluviales, y fut-elle pour beaucoup, aidée par le décret de

Attractions
On s'amusait aux parades des saltimbanques, des bateleurs, des acrobates ou des comédiens. Femmes à barbe, nains, géants le disputaient aux singes et aux chiens savants, aux lions, aux ours, aux éléphants. Au travers des lentilles grossissantes, on s'émerveillait devant les panoramas de Constantinople, de Paris et, plus tard, de Versailles. Ribaudes et larrons fendaient la foule à la recherche de bourses bien remplies.

carnet pratique

Visite

Visite guidée de la ville (1h1/2 à 2h) – Juil.-août : mer. à 16h ; mai, juin, sept. : mer. à 15h. 20F. S'adresser à l'Office de tourisme.

Restauration

• ***Valeur sûre***

Auberge l'Amandin – *Quartier St-Joseph - 3 km au S du centre-ville de Beaucaire par D 15 dir. Fourques puis ZI Sud - ☎ 04 66 59 55 07 - fermé août, sam. midi et dim. - 118/155F.* Aménagée dans les anciennes écuries d'un vieux mas, cette petite salle à manger a un joli caractère provençal avec ses meubles rustiques et ses tableaux. La cuisine traditionnelle s'égaye de quelques spécialités de grillades au feu de bois. Terrasse face au jardin.

Hébergement

• ***Valeur sûre***

Les Doctrinaires – *Quai Gén.-de-Gaulle - ☎ 04 66 59 23 70 - P - 34 ch. : 330/450F - ☕ 50F - restaurant 98/240F.* Sur les bords du canal cet ancien collège des Doctrinaires fut édifié en 1650. Belle façade de pierre, salles voûtées et plaisant patio aménagé en terrasse à la belle saison. Les chambres désuètes peuvent décevoir mais la bâtisse a fière allure.

Loisirs-Détente

Spectacle de rapaces en vol libre – Sur l'esplanade du château, de fin mars à déb. nov. Trois fauconniers en costume font évoluer, sur un fond musical et sur un thème renouvelé chaque année, milans, buses, aigles et autres vautours. À la fin du spectacle, rendez-vous à la volière, au pied de la tour polygonale, pour apercevoir de plus près les artistes. Juil.-août : à 15h, 16h, 17h, 18h ; avr-juin : tlj sf mer. (hors vac. scol. et j. fériés) à 14h, 15h, 16h, 17h ; mars et sept.-nov. : tlj sf mer. (hors vac. scol. et j. fériés) à 14h30, 15h30, 16h30. Fermé de déb. nov. à mi-mars 45F (enf. : 28F). *☎ 04 66 59 26 72.*

Calendrier

Estivales – À partir du 21 juil. et pour une dizaine de jours, les Estivales rappellent l'époque glorieuse de la foire de Beaucaire. Programme varié, placé sous le signe de la bouvine : abrivados dans les rues, courses camarguaises aux arènes (les raseteurs s'y disputent le prestigieux trophée de la « palme d'or »), novillada et corrida le dernier w.-end de juil., fête foraine, bals, feux d'artifice, « casetas » (tentes) où le vin de Xérès coule à flots au son des sévillanes...

Louis XI faisant de la cité un « port franc ». Le déclin vint cependant, au 19ᵉ s., avec la révolution industrielle et l'avènement du chemin de fer qui modifièrent profondément les courants d'échange. De nos jours, la foire ne vit plus que dans les « Estivales » de Beaucaire qui, depuis quelques années, drainent une foule, sans doute plus modeste, vers des activités placées sous le signe de la fête. L'artisanat lui, demeure grâce aux nombreux artistes installés dans le centre ancien.

se promener

LE VIEUX BEAUCAIRE*

Prendre, à droite du cours Gambetta, la rue de l'Hôtel-de-Ville qui conduit à la place Georges-Clemenceau.

BEAUCAIRE

Barbès (R.)	Z 2
Bijoutiers (R. des)	YZ 3
Charlier (R.)	Y 4
Château (R. du)	Y 5
Clemenceau (Pl. Georges)	Z 6
Danton (R.)	Y 7
Denfert (R.)	Z 8
Écluse (R. de l')	Z 9
Foch (Bd Maréchal)	YZ 12
Gambetta (Cours)	Z 13
Hôtel-de-Ville (R. de l')	Z 14
Jaurès (Pl. Jean)	Y 15
Jean-Jacques-Rousseau (R.)	Y 16
Ledru-Rollin (R.)	Z 17
Nationale (R.)	Z
Pascal (R. Roger)	Z 21
République (Pl. de la)	Y 22
République (R. de la)	Y 23
Victor-Hugo (R.)	Y 25

Chapelle romane	Y **B**
Hôtel de ville	Z **H**
Maison des cariatides	Y **K**
Le Monde merveilleux de Daudet	Y **M¹**
Musée Auguste-Jacquet	Y **M²**

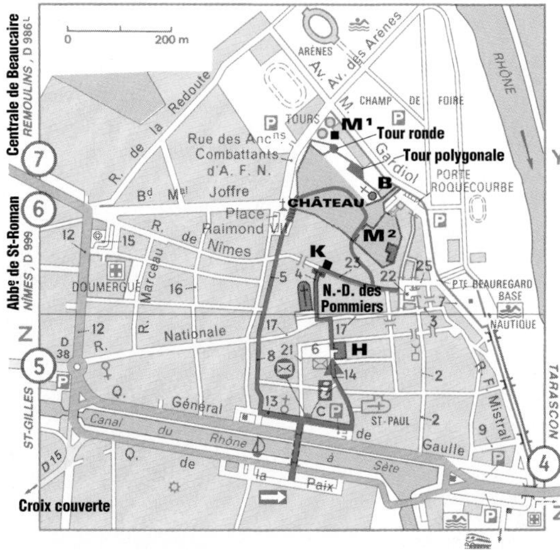

Il n'y a pas qu'à Aix-en-Provence que les atlantes soutiennent les linteaux des portes.

Hôtel de ville

Ce bel édifice classique, édifié à la fin du 17e s. sur des plans de Mansart, ne manque pas de noblesse. Outre sa façade (des guirlandes de fleurs encadrent les fenêtres), la cour, avec son double portique à colonnes précédant le grand escalier, mérite un coup d'œil.

Église N.-D.-des-Pommiers

Façade incurvée, caractéristique du style « jésuite » en vogue au 18e s. ; à l'intérieur, majestueuse coupole sur pendentif s'élevant à la croisée du transept.

En empruntant la rue Charlier, on aperçoit une frise, encastrée dans la partie supérieure du mur, seul vestige de l'église romane à laquelle l'édifice actuel a succédé. Elle représente la Cène, le Baiser de Judas, la Flagellation, le Portement de la Croix et la Résurrection.

Un arceau donne accès à la rue de la République qu'on prendra sur la droite.

Façade classique de l'**hôtel des Clausonnettes** (18e s.) adossé au château *(entrer si possible dans la cour)* et, attenant, au n° 23, l'**hôtel des Margailliers**, avec sa belle façade sculptée qui lui a valu son surnom de « maison des cariatides ».

La rue débouche sur la sympathique **Place de la République** avec ses arceaux abritant de nombreux artisans, désormais ornée d'une effigie du « drac ».

Le Drac

À Tarascon, ils ont la *tarasque*. Beaucaire, lui, a le redoutable *drac*, monstre surgissant du fond des eaux pour dévorer ses proies. Un jour, le monstre s'empare d'une jeune lavandière et l'entraîne dans sa grotte. Mais, alors que la malheureuse s'attend au pire, le drac lui explique ce qu'il attend d'elle : il cherche une nourrice pour son fils, le *draconnet*. Et c'est ainsi que la lavandière beaucairoise nourrit pendant sept ans le petit monstre avant d'être relâchée. Mais un jour de foire, le drac vient faire son marché, en prenant une apparence humaine... La lavandière reconnaît son geôlier et ameute la foule. Furieux d'être ainsi démasqué, le drac crève les yeux de la pauvre lavandière qui, affirme Gervais de Tilbury, auteur en 1214 de ce conte, resta aveugle jusqu'à la fin de ses jours.

Retournant sur vos pas rue de la République, prendre à droite la montée du Château.

Château★

Jardins et 2 premières enceintes du château : mêmes conditions de visite que le musée Auguste-Jacquet. Pdt les spectacles de rapaces : fermeture dès la fin du dernier spectacle. ☎ 04 66 59 47 61.

Bâti au 11e s. à l'emplacement d'un castrum romain, remanié au 13e s. à la suite du siège mémorable de 1216 au cours duquel le jeune Raymond VII obtint la capitu-

La réhabilitation d'un sympathique père de famille avant tout soucieux de sa progéniture... (le Drac, sur la place Vieille).

lation de la garnison française, le château fut démantelé par Richelieu ; il se dressait sur le sommet de la colline, protégé par une enceinte que l'on peut suivre. Au passage, on découvre la curieuse **tour polygonale** (dite aussi tour triangulaire), de plan très rare, posée sur un éperon rocheux, les **courtines** dominant l'à-pic et enfin, la belle **tour ronde** d'angle.

On pénètre dans l'enceinte en gravissant, à partir de la place du Château, un escalier menant, au-delà de la tour polygonale, à une petite **chapelle** romane (charmant tympan sculpté), puis au musée.

Jolie promenade
Dans l'enceinte du château, ombragée de pins, de cyprès, fleurie d'iris et de genêts d'Espagne.

Rejoindre le cours Gambetta par la place Raimond-VII (qui fait suite à celle du château) puis par la rue du Château et, dans le prolongement, la rue Denfert-Rochereau.

visiter

Musée Auguste-Jacquet

Avr.-oct. : tlj sf mar. 10h-12h, 14h15-18h45 ; nov.-mars : tlj sf mar. 10h15-12h, 14h-17h15. Fermé j. fériés. 13F. ☎ 04 66 59 47 61.

Installé dans l'enceinte du château, il abrite une section archéologique regroupant des pièces allant de la préhistoire à la période gallo-romaine, ainsi qu'une intéressante évocation du Beaucaire d'autrefois : reconstitution d'un intérieur bourgeois, costumes, coiffes, ustensiles, céramiques de St-Quentin-la-Poterie et documents concernant la foire.

Le Monde merveilleux de Daudet

Avr. 10h-12h, 14h-18h ; juin et sept. 14-18h ; juil-août 10h-19h ; oct.-nov. dim. j. fériés et vac. scol. 14h-18h. Fermé de déc. à mars. 40F (enfants : 35F). ☎ 04 66 59 30 06

Dans un ancien relais de poste installé au pied du château, il permet aux visiteurs de découvrir des véhicules utilitaires d'autrefois et d'effectuer de courtes promenades au pas de chevaux débonnaires, guidés par des personnages sortis tout droit des contes de Daudet.

alentours

Abbaye de Saint-Roman★

5 km par la D 999 et une route à droite, puis 1/4h à pied AR. Laisser la voiture au parc de stationnement (gratuit et surveillé) et emprunter l'agréable chemin d'accès qui s'élève dans un paysage de garrigue jusqu'à l'entrée du site. Avr.-sept. : 10h-18h (juil.-août : 10h-18h30) ; oct.-mars : w.-end, j. fériés, vac. scol. 14h-17h. 20F. ☎ 04 66 59 52 26.

Au sommet d'un piton calcaire dominant la vallée du Rhône au confluent du Gardon, cet étonnant monastère rupestre, qui dépendait de l'abbaye de Psalmodi, fut abandonné au 16e s. Une forteresse, bâtie en partie avec les pierres de l'abbaye, lui succéda. Elle fut démantelée en 1850 et seuls quelques vestiges des fortifications sont encore visibles.

Tombes de l'abbaye St-Roman, taillées dans la roche.

Un circuit balisé mène à la chapelle taillée dans le roc, qui abrite le tombeau de saint Roman ; depuis la terrasse, belle **vue★** sur le Rhône, Avignon, le Ventoux, le Luberon, les Alpilles et, au premier plan, Tarascon et son château. On découvre en redescendant une vaste salle (elle comptait à l'origine trois niveaux) et les cellules des moines : également rupestres elles viennent compléter cet ensemble, d'une envoûtante simplicité.

Mas gallo-romain des Tourelles

4 km à l'Ouest. Quitter Beaucaire par la route de Bellegarde. À 4 km, prendre à droite vers le mas des Tourelles. ♿ Juil.-août : 10h-12h, 14h-19h, dim. 14h-19h ; avr.-oct. : 14h-18h ; nov.-mars : sam. 14h-18h. 28F. ☎ 04 66 59 19 72.

Autour d'une jolie cour fleurie s'ordonnent les bâtiments de cette ferme établie au 17e s. à l'emplacement d'une villa gallo-romaine qui comprenait une exploitation agricole et un atelier de poterie. La bergerie, la cave et la

Nunc est bibendum ?
Pourquoi ne pas compléter cette visite par une dégustation de vins « archéologiques » produits par le mas ? Un *mulsum*, au goût de miel renforcé d'épices, un *turriculae*, élaboré selon les préceptes édictés par un agronome du 1er siècle, Columelle, ou, plus sagement, un *defrutum* (jus de raisin) ?

maison du fermier abritent du matériel archéologique trouvé sur place et des informations sur la fabrication du vin à l'époque gallo-romaine. Dans la *cella vinaria*, cave romaine reconstituée, un fouloir *(calcatarium)*, un cuvon *(lacus)*, un pressoir *(torcula)* et des jarres *(dolia)* permettent de se faire une idée du travail des vignerons d'antan.

Étang de **Berre**★

Depuis des temps immémoriaux, les rives de cet immense plan d'eau salée, naguère royaume des pêcheurs, ont attiré les hommes. De nos jours, une industrialisation intensive en a profondément transformé le paysage : les raffineries de nuit, avec leurs lumières, offrent certes un spectacle scintillant qui ne manque pas de grandeur, mais elles ont du même coup provoqué une pollution alarmante (heureusement en voie d'amélioration aujourd'hui).

La situation

Cartes Michelin n°s 84, plis 1, 2, 11 et 12, 245 plis 30, 43 et 246, plis 13, 14 – Bouches-du-Rhône (13).

Avec leurs 15 530 km^2 et leur circonférence de 75 km, les eaux de l'étang (dont la profondeur n'excède pas 9 m) sont adoucies par les apports de la Touloubre, de l'Arc et du canal d'EDF. Elles communiquent avec la mer par le canal de Caronte. Enchâssé dans des montagnes d'altitude modeste (la chaîne de Lançon au Nord, celle de Vitrolles à l'Est, celle de l'Estaque au Sud, les hauteurs de St-Mitre à l'Ouest), son paysage industriel laisse place par endroits à quelques vestiges du passé.

TRACES DU PASSÉ
Villes dont le cœur a conservé son aspect de village provençal d'antan, oppidums témoignant de la civilisation celto-ligure, traces de l'occupation romaine, murailles médiévales : autant de surprises bienvenues dans un monde qui s'est presque tout entier donné à la modernité.

Le nom

L'étang de Berre doit son nom à la ville attestée au 11e s. sous le nom de Berra, mot qui, en bas-latin, signifie « plaine » ou « vallée ».

Les gens

Istréens, Marignanais, Vitrollais, mais avant tout berrois (ou berratois, suivant l'inspiration du jour).

comprendre

Des avions... – Vaste plan d'eau et grande plaine déserte de la Crau, tel était le cadre idéal qui attira les aviateurs dans la région. Berre fut longtemps une importante base d'hydravions. Marignane accueille aujourd'hui l'aéroport international de Marseille-Provence : 2e de France en terme de trafic passager, il relie chaque jour la métropole marseillaise à 62 villes dans le monde.

Depuis l'accord de San Remo, l'étang de Berre est un lieu où le raffinement n'est pas un vain mot !

carnet pratique

Restauration

• ***À bon compte***

Le St-Martin – *Au Port des Heures Claires - 13800 Istres - 3 km au SE du centre-ville - ☎ 04 42 56 07 12 - fermé mar. soir et mer. - 100/165.* Ce sympathique restaurant familial domine agréablement l'étang de Berre et le port de plaisance. Attiré par cet environnement, il ne vous reste plus qu'à pousser la porte pour découvrir une salle accueillante agrémentée de vieux meubles. Terrasse sur le toit !

Loisirs-Détente

Parc aquatique de la Pyramide – *☎ 04 42 56 99 99.* À Istres : plusieurs bassins, toboggans, piscine à vagues...

... et du pétrole – À l'issue de la guerre de 1914-1918, l'accord de San Remo attribuait à la France une bonne part de la production du pétrole brut d'Irak... et l'étang de Berre apparut comme le lieu idéal pour implanter des raffineries. C'est ainsi que, successivement, la Société Française des Pétroles BP (à Lavera), Shell-Berre (à la pointe de Berre), la Compagnie Française de Raffinage (à la Mède) et Esso (à Fos) s'installèrent, entre 1922 et 1965, à proximité de l'étang. L'immense port pétrolier de Lavera fut quant à lui réalisé au lendemain de la Seconde Guerre mondiale afin de remplacer les installations privées devenues obsolètes, tandis qu'en 1962 entrait en service à Fos le pipe-line Sud-Européen qui alimente en pétrole brut une douzaine de raffineries européennes. Le choc pétrolier de 1973 entraîna cependant une sensible réduction des capacités des raffineries, obligées de s'adapter à la baisse de la consommation. Autour du pétrole proprement dit, l'industrie pétrochimique n'a cessé de se développer, achevant la transformation du paysage de la région.

Drôles de pèlerins

Comment se débarrasser des innombrables volatiles, venus de Camargue ou d'ailleurs, qui ne respectent pas les priorités et entrent joyeusement en collision avec les avions ? La base aérienne d'Istres a résolu la question en créant une fauconnerie : faucons pèlerins aux piqués rapides, mouettes ou pigeons n'ont qu'à bien se tenir ; faucons gerfauts, plus lents, et sus aux goélands ! Quelques vautours (oiseaux au bas vol) viennent achever le travail en croquant les imprudents qui baguenaudent sur les pistes... Bien sûr, il a fallu éduquer tout ce petit monde : réguler son régime alimentaire afin que la faim le pousse à chasser (phase du « réclame »), l'habituer à l'homme (phase de « l'affaitage ») et l'exercer à la voix. Bref, trois mois de dressage plusieurs heures par jour, mais le jeu en vaut la chandelle : le nombre des accidents sur la base a diminué de 70 %.

circuit

113 km - compter une journée.

Martigues *(voir ce nom)*

Quitter Martigues par la D 5.

Saint-Mitre-les-Remparts

Un peu à l'écart de la route, la vieille ville a conservé ses remparts du 15e s. percés de deux portes. Un lacis de ruelles mène à l'église. Belle vue sur l'étang d'Engrenier.

À la sortie de St-Mitre, prendre en face la D 51, d'où l'on aura une vue dégagée sur l'étang de Berre.

Après avoir longé l'étang de Citis, on passe au pied de la colline qui porte la chapelle Saint-Blaise, dont on devine le chevet entre les pins.

Site archéologique de Saint-Blaise *(voir ce nom)*

Istres

Le spectaculaire développement de la commune ne doit pas faire oublier le vieux village d'Istres qui a conservé son aspect provençal.

Calendrier

Feria de la Saint-Étienne – À Istres (début août) : corridas, bandas et bodegas. En outre, chaque année, courant octobre, l'association marseillaise Arte y Toros organise dans les arènes un festival taurin qui permet de voir à l'œuvre quelques vieilles gloires de la profession.

Fêtes nautiques – À Istres toujours : joutes sur l'étang en juillet ; « puces nautiques » en mars et, fin juin, les 24h d'Istres, compétition de pédalos !

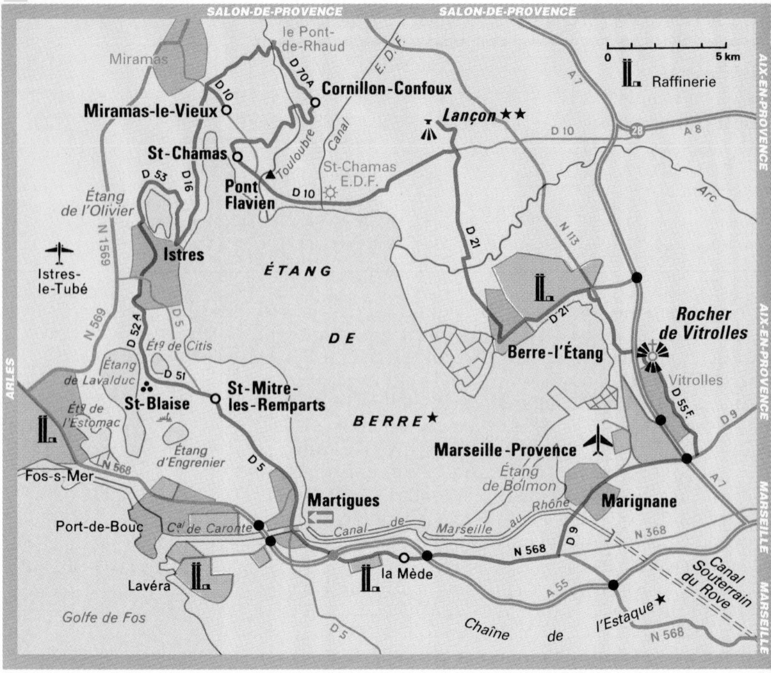

TOUT SAVOIR
Sur le complexe portuaire de Fos et la vie industrielle de l'étang de Berre ? Une section du musée est consacrée à la question.

Le petit **musée d'Istres** présente des collections consacrées à la région : paléontologie, zoologie, préhistoire, archéologie sous-marine (belle collection d'amphores) *14h-18h. Fermé 1er janv., 1er mai, 24-26, 30-31 déc. 10F (pd expo. : 15F).* ☎ *04 42 55 50 08.*
Au Nord de la ville, un chemin revêtu mène à la pointe d'une avancée rocheuse qui domine l'étang. C'était le siège d'un oppidum, dit du Castellan.

Par la D 53, faire le tour de l'étang de l'Olivier, puis prendre à droite la D 16 qui rejoint l'étang de Berre.

Miramas-le-Vieux

Bâtie sur une table rocheuse, cette bourgade a conservé son enceinte et les ruines d'un château du 13e s.

Revenir à la D 10 pour prendre en face la D 16, puis la D 70D. À Pont-de-Rhaud, tourner à droite dans la D 70[A] qui s'élève en surplomb de la vallée de la Touloubre.

Cornillon-Confoux

Du haut de ce petit village perché, belles **vues★** sur l'étang et les hauteurs de St-Mitre, St-Chamas, le pays salonnais et, au loin, le Luberon et le Ventoux, grâce à une promenade qui contourne le bourg depuis la place de l'église : clocher à peigne et style roman, éclairé par des vitraux modernes de Frédérique Duran.

Décoré à ses deux extrémités d'arcs triomphaux surmontés de petits lions sculptés, le pont Flavien, à l'entrée de St-Chamas, doit son nom à un patricien romain qui le fit édifier au début du 1er siècle.

Par la D 70 puis, à droite, une route touristique, gagner St-Chamas.

Saint-Chamas

L'église de ce bourg, dominé par un petit aqueduc, possède une belle façade baroque. Ne pas manquer, à l'entrée Sud du village, le **pont Flavien** qui franchit la Touloubre d'une seule arche.

La D 10 longe l'étang. Après la centrale de St-Chamas, aménagement final du canal d'EDF, tourner à gauche dans la D 21 puis, 1,7 km plus loin, encore à gauche dans un chemin non revêtu jusqu'à un terre-plein où l'on laissera sa voiture.

Table d'orientation de Lançon★★

1/4h à pied AR. Un escalier *(48 marches)* mène au sommet du rocher d'où l'on découvrira une très belle vue sur l'étang et son environnement montagneux.

Revenir sur la D 21 pour la suivre jusqu'à Berre-l'Étang.

Berre-l'Étang

Autrefois port de pêche, aujourd'hui ville industrielle spécialisée dans les produits chimiques. Dans la chapelle N.-D.-de-Caderot, retable en bois polychrome du 16e s.

PRÉCIEUX VASE
Dans une petite niche de la chapelle, un vase romain en cristal passe pour avoir contenu les cheveux de la Vierge.

Suivre la D 21 puis, à droite, la N 113 et tourner à gauche en direction de Vitrolles.

Le rocher de Vitrolles

Laissez la voiture devant la porte principale du cimetière ; il vous faudra ensuite gravir un escalier de 75 marches.

C'est à ce curieux rocher ruiniforme que Vitrolles, aujourd'hui dissimulée par une vaste zone industrielle et des lotissements, doit le meilleur de sa notoriété. Du sommet où se dressent une tour sarrasine du 11e s. et une chapelle dédiée à N.-D-de-Vie, patronne des aviateurs, **panorama★** étendu sur l'étang. Les amateurs d'architecture industrielle seront comblés : installations pétrolières de Lavéra, port de Fos, raffinerie de la Mède.

Après avoir quitté Vitrolles par la D 55F, au carrefour avec la N 113, prendre en face la D 9, qui longe l'aéroport de Marseille-Provence.

Marignane

En bordure de l'étang de Bolmont (un étroit cordon sableux, la plage de Jai, le sépare de l'étang de Berre), la ville, érigée en marquisat au 17e s., a conservé de cette époque le **château des Covet**, du nom de la famille de négociants qui transforma et embellit la forteresse fondée au 13e s. par Guillaume des Baux. Le bâtiment (il abrite aujourd'hui la mairie) possède une belle façade classique et, parmi les quelques salles accessibles à la visite, on remarquera les plafonds peints de la chambre à coucher de Jean-Baptiste Covet (devenue la salle des mariages...). *Visite guidée (1h) tlj sf w.-end 9h30-11h, 14h30-16h30 sur demande 7j. av. Fermé j. fériés. Office de tourisme. ☎ 04 42 77 04 90.*

Une salle de bains Louis XVI dans une mairie ? C'est effectivement ce qu'on trouve dans celle de Marignane, ancien château des Covet.

Un petit **musée des arts et traditions populaires**, avec sa cabane de pêcheur et son évocation de la chasse à la foulque macreuse, ressuscite la vie d'autrefois sur les rives de l'étang de Berre. *Mar. et sam. 9h-12h, mer. 14h-17h (dernière entrée 1h av. fermeture), jeu. et ven. : sur demande auprès de l'Office de tourisme. Fermé j. fériés. 10F. ☎ 04 42 77 04 90.*

Quant à l'**église St-Nicolas**, on pourra jeter un coup d'œil sur son intéressante nef du 11e s.

La N 568 ramène à Martigues en longeant, après l'avoir franchi, le canal de Marseille au Rhône.

Belles vues à droite, sur l'étang et les étranges rochers qui marquent l'entrée du port de la **Mède**.

Bollène

Ancienne possession papale, avec ses rues étroites, les grands platanes de ses boulevards et ses importants marchés de primeurs, Bollène a conservé un charme bien provençal.

La situation

Cartes Michelin n°s 80 pli 10, 245 pli 16 ou 246 pli 23 – Vaucluse (84). Construit à flanc de coteau et dominant le Rhône, Bollène n'est qu'à quelques kilomètres de l'Autoroute du Soleil. Après l'avoir quittée (sortie 19), empruntez la D 8, puis à droite la D 26. Sur la gauche, juste après avoir traversé le Lez, un vaste parking permet d'aborder la cité par le bd Victor-Hugo. *Pl. Reynaud-de-la-Gardette, 84500 Bollène, ☎ 04 90 40 51 45.*

Restauration

Lou Bergamoutié – *R. de l'Abbé-Prompsault - ☎ 04 90 40 10 33 - fermé dim. soir et lun. - 200/320F.* Dans l'enceinte de la vieille ville, ce restaurant vous attend au détour d'une ruelle, près des remparts. Vous aurez le choix entre la salle à manger très classique avec ses fauteuils tapissés ou le patio plus aéré et agrémenté de plantes.

Le nom

On l'appelait, en 640, Abolena et à force de dire « je vais à Abolena », le « a » du début serait tombé... Il semble que la petite cité doive son nom à un certain Abbolenus qui y possédait quelques terres. Mais rien n'est jamais vraiment certain en cette matière et certains rappellent qu'en occitan, le mot *bolina* signifie « éboulement ».

Les gens

14 130 Bollénois. Louis Pasteur séjourna à Bollène en 1882 et y découvrit le vaccin du rouget de porc, maladie contagieuse qui, lorsqu'elle était décelée, entraînait l'abattage de l'animal.

se promener

Depuis les nombreuses terrasses qui dominent la vallée du Rhône, une promenade dans Bollène permettra de découvrir des panoramas étendus : au loin sur les montagnes de l'Ardèche et du Bas-Vivarais ; au premier plan, sur le canal de Donzère-Mondragon, l'usine hydroélectrique de Bollène et le vaste complexe nucléaire du Tricastin. C'est depuis le **belvédère Pasteur**, petit jardin public aménagé autour de l'ancienne chapelle romane des Trois-Croix, que vous aurez la meilleure vue.
Aujourd'hui lieu d'expositions, l'ancienne **collégiale St-Martin** possède un joli portail Renaissance. L'intérieur est surtout remarquable par l'ampleur de la nef unique couverte d'une charpente en bâtière (à deux pentes). *S'adresser à l'Office de tourisme.*

BOLLÈNE

Chabrières (R. des) 5
Cimetière (Rue Gd) 6
Fabre (R. Henri) 7
Gambetta (Bd) 9
Giono (A. Jean) 10
Louis (R. Auguste) 11
Mistral (R. Frédéric) 12
Paroisse (Montée de la) 13
Puy (R. du) 15
Récollets (Pl. des) 16
République (Cours de la) 17
Reynaud-de-la-Gardette (Pl.) 20
Tour (R. de la) 21
Vietto (Montée René) 22
Zola (R. Émile) 23

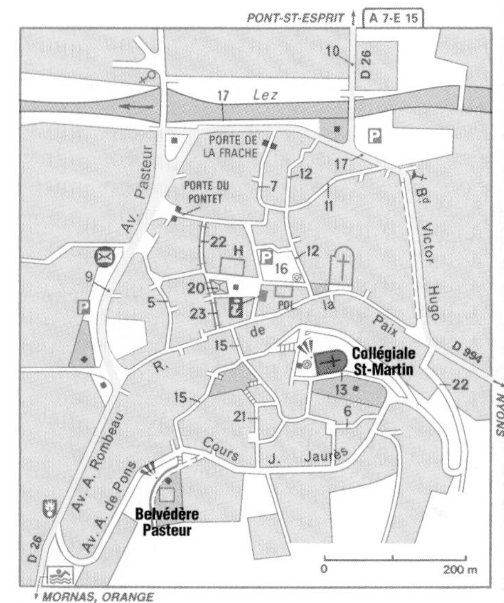

alentours

Mornas

11 km au Sud par la D 26 qui traverse Mondragon, dominé par les ruines de son château, pour rejoindre ensuite la N 7.
Portes fortifiées, vieilles maisons accrochées au pied d'une vertigineuse falaise (137 m d'à-pic), vestiges d'une puissante forteresse : le village de Mornas a conservé un aspect médiéval. On y accède par une ruelle en forte pente *(parking)*, puis par un sentier.
La **forteresse** se compose d'une vaste enceinte de 2 km, flanquée de tours semi-circulaires ou carrées et, à son point culminant, des vestiges du donjon et d'une chapelle. Elle doit sa célébrité à un terrible épisode des guerres de Religion : tenue par les catholiques, elle tomba aux mains du baron des Adrets qui ordonna de précipiter du haut de la falaise tous les habitants du lieu.
Visite animée (1h) : juil.-août : tlj sf sam. 10h-19h ; fév-juin : lun.-ven. sur demande, dim. et j. fériés 10h-18h. 32F. Visite simple : juil.-août : sam. 10h-18h ; mars-juin : mer. et sam. 10h-17h ; sept. : tlj 10h-17h ; oct. 13h30-17h ; fév. et nov. : dim. et j. fériés 13h30-17h. 17F. Fermé déc.-janv. ☎ 04 90 37 01 26.

VIVRE L'HISTOIRE
Avec Les Amis de Mornas qui proposent chaque été aux visiteurs de vivre une soirée au Moyen Âge, avec des comédiens en costumes du 12e s. Pour tous renseignements, contacter le ☎ 04 90 37 01 26.

Stage d'œnologie ou simple dégustation ? « Allons, la grise, allons boire à Suze-la Rousse » !

Suze-la-Rousse

7 km à l'Est par la D 994.
Principale ville de Tricastin au Moyen Âge, Suze étage ses ruelles sur la rive gauche du Lez. L'ancienne Maison de la Ville présente une jolie façade des 15e et 16e s.
Un imposant **château** domine la colline. On y accède par un chemin qui traverse une plantation de chênes truffiers de 30 ha. Si l'ensemble de l'édifice datant du 14e s. est un bel exemple d'architecture militaire médiévale, l'intérieur a été réaménagé sous la Renaissance, comme en témoignent les façades de la cour d'honneur. Au rez-de-chaussée, écuries et cuisine du 12e s. Les appartements permettent de visiter la salle des Quatre Saisons, la salle d'armes avec plafond à la française. Depuis la salle octogonale qui occupe une des tours d'angle, belle vue sur le Ventoux, la montagne de la Lance et les Préalpes du Dauphiné. *Avr.-oct. : visite guidée (3/4h) 9h30-11h30, 14h-17h30 (juil.-août : 18h) ; nov.-mars : tlj sf mar. Fermé 1er janv. et 25 déc. 18F. ☎ 04 75 04 81 44.*
Mais le château présente un autre intérêt : il abrite l'**Université du Vin** qui dispose d'un laboratoire, d'une salle de dégustation et propose des stages d'œnologie. *Visite guidée (3/4h) tlj sf mar. 9h30-11h, 14h-17h30 (avr.-oct. : tlj, juil.-août : fermeture à 18h). Fermé 1er janv. et 25 déc. 18F. ☎ 04 75 97 21 30.*

VOIR SUZE ET MOURIR ?
Autour de la cheminée de la salle d'armes, les fresques représentent le siège de Montélimar de 1587, fatal au seigneur local qui, blessé lors des combats, se fit hisser sur sa jument, elle aussi atteinte, et prit la route du retour en encourageant sa monture en ces termes : « Allons, la grise, allons mourir à Suze. »

Bonnieux★

Juché sur sa colline, Bonnieux domine la vallée dont il commande l'accès par le Sud. Cette position à la croisée du petit et du grand Luberon en fait une base idéale pour sillonner la région.

La situation

Cartes Michelin nos 81 pli 13, 114 pli 1 ou 245 pli 31 et 246 pli 11 – Vaucluse (84). Ce bourg, l'un des grands villages perchés du Luberon, s'adosse à un promontoire surplombant la vallée du Calavon. Arrivant d'Apt ou de Lacoste, prendre la direction de Cadenet pour accéder au Haut-Bonnieux et laisser sa voiture place de la Liberté. *Pl. Carnot, 84480 Bonnieux, ☎ 04 90 75 91 90.*

Le nom

Est-ce le mot celte *bona* (« base », « fondation ») qui a valu son nom à l'antique Bonilis ? Mistral, lui, affirmait que le nom venait de *bonil* : « de bonne qualité », en vieux provençal. Fantaisie ? Sans doute, même si une flânerie dans Bonnieux donne envie de suivre le poète plutôt que les philologues.

Les hautes maisons du Luberon s'agrippent au rocher, comme attirées par la lumière...

se promener

En voiture
Si la montée à pied est trop rude, sachez qu'on peut accéder au Haut-Bonnieux en voiture par la route de Cadenet, puis sur la gauche par un chemin revêtu.

On accède au **Haut-Bonnieux** depuis la place de la Liberté par la rue de la Mairie (passage sous voûte), en forte montée, pour atteindre la terrasse située en contrebas de l'église vieille.
Depuis la **terrasse** jolie **vue**★ sur la vallée du Calavon, tout à fait à gauche, sur le village perché de Lacoste, plus à droite, sur le bord du plateau de Vaucluse où Gordes,

carnet pratique

Restauration

• ***Valeur sûre***

Le Fournil – *Pl. Carnot - ☎ 04 90 75 83 62 - réserv. obligatoire - 130/188F.* Dans cette maison adossée au rocher, la salle à manger troglodytique vous garantit une certaine fraîcheur pendant votre repas. Pour les inconditionnels du soleil, la terrasse s'installe sur la place en été. Sa cuisine bien tournée a du succès !

Hébergement

• ***Valeur sûre***

Chambre d'hôte Le Clos du Buis – *R. Victor-Hugo - ☎ 04 90 75 88 48 - www.luberon-news.com/le-clos-du-buis - fermé 15 janv. au 15 fév. et 15 nov. au 15 déc. - 6 ch. : 380/480F - repas 130F.* Tout près de l'église, cette maison ancienne fut une épicerie-boulangerie. C'est pourquoi il reste un four à pain dans son salon... Ses belles chambres sont lumineuses et claires avec leur sol en terre cuite. Derrière, le jardin et la piscine sont très agréables.

Achats

Établissement Vernin – *Quartier du Pont-Julien - RN 100 - www.carreaux-d-apt.com - ☎ 04 90 04 63 04.* Fabrication de carreaux d'Apt en terre cuite, en faïence émaillée, peints à la main.

BONNIEUX

Ancien-Presbytère (R.de l') 2
Aurard (R. J.-B.) 3
Carnot (Pl.) 4
Gare (Av. de la) 5
Hugues (Av. Clovis) 7
Liberté (Pl. de la) 8
Mairie (R. de la) 9
République (R. de la) 12
Victor-Hugo (R.) 13
Voltaire (R.) 14
4-Septembre (Pl. du) 16

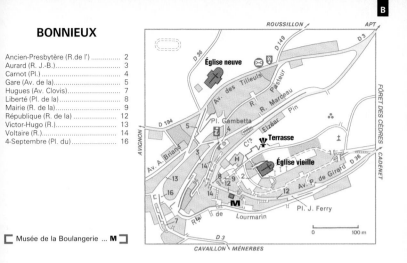

Musée de la Boulangerie ... M

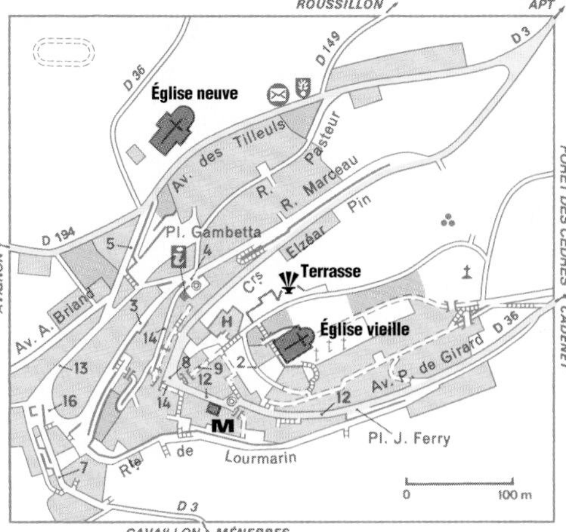

puis Roussillon s'accrochent et se confondent avec ses falaises rouges.

De la terrasse, un escalier mène à l'**église vieille** qu'entourent de très beaux cèdres.

Rejoignant la D 36, on pourra visiter un intéressant **musée de la Boulangerie** qui évoque le travail du boulanger à travers son outillage et les documents se référant à son métier. *Avr.-sept. : tlj sf mar. 10h-12h30, 14h30-18h (juil.-août : 10h-13h, 14h-18h30) ; oct. : w.-end 10h-12h30, 14h30-18h. 20F.* ☎ *04 90 75 88 34.*

alentours

Forêt de cèdres

À 2 km sur la route de Cadenet. Compter 2h.

Importés de l'Atlas marocain, les cèdres ont été plantés au-dessus de Bonnieux en 1862. Un sentier botanique, ponctué de 8 stations d'information sur les espèces végétales typiques du Luberon y a été aménagé.

Les Calanques★★

Paysage calcaire d'une blancheur éclatante, hérissé de roches ruiniformes, le massif des Calanques attire les amateurs de nature par sa beauté sauvage. Mais son originalité, son charme exceptionnel, tiennent avant tout aux étroites et profondes échancrures qui cisèlent ses côtes, les calanques, majestueuses unions du ciel, de la mer et des rochers.

La situation

Cartes Michelin nos 84 pli 13, 114 plis 41 et 42 et 245 plis 44, 45 – Bouches-du-Rhône (13). Le massif des Calanques, qui culmine à 565 m au mont Puget, s'étend sur près de 20 km entre Marseille et Cassis. Si certaines calanques, proches de Marseille et de Cassis, sont facilement accessibles, d'autres ne pourront être atteintes que par des sentiers, parfois escarpés.

Le nom

Il vient peut-être du latin *calanca*, « crique rocheuse à paroi abrupte » ; une *cala* en provençal désigne une pente raide, racine que l'on retrouve dans plusieurs noms de la région (comme Calès) ou dans le mot *calade* qui s'applique à une rue en pente.

Le « pourpre », monstre sous-marin des Calanques, fort apprécié des gastronomes locaux.

DEVENEZ UN VRAI PÊCHEUR DES CALANQUES...
... en commençant par vous initier au langage des *pescadous*, encore fortement imprégné de provençal. Voici quelques termes courants désignant les prises (à prononcer, bien entendu, *avé l'assen*) :
Arapède : patelle, coquillage en forme de chapeau chinois accroché aux rochers... D'où l'expression « collant comme une arapède » qui, appliquée à un humain, n'a rien d'élogieux ! *Esquinade* : araignée de mer. *Favouille* : petit crabe. *Fielas* : congre. *Galinette* : rouget grondin. *Pourpre* : poulpe. *Supion* : calmar. *Totène* : seiche. *Violet* : ascidie (délicieux fruit de mer en forme de pomme de terre).

Les gens

« Des fadas ! », commentaient avec un soupir de commisération les pescadous qui, devant la porte du cabanon, jouaient le pastis à la pétanque, en voyant passer des hurluberlus munis d'un équipement incongru. Mais certains, comme le Marseillais Gaston Rebuffat ou Isabelle Patissier, qui ont effectué leurs premières ascensions dans les Calanques, sont devenus depuis des alpinistes renommés.

comprendre

Le mot calanque désigne une étroite vallée littorale aux flancs abrupts, creusée dans la roche dure par une rivière guidée généralement par une faille au cours de périodes de retrait de la mer, puis submergée par les flots lorsque le niveau de la mer montait. Ces variations du niveau marin sont dues à l'alternance, pendant les deux derniers millions d'années, de périodes de glaciation et de déglaciation à la surface de la terre. Les calanques, dont la longueur n'excède pas 1,5 km, se prolongent vers le large par d'importantes vallées sous-marines ; si elles peuvent être rapprochées des abers bretons, elles n'ont, malgré les apparences, rien à voir avec les fjords, façonnés, eux, par des glaciers.

DÉGEL
La dernière remontée des eaux, d'une amplitude moyenne de 100 m, s'est effectuée il y a 10 000 ans, noyant des grottes fréquentées par les hommes de la préhistoire, telle la fameuse grotte Cosquer.

Les calanques en danger – La perméabilité du calcaire, l'abondance des failles et la faible pluviosité expliquent l'absence d'écoulements de surface et la sécheresse du lieu. La régulation thermique marine, la réverbération du soleil sur les hautes murailles dénudées et une exposition à l'abri du mistral créent un microclimat exceptionnellement chaud sur le versant Sud du massif. Des espèces végétales tropicales ont pu s'y maintenir malgré les refroidissements de l'ère quaternaire, constituant de nos jours une réserve botanique d'un grand intérêt. Mais l'état de la végétation est hélas extrêmement dégradé. Les responsables ? La sécheresse, l'abattage d'arbres pour les fours à chaux, le pâturage excessif et, surtout, les feux répétés : de l'incendie ordonné par Jules César en 49 avant J.-C. au catastrophique embrasement du 21 août 1990, la forêt du massif des Calanques a souffert un véritable martyre. Si l'espoir de sauver les calanques demeure, pour certains écosystèmes, le mal est fait et la menace plane tout au long des mois d'été sur les espaces encore épargnés.

CLÉMENT
Certains jours d'hiver, une température supérieure de près de 10 degrés à celle du versant Nord. Les habitués des calanques, le sachant parfaitement, viennent s'y mouiller les orteils ou entretenir leur hâle, tandis qu'à deux pas, rue Paradis ou avenue du Prado, Marseille grelotte sous les terribles rafales du mistral.

La belle-mère, la couleuvre et le gourmand – Dans cette ambiance semi-aride, le plus souvent s'imposent la garrigue pierreuse à chêne kermès ou la garrigue à romarin et bruyère. La forêt consiste en taillis ou fourrés de chênes verts, viornes, oliviers sauvages, myrtes et lentisques que viennent çà et là égayer quelques bosquets de pins d'Alep. En bordure du littoral s'accrochent cristes-marines et lavandes de mer, relayées en hauteur par une association de plantes en coussinet comme la rare astragale de Marseille, à qui ses redoutables épines ont valu le nom de « coussin de belle-mère ».

Le plus grand lézard et le plus long serpent d'Europe ont élu domicile dans les Calanques : la taille du lézard ocellé peut atteindre ici 60 cm, celle de la couleuvre de Montpellier, 2 m.

OISEAU RARE
L'aigle de Bonelli (une quinzaine de couples), est un beau rapace diurne au plumage brun foncé, blanc et gris.

carnet pratique

Transports

Le bateau est un moyen astucieux de découvrir les calanques en été. Il permet en même temps d'approcher les îles de l'archipel de Riou : île Maire à laquelle les chèvres n'ont pas laissé un poil sur le caillou, îles de Jarre et Jarron, sites de relégation des navires pestiférés d'où partit la terrible épidémie de peste de 1720, et île de Riou, la plus escarpée, où nichent toujours d'importantes colonies d'oiseaux.

Au départ de Marseille : **Groupement des Armateurs Côtiers Marseillais** – *1 quai des Belges - Vieux-Port de Marseille - ☎ 04 91 55 50 09*. Juil.-août : promenade commentée (4h) tlj à 15h ; le reste de l'année : mer., sam. et dim. à 14h. 120F. La plupart des calanques sont visitées, mais sans arrêt baignade.

Au départ de Cassis – *☎ 04 42 01 71 17*. Excursion (3/4h) aux calanques de Port-Miou, Port-Pin et En-Vau, sans escale. 50F.

Au départ de La Ciotat : Les Amis des Calanques – *6 pl. de la Liberté - 13600 La Ciotat, ☎ 06 09 35 25 68*. Excursions en bateau de type catamaran à vision sous-marine.

Visite

Calanques, mode d'emploi – Le mois de juin est probablement la meilleure époque pour découvrir les calanques.

Il est bien entendu interdit de cueillir des végétaux, de quitter les chemins et sentiers, de fumer ou d'allumer un feu. Se munir de cartes précises. Emporter des boissons, car il n'y a pas de point d'eau ; s'équiper de chaussures de marche ; se protéger des coups de soleil et des insolations.

Accès – Attention ! La circulation à pied aussi bien qu'en voiture dans le massif est interdite du 1er juil. au 30 sept.... ainsi que les jours de violent mistral. Si l'accès direct aux calanques demeure autorisé, il peut cependant être restreint, voire interdit, en particulier le w.-end, suivant les conditions météo.

Restauration

• ***Valeur sûre***

Le Lunch – *13009 Calanque de Sormiou - ☎ 04 91 25 05 37 - fermé nov. au 15 mars - ⊭ - réserv. obligatoire - 200/300F*. Si vous avez envie de déjeuner « les pieds dans l'eau » dans un site sauvage, c'est ici qu'il faut venir. Les produits de la mer y sont à l'honneur et leur fraîcheur est garantie. En été, l'accès est réglementé et seuls ceux qui auront réservé pourront passer...

Loisirs–Détente

Escalade – Aiguilles aux flancs vertigineux et parois rocheuses parfois en surplomb sur la mer composent de magnifiques voies d'escalade, accessibles pour les unes aux seuls chevronnés, propices pour d'autres à l'initiation.

Sorties organisées avec le **Club Alpin Français** - *12 r. Fort-Notre-Dame - 13007 Marseille - ☎ 04 91 54 36 94*.

Plongée sous-marine – Il y a seulement 30 ans, les fonds marins des Calanques comptaient parmi les plus extraordinaires de la Méditerranée occidentale. Perturbés désormais par les rejets polluants, les abus de la chasse sous-marine qui menacent particulièrement l'emblématique mérou noir et la prédation d'épaves d'un grand intérêt archéologique, ils conservent beaucoup d'attraits pour les plongeurs qui y rencontreront poissons multicolores, gorgones, éponges, oursins violets, langoustes, nacres, rougets...

Contact : **Comité régional des sports sous-marins** - *☎ 04 91 09 36 31*.

Ouvrages de référence sur la plongée à la **Librairie maritime** - *26 quai de Rive-Neuve - 13007 Marseille - ☎ 04 91 54 79 26*.

Randonnée pédestre – Il n'existe pas d'accès direct aux calanques en voiture à l'exception des Goudes, de Callelongue et de Port-Miou qui ne sont pas les plus attrayantes. Le seul moyen d'atteindre les autres est la marche à pied. Les randonneurs confirmés seront tentés de parcourir le GR 98-51 de Callelongue à Cassis, incomparable randonnée de 28 km (compter 11 à 12h) qui longe d'immenses falaises et permet d'apercevoir les calanques les plus secrètes.

Contact : **Les Excursionnistes marseillais** - *☎ 04 91 84 75 52*.

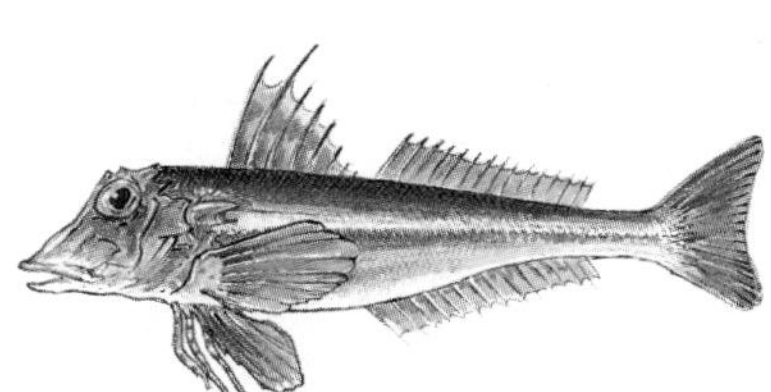

Les oiseaux nichent surtout sur les falaises côtières et dans les îles. Le plus commun est le goéland leucophée ou « gabian ». Ce gourmand, particulièrement friand des ordures rejetées par l'agglomération marseillaise, est en pleine expansion, d'autant que l'espèce, qui ne possède pas de prédateur naturel, est protégée.

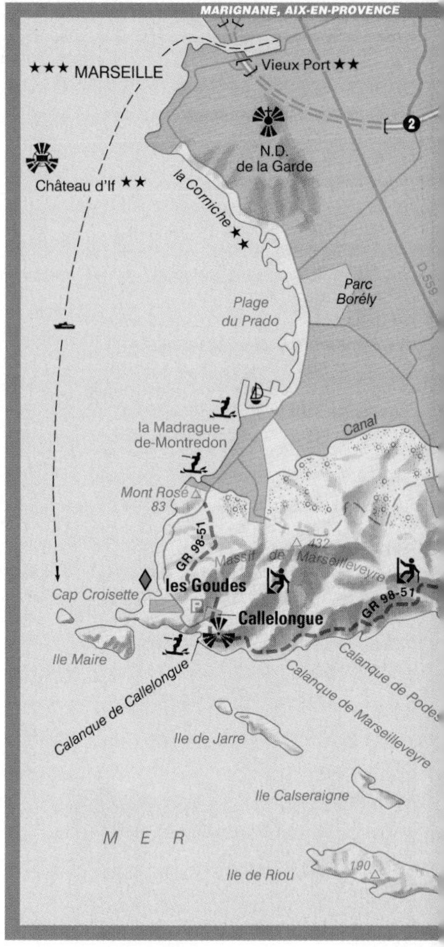

itinéraire

Les Goudes

Quitter Marseille par la Promenade de la Plage.

Ancien village de pêcheurs inscrit dans un grandiose décor minéral. Pas de plage mais nombreuses guinguettes où les Marseillais aiment venir se rafraîchir. Le policier désabusé des romans de Jean-Claude Izzo, Fabio Montale, venait s'y réfugier : une référence...

Continuer jusqu'à Callelongue où s'arrête la route goudronnée.

Callelongue

Dans un très joli site, cette calanque en miniature regroupe quelques cabanons et abrite une flottille de bateaux.

Sormiou★

Accès à partir de Marseille par l'avenue de Hambourg et le chemin de Sormiou. Garer votre voiture sur le parking à l'entrée de la route goudronnée interdite aux véhicules. Descente à pied (1/2h, retour 3/4h).

De nombreux cabanons, un petit port, une plage et des restaurants de poissons : c'est, pour les Marseillais, « LA » calanque.

Sormiou est séparée de la calanque voisine de Morgiou par le **cap Morgiou**, belvédère qui offre des vues magnifiques sur les deux calanques et la côte orientale du massif. À ses pieds s'ouvre, par 37 m de fond, la grotte Cosquer.

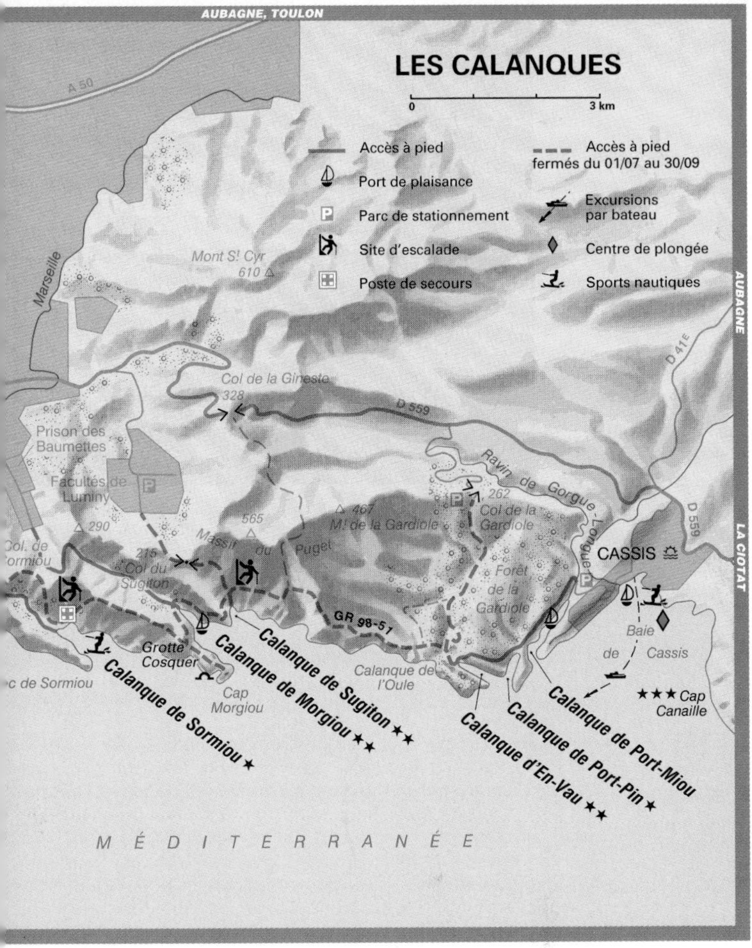

AUBAGNE, TOULON

LES CALANQUES

0 — 3 km

Accès à pied
Accès à pied fermés du 01/07 au 30/09
Port de plaisance
Excursions par bateau
Parc de stationnement
Site d'escalade
Centre de plongée
Poste de secours
Sports nautiques

A 50
Marseille
Mont St Cyr 610
AUBAGNE
D 41E
Col de la Gineste 328
D 559
Prison des Baumettes
Facultés de Luminy
Ravin de Gorgue-Longue
262
Col de la Gardiole
467
Mt de la Gardiole
565
Massif du Puget
290
215
Col du Sugiton
Col de Sormiou
Forêt de la Gardiole
D 559
LA CIOTAT
CASSIS
GR 98-51
Baie de Cassis
Grotte Cosquer
Calanque de l'Oule
Bec de Sormiou
Cap Morgiou
★★★ Cap Canaille
Calanque de Sormiou ★
Calanque de Morgiou ★★
Calanque de Sugiton ★★
Calanque d'En-Vau ★★
Calanque de Port-Pin ★
Calanque de Port-Miou
MÉDITERRANÉE

Morgiou★★

Accès depuis Marseille par le même itinéraire initial que Sormiou ; tourner à gauche à l'Intermarché, puis suivre la signalisation. On longe la fameuse prison des Baumettes avant de garer la voiture à proximité du panneau sens interdit. Descente à pied par la route goudronnée (3/4h, retour 1h).

Cadre sauvage et présence humaine discrète à Morgiou : minuscules criques pour la baignade, cabanons regroupés au fond du vallon, restaurant, petit port... Indispensable !

« Un petit cabanon... »

Une journée au « cabanon », un véritable art de vivre ! C'est au retour de la pêche ou tout bonnement du marché que la maisonnée s'assemble sous les ombrages de la terrasse pour « siroter » un pastis glacé ; ce moment s'avère idéal pour faire fuser blagues et galéjades. Le somptueux aïoli servi au repas de midi possède l'inégalable vertu de faire sombrer tout un chacun dans une « petite sieste » réparatrice bercée par le chant des cigales. Mais il faudra être sur pied avant l'angélus, pour ne pas manquer la rituelle partie de pétanque, qui connaîtra inévitablement quelques débordements passionnels ponctués de « té peuchère ! » et de « oh coquin de sort ! ». Au dîner, on aura sagement décidé de « manger léger », autrement dit de renoncer à une seconde assiette de délicieux « pistou », afin de disputer dans sa meilleure forme, « à la fresche », le tournoi de belote, ultime occasion de truculentes controverses.

Un petit cabanon, une barque, le pastis au frais... Sormiou, tout l'art de vivre à la marseillaise.

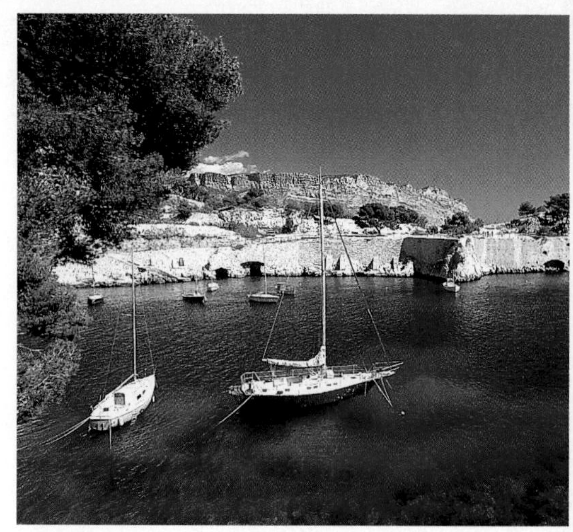

Eaux vertes et bleues : il fait bon jeter l'ancre à Port-Miou, port naturel, port éternel.

Sugiton★★

Accès à partir de Marseille : rejoindre Luminy par le boulevard Michelet : parking à proximité de l'école d'art et d'architecture. Continuer à pied sur la route forestière (1h, retour 1h1/2).

Petite calanque aux eaux turquoise, très abritée grâce à son encadrement de hautes murailles ; les naturistes l'ont adoptée, on les comprend...

En-Vau★★

Accès par le col de la Gardiole (route Gaston Rebuffat débutant en face du camp militaire de Carpiagne). Laisser la voiture au parking de la Gardiole. 2h1/2 AR. Ou alors accès par Cassis (en passant par Port-Miou puis Port-Pin : 2h AR).

Avec ses parois verticales et ses eaux couleur d'émeraude, c'est la plus pittoresque et la plus célèbre des calanques, cernée d'une forêt de pinacles que commande le « Doigt de Dieu ». Plage de graviers.

Port-Pin★

Accès par le col de la Gardiole (mêmes conditions que pour En-Vau ; 3h AR) ou par Cassis (en longeant la calanque de Port-Miou ; 1h AR).

Assez spacieuse, flancs moins abrupts que ceux d'En-Vau et plage de sable entourée de pinèdes : idéale pour se baigner en famille.

Port-Miou

1,5 km à l'Ouest de Cassis. Accès en voiture jusqu'au parking, envahi en été.

La plus longue des calanques provençales, qu'une ancienne carrière de « pierre de Cassis » défigure ; abri apprécié aujourd'hui par les plaisanciers, comme hier par les Romains qui l'avaient baptisée Portus Melius.

La Camargue★★★

Vastes étendues où le ciel célèbre chaque jour ses noces avec la mer, manades de taureaux noirs dressant fièrement leurs cornes en lyre, gracile silhouette des flamants roses prenant soudain leur envol, chevaux blancs au galop, gerbes d'écume : unique au monde, monde à part, la Camargue forme un univers à elle seule.

La situation

Cartes Michelin nos 83 plis 8 à 10, 18 à 20, 245 plis 40 à 42 ou 246 plis 26 à 28 – Bouches-du-Rhône (13).

Accès par Arles et la D 570 au Sud ; par St-Gilles et la D 37, qui permet de rejoindre la route des Saintes à Albaron. Par Aigues-Mortes et le pont de Sylveréal, ou le bac du Sauvage (gratuit) ; ou bien par Port-St-Louis-du-Rhône et le bac de Barcarin (payant) qui traverse le Grand Rhône à hauteur de Salin-de-Giraud.

Au centre de la Camargue s'étend le vaste étang du Vaccarès, séparé de la mer par un étroit cordon littoral que protège la Digue, interdite aux véhicules motorisés. Ceux-ci ont accès, à l'Ouest, aux Saintes-Maries, à l'Est à Salin-de-Giraud, et peuvent contourner l'étang par sa rive Nord.

Croix camarguaise

Dessinée à la demande de Folco de Baroncelli, la croix camarguaise se compose d'une ancre que surmonte une croix dont chaque extrémité se termine en trident. Ainsi sont symbolisés les Saintes-Maries, les pêcheurs et les gardians.

Le nom

Les Romains la désignaient du nom d'*Insula Camarigas*... mais les spécialistes débattent âprement de l'origine du nom : viendrait-il d'un radical *kam-ar*, signifiant « arrondi en voûte » par allusion à la courbe du littoral ? Ou bien du nom d'un citoyen romain, Annius Camars, riche propriétaire arlésien, en somme le premier manadier connu ? À moins qu'on ne fasse dériver ce nom du *caló* (langue des gitans), où *kam* signifie « soleil » et *arakar* « protéger ».

Les gens

Pêcheurs, sauniers, riziculteurs, gardians ou manadiers camarguais, tous unis dans un même amour de leur terre singulière. Celle-ci inspira de nombreux films dans les années 1920, à l'instigation d'un pittoresque personnage, Joë Hamann, cow-boy émérite et (presque) authentique, ou du frère du *marqués*, Jacques de Baroncelli, réalisateur de cinéma. Si ses œuvres n'ont guère laissé de souvenirs, on notera que durant cette période, un jeune inconnu, Charles Vanel, faisait ses débuts dans un film tourné en 1921, *La Fille de Camargue.*

Un parc pour sauver la Camargue

La création en 1927 de la Réserve nationale, puis en 1970 du Parc naturel régional, a permis de préserver le milieu naturel camarguais. Le Parc naturel régional occupe une superficie de 85 000 ha. Objectif : sauvegarder l'écosystème camarguais, permettre aux habitants de vivre dans leur cadre naturel tout en favorisant le maintien des exploitations agricoles, enfin, contrôler l'équilibre hydraulique, ainsi que l'afflux touristique...

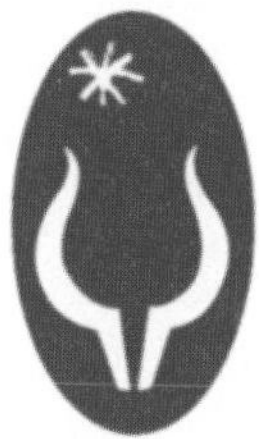

Les cornes en lyre du fier taureau de Camargue (la tête dans les étoiles), symbole du Parc naturel.

comprendre

Un pays difficile à domestiquer – Immense plaine alluvionnaire, la Camargue est le produit de l'action conjuguée du Rhône, de la Méditerranée et des vents. À la fin de l'ère tertiaire et au début de l'ère quaternaire, alors que la mer recule, des cours d'eau charrient d'immenses quantités de galets qui s'empilent sur des dizaines de mètres d'épaisseur. Sur cette base caillouteuse se déposent ensuite des couches de sédiments marins : la mer s'étend alors jusqu'à la rive Nord de l'étang de Vaccarès. Mais le paysage ne va cesser de se modifier : le

carnet pratique

Visite

Quand y aller ? – Il faut absolument éviter l'été, lorsque la Camargue est envahie par une foule peu compatible avec la découverte de cette terre secrète. Le printemps, le début de l'automne, certaines de ces belles journées d'hiver dont la région garde jalousement le secret seront les périodes idéales, d'autant que la faune y est abondante et que les manades de taureaux, revenues des « prés » du Bas-Languedoc, y paissent dans les étangs.

Ne pas oublier – Une lotion contre les moustiques qui sont très nombreux et agressifs d'avr. à nov. ; de l'eau potable car il n'y en a pas en dehors des villages (Le Sambuc, Gageron et Salin-de-Giraud) ; ses jumelles.

Information – **Centre d'Information** de Ginès - *Pont de Gau - 13460 Les Stes-Maries-de-la-Mer - ☎ 04 90 97 86 32.*

Musée Camarguais – *Mas du Pont de Rousty - 13200 Arles - ☎ 04 90 97 10 82 - Minitel 3615 Camargue.*

Restauration

Outre les tellines *(voir Le Grau-du-Roi)* et le saucisson de taureau, la « gardiane » de taureau est omniprésente : c'est une marinade à base de vin rouge, d'herbes et d'épices (thym, laurier, persil, cayenne, clous de girofle...), de zeste d'orange et d'ail dans laquelle trempent des morceaux de taureau de Camargue (viande classée AOC depuis 1996) ; elle se déguste avec du riz blanc et un bon vin rouge de la région.

● ***Valeur sûre***

Domaine de la Tour de Cazeau – *13200 Le Sambuc - 24 km au SE d'Arles par D 570 puis D 36 - ☎ 04 90 97 21 69 - ⊄ - réserv. obligatoire - 160F.* Cette ferme camarguaise du 18e s. est au milieu des rizières, des taureaux et chevaux... De sa tour, on surveillait autrefois les bateaux sur le Grand Rhône : jetez-y un coup d'œil avant de vous attabler autour d'une cuisine typiquement régionale, dans une ancienne écurie. Deux chambres.

Hébergement

● ***Une petite folie !***

Hôtel Le Mas de Peint – *13200 Le Sambuc - 24 km au SE d'Arles par D 570 puis D 36 - ☎ 04 90 97 20 62 - fermé 10 janv. au 10 mars - P - 11 ch. : à partir de 1195F - ☕ 100F - restaurant 245F.* À cheval, le patron gardian surveille sa manade de 500 ha en pleine Camargue. Son hôtel est une exceptionnelle demeure du 17e s. où se mêlent la pierre et le bois. Et c'est comme si votre grand-mère mitonnait les petits plats, produits du potager et de la ferme. Une maison rare...

Loisirs-Détente

Promenade en bateau sur le Petit Rhône – *Tiki III - 13460 Les Stes-Maries-de-la-Mer - ☎ 04 90 97 81 68 - De mi-mars à mi-nov. : 1 à 5 dép. suivant les périodes - 60F (enf. : 30F).* En remontant le Petit Rhône jusqu'au bac du Sauvage, découvrez certains aspects de la Camargue des gardians : sur des pelouses à saladelles, manades de taureaux et de chevaux, quand sur les berges peuplées de tamaris, une aigrette aura peut-être la bonté de se laisser observer.

Promenades à cheval de la Fadaise – *Rte d'Arles - 13460 Les Stes-Maries-de-la-Mer - ☎ 04 90 97 86 79.* Promenades avec les célèbres chevaux camargue dans les manades, les marais et sur les plages, accompagnées par un guide.

Attention aux nombreuses « promenades à cheval » qui consistent à faire le tour d'un étang asséché sur une monture désabusée promise à l'abattoir.

Observation des oiseaux – Pour bien voir les oiseaux, il faut partir tôt le matin (tout se passe avant 10h) ou au crépuscule, entre avril et octobre On prendra soin de rester immobile et d'être silencieux, car les oiseaux détestent la conversation, et de se munir d'une paire de jumelles (louées sur certains sites). Sites d'observation des oiseaux : sentiers de découverte de la Capelière et du domaine de la Palissade, digue à la mer et parc ornithologique du Pont de Gau. Là encore, éviter les périodes d'affluence.

Randonnée pédestre – L'idéal pour observer la faune et la flore, c'est de marcher : chose possible sur le GR 653 et les sentiers de découverte cités ci–dessus.

VTT – Sur trois grands circuits : la route des paysages et des flamants roses (Digue à la mer, étang du Fangassier, 22 km), la route du sel (marais salants) et la route du riz.

Baignade – Immense plage entre les Saintes-Maries et le Grand Rhône. Zone naturiste officielle à Piémanson, à droite de Salin-de-Giraud ; officieuse, partout ailleurs (sauf, bien sûr, sur les petites plages artificielles des Saintes-Maries).

CALENDRIER

Spectacles taurins – Aux Saintes-Maries, à Arles, à Salin-de-Giraud et à Méjanes : corridas et novilladas, corridas de rejoneo (à cheval), corridas portugaises (à cheval mais sans mise à mort et avec l'intervention des forcados qui arrêtent les bêtes à mains nues). Nombreuses courses camarguaises. Jeux gardians dans les arènes de Méjanes, le dim. matin.

Fêtes des gardians – Chaque 1er mai, les membres de la « Nacioun Gardiano » se rassemblent à Arles pour la procession de la statue du saint jusqu'à l'église de la Major. Là, après la bénédiction, grand-messe chantée en provençal.

Rhône, qui divague pendant des siècles, transporte d'énormes masses d'alluvions ; des bourrelets se forment et isolent des marais ; des cordons littoraux modelés par les courants côtiers apparaissent et ferment des lagunes. Chaque année le Grand Rhône (9/10e du débit total) ► apporte à la Méditerranée environ 20 millions de m³ de graviers, de sables et de limons ! La construction de la **digue à la mer** et l'endiguement du Rhône sous le Second Empire a permis de maîtriser partiellement ces phénomènes. Cependant, l'avancée du littoral (10 à 50 m par an) continue en plusieurs endroits (**Pointe de l'Espiguette**). Inversement, la mer progresse sur d'autres points. Les Stes-Maries-de-la-Mer, jadis à plusieurs kilomètres de la côte, doivent être protégées par des digues.

DÉVASTATRICES

Les tempêtes ont démoli successivement les saillants du Vieux Rhône et du Petit Rhône, puis le **phare de Faraman**, construit à 700 m à l'intérieur des terres, et englouti en 1917.

Semé dans des « clos » parfaitement nivelés et séparés par des levées de terre et immergés d'avril à septembre, le riz se récolte fin septembre-début octobre.

Les trois Camargue – Dans le Nord du delta et le long de son double tracé, le Rhône a construit des levées de fines alluvions – les lônes – qui portent les meilleures terres. Cette haute Camargue, sèche et utile, a commencé à être bonifiée au Moyen Âge. L'homme a dû lutter contre l'eau et la salinité des sols, accrue par une intense évaporation estivale. Depuis 1945, de grands travaux de drainage et d'irrigation ont permis d'accroître considérablement la superficie agricole où domine la grande exploitation. Le blé, la vigne, les cultures fruitières et maraîchères, le maïs, le colza et les plantes fourragères occupent des superficies variables suivant les années. Mais c'est surtout pour le **riz** que la Camargue est connue, même si les superficies allouées à cette culture ont fortement diminué. Çà et là émergent de petites forêts de chênes blancs, de frênes, d'ormes, de peupliers, de robiniers et de saules.

La zone des salins, qui s'étend près de Salin-de-Giraud (11 000 ha) et d'Aigues-Mortes (10 000 ha), présente un quadrillage de bassins d'évaporation et de montagnes de sel, les « camelles ». L'eau prélevée en mer de mars à

HISTOIRE

L'exploitation des salins remonte à l'Antiquité et fit, au Moyen Âge, la prospérité des « abbayes du sel » comme Ulmet et Psalmodi ; elle prit une tournure industrielle au 19e s.

septembre circule par pompage sur les surfaces préparatoires ou « tables », vastes étendues préservées par des digues et cloisonnées où la hauteur d'eau ne dépasse guère 35 cm. Pour les amener à saturation en chlorure de sodium, les eaux parcourent ainsi environ 50 km avant d'être dirigées vers les surfaces saunantes ou « cristallisoirs » séparées par des levées de terre appelées « cairels ». La récolte du sel se fait de fin août à début octobre. Le sel est d'abord assemblé le long des surfaces saunantes, puis lavé et stocké, formant une colline de 21 m de haut dont la longueur varie suivant la récolte. À nouveau lavé, essoré, séché, le sel est distribué pour la consommation domestique et l'alimentation du bétail, ou utilisé dans la production de composés chimiques. La Compagnie des Salins du Midi est actuellement la principale entreprise de récolte du sel.

Les roubines

La Camargue est sillonnée d'un lacis de minuscules canaux, les « roubines ». Pêcheurs, chasseurs et sagniers les parcourent juchés sur des barques à fond plat qu'ils propulsent à l'aide d'une longue perche.

La **zone naturelle** occupe le Sud du delta. C'est une plaine stérile, trouée d'étangs et de lagunes qui communiquent avec la mer par de nombreuses passes (les « graus »), véritable désert de sable et de marécages bordés de petites dunes sur le littoral. Des routes et des pistes permettent de la sillonner, mais pour l'apprécier pleinement, mieux vaut effectuer les parcours pédestres. Ces plates étendues, craquelées par la sécheresse et blanchies par le sel, sont couvertes d'une maigre végétation, la **« sansouire »**. Des plantes halophiles (aimant le sel) – saladelles et salicornes, vertes au printemps, grises l'été et rouges l'hiver – s'y développent et servent de nourriture aux troupeaux de taureaux, parmi de maigres tamaris. Les roseaux fournissent la « sanha » (« sagne ») avec laquelle on confectionne les canisses pour protéger les cultures et dont les gardians recouvrent leurs cabanes. Dans les **îlots des Rièges**, au Sud de l'étang de Vaccarès, s'épanouit une flore exubérante, merveilleusement colorée au printemps : chardons bleus, tamaris, marguerites, iris jaunes, genévriers de Phénicie, lentisques, asphodèles, narcisses...

Une barque, une roubine, des roseaux : la Camargue secrète des pêcheurs d'anguilles.

Une faune exceptionnelle – Avec les ragondins, des loutres et des castors, les oiseaux règnent sur cet immense domaine marécageux. On en dénombre plus de 400 espèces différentes dont environ 160 migratrices. L'avifaune change au fil des saisons : migrateurs venant hiverner d'Europe du Nord (depuis la Finlande et la Sibérie) comme les sarcelles, ou faisant escale au printemps et à l'automne comme les hérons pourpres. Également : le **héron garde-bœuf** que l'on aperçoit souvent perché sur l'échine d'un taureau, l'élégante **aigrette**, le **héron cendré**, le **canard plongeur**, l'**échasse blanche**, le **gravelot**, sans oublier les habitants traditionnels du littoral, mouettes rieuses au caractère agressif, « gabians », goélands argentés et grands cormorans, multitude de **passereaux**, un rapace, le **busard des roseaux** et, enfin, incontestable vedette, le **flamant rose** : reconnaissable à son plumage blanc rosé et à son long cou terminé par un gros bec coudé, il vit en colonies de plusieurs mil-

Le ragondin, ennemi public n° 1

Il n'y a pas de crocodiles en Camargue. Aussi ce charmant rongeur, apparenté au castor, qui peuple depuis environ 30 ans les roubines camarguaises a une fâcheuse tendance à proliférer (on en compterait 100 000) en l'absence d'autre prédateur que les automobiles, auxquelles il paie cependant un lourd tribut. Voilà donc ce pauvre ragondin, apprécié pour sa chair (on le nomme lièvre des marais) comme pour sa fourrure, accusé de tous les maux : ses terriers et galeries fragilisent les digues et, qui plus est, il a l'outrecuidance d'adorer le riz. L'état d'urgence a donc été décrété en 1999 afin de « réguler » la population.

L'ennemi public numéro un..., il a pourtant une bonne tête, ce pauvre ragondin, accusé de tous les maux.

liers d'individus et se nourrit de crustacés et de coquillages. L'eau est poissonneuse : sandres, carpes, brèmes et surtout anguilles, abondantes dans les roubines d'eau douce, que l'on pêche à l'aide de « trabaques », sortes de longs filets composés de trois poches séparées entre elles par des goulets qui vont en se rétrécissant. La cistude des marais (petite tortue aquatique) et les couleuvres hantent également ces zones humides.

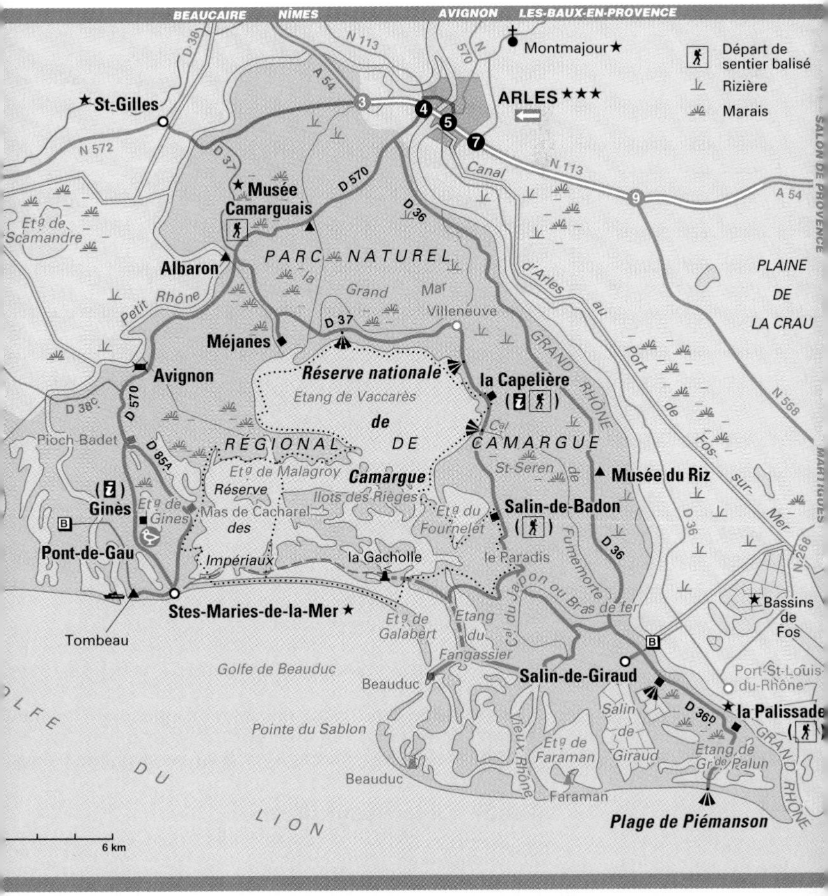

Taureaux et chevaux – Héros des courses camarguaises, abrivados et autres bandidos, les **taureaux camarguais**, noirs, agiles, aux cornes en lyre, vivaient jadis à l'état sauvage avant d'être peu à peu rassemblés en « manades », mot désignant un troupeau, souvent d'environ 200 têtes. Ils occupent de grandes propriétés, dirigées par le bayle-gardian, régisseur du manadier. De grands moments ponctuent la vie de la manade : au printemps, c'est la ferrade qui consiste à marquer au fer rouge les « anoubles » ou taureaux d'un an. Ces derniers sont écartés du troupeau par les gardians qui les poursuivent à toute allure vers le lieu de marquage. Là, des

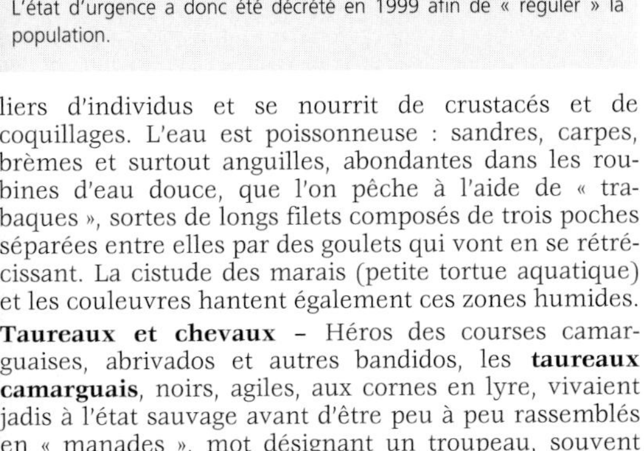

jeunes gens les saisissent, les renversent sur le flanc et leur imposent sur la cuisse gauche le fer rouge à la marque de l'éleveur tout en pratiquant l'« escoussure », découpe de l'oreille caractéristique de la manade, tout cela dans une ambiance de fête baignée par l'odeur du poil et du cuir brûlés. Au début de l'été, c'est la transhumance vers les « prés » de Petite-Camargue où les villages multiplient les fêtes votives. En hiver, après le retour au mas, c'est le « bistournage » qui consiste à castrer les taureaux qui seront destinés à la course et qui deviennent ainsi des « bious ».

Le cheval camargue appartient à une race très ancienne que l'on fait parfois descendre du cheval de Solutré.

Le **cheval** camargue est remarquable par sa rusticité, son endurance, sa sûreté de pied et sa maniabilité. Les poulains naissent avec un poil sombre qui ne prend progressivement la couleur blanche qu'au bout de quatre ou cinq ans.

Gardian de Camargue – C'est l'âme de la manade, celui qui surveille les bêtes malades, prodigue les soins, trie les taureaux choisis pour les courses, les accompagne et conduit les abrivados avant de retourner dans son humble cabane au sol de terre battue... Si la cabane devient résidence secondaire et le costume de plus en plus réservé aux jours de cérémonies, le cheval reste l'inséparable compagnon du gardian. Parmi ses outils : le trident (ou « ferri ») et le lasso en crin de cheval (« lou seden »). De nos jours, la plupart des manades n'emploient qu'un bayle-gardian, assisté de gardians amateurs, bénévoles passionnés qui viennent aider aux travaux dès qu'ils en ont le loisir, en échange d'un gîte pour leur cheval. Fondée en 1512, la confrérie de Saint-Georges a établi les premiers statuts du métier.

itinéraire

AUTOUR DU VACCARÈS

Circuit au départ d'Arles – 160 km – compter une journée.

Quitter Arles au Sud-Ouest en direction des Saintes-Maries.

Musée Camarguais*

INSTRUCTIVE
La maquette reflétant l'organisation sociale fort hiérarchisée du mas traditionnel, avec le bayle (régisseur) en bout de table servi par la *tanto*, les gardians et, en bas de l'échelle, les *ràfis*, ouvriers agricoles.

♿ *juil.-août : (dernière entrée 1h av. fermeture) 9h15-18h45 ; avr.-juin et sept. 9h15-17h15 ; janv.-mars et oct.-déc. : 10h15-16h45. Fermé 1er janv., 1er mai, 25 déc. 30F. ☎ 04 90 97 10 82.*

Installé dans l'ancienne bergerie du mas du Pont de Rousty, ce musée passionnant constitue une excellente introduction à la découverte de la Camargue. Panneaux, dioramas, objets présentent le cadre naturel (formation du delta), l'histoire et, surtout, la vie quotidienne traditionnelle au 19e s. Loin d'un folklore souvent rebattu et largement idéalisé, c'est la véritable Camargue qui se dévoile avec les travaux et les peines d'une vie qui n'était pas toujours rose (contrairement au flamant...).

Un sentier pédestre de 3,5 km, tracé parmi les canaux d'irrigation, fait découvrir cultures, pâturages et marais composant les terres d'un mas camarguais.

Albaron

Autrefois place forte (il en subsiste une tour), c'est aujourd'hui une station de pompage pour le dessalement des terres.

Château d'Avignon

D'avr. à fin oct. : visite guidée (3/4h) tlj sf mar. 10h-17h30. Fermé 1er mai. 20F. ☎ 04 90 97 58 60 ou ☎ 04 90 97 58 58.

Vaste demeure classique, réaménagée à la fin du 19e s. par l'industriel marseillais Louis Prat. Pièces lambrissées et meublées (tapisseries d'Aubusson ou des Gobelins) témoignent du goût bourgeois de l'époque. Un sentier botanique de 500 m tracé dans le parc permet d'en découvrir les essences.

Centre d'information de Ginès

Ouv. toute l'année. ☎ 04 90 97 86 32.

Situé au Pont-de-Gau, en bordure de l'étang de Ginès, le centre a pour mission de sensibiliser les visiteurs sur la fragilité de l'écosystème camarguais. Des bornes présentent à l'aide de photos le milieu naturel, les activités traditionnelles ainsi que la faune et la flore ; de larges baies vitrées donnant sur l'étang permettent d'apercevoir quelques spécimens de l'avifaune locale. Au premier, montages audiovisuels sur les activités du parc, la vie des salins et les flamants roses.

Volant en formation vers quelque étang chimérique ou debout les pieds dans l'eau, les flamants roses font la Camargue !

Parc ornithologique du Pont-de-Gau

♿ *Avr.-sept. : de 9h au coucher du soleil ; oct.-mars : de 10h au coucher du soleil. 35F (enfants : 18F). Fermé 25 déc.* ☎ *04 90 97 82 62.*

Mitoyen avec le centre d'information, il offre la possibilité, à travers un parcours de panneaux explicatifs et de postes d'observation, de découvrir dans leur milieu naturel un certain nombre d'espèces d'oiseaux vivant en Camargue, ou seulement de passage. Indispensable pour être certain de reconnaître du premier coup d'œil un huîtrier-pie ou une avocette.

Les Stes-Maries-de-la-Mer★ *(voir ce nom)*

Emprunter devant les arènes la D 38 vers l'Ouest. À 1 km sur la gauche, prendre un chemin revêtu.

Sur la gauche, tombeau du marquis de Baroncelli-Javon, édifié à l'emplacement de son mas du Simbèu, détruit en 1944.

Revenir aux Saintes que l'on quittera par la D 85^{A} (route de Cacharel), traversant alors un étonnant paysage d'étangs. En arrière, belle vue sur les Saintes, dominées par la silhouette massive de l'église fortifiée.

À Pioch-Badet, prendre à droite dans la D 570 en direction d'Arles puis, à l'entrée d'Albaron, encore à droite la D 37. À 4,5 km, une route à droite conduit à Méjanes.

Méjanes

Promenades à cheval organisées par le mas : 70F/1h ; promenades en petit train : 20F (enfants : 15F).

Centre d'attractions avec arènes, promenades à cheval et petit train effectuant un circuit de 3,5 km en bordure du Vaccarès.

Reprendre la D 37 : vous traverserez une vaste étendue semée de rares touffes d'arbres, de roseaux, et de quelques mas isolés. Sur la droite, un petit belvédère permet d'apercevoir le Vaccarès et, au loin, les îlots des Rièges.

Prendre ensuite la petite route qui, à Villeneuve, porte l'indication « étang de Vaccarès ».

Après un petit bois, la route longe le Vaccarès dégageant de très belles **vues★** sur la Camargue, dans toute sa splendeur sauvage et solitaire.

Quand la Camargue célèbre le printemps : les iris jaunes illuminent les îlots des Rièges.

La Capelière

Avr.-sept. : 9h-13h, 14h-18h ; oct.-mars : tlj sf mar. 9h-13h, 14h-17h. Fermé 1er janv. et 25 déc. 20F. ☎ *04 90 97 00 97.*

Centre d'information de la Réserve nationale de Camargue. La réserve s'étend sur 13 000 ha au cœur du delta, autour de l'étang de Vaccarès. Les espèces animales et végétales y sont protégées. Le centre propose à ses visiteurs une petite exposition, des sentiers pédestres *(1,5 km, à éviter les jours de forte affluence)*. En période plus calme, trois observatoires permettent de guetter les oiseaux.

On apercevra sur la gauche, dans le marais de St-Seren, une cabane de gardian avant de longer l'étang de Fournelet.

Salin-de-Badon

Mars-oct. : tlj sf mer. matin du lever du soleil à 10h, de 16h au coucher du soleil ; nov.-fév. : du lever du soleil à 11h, de 15h au coucher du soleil. Autorisation à retirer à La Capelière (centre d'information de la Réserve Nationale de Camargue) 20F (enf. : 10F). ☎ *04 90 97 00 97 ou* ☎ *04 90 97 20 74.*

À VOS RISQUES ET PÉRILS !

Depuis le Paradis, possibilité de découvrir de nombreux oiseaux (dont des flamants) et des paysages typiquement camarguais, à condition que le temps soit au sec...

Une randonnée conduit au Pertuis de la Comtesse, puis, à pied par la Digue à la mer, au phare de la gacholle (vous trouverez une longue-vue dans une cabane).

La seconde permet d'emprunter (à pied) la digue séparant les étangs du Fangassier et de Galabert : l'îlot de Galabert est le seul lieu de nidification en France du flamant rose. Un petit centre d'information a été aménagé à l'extrémité de cette digue que vous pouvez également atteindre en voiture depuis Salin-de-Giraud, en empruntant, depuis La Belugue, le chemin de Beauduc : gare à vos amortisseurs et bonne route aux courageux qui, s'ils le sont vraiment, privilégieront plutôt le VTT...

Des sentiers pédestres, agrémentés de panneaux didactiques et d'observatoires, ont été aménagés par la Réserve nationale sur cette ancienne saline royale où nombre d'oiseaux ont élu domicile.

INATTENDUE

Une église grecque orthodoxe a été édifiée à l'attention des travailleurs des salins, dont beaucoup avaient été recrutés en Grèce.

Salin-de-Giraud

Pays du sel, cette petite localité posée en bordure du Grand Rhône s'est développée sous l'impulsion de deux sociétés : Pechiney qui exploitait les salines pour son usine de Salindres et la société belge Solvay qui, à partir du chlorure de sodium, fabriquait la soude caustique nécessaire à la fabrication du savon de Marseille.

L'arrivée sur Salin, avec ses maisons de briques roses et ses jardins ouvriers donnerait un instant l'étrange impression de s'être aventuré par quelque coup de baguette magique en Flandre... sans les platanes, les catalpas et les acacias qui ombragent les rues perpendiculaires, et, bien sûr, les arènes.

Suivre la route qui longe le Grand Rhône en direction des « Plages d'Arles ».

Point de vue sur le salin

Aménagé près d'une montagne de sel, il procure une belle vue sur l'ensemble du salin de Giraud. Venez le soir, au couchant : avec le soleil qui teinte les marais de longues lueurs fauves ou mordorées, vous vivrez un moment magique.

Domaine de la Palissade★

9h-17h. Fermé j. fériés. 15F. ☎ 04 42 86 81 28.

Propriété du Conservatoire du littoral, ce domaine de 702 ha est le seul dans le delta à n'avoir pas été endigué. On y découvre les paysages d'origine de la Basse-Camargue : bourrelets d'alluvions, ripisylve ou « bois des rives », « montilles » (dunes), sansouires et prairies à saladelle, roselières. Trois sentiers de découvertes ont

Un glacier en Camargue ? Juste quelques grains de sel pour donner du goût à votre visite...

été aménagés : un sentier d'interprétation de 1,5 km destiné au grand public et muni de panneaux explicatifs, deux autres sentiers, de 3 km et de 7,5 km, moins aménagés mais permettant véritablement d'« entrer » dans la Camargue et de découvrir, au gré du hasard et des saisons, faune, flore et activités traditionnelles des « paluniers », les gens qui vivent du marais.

Superbe, la route passe sur une digue entre les étangs, permettant d'aller piquer une tête dans la Méditerranée sur l'immense **plage de Piémanson** (25 km de sable fin...).

Prendre la direction d'Arles par Salin-de-Giraud.

Musée du Riz

9h-12h, 14h-17h30. 25F. ☎ 04 90 97 20 29.

Domaine du Petit Manusclat : tout sur les rizières de Camargue et les méthodes locales de culture. À l'étage, scène de santons présentés dans une maquette du théâtre romain d'Arles.

Par la D 36 puis la D 570 sur la droite, regagner Arles.

Carpentras★

Cité d'art, capitale du Comtat : il y fait bon vivre et flâner à l'ombre de ses platanes, sur les boulevards comme dans les rues animées du centre, où demeures et monuments viennent rappeler une brillante histoire.

La situation

Cartes Michelin n°s 81 plis 12 et 13 ou 245 pli 17 et 246 pli 10 – Vaucluse (84). C'est en venant d'Orange, par la D 950, que l'arrivée sur Carpentras est la plus belle : la porte d'Orange se dresse dans l'axe de la route, avant que l'on traverse la vallée verdoyante de l'Alzon pour emprunter les boulevards, à l'ombre des platanes. Sur l'allée des Platanes précisément, vaste parking gratuit, d'où vous pourrez partir à la découverte de la cité.

i 170 av. Jean-Jaurès, 84200 Carpentras, ☎ 04 90 63 00 78.

Le nom

La ville s'appelait Carpentoracte (elle devrait ce nom à une citadelle en bois qu'y avaient édifiée les Celto-Ligures), quand les Romains s'amusèrent à la désigner sous le nom de Forum Neronis ; mais il en fallait plus pour que les Carpentrassiens, gens obstinés, changent d'avis !

La spécialité

Les 26 090 Carpentrassiens apprécient encore et toujours le berlingot, mélange de sucre et d'arôme de menthe poivrée dans une forme biscornue né en 1844.

comprendre

Une cité papale – Carpentras connaît sa période la plus brillante lorsque le pape Clément V décide de s'établir dans ses terres provençales et s'installe en 1313 à Carpentras. Lorsqu'il meurt en 1314, son successeur donne sa préférence à Avignon. Cependant, capitale du Comtat Venaissin en 1320, la ville profite de la munificence pontificale : gouvernée par ses évêques, elle s'étend et s'entoure d'une enceinte dont il ne reste plus que la porte d'Orange. Au 18e s., Carpentras se transforme, en particulier sous l'action de l'évêque Malachie d'Inguimbert qui fonde l'Hôtel-Dieu, la bibliothèque Inguimbertine et fait construire l'aqueduc et le palais épiscopal.

Le marché retrouvé – Avec la réunion à la France (1791), Carpentras retrouve la prospérité grâce à l'essor de la garance, introduite en 1768, et surtout lorsque la

Tradition

... toujours vivante : la fabrication des appeaux que les chasseurs provençaux utilisent pour attirer le gibier, en particulier la grive.

carnet pratique

Visite

Visite guidée de la ville (1h1/2) – Elles sont assurées par des conférenciers agréés par le Centre des Monuments Nationaux (Carpentras est classé « Ville d'Art et d'Histoire »). Juil.-août : lun.-sam. à 10h (17h ven.) ; avr.-juin, sept. : mar.-sam. à 14h. 25F. S'adresser au Service Culture et Patrimoine.

Pour obtenir la fiche permettant d'effectuer un circuit découverte individuel, que balisent des panneaux en lave émaillée... agrémentés, bien sûr, de berlingots, s'adresser à l'Office de tourisme.

Restauration

• ***À bon compte***

Restaurant des Halles – *41 r. Galonne - ☎ 04 90 63 24 11 - fermé dim. - 75/130F.* Sur une charmante placette du centre-ville, à l'écart du bruit, ce bistrot au décor ancien vous accueille en terrasse près de la fontaine de pierre. Vous profiterez de son atmosphère paisible en prenant un repas simple fleurant bon l'anchoïade et le pistou.

• ***Valeur sûre***

L'Atelier de Pierre – *30 pl. de l'Horloge, début r. des Halles - ☎ 04 90 60 75 00 - fermé 2 au 16 janv., 11 au 20 nov., lun. sf le soir en été et dim. - 150/230F.* La devanture de bois peint de ce restaurant vous invite à entrer. À l'intérieur, sa salle à manger au décor provençal avec ses poutres apparentes est accueillante et derrière, sa jolie terrasse est calme. Cuisine classique teintée de saveurs méridionales.

Hébergement

• ***Valeur sûre***

Chambre d'hôte Bastide de Ste-Agnès – *1043 chemin de la Fourtrouse - 3 km au NE par D 974 dir. Bédoin et D 13 dir. Caromb - ☎ 04 90 60 03 01 - www.avignon-et-provence.com/sainte-agnes - fermé nov. à mars - 5 ch. : 400/700F.* La pierre sèche est à l'honneur dans cette vieille bastide. Ses chambres aux couleurs ocre, ses carrelages anciens, la douceur de son jardin aux senteurs provençales et son atmosphère sereine vous séduiront sans aucun doute. Belle piscine dans l'ancien réservoir d'eau.

Le temps d'un verre

Café du Siècle – *13 pl. Gén.-de-Gaulle - ☎ 04 90 63 58 52 - Lun.-sam. 7h15-22h. Eté: 7h-22h3. Fermé 6 j. à la Toussaint et 6j. pdt vac. scol. fév.* Il y a beaucoup d'agrément à prendre un verre dans ce café : sa terrasse regarde la façade de la cathédrale St-Siffrein. Quant à la décoration intérieure, elle évoque les wagons des trains d'antan comme l'Orient Express...

Achats

Confiserie du Mont-Ventoux – *288 av. Notre-Dame-de-Santé - ☎ 04 90 63 05 25 - Mar.-sam. 8h-12h, 14h-19h. Fermé j. fériés.* Certes, vous trouverez des berlingots dans toutes les boulangeries de la ville, mais ne ratez surtout pas ceux de la confiserie du Mont-Ventoux où vous ne pourrez que succomber à une véritable cascade de couleurs et de goûts.Tous les matins et sur rendez-vous, il est possible d'assister à la fabrication de ces gourmandises.

Chocolaterie Clavel – *30 r. Porte-d'Orange - ☎ 04 90 63 07 59 - Eté tlj. Hors saison : tlj 9h30-19h30 sf dim. ap.-midi et lun. matin. Fermé 2 sem. en janv.* Personnalité incontournable de Carpentras, René Clavel a fabriqué le plus gros berlingot du monde (56,7kg) homologué par le *Guiness Book* des records en 1993. Cet artiste au génie tourmenté ne cesse de mettre au point de nouvelles confiseries au chocolat, les plus connues étant les rocailles de Provence. Parmi d'autres spécialités, goûtez aux plaques de chocolats fins et variés ainsi qu'aux fromages et autres sujets en pâte d'amande qui naissent de l'imagination intarissable du roi René.

Marchés – Grand marché vendredi matin (près de la gare) : produits d'une qualité remarquable qui valurent à ce marché d'être élu « marché exceptionnel » en 1996. De plus, il y règne une ambiance haute en couleur, propice aux meilleures affaires. De fin-nov. à déb. mars, c'est le lieu de rendez-vous des *rabassiers* (producteurs de truffes).

Calendrier

Estivales – *Rens. : La Charité - 77 r. Cottier - ☎ 04 90 60 46 00.* Festival pluridisciplinaire (musique, danse, théâtre, exposition) dirigé par Jean-Pierre Darras, en juillet.

garrigue se transforme en jardin de primeurs après le creusement en 1860 d'un canal dérivé de la Durance qui permet de l'irriguer. Carpentras redevient ville de marché et, de nos jours, cette activité a conservé sa place première dans l'économie de la cité.

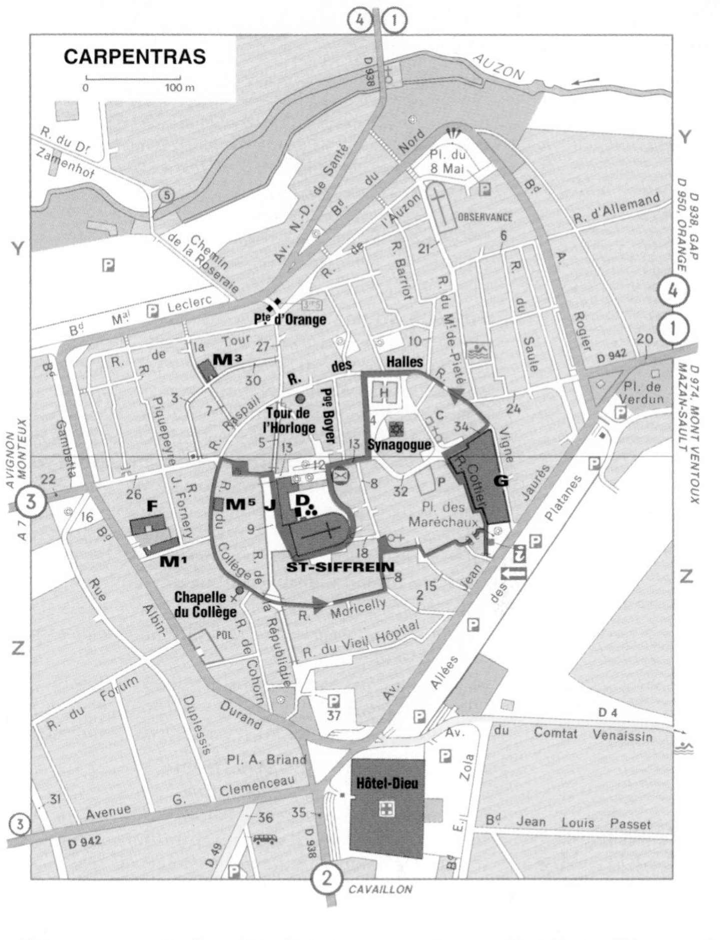

se promener

LE VIEUX CARPENTRAS

Visite : 3/4h.

Prendre à droite de l'Office de tourisme la rue Cottier.

La **Charité**, édifiée en 1669 pour accueillir les nécessiteux, abrite aujourd'hui des expositions.

Par la rue St-Jean à droite, rejoindre la rue Vigne, à prendre sur la gauche.

Le tracé de cette rue perpétue le souvenir des anciens remparts. Elle se prolonge par la **rue des Halles**, bordée de couverts où s'abritent de nombreuses boutiques. En face de la mairie, beffroi, ou **tour de l'Horloge**, vestige de la première maison communale (15e s.).

Contourner la mairie jusqu'à la place Maurice-Charretier, percée sur l'emplacement d'une partie de l'ancien ghetto. Sur la gauche, façade de la **synagogue**.

Les Juifs du Pape

Chassés de France par Philippe le Bel, les juifs se réfugièrent en terres papales où ils étaient en sécurité et bénéficiaient de la liberté de culte. Avec Avignon, Cavaillon et L'Isle-sur-la-Sorgue, Carpentras abrita une importante communauté juive dans un quartier qui ne devint ghetto qu'à la fin du 16e s. : la « carrière », rue de 80 m de longueur que l'on fermait chaque soir et où vivaient plus de 1 500 personnes astreintes au port d'un chapeau jaune. À dater de cette époque, les juifs ne furent plus autorisés qu'à exercer certains métiers tels que l'usure ou la friperie. Ce ghetto ne fut aboli qu'à la Révolution. Aujourd'hui, la synagogue est le dernier vestige du quartier juif de Carpentras.

Passage Boyer

Il s'ouvre sur la droite. Couvert par une haute verrière (d'où son nom local de rue Vitrée), il fut édifié par les chômeurs des Ateliers Nationaux en 1848. Il ne manque pas d'intérêt : entre autres celui de déboucher sur la place d'Inguimbert où, devant l'ancienne cathédrale, se dresse l'**arc de triomphe**. Contemporain de celui d'Orange, il a conservé une partie de son ornementation : deux captifs vêtus l'un d'une tunique, l'autre d'une peau de bête, enchaînés à un arbre. Non loin, près du chevet de l'église actuelle, vestiges de la première cathédrale romane, en particulier une coupole richement décorée.

Contourner le chevet de l'église afin de gagner la place du Gén.-de-Gaulle.

Au passage, un coup d'œil sur le portail flamboyant (fin 15e s.) de la cathédrale appelé « porte juive », car les juifs convertis l'empruntaient pour recevoir le baptême.

Ancienne cathédrale St-Siffrein★

Accès par la place de l'Archevêché.

Elle fut commencée en 1404 sur l'ordre du pape Benoît XIII. L'édifice constitue un bon exemple de gothique méridional. Achevée au début du 16e s., sa façade fut complétée au 17e s. par un portail classique.

Sur le mur du fond de la nef court un balcon qui communiquait avec la chambre de l'évêque : une petite loge permettait à ce dernier d'assister aux offices. Dans les chapelles, tableaux de Mignard et de Parrocel, ainsi que du peintre local, Duplessis. Dans le chœur, plusieurs œuvres du sculpteur provençal Bernus, dont une gloire en bois doré qui doit beaucoup au Bernin ; à gauche, retable de la fin du 15e s. représentant un Couronnement de la Vierge.

Le **Trésor d'Art sacré**, exposé dans une chapelle à gauche du chœur *(attention aux marches...)*, rassemble des statues en bois du 14e au 16e s., des ornements sacerdotaux et des pièces d'orfèvrerie des 18e et 19e s., des sculptures de Bernus, une crosse en émail limousin. *Tlj sf mar. 9h-12h, 14h-18h.*

Attenant à l'église, l'ancien palais épiscopal abrite le **palais de justice** (17e s.). *Avr.-oct. et vac. scol. Printemps : visite guidée (1h) sur demande auprès de l'Office de tourisme. Pas de visite lors des assises. ☎ 04 90 63 00 78.*

Par la rue d'Inguimbert, on rejoindra la rue Raspail, à prendre sur la gauche, puis la rue du Collège qui la prolonge.

Dans cette dernière, le **musée Sobirats** expose la reconstitution d'un hôtel particulier du 18e s. Plus loin, la **chapelle du collège**, élevée au 17e s. dans le style jésuite, mérite un coup d'œil, ne serait-ce que pour ses expositions d'art contemporain.

Dans le prolongement, place Ste-Marthe et rue Moricelly, belles demeures classiques des 17e et 18e s.

Prendre sur la gauche la rue Barret puis tourner à droite, afin de retrouver l'allée des Platanes par la rue des Marins, elle aussi bordée de beaux hôtels, dont celui de Bassompierre avec ses cariatides.

Un saint trafic

La mère de l'empereur Constantin aurait fait forger un mors pour le cheval de son fils avec un clou de la croix du Christ. Conservé à Ste-Sophie de Constantinople, le saint mors en disparut lors du pillage de la ville par les croisés en 1204... pour réapparaître dès 1260 à Carpentras dont il devint l'emblème.

visiter

Hôtel-Dieu

Visite sur demande préalable lun., mer., jeu. 9h-11h30. 8F. ☎ *04 90 63 80 00.*

Ce bâtiment majestueux du 18ᵉ s. a été édifié à la demande de Mgr d'Inguimbert qui repose dans la chapelle baroque. L'apothicairerie a conservé son état d'origine. Une gracieuse rampe en fer forgé borde l'escalier d'honneur.

Singes-apothicaires et paysages décorent les panneaux de cette apothicairerie qui contient une belle collection de pots en faïence.

À l'Hôtel-Dieu, une armoire à pharmacie à faire pâlir d'envie les hypocondriaques les plus endurcis.

Synagogue★

Sur la place de la mairie. Sonner. Tlj sf w.-end 10h-12h, 15h-17h, ven. 10h-12h, 15h-16h. Fermé j. fériés et j. de fêtes juives. 25F. ☎ *04 90 63 00 78.*

Édifiée en 1367, elle fut reconstruite au 18ᵉ s. Salle de culte au 1ᵉʳ étage, à la fois très simple et richement décorée : une forte émotion se dégage du lieu, qui dépasse le point de vue strictement artistique. Au rez-de-chaussée et en sous-sol, la Mikva, piscine du 14ᵉ s. et les boulangeries où l'on fabriquait le pain azyme jusqu'au début du 20ᵉ s.

Les musées

Tlj sf mar. 10h-12h, 14h-16h (avr.-sept. : fermeture à 18h). Fermé j. fériés. 2F. ☎ *04 90 63 04 92.*

Le **musée comtadin** *(bd A.-Durand)* expose au rez-de-chaussée des souvenirs régionaux, parmi lesquels une curieuse collection de sonnailles fabriquées à Carpentras, lieu de passage de troupeaux transhumants, des coiffes, monnaies et sceaux du Comtat. À l'étage, dans le **musée Duplessis**, primitifs, tableaux de Parrocel, Rigaud, des peintres carpentrassiens Duplessis et Laurens.

Le **musée lapidaire**, quant à lui, est installé dans la chapelle des Pénitents Gris (consacrée en 1717) ; il abrite quelques colonnes et chapiteaux du cloître roman de la cathédrale.

alentours

Monteux

4,5 km à l'Ouest par la D 942.

Cette petite ville maraîchère est la patrie de saint Gens. Dans le bourg, la **tour Clémentine** est le seul vestige du château où le pape Clément V aimait venir se reposer. Deux portes des anciens remparts du 14ᵉ s. ont également survécu.

UN SAINT SOURCIER
Saint Gens avait le pouvoir de provoquer la pluie : on comprend que les agriculteurs provençaux en aient fait leur patron...

Mazan

7 km au Nord par la D 942, en direction de Sault.

Petite localité de la vallée de l'Auzon connue pour le gypse de Mazan, exploité près de Mormoiron dans le plus important gisement d'Europe, c'est aussi le pays natal du sculpteur **Jacques Bernus** (1650-1728).

Cimetière clôturé au Nord et au Nord-Ouest par 66 sarcophages gallo-romains qui jalonnaient l'ancienne voie romaine de Carpentras à Sault ; chapelle mi-souterraine de N.-D.-de-Pareloup (12e s). Belle **vue★** sur les dentelles de Montmirail, le mont Ventoux, la montagne de Lure. Près de l'église, la chapelle des Pénitents Blancs abrite le **musée communal** qui évoque la vie locale (mobilier, costumes, outils). Une sculpture de Bernus et, surtout, des vestiges de l'âge de la pierre trouvés lors des fouilles sur la face Sud du Ventoux complètent la visite. Dans la cour, four banal du 14e s. *De mi-juin à fin sept. : visite guidée (1h) tlj sf mar. 15h-18h30. Gratuit.* ☎ *04 90 69 74 27.* Le château, qui fut le théâtre de quelques frasques du marquis de Sade, coseigneur du lieu, s'est sagement reconverti en maison de retraite *(on ne visite pas).*

Cassis

Bâti en amphithéâtre entre le cap Canaille et les Calanques, baigné d'une lumière qui inspira Derain, Vlaminck, Matisse et Dufy, ce port de pêche animé est en outre une agréable station estivale où baigneurs, plongeurs et plaisanciers se retrouvent à la belle saison.

Le dicton du jour
« Qui a vist Paris Se noun a vist Cassis a ren vist ! », s'écriait Mistral.
(« Qui a vu Paris, s'il n'a pas vu Cassis, n'a rien vu ! »). Exagération ? Tous les Cassidens vous affirmeront que non !

La situation

Cartes Michelin nos 84 pli 13, 114 pli 29, 245 pli 45 et 246 pli M - Bouches-du-Rhône (13).

À l'extrémité d'un vallonnement débouchant au fond d'une baie entre les hauteurs arides du massif du Puget à l'Ouest, et les escarpements boisés du cap Canaille, à l'Est, Cassis occupe un très joli **site★**. On y accède par la D 559 ou, depuis l'autoroute, par la D 41E. Là, une seule solution raisonnable : le parking, judicieusement situé à proximité de l'Office de tourisme.

Pl. Baragnon, 13260 Cassis, ☎ *04 42 01 71 17.*

Le nom

Kar et *sit*, désignant l'un comme l'autre la pierre, se sont unis pour donner *Carsitis*. La prononciation locale a fait le reste pour en arriver à Cassis dont on se gardera bien, sous peine de passer pour un Parisien, de prononcer la consonne terminale !

Un port paisible ou animé, c'est selon : idéal pour déguster la pêche du jour avec un blanc du terroir.

carnet pratique

Restauration

• ***Valeur sûre***

La Boulangerie – *19 r. Michel-Arnaud - ☎ 04 42 01 38 31 - fermé mi-nov. à mi-mars et le midi - 130/190F.* Dans une petite rue tranquille, ce restaurant à la façade fleurie cache trois petites salles de couleur ocre, gentiment aménagées. Un four à pain, un pétrin et une panetière y témoignent de son passé de boulangerie. Cuisine du marché, réalisée par une jeune femme. Terrasse.

La Presqu'île – *2 km au SO de Cassis rte de Port-Miou - ☎ 04 42 01 03 77 - fermé 12 nov. au 28 fév., lun. sf le soir en juil.-août et dim. soir hors sais. - 165/245F.* Perché là, sur la route des Calanques, juste en face du Cap Canaille, vous profiterez du superbe paysage des falaises abruptes plongeant dans les eaux bleu turquoise. Si la fraîcheur du soir vous fait frissonner, abritez-vous dans la salle à manger aux couleurs provençales.

Le Jardin d'Émile – *Plage Bestouan par av. Amiral-Ganteaume - 1 km à l'O de Cassis - ☎ 04 42 01 80 55 - fermé 4 au 20 janv., nov. et dim. soir de déc. à fév. - 195/295F.* Avec ses murs ocre rose et ses volets verts, cette maison provençale se prolonge d'une terrasse sous véranda qui fait office de salle à manger. Vous y goûterez une cuisine aux accents régionaux. Quelques jolies chambres.

Hébergement

• ***Valeur sûre***

Hôtel Le Clos des Aromes – *10 r. Paul-Mouton - ☎ 04 42 01 71 84 - fermé 2 janv. au 15 fév. et 1er nov. au 20 déc. - 14 ch. : 290/450F - ☕ 48F - restaurant 130/170F.* Au centre du village, cette bâtisse ancienne a le charme d'une maison de maître. Vous y apprécierez une cuisine aux accents provençaux, servie sur sa terrasse fleurie en été. Ses chambres plutôt petites sont colorées et intimes. Ambiance méditerranéenne.

Sorties

Bar de la Marine – *5 quai des Baux - ☎ 04 42 01 76 09 - Tlj 7h-2h. Fermé de mi-janv. à mi-fév.* Lieu simple et convivial, ce bar peut s'enorgueillir d'attirer artistes et comédiens de passage dans cette station estivale très prisée qui a su demeurer un site préservé. Néanmoins, si l'on veut rester incognito derrière ses Ray-Ban, il convient de commander un pastis en terrasse et d'admirer sans mot dire la vue sur le port. À partir de 22h s'ouvre la discothèque le K6 dont le bar de la Marine est également propriétaire.

Casino de Cassis – *Av. du Prof.-Leriche - ☎ 04 42 01 78 32 - casino-cassis@libertysurf.fr - Juil.-août : tlj 10h-4h. Hors saison : tlj 10h-3h, jusqu'à 4h w.-end et veilles de j. fériés.* L'excitation du jeu est naturellement ici à son comble, entre les machines à sous et les tables de jeu traditionnelles. Mais ce casino sait varier les plaisirs au gré de soirées à thème. Le sport se taille également la part du lion lors des retransmissions sur écran géant des matchs de championnat de l'OM.

Loisirs-Détente

Navigation de plaisance – 30 places sont réservées aux visiteurs dans le port de Cassis *(☎ 04 42 01 24 95)* qui peuvent aussi trouver un havre à Port-Miou (40 places), *☎ 04 42 01 04 10.*

Promenade aux calanques – *☎ 04 42 01 71 17.* Excursion (3/4h) aux calanques de Port-Miou, Port-Pin et En-Vau, sans escale. 50F.

Calendrier

Foire au vins de Cassis le 1er dim. de sept. : l'occasion de déguster d'excellents vins (blancs, en particulier) d'un terroir que se partagent 12 viticulteurs.

Les gens

8 001 Cassidens dont un plongeur maintenant célèbre, Henri Cosquer. Il explorait depuis 1985 une grotte sous-marine qu'il avait découverte dans les falaises du cap Morgiou. Soudain, le 3 septembre 1991, sa torche se porta sur une paroi où il crut bien discerner l'image d'une « main négative » datant de 27 000 ans avant J.-C. Des dessins d'animaux antérieurs d'un à deux millénaires à ceux de Lascaux et des représentations inhabituelles de faune marine (phoques, pingouins, poissons) finirent par faire de cette découverte une des plus importantes dans l'art pariétal. ►

La Pierre de Cassis

Dans la calanque de Port-Miou, on exploita longtemps une pierre de taille blanche et dure qui a servi à la construction du tunnel du Rove, de certains quais du canal de Suez et à plusieurs portes du « Campo Santo » de Gênes.

séjourner

Un séjour cassiden ne se conçoit pas sans promenades en bateau permettant de découvrir les calanques ou d'explorer les fonds marins tandis que trois petites **plages** entourées de rochers (deux de sable, Bestouan et Grande Mer, et une de galets), en pente assez forte, attirent la foule des baigneurs qui se retrouvent volontiers sur les quais du port pour déguster, sous la caresse du soleil couchant, poissons, crustacés et fruits de mer dont la qualité est réputée. ►

Un grand moment ?

Une douzaine d'oursins accompagnés de l'excellent vin blanc local.

visiter

Musée d'Arts et Traditions populaires

Mer., jeu., sam. 14h-17h30 (avr.-sept. : 15h30-18h30). Fermé 1er janv., 1er mai, 25 déc. Gratuit. ☏ 04 42 01 88 66.

Installé dans la « Maison de Cassis », demeure restaurée du 18e s., ce petit musée contient des pièces archéologiques trouvées dans la région (cippe du 1er s., monnaies romaines et grecques, poteries, amphores), des manuscrits relatifs à la cité, des tableaux et des sculptures d'artistes régionaux.

itinéraire

LA CORNICHE DES CRÊTES**

De Cassis à La Ciotat – 19 km – environ 4 h.

Sur cette courte portion de littoral, la montagne de la Canaille surplombe la mer en d'impressionnantes falaises, les plus hautes de France : 362 m au cap Canaille, 399 m à la Grande Tête. Une très belle route touristique, parsemée de belvédères aménagés, permet de les parcourir et de découvrir les vertigineux à-pics.

Quitter Cassis à l'Est par la route de Toulon (D 559) et, dans la montée, prendre sur la droite une route signalée. Au Pas de la Colle, tourner à gauche.

Entre cap Canaille et Calanques, une lumière qui ne pouvait qu'inspirer les peintres !

Mont de la Saoupe

De la plate-forme qui supporte l'émetteur de télévision, beau **panorama**** à l'Ouest, sur Cassis, l'île de Riou, le massif de Marseilleveyre, la chaîne de St-Cyr ; au Nord, sur la chaîne de l'Étoile, le Garlaban et le massif de la Ste-Baume ; au Sud-Est sur La Ciotat, les caps de l'Aigle et Sicié.

Revenir au Pas de la Colle pour emprunter la route en montée.

Au hasard des lacets ou des belvédères, belles vues sur Cassis et La Ciotat.

Cap Canaille***

Depuis le garde-fou, remarquable **vue***** sur l'abrupt impressionnant de la falaise, le massif de Puget et les Calanques, le massif de Marseilleveyre et les îles.

> **CANAILLE ?**
> C'est ce que pourrait laisser injustement croire son appellation actuelle qui dérive tout simplement de la racine latine *can-* signifiant « rocher escarpé ».

Après la Grande Tête que la route contourne, prendre à droite vers le sémaphore.

Sémaphore

Vue*** plongeante sur La Ciotat et les chantiers navals, le rocher de l'Aigle, les îles des Embiez et le cap Sicié, le cap Canaille (longue-vue).

Revenir à la route de corniche pour tourner à droite et gagner La Ciotat.

Au cours de la descente, on rencontre d'importantes carrières de pierre et des plantations de résineux récemment effectuées sur les versants. Remarquer aussi le « pont naturel », arche de calcaire reposant sur un socle de poudingue.

Cavaillon

Cavaillon, synonyme de melon ? De fait, la cité est aujourd'hui la capitale mondiale de cette délicieuse cucurbitacée qui, pour beaucoup, symbolise l'été. Mais le melon n'est pas tout et la production de fruits et légumes cultivés aux alentours font du marché de Cavaillon le plus important de France.

La situation

Cartes Michelin nos 81 pli 12, 245 pli 30 ou 246 pli 11 – Vaucluse (84). Bien des visiteurs ne garderont de Cavaillon qu'une image ingrate : celle de la zone artisanale et commerciale en bordure du boulevard périphérique qu'ils empruntent pour gagner la montagne du Luberon. Pour accéder au centre, de larges avenues conduiront aux abords de la place Gambetta (tenter de se garer à proximité ou bien sur les parkings de la place François-Tourel).

Pl. François-Tourel, 84300 Cavaillon, ☎ 04 90 71 32 01.

L'emblème

La colline St-Jacques, où s'était installé l'antique oppidum Cabellio et qui domine aujourd'hui la ville, est restée l'emblème de Cavaillon et figure sur ses armoiries.

Les gens

24 563 Cavaillonnais auxquels il faut rajouter près de 300 citoyens d'honneur, les grands chevaliers de l'Ordre du melon de Cavaillon, personnalités des arts, de la littérature et de la vie économique qui marchent sur les traces d'Alexandre Dumas : l'auteur des *Trois Mousquetaires* avait en effet fait don en 1864 à la bibliothèque de la ville de la totalité de son œuvre publiée, en échange d'une rente viagère de douze melons par an. Le conseil municipal prit un arrêté en ce sens et la rente fut servie au romancier jusqu'à sa mort en 1870.

Choisir son melon

Pour éviter de tomber sur une « cougourde », deux méthodes : se fier à sa bonne étoile, ou alors procéder de manière scientifique : le melon doit être lourd, le « pécou » (pédoncule) prêt à se détacher. Et si votre melon est fendu et semble prêt à éclater, c'est sûr, vous allez vous régaler !

CAVAILLON

Berthelot (Av.)	2
Bournissac (Cours)	3
Castil-Blaze (Pl.)	5
Clemenceau (Av. G.)	6
Clos (Pl. du)	7
Coty (Av. R.)	9
Crillon (Bd)	10
Diderot (R.)	12
Donné (Chemin)	13
Doumer (Av. P.)	14
Dublé (Av. Véran)	15
Durance (R. de la)	17
Gambetta (Cours L.)	18
Gambetta (Pl. L.)	19
Gaulle (Av. Gén.-de)	22
Grand-Rue	23
Jean-Jaurès (Av.)	24
Joffre (Av. Mar.)	26
Kennedy (Av. J.-F.)	27
Lattre-de-Tassigny (R.P.J. de)	29
Pasteur (R.)	30
Péri (Av. Gabriel)	31
Pertuis (Rte de)	32
Raspail (R.)	34
Renan (Cours E.)	35
République (R. de la)	37
Sarnette (Av. Abel)	38
Saunerie (R.)	40
Semard (Av. Pierre)	41
Tourel (Pl. F.)	42
Victor-Hugo (Cours)	43

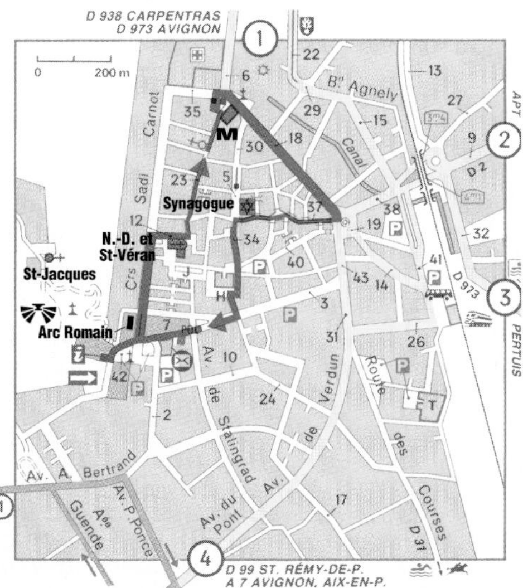

se promener

LA VILLE BASSE

Depuis la place Tourel, gagner la place du Clos, contiguë, qui fut longtemps le principal lieu du marché aux melons. Les vestiges d'un petit **arc romain** y ont été placés en 1880.

Prendre le cours Sadi-Carnot, puis à droite, la rue Diderot.

Cathédrale St-Véran

Elle honore le patron des bergers qui fut évêque de Cavaillon au 6e s. Édifice roman à l'origine, elle a été très remaniée, en particulier au 18e s. On y accède (par le flanc droit) en traversant un charmant petit cloître. À l'intérieur, on peut deviner (malgré l'obscurité) des tableaux de Nicolas Mignard.

Prendre la Grand'Rue qui traverse le vieux Cavaillon.

Vous passerez alors devant la façade du Grand Couvent avant de franchir la porte d'Avignon, vestige des fortifications de la ville.

Prendre à droite le cours Gambetta jusqu'à la place du même nom, puis encore à droite la rue de la République, piétonne et commerçante.

On entre dans la « carrière », ancien ghetto juif. À droite, s'ouvre la rue Hébraïque que franchit la **synagogue**.

Retourner place Tourel par la rue Raspail et, à droite, le cours Bournissac.

carnet pratique

Visite

Visites guidées de la ville – S'adresser à l'Office de tourisme qui propose également des circuits thématiques dans le Luberon à partir de la ville.

Restauration

• *À bon compte*

Fin de Siècle – *46 pl. du Clos (1er étage) - ☎ 04 90 71 12 27 - fermé 8 août au 10 sept., mar. soir et mer. - 89/220F.* En plein centre-ville, ce restaurant au-dessus de la brasserie du même nom a bonne réputation. Vous aurez sans doute l'impression d'être chez votre grand-mère dans sa salle avec ses lustres, ses chaises de velours vert et ses bougeoirs. Plusieurs menus...

• *Valeur sûre*

Côté Jardin – *49 r. Lamartine - ☎ 04 90 71 33 58 - cotejard@club-internet.fr - fermé lun. soir et dim. - 130/155F.* Un peu à l'écart du centre-ville, vous serez ravi de découvrir ce petit restaurant pimpant avec sa façade ocre, ses chaises de rotin vertes et ses frises aux murs. L'été, les tables s'installent dans sa jolie cour aménagée en jardin, autour de la petite fontaine. Cuisine du soleil.

Hébergement

• *Valeur sûre*

Chambre d'hôte Le Mas du Souleou – *5 chemin St-Pierre-des-Essieux - 84300 Les Vignières - 7 km au N de Cavaillon par D 98 dir. Carpentras puis les Vignières - ☎ 04 90 71 43 22 - ⊭ - 4 ch. : 450/480F - repas 130F.* En pleine campagne, ce joli petit mas du 19e s. bien restauré accueille ses hôtes dans de belles chambres spacieuses et bien meublées. Beau salon-bibliothèque avec cheminée. En été, vous profiterez de la douceur des lieux et de la générosité de la table sous la treille. Piscine.

Achats

Cellier de la Poste – *20 pl. Roger-Salengros - ☎ 04 90 71 05 63.* On y trouve le Délice de Melon, apéritif à base de pulpe de melon macérée dans de l'alcool et du sucre, qu'il faut servir frais avec de la glace pilée.

Calendrier

Melon en Fête – Autour du 14 juil., festival du melon : expositions, dégustations, vente de livres, défilé de charrettes fleuries, reconstitution d'un marché ancien et feu d'artifice sur le thème... du melon bien entendu. Et comme à Cavaillon on n'est pas sectaires, des confréries venues d'ailleurs sont invitées : celle des fruits confits d'Apt ou du muscat de Beaumes-de-Venise, par exemple !

LA COLLINE ST-JACQUES

On peut y monter à pied, depuis l'arc romain par le sentier de découverte (fléché) émaillé de panneaux thématiques (compter 3/4h).

Depuis la table d'orientation, **vue étendue★** sur la ville et la plaine maraîchère, la vallée de la Durance, le Ventoux et les Alpilles. La **chapelle St-Jacques**, romane à l'origine, se dresse dans un joli jardin.
Les moins vaillants pourront l'atteindre en voiture par la D 938 (direction Carpentras) puis par une route à gauche après un grand carrefour.

OMBRAGES
de cyprès, de pins et d'amandiers récompenseront les courageux ascensionnistes...

visiter

Musée de l'Hôtel-Dieu

Juin-sept. : tlj sf mar. 9h30-12h30, 14h30-18h30 ; oct.-mai : sur demande. Fermé 1er janv., 1er mai, 25 déc. 20F. ☎ 04 90 76 00 34.

Section lapidaire dans la chapelle, histoire de l'Hôtel-Dieu (pots à onguent en faïence et en verre) et, à l'étage, **collection archéologique★** d'objets découverts sur la colline St-Jacques : céramiques, monnaies et urnes funéraires.

Synagogue et musée juif comtadin

Avr.-sept. : tlj sf mar. 9h30-12h30, 14h30-18h (w.-end et j. fériés : fermeture à 18h30) ; oct.-mars : tlj sf mar. et w.-end 9h-12h, 14h-17h. Fermé 1er janv., 1er mai, 25 déc. 20F. ☎ 04 90 76 00 34.

Reconstruite entre 1772 et 1774, c'est, avec celle de Carpentras, le dernier exemple de synagogue de style baroque provençal du Comtat. La plus ancienne synagogue de France (14e s.) compte quelques merveilles : lambris colorés (gris, rouge et bleu), balustrade en fer forgé, luminaires, manuscrits, stèles funéraires et objets de culte ; au sous-sol, bains de purification réservés aux femmes.

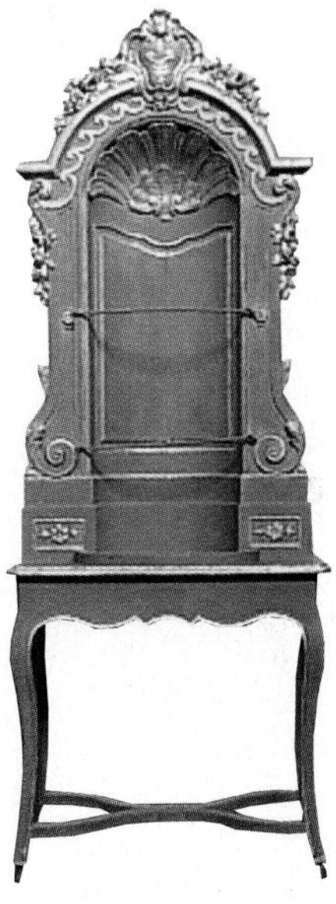

Meuble à Torah du musée juif comtadin : une étape indispensable sur les traces des « juifs du pape ».

circuit

AUTOUR DU MASSIF DES PLAINES

51 km – compter 3h.

Quitter Cavaillon par la D 99 en direction de St-Rémy et Tarascon puis, sitôt après avoir franchi la Durance et l'autoroute, prendre sur la gauche la D 26.

Orgon

Placée dans la plaine de la Durance, commandant le seuil qui sépare les Alpilles du Luberon, Orgon, où Napoléon Ier faillit bien terminer prématurément sa carrière, possède une intéressante église du 14e s. (beaux panneaux peints dans la nef à gauche). Depuis la chapelle N.-D.-de-Beauregard, couronnant la colline qui domine le bourg (route réglementée), belle vue sur la vallée de la Durance et le Luberon.

Quitter Orgon au Sud par la N 538 en direction de Salon-de-Provence. À 3 km, prendre à droite la D 569.

UN MAUVAIS QUART D'HEURE

Tel est celui qu'a vécu Napoléon le 25 avril 1814, alors qu'il fuyait vers l'île d'Elbe. Parti d'Avignon, l'empereur déchu eut la malencontreuse idée de s'arrêter à l'hostellerie d'Orgon. Bientôt prévenue, une foule hostile immobilisa la berline et pendit puis brûla un mannequin à l'effigie de l'empereur aux cris de « Meurs, tyran ! ». Il fallut que le maire d'Orgon et un commissaire russe s'interposent pour que Napoléon ne connaisse pas le même sort et puisse reprendre sa route. Prudent, il préféra endosser le costume de son courrier afin de passer inaperçu et c'est dans cette tenue qu'il arriva à l'auberge de la Calade (située sur la N 7) près d'Aix.

Castelas de Roquemartine

Ces ruines perchées, d'époques diverses, composent un ensemble très pittoresque. Un tel nid d'aigle avait tout pour séduire les brigands : et ce fut le cas à la fin du 14e s. lorsque la forteresse était le repaire des bandes du sinistre Raymond de Turenne.

Après un éventuel détour à 3 km au Sud pour découvrir les fontaines du joli village provençal d'**Eyguières**, revenir vers Castelas et prendre à gauche la D 25 puis à droite la D 24.

Eygalières *(voir page 112)*

Chapelle St-Sixte

Sur un tertre rocailleux à l'emplacement d'un temple païen dédié aux eaux, cette chapelle possède une belle abside séparée de la nef par un arc reposant sur des consoles ornées de têtes de sanglier.

Continuer sur la D 24B pour rejoindre Orgon, puis Cavaillon.

Châteauneuf-du-Pape

Amateurs de bon vin, vous ne manquerez pour rien au monde ce bourg de la vallée du Rhône et ses vignobles, qui produisent un cru capiteux et renommé.

La situation

Cartes Michelin nos 81 pli 12, 245 pli 16 et 246 pli 24 – Vaucluse (84). La forteresse papale réserve une **vue**★★ sur la vallée du Rhône, Roquemaure et le château de l'Hers, Avignon avec le rocher des Doms et le palais des Papes se détachant sur la toile de fond des Alpilles ; on aperçoit aussi le Luberon, le plateau de Vaucluse, le Ventoux, les dentelles de Montmirail, les Baronnies et la montagne de la Lance. *Pl. Portail, 84230 Châteauneuf-du-Pape ☎ 04 90 83 71 08.*

Le nom

Rarement étymologie aura été aussi transparente : les papes d'Avignon avaient en effet choisi ce lieu pour y édifier leur résidence secondaire.

Tiare et clefs de saint Pierre, les bouteilles de Châteauneuf affirment fièrement leur origine papale.

Les gens

2 078 Castels-papals. Les papes d'Avignon sont à l'origine du vin de Châteauneuf dont la renommée date du milieu du 18e s. Ruiné par la crise du phylloxéra, autour de 1880, le vignoble fut alors renouvelé et, en 1923, le syndicat des viticulteurs édicta une réglementation stricte, garante de la qualité : limites de la région plantée, choix des raisins et des cépages (il y en a 13), vinification... Aujourd'hui, 300 vignerons exploitent 3 300 ha de vignes fameuses.

carnet pratique

RESTAURATION

• *À bon compte*

Le Pistou – *15 r. Joseph-Ducos - ☎ 04 90 83 71 75 - fermé 23 déc. au 2 janv., dim. soir et lun. - 85/135F.* Au centre du village, dans une ruelle qui mène au château, ce petit restaurant est fréquenté par les vignerons de la région. Salle à manger au décor provençal. La cuisine régionale est simple pour un prix très raisonnable.

La Garbure – *3 r. Joseph-Ducos - ☎ 04 90 83 75 08 - fermé 10 au 31 janv., 10 au 20 nov., jeu. midi sf de juil. à oct., dim. et j. fériés - 98/200F.* Installé dans cette petite salle aux couleurs vives et meublée avec soin, laissez-vous guider par votre appétit : les menus régionaux concoctés par le patron devraient vous plaire. Quelques chambres aux couleurs provençales pour prolonger l'étape. Et la maison est climatisée...

visiter

Musée des Outils de vignerons

Dans le caveau du père Anselme. 9h-12h, 14h-18h30 (de mi-juin à fin août : 9h-19h). Fermé 1er janv., 1er nov., 25 déc. Gratuit. ☎ 04 90 83 70 07.

Avant la dégustation, une visite de ce musée très complet s'impose. Travail de la vigne (araires et charrues, outils), traitement (appareils à sulfater dont un « dos de mulet »), vendanges (paniers, hottes, fouloirs) et travail de la cave (entonnoirs, bacholles, pressoir du 16e s., foudre du 14e s.). Autres aspects évoqués : la tonnellerie, le greffage, le phylloxéra, la bouteille et le bouchon... Une salle présente le vignoble actuel. Dans la cour, collection de vieilles charrues.

alentours

Roquemaure

10 km par la D 17 puis la D 976 parmi des vignes soigneusement entretenues.

Sur la gauche, à environ 2 km, la tour à mâchicoulis du château de l'Hers semble garder le précieux vignoble. En face, sur l'autre rive, château de Roquemaure où mourut le 20 avril 1314 le pape Clément V. Après avoir franchi le fleuve, on arrive dans ce gros bourg viticole qui a conservé quelques demeures anciennes, comme celle du cardinal Bertrand dans le quartier de l'église. Cette dernière remonte au 13e s. et possède de belles orgues du 17e s.

Le pays des amoureux

Le 14 février, Roquemaure célèbre la St-Valentin par des festivités, dont la procession des reliques du saint. Proscrit, il y aurait élu domicile après avoir été invité à leur mariage par un couple d'amoureux locaux. La légende est belle mais la réalité plus prosaïque : les reliques ont été achetées par un viticulteur en 1868 afin de protéger la vigne contre le fléau du phylloxéra.

La Ciotat

Connue pour ses chantiers navals depuis le 16e s., La Ciotat, durement frappée par la crise actuelle, est à la recherche d'une reconversion. Celle-ci passera-t-elle par le tourisme ? C'est possible, car la cité ne manque pas d'atouts : avec ses plages et son petit port de pêche, mais aussi avec ses falaises, ses calanques et l'attrait de ses fonds marins, elle attire du monde toute l'année.

La situation

Cartes Michelin nos 84 pli 14, 114 plis 42 et 43, 245 pli 45 et 246 pli M – Bouches-du-Rhône (13).

Après avoir quitté l'autoroute Marseille-Toulon (sortie 9), on accède directement aux plages par la D 40A, puis l'avenue Émile-Selon. Pour gagner le centre-ville, vous devrez prendre sur la droite, soit par l'avenue Rippert, soit le long des plages, puis des ports de plaisance par l'avenue Beau-Rivage... *Bd Anatole-France, 13600 La Ciotat, ☎ 04 42 08 61 32.*

Conseil

N'hésitez pas à vous garer dès la première place rencontrée, surtout en été...

Le nom

À l'origine prospérait une colonie massaliote du nom de Citharista... mais l'occupation romaine puis les invasions barbares obligèrent les habitants à se réfugier à Ceyreste (qui a conservé son nom d'origine). À la fin du Moyen Âge, elle a pris le nom tout simple de la *Ciutat*, la « cité » en occitan.

Les gens

31 630 Ciotadens. Montrer sur un écran des images animées ? Jouer aux boules alors que notre état nous interdit de nous déplacer ? Ces deux casse-tête peuvent paraître sans rapport aucun. Ils taraudaient pourtant deux ciotadens. Le premier à résoudre le sien fut le jeune Louis Lumière : en 1895 dans sa villa, les notables

carnet pratique

Restauration

• ***Valeur sûre***

La Fresque – *18 r. des Combattants - ☎ 04 42 08 00 60 - fermé mi-déc. à mi-janv., sam. midi et dim. - 120/295F.* La jolie terrasse ombragée de cette ancienne pharmacie surplombe le vieux port. À l'intérieur, elle a gardé certains éléments de son décor d'origine, comme sa belle fresque et quelques vieux meubles de pharmacie du 19ᵉ s.

Hébergement

• ***À bon compte***

Hôtel R.I.F. – *Calanque de Figuerolles - ☎ 04 42 08 41 71 - www.figuerolles.com - fermé oct. - 9 ch. : 240/390F - ☕ 40F - restaurant 128/250F.* Descendez les quelques marches qui mènent à cette maison lovée dans une calanque sauvage, vous profiterez de ses terrasses pour admirer la vue... et de ses chambres aux couleurs provençales installées dans les bungalows du joli jardin. Plage à deux pas et canoës mis à disposition.

• ***Valeur sûre***

Résidence Motel Camping St-Jean – *30 av. de St-Jean - ☎ 04 42 83 13 01 - www.asther.com/stjean - fermé oct. à mars - P - 32 ch. : 330/370F - ☕ 35F.* Une adresse pratique en bord de mer. Selon vos envies, vous avez le choix entre l'hôtel ou la partie studio avec cuisinette pour une location à la semaine (draps et serviettes fournis). Sinon plantez votre tente au camping de 80 emplacements ombragés avec accès direct à la plage.

Achats

Marchés – Marché artisanal tous les soirs de 20h à minuit sur le Vieux Port, en juil. et août. Marché traditionnel mardi, pl. Évariste-Gras, et dimanche, sur le Vieux Port.

Loisirs-Détente

Parc régional marin de la Baie de La Ciotat – *Hôtel de Ville - ☎ 04 42 08 88 00.* Fameuse pour ses fonds très variés (roches, sable, tombants, dalles sous-marines, prairies de posidonies qui abritent de nombreuses espèces), la baie de La Ciotat fait l'objet de mesures de protection : c'est aujourd'hui un parc régional marin où pêche, plongée et mouillage des bateaux sont strictement réglementés afin d'assurer la survie des espèces animales et végétales (en particulier avec l'immersion de récifs artificiels qui favorisent leur fixation).

Atelier Bleu du Cap de l'Aigle (centre d'initiation à l'environnement marin et littoral) - *Parc du Mugel - ☎ 04 42 08 07 67 - Été : ap.-midi sf dim. - 250F (enf. 190F).* Initiation à la plongée sous-marine (le matériel est prêté) et remise d'un certificat de baptême à l'issue de l'expérience.

Navigation de plaisance – 25 places visiteurs au nouveau port de plaisance. Réservations au ☎ 04 42 08 62 90.

Pétanque – *Hiver : mer. et dim. 9h-12h ; de mi-juin à août : tlj 9h-12h. 60F. Renseignements à l'Office de tourisme.* La Ciotat étant le berceau de la pétanque, des stages d'initiation sont proposés aux enfants de 7 à 13 ans.

locaux étaient conviés à la première mondiale de son film, *L'Entrée d'un train en gare de la Ciotat* qui allait donner naissance au 7ᵉ Art. Le second ne fut résolu qu'en 1910 par Jules Lenoir, joueur de *longue* affecté de rhumatismes : il suffisait de rester les pieds « tanqués » dans le sol. Les deux découvertes sont immortalisées, l'une par un monument aux frères Lumière, l'autre par une plaque apposée sur le terrain de la « Boule étoilée » où naquit la pétanque.

Plus sportif ?
Suivez la route en direction des Lecques : des chemins moyennement escarpés vous mèneront à la plage de **Liouquet** (galets et falaises rougeâtres coiffées de pinèdes).

séjourner

Plages

La station balnéaire s'étend au-delà du port de plaisance (850 places). C'est le **clos des plages** où hôtels, villas, restaurants et guinguettes se succèdent en bordure de plages de sable fin et de faible déclivité, idéales pour une baignade en famille, tandis que de paisibles retraités musardent au soleil le long de la promenade.

Vieux Port

Bien entendu, une fois séché et rhabillé, tout le monde se retrouve au Vieux Port dont les quais, avec leurs façades aux teintes chaudes et leurs restaurants animés, ont conservé le charme et l'authenticité d'un port de pêche provençal.

Parc du Mugel

Accès par le quai de Roumanie, au Sud du plan. Avr.-sept. : 8h-20h ; oct.-mars : 9h-18h. Gratuit.

Ce parc, aménagé sous le massif du Bec de l'Aigle, ravira les botanistes amateurs. Un chemin en forte pente conduit au sommet (à 155 m d'alt.), qui offre une belle vue sur La Ciotat et ses environs.

Respirez...
Un premier sentier balisé permet d'identifier chênes, mimosas, lauriers, arbousiers, pins, plantes aromatiques, fleurs sauvages et myrtes qui prospèrent dans cet espace naturel protégé.

Les Calanques

Quitter La Ciotat par le quai de Roumanie, l'avenue des Calanques et prendre à gauche l'avenue du Mugel (1,5 km). Circuits au départ de La Ciotat en bateau de type catamaran à vision sous-marine pour les calanques de La Ciotat, Cassis et Marseille : Les Amis des Calanques, chemin de la Louisiane, 13600 Ceyreste, ☎ 06 09 35 25 68.

Surplombée par le rocher du cap de l'Aigle, la **calanque du Mugel** offre une belle vue sur l'île verte.

Prendre depuis l'avenue des Calanques, sur la gauche, l'avenue de Figuerolles.

Par un verdoyant vallon, un sentier *(1/4h à pied AR)* conduit à la belle **calanque de Figuerolles★**. Ses eaux claires, la découpe parfois bizarre de ses rochers (comme « Le Capucin », isolé en avant et à droite), les falaises percées d'alvéoles aux arêtes vives confèrent à cette calanque une indéniable personnalité.

Île Verte★

1/2h AR en bateau (depuis le Vieux Port). Avr. : w.-end en fonction du temps ; mai-sept. : tlj. S'adresser aux compagnies à l'embarcadère. 35F AR (enfants : 15F AR).

C'est de l'ancien fortin que vous distinguerez le mieux la silhouette découpée du rocher du cap de l'Aigle. Baignade, pique-nique, pêche ou repas au restaurant compléteront agréablement la traversée.

visiter

Église N.-D.-du-Port

Sa belle façade baroque aux tons rosés évoque déjà un avant-goût d'Italie ! Depuis les escaliers, découvrez l'animation du Port Vieux. L'intérieur, moderne, a été décoré par des peintres locaux : une fresque de 22 m de Gilbert Ganteaume, illustrant des scènes de l'Évangile et, au fond de la nef, des peintures de Toni Roux.

S'incliner
devant une belle *Descente de Croix* de l'artiste lyonnais André Gaudion (1616).

Musée ciotaden

Tlj sf mar. 15h-18h (de mi-juin à mi-sept. : 16h-19h). Fermé à Pâques et 25 déc. 20F. ☎ 04 42 71 40 99.

Installé dans l'ancien hôtel de ville. Souvenirs et documents sur le passé maritime de La Ciotat.

De chantiers navals en cité balnéaire : naissance d'une vocation dans la cité de la pétanque.

Chapelle N.-D. de la Garde

Par le chemin de la Garde en voiture (2,5 km) jusqu'à un lotissement éclatant de blancheur puis 1/4h à pied AR.
Une promenade digestive ? Le sentier de 85 marches taillées dans le roc qui mène à une plate-forme rocheuse dominant la chapelle. Votre récompense : une **vue**★★ sur toute la baie de La Ciotat. Quant à la chapelle, elle est décorée d'innombrables ex-voto à la Vierge de la Garde.

alentours

Parc OK Corral

De mi-juin à déb. Sept. : tlj ; de déb. avr. à fin avr. : tlj , de mai. à mi-juin : mer., w.-end, j. fériés, vac. scol. zone B , sept. : mer. et w.-end ; mars et oct. : dim. ; nov. : 2 premiers w.-end et j. fériés. Fermé de mi-nov. à mi-mars. Se renseigner sur les horaires. 85F (enf. - 1,40m : 70F). ☎ *04 42 73 80 05.*
En contrebas de la N 8, au cœur d'une immense clairière, dans une pinède que dominent les falaises calcaires de la Sainte-Baume, s'étend un parc aux attractions exceptionnelles. Des jeux paisibles pour tous les âges sont également proposés dans cet espace ludique où l'on se déplace rapidement à bord d'un télésiège et d'un petit train, tandis que snacks, crêperies, buvettes et coins pique-nique permettent aux visiteurs de se restaurer.

Le « double-huit »
« Titanic », « tokaïdo express » et « montagnes russes », prélude à un voyage tête en bas dans les voitures du « looping star », raviront les amateurs de sensations fortes.

Grotte de la Cocalière★

La Cocalière, avec sa galerie horizontale de 1 200 m, est sans doute l'une des plus faciles à visiter. Ce qui n'enlève rien à son exceptionnelle beauté.

La situation

Cartes Michelin nos 80 pli 8 et 240 pli 7 – Gard (30).
Lorsqu'on vient de St-Ambroix, on accède à la grotte par la D 904, direction d'Aubenas, puis par une petite route à droite après l'embranchement vers Courry.

Le nom

Il vient de l'occitan et signifie « l'aven couvert de lierre », allusion à l'entrée naturelle de la grotte.

Les gens

Sans petit train ni aménagements touristiques, nos ancêtres préhistoriques appréciaient déjà Cocalière puisque le site a révélé une occupation très dense allant du paléolithique (40 000 ans avant J.-C.) à l'âge du fer (400 avant J.-C.).

Restauration
Bastide des Senteurs – *30500 St-Victor-de-Malcap - 8 km de la grotte de la Cocalière par D 904 et D 51c - ☎ 04 66 60 24 45 - fermé janv., vacances de Toussaint, dim. soir et mer. hors sais., lun. midi et mer. midi en juil.-août - 170/420F.*
De cette bastide à l'abandon, les jeunes propriétaires ont fait une étape de charme. Vous y apprécierez la table, la sobriété élégante du décor et l'accueil chaleureux. Ici, tout chante les saveurs et les couleurs du Sud ! Jolies chambres, piscine et belle terrasse.

visiter

1h1/4, température : 14°. ♿ De mi-mars à fin oct. : visite guidée (1h) 10h-12h, 14h-17h (juin-août : 9h30-18h). 44F (enf. : 22F). ☎ *04 66 24 34 74.*
La grotte se distingue par la richesse et la variété des concrétions qui se réfléchissent de part et d'autre de la piste dans des plans d'eau ou des petits bassins alimentés par des cascatelles. De nombreux disques – concrétions aux diamètres impressionnants dont la formation demeure mystérieuse – sont suspendus ou rattachés à la paroi en porte à faux. Certaines voûtes présentent un cloisonnement géométrique de fines stalactites, blanches s'il s'agit de calcite pure, ou colorées par des oxydes métalliques.

Après le camp des spéléologues et la salle du chaos, on pénètre sous des voûtes tourmentées par l'érosion dans le domaine des draperies et des excentriques. On surplombe une imposante cascade de gours aux mille scintillements, ainsi que des puits reliés aux étages inférieurs et à leurs rivières. La traversée d'un gisement préhistorique précède le retour au hall d'accueil par un petit train. À l'extérieur, on peut apercevoir un dolmen, des « tumuli » (amas de terre ou de pierres élevés au-dessus des tombes), des capitelles, des abris préhistoriques et différents phénomènes karstiques (avens, lapiés, failles).

Ne pas manquer
La formation *in situ* d'une perle de caverne (un peu avant le camp des spéléologues) et les niphargus (petits crustacés cavernicoles) se déplaçant sous l'eau (au bas du même camp).

Chaîne de l'Estaque★

Rivages escarpés, découpés en profondes calanques où se nichent de minuscules ports, teintes cobalt ou saphir de la mer étincelante : c'est la Côte Bleue, tant appréciée des Marseillais, superbe façade maritime d'une chaîne calcaire presque désertique qui sépare la Méditerranée de l'étang de Berre.

La situation

Cartes Michelin n°s 84 pli 12 ou 246 plis P, Q – Bouches-du-Rhône (13). La chaîne de l'Estaque est coupée par une route transversale qui passe à l'intérieur des terres (sauf entre Carry et Sausset-les-Pins) ; mais la plupart des ports ne sont accessibles que par des routes en cul-de-sac.

Le nom

La chaîne doit son nom au village de l'Estaque : l'*Estaca*, en occitan signifiant « pieu fiché en terre ».

Les gens

On ne présente plus Fernand Contandin, plus connu sous le nom de Fernandel, natif de Carry-le-Rouet.

carnet pratique

Transports

En voiture – Il arrive que l'été (le w.-end en particulier), l'accès aux calanques de Niolon ou de la Redonne soit interdit aux véhicules, afin de prévenir les risques d'incendie d'un écosystème particulièrement fragile.

En train – Entre Port-de-Bouc et Marseille, un train circule toujours sur la ligne qui dessert les stations de la Côte Bleue : tunnels, échappées superbes sur la mer et force coups de sifflets pour prévenir les imprudents qui n'hésitent pas à randonner sur la voie !

Restauration

• *Valeur sûre*

Les Girelles – *3 av. Adolphe-Fouque - 13960 Sausset-les-Pins - ☎ 04 42 45 26 16 - fermé 2 au 17 janv., 4 au 15 sept., 30 oct. au 9 nov., lun. midi, mar. midi et mer. midi en juil.-août, dim. soir et lun. de sept. à juin - 138/290F.* Les gens d'ici aiment bien la terrasse de ce restaurant en bordure de plage, il y fait bon se prélasser face à la mer... À l'intérieur, jolie maquette de bateau et grandes baies vitrées pour profiter du spectacle balnéaire. Dans l'assiette c'est joliment présenté.

Loisirs-Détente

Parc régional marin de la Côte Bleue – *Club de la Mer - BP 37 - 13690 Sausset-les-Pins - ☎ 04 42 45 45 07.* Le parc régional marin de la Côte Bleue est établi sur la portion de littoral située entre Niolon et Sausset-les-Pins, au pied du massif de la Nerthe. Sur une zone de 70 ha, pêche, mouillage et plongée sont interdits.

Navigation de plaisance – Les ports de Carry-le-Rouet *(☎ 04 42 45 25 13)*, Carro *(☎ 04 42 07 00)* et Sausset-les-Pins *(☎ 04 42 44 55 01)* disposent de quelques places réservées aux loups de mer de passage.

Centre UCPA – *Niolon - 13740 Le Rove - ☎ 04 91 46 90 16.* C'est le plus grand centre de plongée d'Europe (du débutant au monitorat).

itinéraire

De Marseille à Port-de-Bouc – 74 km – environ 4h.

Quittez Marseille par l'autoroute du littoral qu'on abandonne à la sortie « St-Henri-L'Estaque ».

L'Estaque *(voir p. 256)*

Prendre la N 568 vers l'Ouest en direction du Rove. Avant le pont du chemin de fer, prendre sur la droite le chemin menant à la carrière Chagnaud, pour passer sous la voie ferrée et s'engager dans la rampe qui mène à l'entrée du canal souterrain.

Colossal
Haut de 15,40 m, large de 22 m, sa section est dix fois plus grande que celle d'un tunnel pour chemin de fer à double voie. Le canal, dont le tirant d'eau était de 4,50 m, permettait à des chalands de 1 200 t d'atteindre directement Marseille jusqu'à ce qu'un éboulement, en 1963, oblige à interrompre la navigation.

Canal souterrain du Rove

Emprunté par le canal de Marseille au Rhône, ce souterrain faisait communiquer le port de Marseille avec l'étang de Berre à travers la chaîne de l'Estaque. Ce magnifique ouvrage d'art est absolument rectiligne, ce qui permet d'apercevoir parfaitement la tête Nord.

Après être passé au large du Rove, fameux pour sa « brousse », sorte de yoghourt fabriqué à base de lait des chèvres locales, prendre sur la gauche la D 5 puis encore à gauche la D 48. À l'approche de Niolon, la route, en pente assez raide, descend en lacet vers le port.

Difficile de résister à la tentation d'enfiler ses palmes pour s'immerger dans le « grand bleu » (Calanque de Niolon).

Niolon★

Centre réputé de plongée sous-marine, au fond de la calanque qui porte son nom et qu'enjambe le viaduc du chemin de fer, ce minuscule port, avec ses eaux d'un bleu intense, et l'à-pic impressionnant sur lequel ses maisons sont accrochées, a su conserver un parfum d'authenticité.

Revenir sur la D 5 que l'on reprend sur la gauche pour, à travers un paysage aride, rejoindre Ensuès. À l'entrée du village, prendre sur la gauche la D 48^D^.

La Madrague-de-Gignac

Au fond d'une petite calanque, dans un joli site. Belle vue sur Marseille. Une route étroite (circulation alternée) conduit depuis le port jusqu'à l'anse de la Redonne.

De retour à Ensuès, reprenez à gauche la D 5 qui descend le long du **vallon de l'Aigle**, ombragé de pins et de chênes verts.

Calendrier
Rien de tel qu'un beau week-end d'hiver (ils ne manquent pas !) pour aller sacrifier au rite de l'**oursinade** qui a lieu en janvier à Sausset et en février à Carry. Ces jours-là, les rues et les abords des ports sont envahis de tables à tréteaux où l'on s'installe pour déguster oursins et autres fruits de mer accompagnés de vin blanc. Ambiance et convivialité garanties !

Le Rouet-Plage

Cette jolie crique, bordée d'élégantes demeures disséminées dans la pinède, abrite une plage et un petit port.

Carry-le-Rouet⌂

À la fois port de pêche et station balnéaire. Belles villas éparpillées au fond d'une anse encadrée de pentes boisées de pins... Sur le port, nombreux établissements où l'on ne manquera pas de déguster quelques oursins...

Sausset-les-Pins

Port de pêche et station balnéaire, Sausset possède de vastes plages et un beau front de mer ; agréable promenade qui offre une vue dégagée sur le site de Marseille.

Quittant la grève, la D 49 serpente dans le massif montagneux. Après avoir gagné la Couronne par la D 49[B], prendre, avant l'église, à droite vers le cap.

Cap Couronne

Depuis le cap que surmonte un phare, vue étendue sur les chaînes de l'Estaque et de l'Étoile, sur le massif de Marseilleveyre et sur Marseille. La vaste plage de La Couronne, très populaire, attire notamment la jeunesse des quartiers Nord de Marseille.

Carro

Coquet petit port de pêche et de plaisance bien abrité dans une anse rocheuse.

Quitter Carro par la D 49 jusqu'aux Ventrons. À l'altitude 120 m, depuis une tour d'observation, la vue permet d'apercevoir l'ensemble portuaire de Lavéra, Port-de-Bouc et Fos.

Aux Ventrons, prendre sur la droite la D 5.

Contrastes
d'un paysage montagneux et aride où le vert des pins tranche sur le blanc étincelant des pierres.

St-Julien

À la sortie du bourg, un chemin à gauche mène à une chapelle. Sur le flanc gauche, scellé dans le mur, un bas-relief gallo-romain (1er s.) représente une scène funéraire composée de huit personnages.

De retour aux Ventrons, prendre à droite la D 5 en direction de Martigues.

Martigues *(voir ce nom)*

Prendre à gauche la N 568.

Port-de-Bouc

Port protégé par un fort élevé par Vauban en 1664, sur la rive Sud de la passe. Une tour du 12e s., incorporée à ces fortifications, a été transformée en phare.

Le **musée Moralès** *(à la sortie Ouest de Port-de-Bouc, en bordure de la N 568)* présente 600 sculptures métalliques de Raymond Moralès, parfois amusantes, souvent inquiétantes, ou selon votre humeur, déroutantes. ♿ *Tlj sf mar. 9h-12h, 14h30-18h. Fermé 1er janv. et 25 déc. 30F. ☎ 04 42 06 49 01.*

Chaîne de l'Étoile★

Bien que son altitude ne soit pas très élevée, la chaîne de l'Étoile qui sépare le bassin de l'Arc au Nord et celui de l'Huveaune à l'Est, prolongement du massif de l'Estaque, offre des vues spectaculaires sur la plaine de Marseille.

La situation

Cartes Michelin n°s 84 pli 13 ou 114 plis 16, 29, 30 ou 246 plis K, L. – Bouches-du-Rhône (13).

La chaîne appartient aux « petites Alpes de Provence », appellation qui paraîtra sans doute bien pompeuse aux alpinistes confirmés...

Le nom

On la nomme ainsi à Marseille parce qu'à la tombée du jour, l'étoile du Berger semble suspendue au-dessus du sommet de la tête du Grand Puech... mais c'est par analogie avec le mot *estèu* qui, en provençal, désigne tout simplement une « pointe rocheuse ».

Achats
Nougats F. et V. Brémond – *Parc d'activités Fontvieille - 13190 Allauch - ☎ 04 91 68 17 86.* N'en déplaisent aux Montiliens, les Allaudiens revendiquent la paternité du nougat que vous pourrez déguster chez ces fabriquants.

itinéraire

De Gardanne à Aubagne – 61 km – environ 3h1/2, ascension au sommet de l'Étoile non comprise.

Gardanne

Cité industrielle à l'avenir incertain (charbonnages, traitement de la bauxite), elle fut peinte par Cézanne.

Quitter Gardanne au Sud par la D 58 que prolonge la D 8. Au bout de 7 km, prendre à droite vers Mimet.

Mimet

Ce village perché a connu ces dernières années une expansion considérable. De la terrasse de son quartier ancien, **vue★** sur la vallée de la Luynes, Gardanne et ses hauts fourneaux.

Revenir à la D 8 et tourner à droite. La D 7 puis la D 908 (à droite) contournent la chaîne de l'Étoile. Au Logis-Neuf prendre à gauche en direction d'Allauch.

Allauch

Grande banlieue de Marseille, Allauch (prononcez *Allau*) étage ses maisons provençales et ses moulins sur les premiers contreforts de la chaîne de l'Étoile. Allauch permet également d'atteindre les collines du Garlaban chères à Marcel Pagnol.

Allauch, cité des moulins et de la « nougate » : une crèche provençale dans la banlieue de Marseille.

Depuis l'**esplanade des Moulins** (qui doit son nom aux cinq moulins à vent qui s'y dressent), belle **vue★** sur le site de Marseille.

Férus d'histoire locale, ne manquez pas le **musée du Vieil Allauch**, près de l'église. *Fermé pour travaux de rénovation. Réouverture en 2001.*

Des fourmis dans les jambes? 1/2h à pied suffit pour atteindre la **chapelle N.-D.-du-Château** (vue sur Marseille).

Prendre la D 44F au Nord-Ouest d'Allauch.

Après Plan-de-Cuques dont le nom occitan (Plan de Cuèch) évoque les collines environnantes, on arrive à Château-Gombert, quartier de Marseille qui a préservé son aspect de village.

Musée des Arts et Traditions populaires du terroir marseillais

Tlj sf mar. 14h30-18h30. Fermé j. fériés (sf w.-end, 1er janv., 25 déc.). 20F. ☎ 04 91 68 14 38.

POUR ETHNOLOGUES
Reconstitution du *cabanon*, élément essentiel de la civilisation provençale.

Sur une grande place ombragée de platanes, le musée reconstitue un intérieur provençal traditionnel. Dans la cuisine, avec sa hotte de cheminée et sa « pile » (évier), faïences de Marseille, étains, *terralhas*, *tian* en terre cuite, mortiers d'aïoli... Dans la salle de séjour et la chambre, meubles régionaux dont un long canapé, le *radassier*.

Quitter Château-Gombert en direction de Marseille et prendre à droite la traverse de la Baume-Loubière. Laissez votre voiture aux grottes. Un sentier en montée (4h AR) conduit au sommet de l'Étoile.

Sommet de l'Étoile

Après un parcours sinueux dans un passage rocheux, on atteint la **Grande Étoile** (alt. 590 m) où se dresse une tour de télécommunications, puis l'**Étoile Sommet** (alt. 651 m). Du seuil séparant ces deux cimes, **panorama★★** sur le bassin de Gardanne au Nord et les « barres » qui échancrent le versant Sud de la chaîne.

Reprendre votre voiture et regagner Allauch par le même chemin. Poursuivre vers le Sud par la D 4A. Aux Quatre Saisons prendre à gauche, puis bientôt encore à gauche.

Camoins-les-Bains

Agréable et modeste station thermale nichée dans un site verdoyant. Au-delà, les fans de Marcel Pagnol ne manqueront pas de se recueillir sur la tombe du maître au cimetière de la **Treille.**

Regagner Camoins-les-Bains et la D 44A pour rejoindre Aubagne.

Fontaine-de-Vaucluse

En hiver ou au printemps, lorsque le niveau de l'eau atteint les figuiers accrochés à la paroi rocheuse et que la Sorgue, d'un profond vert émeraude, se déverse par-dessus le talus en une masse tumultueuse et bondissante, écume et vapeurs éclaboussant les rochers, le spectacle, à lui seul, justifie amplement une visite à Fontaine.

La situation

Cartes Michelin n°s 81 pli 13, 245 pli 17 ou 246 pli 11 – Vaucluse (84). On arrive à Fontaine depuis l'Isle-sur-la-Sorgue par la D 25 en longeant la rivière et les anciens moulins et tanneries qui la bordent. Nombreux parkings (payants) aménagés : vue l'affluence, en particulier les week-ends, mieux vaut y laisser votre voiture dès qu'une possibilité de stationnement se présentera.
Chemin du Gouffre, 84800 Fontaine-de-Vaucluse, ☎ 04 90 20 32 22.

Le nom

Vallis Clausa, la vallée close, a donné en provençal *vaù clusa*, francisé en Vaucluse, devenu plus tard le nom du département.

Les gens

610 Vauclusiens qui entretiennent le souvenir de leur hôte le plus fameux, Francesco Petrarca, dit Pétrarque (1304-1374) : le poète y vécut seize ans pour essayer (en vain) d'oublier Laure de Noves (ou de Sade).

Les infortunes de la vertu

Pétraque fut un immense poète et le premier des grands humanistes. Né à Arezzo en 1304, il fréquentait en Avignon la cour pontificale lorsque son chemin croisa en avril 1327 celui de la belle Laure de Noves. Le coup de foudre fut immédiat, mais non réciproque... La flamme du poète était vouée à demeurer idéale : Laure était mariée et vertueuse. Il en naquit son *Canzoniere*, sans doute le premier des grands poèmes lyriques, écrit pendant le séjour de Pétrarque en Vaucluse où il s'était retiré afin de chercher l'apaisement. Comble d'infortune, en 1348, Laure meurt de la peste en Avignon. Pétrarque s'éteindra, lui, en 1374 à Arquà Petrarca, près de Padoue.

Pétrarque et Laure (frontispice de l'édition de Il Petrarca sonetti e Canzoni *de 1547) : quand amour rime avec toujours.*

carnet pratique

Visite

Centre artisanal Vallis Clausa – Dans le prolongement du musée Casteret, ce centre permet de visiter un moulin à papier, alimenté par les eaux de la Sorgue où l'on voit fabriquer du papier à la main suivant les procédés utilisés au 16e s. Dans le même ensemble, un **musée du santon** abrite une collection de santons et de crèches d'hier et d'aujourd'hui. ♿ *10h-12h30, 14h-18h30 (juil.-août : 10h-19h30). 25F (enfants : 10F).* ☎ *04 90 20 20 83.*

La Cristallerie des Papes – *Av. Robert-Garcin - ☎ 04 90 20 32 52 - Ouv. tlj 11h-13h, 14h-19h.* À la découverte des secrets des maîtres verriers. Dans cette cristallerie, on pourra admirer de belles pièces soufflées à la bouche selon des techniques ancestrales. Juste à côté se tient un magasin d'usine où l'on peut, au choix, céder à son caprice ou faire plaisir à un tiers.

Restauration

• *Valeur sûre*

Bar-restaurant Philip – *Au pied des Cascades - ☎ 04 90 20 31 81 - fermé oct. à mars et le soir sf juil.-août - 120/180F.* Quel site ! Au pied des cascades, ce restaurant arrimé au rocher ouvre ses baies vitrées sur la rivière. La cuisine est simple et fraîche mais c'est aussi pour le cadre que l'on vient ici. Bar-glacier devant pour prendre un verre avant de repartir vers la fameuse fontaine...

Loisirs-Détente

Kayak Vert – *Quartier La Baume - ☎ 04 90 20 35 44 - Tlj 9h-19h. Fermé mi-nov.-fév.* Venez goûter aux joies du canoë-kayak dans l'un des sites les plus privilégiés du Vaucluse : descente de la Sorgue sur une dizaine de kilomètres avec quelques moments forts.

découvrir

La fontaine de Vaucluse★★

Depuis la place de la Colonne (qui célébra en 1804 le 5e centenaire de la naissance de Pétrarque), gagner les bords de la Sorgue et suivre le chemin qui s'élève, en pente relativement douce, vers la fontaine.

Au fond d'un cirque rocheux aux parois impressionnantes, derrière un talus de pierres et de rochers où les eaux s'infiltrent habituellement, la fontaine apparaît soudain : bassin d'eau verte, d'apparence paisible et propice à la rêverie. Il en émane un halo de mystère et de vieilles légendes qui reviennent confusément en mémoire, comme c'est souvent le cas devant un gouffre. Car cette claire fontaine en est un ; de quelle profondeur? Nul ne le sait exactement : le dernier record, 315 m, a été établi le 2 août 1985, à l'aide d'un petit sous-marin téléguidé équipé de moyens vidéo.

Une source ?
Non car il s'agit en fait d'une résurgence, c'est-à-dire le débouché d'un fleuve souterrain qu'alimentent les pluies tombées sur le plateau de Vaucluse à travers ses nombreux avens. Cependant, les recherches menées par les spéléologues sont restées vaines : à ce jour, la Sorgue souterraine garde tout son mystère.

Quand la Sorgue jaillit soudain du rocher : une source on ne peut plus vauclusienne...

visiter

Église St-Véran★

Petit édifice roman à nef unique couverte d'une voûte en plein cintre et d'une abside en cul-de-four. La crypte abrite le sarcophage de saint Véran, vainqueur du terrible Coulobre.

En face, demeure provençale aux vieilles pierres rose orangé, décorées de grappes de raisins.

Musée-Bibliothèque Pétrarque

Juin-sept. : tlj sf mar. 10h-12h30, 13h30-18h ; avr.-mai : tlj sf mar. 10h-12h, 14h-18h ; oct. : w.-end 10h-12h, 14h-18h (de mi-oct. à fin oct. : 17h). Fermé nov.-mars, 1er mai. 20F. ☎ 04 90 20 37 20.

Installé dans une maison bâtie, pense-t-on, à l'emplacement de celle qu'habitait le poète, il expose des dessins et des estampes consacrées au thème de Pétrarque et Laure ainsi que des éditions anciennes des œuvres du poète et de ses épigones.

Remarquable
Sélection, au rez-de-chaussée, d'œuvres d'artistes majeurs liés au site : en particulier écrits de René Char illustrés par Zao Wou-ki, Braque ou Vieira da Silva.

Le monde souterrain de Norbert Casteret

Visite guidée (3/4h) 10h-12h, 14h-17h (mai-juin : fermeture à 18h ; juil.-août : fermeture à 18h30). 31F (enf. : 21F). ☎ 04 90 20 34 13.

Lui-même souterrain, ce qui est la moindre des choses, il présente la **collection Casteret★** : les plus belles concrétions calcaires (calcite, gypse, aragonite) recueillies par le spéléologue en trente ans d'explorations. En complément, le visiteur chemine parmi une reconstitution de sites : grottes à stalactites et stalagmites, aven, rivières, cascades, gours, bref le précis du parfait petit spéléologue.

Musée d'histoire (1939-1945)

Sur la gauche, à hauteur de Vallis Clausa. ♿ Juil.-août : tlj sf mar. 10h-19h ; de sept. à mi-oct. : tlj sf mar. 10h-12h30, 14h-18h ; de mi-oct. à fin déc. : w.-end 10h-12h30, 14h-18h ;

Engagez-vous
L'espace « La liberté de l'esprit » évoque les créateurs, écrivains engagés comme René Char, ou artistes comme Matisse, et invite à une réflexion sur les idéaux de la Résistance.

mars-juin : w.-end 10h-12h, 14h-18h (de mi-avr. à fin juin : tlj). Fermé janv.-fév., 1er mai, 25 déc. 20F. ☎ *04 90 20 24 00.* Dans un bâtiment sobre et fonctionnel, il propose une approche historique, littéraire et artistique des années 1939-1945 : une première partie est consacrée à la vie quotidienne sous l'Occupation ; la seconde aborde le thème de la Résistance dans le Vaucluse, retracée par acteurs et témoins de cette épopée, tandis qu'un support audiovisuel aide à situer ces événements dans le contexte national.

alentours

Saumane-de-Vaucluse

4 km. Quitter Fontaine par la D 25 puis prendre à droite dans la D 57.
Taillée à flanc de coteaux sur les pentes calcaires des monts de Vaucluse, la route aboutit à ce village perché au-dessus de la vallée de la Sorgue, et à l'ancien château (15e s.) des marquis de Sade. C'est ici que le petit Donatien Alphonse François, qui allait devenir le Divin Marquis, passa son enfance. L'église St-Trophime, élevée au 12e s., mais largement remaniée depuis, est couronnée par un clocher-arcade. Depuis la place, vue sur la vallée de la Sorgue, le Luberon et les Alpilles.

Quelle famille !
Monsieur Sade père n'était pas, non plus, un modèle de vertu. Aussi quand la justice se mêla de ses affaires, on envoya le petit marquis à Saumane chez son oncle abbé, qui n'était guère plus vertueux que son frère...

Fos-sur-Mer

Campé sur son rocher, dominé par les ruines de son château, à quelques encablures de la mer, Fos évoque irrésistiblement le village provençal tel qu'on l'idéalise dans les crèches.

La situation

Cartes Michelin nos 84 pli 11, 245 plis 42, 43 ou 246 plis 13, 14, 27, 28 - Bouches-du-Rhône (13).
Chassant les élevages de taureaux et les troupeaux de moutons qui régnaient en maîtres sur les « coussouls », l'immense port industriel, énergétique et commercial, ainsi que le complexe industriel ont apporté à la région, sinon la prospérité, du moins une certaine notoriété. Mais pour qui circule sur la voie rapide, Fos passe à peu de chose près inaperçu. **i** *Pl. de l'Hôtel-de-Ville, 13270 Fos-sur-Mer,* ☎ *04 42 47 71 96.*

Le nom

Rien à voir avec les Phocéens : ce sont les Fossae Marianae ou Fosses Mariennes, canal creusé à l'embouchure du Rhône en 102 avant J.-C. par les légions de Marius, qui ont donné leur nom à la ville, puis au port.

Les gens

13 922 Fosséens. N'en déplaise à Pagnol, ce Marius (157-86) n'était pas le fils de César, mais une grande figure politique et militaire, qui pour avoir vaincu les Cimbres et les Teutons, ouvrait ainsi la voie à la romanisation de la région. Quant à ses démêlés avec Sylla, ils allaient entraîner une longue période de troubles dont la République romaine ne devait pas se relever.

Fos-sur-Mer et l'église St-Sauveur, accrochée au rocher.

se promener

Le village★

Il a conservé des vestiges du **château** du 14e s., propriété des vicomtes de Marseille ainsi qu'une **église St-Sauveur** à nef romane. De-ci, de-là, des belvédères et une terrasse aménagés dans le jardin des remparts offrent une vue étendue.

visiter

LE PORT

Certains souhaiteront sans doute faire plus ample connaissance avec les installations portuaires.

Centre d'information du port autonome de Marseille (CIPAM)

Au lieu-dit la Fossette, en bordure de la voie rapide (fléchage). Exposition et vidéo tlj sf w.-end 9h-12h, 13h-17h sur demande préalable (10 à 15 jours avant) à l'Office de Tourisme de Marseille 4 La Canebière, 13000 Marseille. Fermé j. fériés. ☎04 91 13 89 00, fax 04 91 13 89 20.

Exposition sur les installations et les activités du port autonome de Marseille (présentation d'une maquette de la zone industrialo-portuaire) et projection vidéo précédant la visite du port.

Visite du port

Visite du port (2h1/2) en autobus. S'adresser 10 à 15j. av. à l'Office de Tourisme de Fos-sur-mer place de l'hôtel de ville, B.P. 528. ☎ 04 42 47 71 96, fax 04 42 05 59 42.

Circuit en autobus qui permet de découvrir le môle Graveleau, le terminal minéralier et le port pétrolier de Fos.

alentours

Port-St-Louis-du-Rhône

15 km au Sud-Ouest.

La ville et le port se sont développés à l'embouchure du Grand Rhône dans l'ombre de la tour St-Louis, élevée au 18e s. Rattaché au port autonome de Marseille, le bassin de Port-St-Louis, créé en 1863, reçoit aussi bien les navires de mer que les barges empruntant le Rhône. Grâce à son écluse et au canal grand gabarit Fos-Rhône, il est le point clé des trafics fluvial et fluvio-maritime entre l'Europe et la Méditerranée, accueillant hydrocarbures, produits chimiques liquides, bois et vins .

Port-de-Bouc *(voir p. 209)*

Gordes★

Planté sur sa falaise à l'extrémité du plateau de Vaucluse qui domine les vallées de l'Imergue et du Coulon face au Luberon, Gordes offre au soleil ses pierres dorées par le temps, ses calades où il fait bon se perdre, ses maisons et son château mêlés à une végétation méditerranéenne.

La situation

Cartes Michelin nos 81 pli 13, 245 Sud du pli 17 et 246 pli 11 – Vaucluse (84). Il faut aborder Gordes depuis Cavaillon et Coustellet par la D 15. À environ 1 km du village, une plate-forme aménagée en belvédère (les distraits prendront garde : il n'y a pas de parapet...) permet de découvrir le **site★** de ce village perché dont les maisons en pierres sèches s'étagent et se pressent jusqu'aux contreforts du château.

LABEL
Le contraire aurait été étonnant : Gordes a été classé parmi les « plus beaux villages de France ».

ℹ *Pl. du Château, 84220 Gordes, ☎ 04 90 72 02 75.*

Le nom

Une tribu celto-ligure, les Vordeuses, habitait le pays. Vorda (qui signifiait « village perché ») se prononçait à peu près *Gworda*, d'où l'évolution du nom en Gorda.

carnet pratique

Restauration

• *Valeur sûre*

L'Estellan – *Rte de Cavaillon - 1 km de Gordes - ☎ 04 90 72 04 90 - fermé 1er au 15 déc., 3 au 30 janv., jeu. midi sf juil.-août et mer. - 115/210F.* Ce petit restaurant a planté son décor de bistrot provençal en dehors du village pittoresque perché. Sa terrasse, face à la campagne et très appréciée des autochtones, invite à la paresse.

Hébergement

• *Valeur sûre*

Chambre d'hôte La Badelle – *7 km au S de Gordes par D 104 dir. Goult - ☎ 04 90 72 33 19 - www.guideweb.com/provence/bb/badelle - fermé janv. - ⊄ - 5 ch. : 400/420F.* Les chambres de cette ferme ancestrale sont aménagées dans ses anciennes remises, en face de la piscine. Sobrement décorées, elles sont agréables avec leurs meubles anciens et leurs carreaux de terre cuite. Pratique, une cuisine est disponible en été.

• *Une petite folie !*

Chambre d'hôte Le Mas de la Beaume – *☎ 04 90 72 02 96 - la.beaume@wanadoo.fr - fermé janv. et fév. - ⊄ - 5 ch. : à partir de 680F.* La tranquillité, la vue sur le village de Gordes et le chant des cigales... Voilà de quoi séduire plus d'un citadin ! Ce mas provençal dans son jardin d'oliviers, d'amandiers et de lavande, abritent de belles chambres spacieuses aux couleurs d'ici. Piscine et jacuzzi.

Le temps d'un verre

Le Renaissance – *Pl. du Château - ☎ 04 90 72 02 02 - Tlj 8h-24h. Fermé de mi-nov. à mi-fév.* Ce bar-restaurant-hôtel bénéficie d'une belle terrasse ensoleillée donnant sur les rues du centre historique de Gordes et le château Renaissance édifié sur la place.

Achats

Grand marché artisanal dans les rues et calades, le week-end de Pâques.

Annie Sotinel – *Les Pourquiers - rte de Goult - ☎ 04 90 72 05 71.* Création textile et tissage à la main.

Calendrier

En juil.-août, soirées d'été de Gordes : théâtre et concert dans la cour du château.

Les gens

2 092 Gordiens. Le peintre Victor Vasarely est pour beaucoup dans la réputation de Gordes et nombre de visiteurs se souviennent du « musée didactique » qu'il avait installé dans le château. Si certains aléas ont entraîné la disparition du musée, le nom de l'artiste n'en reste pas moins lié à la cité qu'il avait choisie.

se promener

Le village★

Les calades, ces ruelles pavées bordées de caniveaux à deux rangées de pierres, s'achèvent parfois en escalier,

Maisons serrées autour de l'imposante masse du château : la magie gordienne opère.

De calade en escaliers parmi les murets de pierres sèches : un enchantement.

ou alors, enjambées par des passages voûtés, elles se faufilent entre de vieilles et hautes maisons qui prennent appui sur les vestiges des fortifications. Çà et là, on découvrira une échappée sur la garrigue en contrebas, écrasée de soleil, tandis qu'échoppes d'artisans et boutiques de souvenirs contribuent à une animation un peu excessive en été. Gordes en effet, littéralement envahie à la belle saison, est victime de son succès. Une suggestion : visitez le village au début du printemps ou de l'automne, alors la magie opère, sans aucune restriction.

visiter

Château

Bâti à la Renaissance par Bertrand de Simiane sur l'emplacement d'une forteresse médiévale, sa silhouette monumentale présente une allure austère que contredit l'intérieur, délicatement orné : ainsi, la porte Renaissance de la cour, la splendide **cheminée★** de la grande salle du 1er étage, ornée de frontons, coquilles, décor floral et pilastres. Les trois derniers étages abritent aujourd'hui un **musée** consacré aux œuvres d'un peintre flamand Pol Mara. *10h-12h, 14h-18h. 25F. ☎ 04 90 72 02 75.*

circuit

DES BORIES AU SANCTUAIRE DE RÉPIT

12 km – environ 2h

Quitter Gordes par la D 15 en direction de Cavaillon. Peu après l'embranchement de la D 2, prendre à droite le chemin goudronné qui, entre des murettes de pierres sèches, conduit au parking aménagé.

Village des Bories★★

♿ *De 9h au coucher du soleil. Fermé 1er janv. et 25 déc. 35F. ☎ 04 90 72 03 48.*

Ce hameau d'une vingtaine de bories restaurées, vieilles de 2 à 5 siècles, est organisé en musée d'habitat rural. Une vingtaine de bâtiments, habitations, bergeries ou granges de formes variées, bâties avec les matériaux trouvés sur place (pour l'essentiel des « lauzes », feuilles de calcaire se détachant du rocher et assemblées sans mortier ni eau), s'ordonnent autour d'un four à pain. Si l'on sait qu'elles ont été occupées jusqu'au début du 19e s., de nombreuses questions se posent quant à leur origine, et, surtout, leur utilisation : habitat permanent ou saisonnier ? Lieu de refuge au cours d'époques troublées ? Le mystère demeure.

ÉTRANGES BORIES
On éprouve à parcourir ce hameau (du moins, lorsque l'affluence n'y est pas trop importante), l'étrange impression de se retrouver hors du temps.

Pierres sèches patiemment entassées : le village des bories, une forme originale d'habitat.

Revenir à la D 2, qu'on prend à droite, puis emprunter à gauche la D 103 vers Beaumettes et encore à gauche la D 148 vers St-Pantaléon ; la suivre sur 100 m jusqu'au lieu dit « Moulin des Bouillons ».

Musée de l'Histoire du Verre et du Vitrail

Reconstitution de fours et de verreries du Moyen-Orient, de vitraux anciens et exposition des œuvres (vitraux et sculptures) de l'artiste contemporaine Frédérique Duran présentées dans un bâtiment moderne qui a le mérite de bien s'intégrer au paysage. Indispensable pour ceux que l'art du vitrail fascine.

Musée du Moulin de Bouillons

D'avr à fin oct. : tlj sf mar. 10h-12h, 14h-18h. 20F. ☎ 04 90 72 22 11.

Cette bastide des 16e et 17e s. a été transformée en musée consacré à l'huile d'olive : histoire de l'éclairage pendant cinq millénaires, évoquée à l'aide de lampes à huile, outils nécessaires à la culture de l'olivier, récipients et mesures et utilisation de l'huile d'olive à travers les âges.

Unique
Un impressionnant **pressoir★** à olives fait d'une seule pièce de chêne : il pèse 7 t ! C'est le plus ancien des pressoirs de type gallo-romain et le seul qui nous soit parvenu avec ses éléments de travail.

Poursuivre la D 148 en direction de St-Pantaléon.

Saint-Pantaléon

Minuscule église romane construite à même le roc. Des tombes l'entourent, également creusées dans la roche ; beaucoup ont la taille d'un enfant : s'agissait-il d'un de ces « sanctuaires de répit » dont on trouve quelques exemples en Provence ? On y amenait les enfants morts avant le baptême : ils ressuscitaient le temps d'une messe au cours de laquelle on les baptisait, avant d'être inhumés sur place.

Quitter St-Pantaléon au Nord pour gagner la D 104A, puis la D 2 et rejoindre Gordes.

Le Grau-du-Roi

Construite de part et d'autre d'un grau (brèche dans le cordon littoral ouverte naturellement vers 1570 au lieu-dit Gagne-Petit), entre l'embouchure du Vidourle et celle du Rhône, cette station offre 18 km de plage de sable fin aux adeptes des bains de mer. Quant aux plaisanciers, ils disposent avec Port-Camargue de marinas leur permettant d'accéder directement à leur bateau.

La situation

Cartes Michelin nos 83 pli 8 ou 240 pli 23 – Gard (30).

Deux façons d'arriver au Grau : par la D 62A qui traverse l'étang du Repausset, vous permettant d'admirer flamants et aigrettes ou peut-être d'apercevoir une manade de taureaux ; ou bien par la D 979 depuis Aigues-Mortes, en longeant les salins et le chenal. ℹ *30 r. Michel-Rédarès, 30240 Le Grau-du-Roi, ☎ 04 66 51 67 70.*

Terre insalubre
Entre mer et marais où seuls vivaient quelques pêcheurs d'origine souvent italienne établis dans d'humbles cabanes, Le Grau-du-Roi, au milieu du 19e s., ne présentait pas grand attrait, avant que la vogue des « bains de mer » en fasse la plage des Nîmois.

Le nom

Un roi, mais lequel ? Pas Saint Louis en tout cas : le « Grau Gagne-Petit » devint le « Grau Henri » en hommage au Vert Galant, puis « Grau Le Peletier » sous la Révolution, « Grau Napoléon » sous l'Empire, et cette valse des noms aurait pu continuer ainsi au gré des changements de régime... Du reste, sur place, on dit « Le Grau », et tout le monde comprend.

Les gens

5 875 Graulens, surnommés les *Pes-Descauç* (« Va-nu-pieds ») par leurs voisins aiguesmortains. À la fin des années 1950, un jeune danseur de claquettes gardois

carnet pratique

Transports

Autorail – Pour ceux qui n'ont pas de voiture, le sympathique autorail mène, depuis Nîmes, parmi les étangs, jusqu'à la gare du Grau-du-Roi.

Restauration

• *À bon compte*

Le Chalut – *2 r. du Cdt-Marceau - ☎ 04 66 53 11 61 - fermé 3 sem. en nov., dim. soir et lun. hors sais. - 85/198F.* Restaurant face au pont tournant, chalutiers et plaisanciers passent sous vos yeux. Deux jolies salles superposées doucement colorées de jaune et de bleu. Bien sûr, ici, les produits de la mer sont à l'honneur. Prix doux et petite terrasse très prisée.

• *Valeur sûre*

L'Amarette – *Centre commercial Camargue 2000 - 30240 Port-Camargue - 3 km au S du Grau-du-Roi par D 62B - ☎ 04 66 51 47 63 - fermé janv., déc. et mer. hors sais. - 190/250F.* Au 1er étage d'une maison des années 1970. Dégustez quelques spécialités de bord de mer tout en regardant le spectacle qui s'offre à vos yeux de la terrasse dominant le littoral.

Hébergement

• *À bon compte*

Camping Le Boucanet – *Rte de la Grande-Motte - 1 km au NO du Grau-du-Roi - ☎ 04 66 51 41 48 - ouv. 29 avr. à sept. - réserv. conseillée - 458 empl. : 135F - restauration.* Pour qui aime avoir les pieds dans l'eau, certains emplacements sont à 5 m de la mer ! Mais la piscine a aussi son charme. Détente assurée pour petits et grands, tennis, planche à voile... Club enfants. Location de bungalows et mobile homes.

• *Une petite folie !*

Relais de l'Oustau Camarguen – *3 rte des Marines - 30240 Port-Camargue - 3 km au S du Grau-du-Roi par D 62B - ☎ 04 66 51 51 65 - fermé 16 oct. au 30 mars - P - 40 ch. : à partir de 530F - ☕ 55F - restaurant 165/196F.* De plain-pied, cette maison dans le style camarguais s'étend au calme autour d'une belle piscine.

Les chambres aux meubles du pays sont spacieuses et certaines ouvrent sur un petit jardin privatif. Terrasse pour les repas dehors.

Sorties

Espace Jean-Pierre Cassel – *☎ 04 66 51 10 70.* Spectacles de variétés aux arènes et, hors saison, théâtre.

Casino – *3 av. du Centurion, Port-Camargue - ☎ 04 66 53 40 95.* Roulette, black-jack et machines à sous.

L'Appart – *5 r. de l'Ancienne-Poste - ☎ 06 09 97 70 54 - Tlj 22h-1h, 5h-10h.* Autour d'un grand bar circulaire sont répartis les pièces d'un appartement au kitsch typiquement années 1970 : une cuisine avec sa table en formica et son sol à damier noir et blanc ou une chambre d'enfant équipée d'un lit superposé et de petits poufs. D'illustres DJ prennent souvent leur quartier dans ce bar de nuit où l'on diffuse surtout de la house.

Visite-Achats

Maison Méditerranéenne des Vins et Produits Régionaux – *Domaine-de-l'Espiguette - ☎ 04 66 51 52 16 - produitsregion@aol.fr - Mi-juin–mi-sept. : 9h-20h. Hors saison : 9h-12h, 15h-19h. Fermé le 25 déc. et 1er jan.* Plus de 2 000 m² consacrés à la dégustation et à la vente de nombreux produits régionaux comme les vins de Provence, du Languedoc-Roussillon, les huiles d'olive, les plats cuisinés, les miels et les savons. Informations disponibles sur les produits.

Salins du Midi et Caves de Listel – *De juil. à fin août : visite guidée (2h1/2) en car mar., jeu., ven. à 14h. Fermé j. fériés. 50F. S'inscrire à l'Office du tourisme (2-3 j. av.), ☎ 04 66 51 67 70.*

Loisirs-Détente

Randonnées équestres – Sur la plage et dans les dunes de l'Espiguette : promenades d'1h ou 2h ou matinées découverte de 4h. Route de l'Espiguette, choix entre l'**Écurie des Dunes** *(☎ 04 66 53 09 28)*, le **Mas de l'Espiguette** *(☎ 04 66 51 51 89)*, le **Ranch du Phare** *(☎ 04 66 53 10 87)* et **Lou Seden** *(☎ 04 66 51 74 75).*

Navigation de plaisance – Sur les canaux en louant un bateau avec ou sans permis : **Cap 21000** *(ZA Port de Pêche - ☎ 04 66 51 41 54)* ou **CIL** à Port-Camargue *(☎ 04 66 51 41 50).*

Ceux qui se sentent une âme de loup de mer fréquenteront les Nautiques de Port-Camargue (début avr.), salon du bateau d'occasion.

Thalassa Port-Camargue – *Rte des Marines - Plage Sud - Port-Camargue - ☎ 04 66 73 60 60.* Cures de remise en forme, de beauté, séjours pour futures mamans, forfait spécial jambes, cure « masculin tonic ».

Calendrier

Spectacles taurins – D'avr. à oct. : courses camarguaises réputées aux arènes (en particulier lors de la fête votive mi-sept. lorsque est mis en jeu entre les raseteurs le Trophée de la Mer). Abrivados dans les rues, sur le pont tournant et (hors saison !) sur la plage du Boucanet. Corridas et novilladas aux arènes (l'été).

faisait ses débuts sur la scène de l'ancien casino. L'événement se devait d'être immortalisé : le Palais des Sports et de la Culture flambant neuf a reçu en 1997, en présence de l'artiste, le nom d'Espace Jean-Pierre Cassel.

Bonne pêche ? Il suffit de voir si les gabians (goélands) accompagnent les chalutiers : poissons bleus, thons, loups et daurades... Le Grau est, après Sète, le 2e port de pêche de la Méditerranée.

séjourner

Le village

Quadrillages de rues bordées de maisons basses envahies en saison par des boutiques d'artisanat et d'innombrables restaurants, le centre névralgique reste le canal, avec ses pontons et le vieux fanal, symbole de la cité. Depuis le bout de la jetée, vue sur le golfe d'Aigues-Mortes, avec, à gauche, la pointe de l'Espiguette (et Port-Camargue), à droite la Grande-Motte que semble surplomber le pic Saint-Loup, la montagne de la Gardiole et Sète, posée au pied du mont Saint-Clair.

Les plages

18 km de sable fin entre la passe des Abymes et les Baronnets : avis aux baigneurs, tant sur la rive droite du canal (Le Boucanet) que sur la rive gauche.

Et l'hiver ?

Baignade improbable... sauf pour les accros ! Mais les belles journées (elles ne sont pas rares) s'achèvent sur de somptueux couchers de soleil avec, parfois, l'apparition du Canigou sur la ligne d'horizon.

Seaquarium et musée de la Mer

Accès par le boulevard du Front-de-Mer (Mar.-Juin) puis la promenade piétonne. Mai-sept. : 9h30-19h (juil.-août : 10h-23h) ; oct.-avr. : 10h-18h. 45F (enfants : 25F). ☎ *04 66 51 57 57.*

Requins et poissons de Méditerranée amuseront ou impressionneront petits et grands. Le petit musée mérite une visite : maquettes de navires (nacelles et « mourres de porcs »), formes de pêche abandonnées (au globe, la seinche) et histoire de la station.

Port-Camargue

Accès par la D 62B.

Entre Le Grau et l'Espiguette, la station a été créée en 1969 autour d'un port de 170 ha, pouvant abriter 4 300 bateaux : bassins d'escale et d'hivernage entourés par la capitainerie, le chantier naval et les services nautiques.

Les tellinaires

Armés de leur tellinier (trois manches en bois, une lame et un filet à mailles serrées, la couffe), ils raclent les fonds sableux à la recherche des tellines, ces petits coquillages au goût délicat - ainsi nommés du grec *tellinos*, « bout de sein » –, fort appréciés entre Le Grau et Beauduc.

Phare et plages de l'Espiguette

6 km au Sud par la route partant du rond-point marquant l'entrée de Port-Camargue. Parking payant l'été.

Tracée entre plages et étangs, la route permet de découvrir un paysage camarguais et d'apercevoir quelques oiseaux *(observatoire en bordure de l'étang des Baronnets, face à la maison des vins du Domaine de l'Espiguette)*. Le phare se dresse au milieu de dunes où poussent tamaris, chardons, roquettes de mer et cakiles. Plages immenses où le port du maillot relève de l'excentricité.

Grignan★

Dressé sur une butte rocheuse isolée, l'imposant château des Adhémar de Monteil domine ce vieux bourg du Tricastin, que Madame de Sévigné a rendu célèbre.

Robert Nanteuil – Portrait de Marie de Rabutin-Chantal, marquise de Sévigné *(vers 1670, Paris, musée Carnavalet).*

La situation

Cartes Michelin n°s 81 pli 2, 245 pli 3 ou 246 plis 8, 22 – Drôme (26). On arrive à Grignan en quittant l'autoroute A 7 au Sud de Montélimar et en prenant la D 941 en direction de Valréas. Vous pourrez laisser votre voiture aux parkings de la rue du Grand-Faubourg ou de la place du Jeu-de-Ballon, avant de partir à l'assaut du château.
Grand'Rue, 26230 Grignan, ☎ 04 75 46 56 75.

Le nom

Beaucoup de noms provençaux terminés par -an dérivent de celui d'un colon romain. Ici, ce pourrait être un certain Gratius ou Gratinius ; la cité se nomma successivement Gratignan, Gradignan, puis Grignan.

Les gens

1 353 Grignanais. Leur concitoyen François de Castellane-Adhémar de Monteil, comte de Grignan (1629-1714), lieutenant-général de Provence, s'illustra en s'emparant d'Orange en 1673 et en sauvant Toulon en 1707, menacée par le duc de Savoie. Faits d'armes qui ont moins fait pour sa gloire posthume que son troisième mariage, en 1669, avec Françoise-Marguerite de Sévigné, fille de la marquise de Sévigné.

Triste fin

En 1793, la tombe de la marquise fut violée : tel y prit une côte qu'il fit enchâsser en médaillon, tel autre une dent, qui fut montée en bague et un amateur de phrénologie fit scier le crâne de la marquise et l'envoya à Paris, afin qu'il soit examiné par les savants. Qu'est-il devenu depuis ? Nul ne le sait.

comprendre

Madame de Sévigné et Grignan – On sait ce que François qui, selon les mots de sa jeune épouse, « abusait de la permission qu'ont les hommes d'être laids », pensait de cette belle-mère envahissante. Toujours est-il qu'après le mariage de sa fille, qui comblait ses vœux (« La plus jolie fille de France, écrit-elle à son cousin, épouse, non pas le plus joli garçon, mais un des plus honnêtes hommes du royaume. »), Mme de Sévigné entama une correspondance de vingt ans avec la jeune « exilée » à qui elle contait par le menu tous les potins de Paris. Sa liberté de ton et de style en font un chef-

carnet pratique

Restauration

Avec une mine gourmande, Mme de Sévigné évoquait les perdreaux « nourris de thym, de marjolaine, de tout ce qui fait le parfum de nos sachets », les cailles grasses « dont la cuisse se sépare du corps à la première semonce », les tourterelles « toutes parfaites », les melons, les figues, le muscat... De quoi vous mettre l'eau à la bouche !

• ***Valeur sûre***

Le Relais de Grignan – *1 km à l'O de Grignan par D 541 - ☎ 04 75 46 57 22 - fermé 1er au 15 janv., mer. soir de sept. à juin, dim. soir et lun. - 130/305F.* C'est une grosse maison basse, en bordure d'une oliveraie, avec une belle terrasse sous les arbres. Si vous passez pendant l'hiver, vous ne manquerez pas les truffes qui viendront se glisser au détour des menus jusque dans votre assiette.

Calendrier

Des journées de la correspondance sont organisées chaque année à Grignan : écrivains, éditeurs s'y retrouvent autour de ce thème, tandis que des concerts sont organisés, confirmant la vocation de Grignan comme lieu de pèlerinage littéraire. Renseignements à l'Office de tourisme.

d'œuvre de la littérature du 17e s. Cependant, la marquise séjourna souvent à Grignan. C'est d'ailleurs là qu'elle mourut, en 1696, alors qu'elle était venue soigner sa fille atteinte d'une maladie de langueur ; elle fut enterrée dans la collégiale.

découvrir

SUR LES PAS DE LA MARQUISE

Château★★

Avr.-oct. : visite guidée (1h) 9h30-11h30, 14h-17h30 (juil.-août : 18h) ; nov.-mars : tlj sf mar. 9h30-11h30, 14h-17h30. Fermé 1er janv. et 25 déc. 30F. ☎ 04 75 46 51 56.

Château médiéval, il fut transformé une première fois au 16e s. par Louis Adhémar, gouverneur de Provence, puis, plus tard, par le gendre de Mme de Sévigné, entre 1668 et 1690. La visite permet de découvrir la grande façade Renaissance du Midi, puis la cour du Puits avec son bassin, ouverte sur une terrasse, encadrée à gauche par la galerie gothique, à droite et au fond, par des corps de logis Renaissance.

À l'intérieur, escalier d'honneur, salons, salle d'audience ; les appartements du comte de Grignan, la chambre et le cabinet de Mme de Sévigné, l'oratoire, l'escalier gothique et la galerie des Adhémar (beau lambris). Remarquable **mobilier★**, en particulier les meubles Louis XIII et le « cabinet » (secrétaire) italien de la salle d'audience (style Régence et Louis XV des appartements des Grignan). Belles **tapisseries** d'Aubusson représentant des scènes mythologiques.

Mme de Sévigné trouvait son gendre fort laid mais appréciait son château, « très beau et très magnifique ».

Église St-Sauveur

1er janv., lun. de Pâques et pdt l'été : concerts d'orgues ; Noël : crèche provençale animée. S'adresser à l'Office de tourisme.

À l'intérieur de cette église du 16e s., dont la petite tribune communiquait avec le château, **buffet d'orgue** du 17e s. et, dans le chœur, belles boiseries. Au pied du maître-autel, à gauche, une dalle de marbre désigne l'emplacement de la tombe de Mme de Sévigné, morte à Grignan, le 18 avril 1696.

Depuis la terrasse de l'église St-Sauveur, vaste **panorama★** découvrant la longue crête de la montagne de la Lance, le Ventoux et les dentelles de Montmirail, la plaine comtadine et les Alpilles, le bois de Grignan et les montagnes du Vivarais.

Beffroi

Cette ancienne porte de la ville, datant du 12e s., a été transformée au 17e s. en tour de l'horloge.

Grotte de Rochecourbière

1 km. Prendre la route partant de la D 541, à la sortie Sud de Grignan, à hauteur d'un calvaire. Après environ 1 km, laisser votre voiture au parc de stationnement pour revenir à l'escalier de pierre, à droite.

Cet escalier donne accès à la grotte de Rochecourbière. Mme de Sévigné aimait se retirer dans cette grotte, fraîche et silencieuse, parfumée de toutes les herbes de Provence, pour se reposer ou écrire son abondante correspondance.

alentours

Taulignan

7 km au Nord-Ouest par la D 14 et la D 24.
À la limite du Dauphiné et de la Provence, ce vieux bourg a gardé son enceinte médiévale : circulaire et presque continue, elle conserve onze tours (neuf rondes et deux carrées), reliées par des courtines (restes de mâchicoulis en plusieurs endroits), où s'intègrent des habitations. Au hasard des ruelles, façades anciennes avec leurs portes en accolade et leurs fenêtres à meneaux (rue des Fontaines). Au Nord-Est, porte d'Anguille, seule porte fortifiée ayant subsisté.

L'Isle-sur-la-Sorgue

Les bras de la Sorgue, ses avenues aux grands platanes donnent à cette localité un aspect riant et frais où il est particulièrement agréable de chiner le week-end, lorsque les antiquaires l'investissent.

Les roues à eau étaient indispensables à l'époque où la ville était un grand centre de tisserands, de teinturiers, de tanneurs et de papetiers.

La situation

Cartes Michelin n°s 81 pli 12, 245 plis 17, 30 et 246 pli 11 – Vaucluse (84). À l'Ouest d'Avignon, par la N 100, au pied du plateau du Vaucluse. *Pl. de l'Église, 84800 L'Isle-sur-la-Sorgue, ☎ 04 90 38 04 78.*

Le nom

Il suffit d'une courte promenade pour comprendre pourquoi cette petite ville entourée d'eau porte le nom d'Isle... Quant à *Sorga*, en occitan, le mot désigne une source au débit abondant : exactement le cas de cette rivière née à Fontaine-de-Vaucluse...

Les gens

16 971 Islois dont le grand poète René Char (1907-1988).

se promener

L'Isle est une ville de flâneries, plus que de visites : les quais ombragés de la Sorgue qu'enjambent de petits ponts, les ruelles de la Juiverie, les agréables cafés qui ont souvent conservé leur caractère, ses nombreux antiquaires en font un lieu privilégié pour les promeneurs.
On ne manquera pas les **roues à eau**, rescapées de toutes celles (il y en avait des dizaines) qui naguère rythmaient la vie de la cité : près de la place Gambetta, à l'angle du jardin de la Caisse, place Émile-Char ; boulevard Victor-Hugo ; rue Jean-Théophile et quai des Lices.

visiter

Collégiale N.-D.-des-Anges

Juin-août : 9h-19h30 ; sept.-mai : tlj sf lun. 10h-12h, 15h-18h sur demande auprès du Père Marin, presbytère.
Sa **décoration★** (17e s.) d'une extrême richesse rappelle celle des églises italiennes. La nef unique est ornée au revers de la façade d'une immense gloire en bois doré attribuée à Jean Péru, comme les figures des Vertus placées sous les balustrades ; chapelles latérales décorées de belles boiseries et de tableaux de Mignard, Sauvan, Simon Vouet et Parrocel. Dans le chœur, un grand retable encadre une toile de Reynaud Levieux représentant l'Assomption. Orgues du 17e s.

Levez les yeux pour découvrir le fabuleux Couronnement de la Vierge (collégiale N.-D.-des-Anges).

Restauration

● ***Valeur sûre***

Le Carré d'Herbes – *13 av. des Quatre-Otages - ☎ 04 90 38 62 95 - www.carredherbes.com - fermé janv., mar. sf en juil.-août et mer. - 160F.* Dans une cour, vous trouverez ce petit restaurant au milieu des antiquaires. Son décor moderne est assez insolite avec ses murs rouges, son plafond en tôle oxydée, ses banquettes en bois et sa terrasse dans une volière. Au menu : spécialités provençales.

● ***Une petite folie !***

La Prévôté – *4 r. J.-J.-Rousseau, derrière l'église - ☎ 04 90 38 57 29 - fermé nov., vacances de fév., dim. soir et lun. - 250/350F.* Discret, derrière son porche et sa cour, ce restaurant adossé à l'église, dans une ruelle, est un peu difficile à trouver. Un petit canal, visible à l'entrée, passe sous la maison. Cuisine harmonieuse et soignée aux accents du pays.

Hébergement

● ***Valeur sûre***

Chambre d'hôte Le Mas de la Coudoulière – *1854 rte de Carpentras - 2 km au N de l'Isle-sur-la-Sorgue sur D 938 dir. Carpentras - ☎ 04 90 38 16 35 - fermé nov. - 6 ch. : 360/470F - repas 165F.* Dans cette ferme monastique du 17e s. où se cultivaient le chanvre et la garance, les chambres ont été rénovées dans l'esprit des constructions d'antan. Le repas du soir est servi en table d'hôte dans la salle à manger voûtée ou sous le marronnier centenaire en été. Gîtes disponibles.

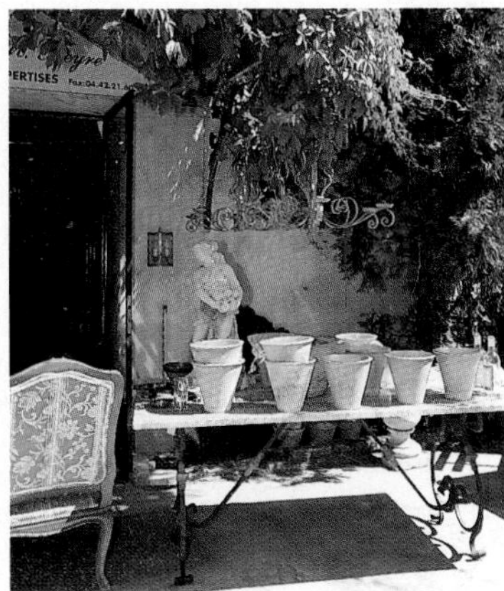

Le temps d'un verre

Au Rendez-vous des Marchands – *89-91 av. de la Libération - ☎ 04 90 20 84 60 - Tlj 10h-1h30 sf mar.* S'agit-il d'une brocante dans un café ou d'un café dans un magasin d'antiquités ? Nul ne sait où s'arrête l'un et où commence l'autre : toujours est-il que l'originalité et le charme du lieu résident dans cet entre-deux. Terrasse jouxtant la Sorgue.

Café de France – *Pl. de la Liberté - ☎ 04 90 38 01 45 - Tlj 7h30-1h30.* Profitez de cette terrasse idéalement située face à la belle façade de la collégiale Notre-Dame-des-Anges (17e s.). Ce café attachant aime aussi la philosophie (café philo premier dimanche du mois) et la musique (concert le mercredi en été et le vendredi une fois par mois en hiver).

Le Caveau de la Tour de l'Isle – *12 r. de la République - ☎ 04 90 20 70 25 - Mar.-sam. 9h-13h, 15h-20h30 sf dim. 9h-13h. Juil.-août : lun.-sam. 9h-13h, 15h-20h30 sf dim 9h-13h.* Ce caveau fleure bon la bodegas espagnole. Derrière le comptoir de vente se trouve un salon de dégustation où l'on peut goûter et acheter plus de 120 crus, dont nombre de vins régionaux.

Achats

Meubles Bonjean – *Rte de l'Isle-sur-la-Sorgue - 84250 Le Thor - ☎ 04 90 33 89 54.* Visite de l'atelier en sem. : téléphoner au 04 90 33 82 94.

Le Village des Antiquaires de la Gare – *2 bis av. de l'Égalité - ☎ 04 90 38 04 57 - www.villagegare.com - w.-end et j. fériés 10h-19h.* C'est le plus important des villages d'antiquaires : 80 d'entre eux sont regroupés dans une ancienne manufacture de tisserands.

Foires à la brocante – À Pâques et autour du 15 août.

Hôtel Donadeï de Campredon (Centre Xavier-Battini)

Rue du Dr-Tallet. De mi-juin à sept. : tlj sf lun. 10h-13h, 15h-18h30 ; d'oct. à mi-juin : 9h30-12h, 14h-18h. Fermé entre les expositions (se renseigner), 1er janv., 1er mai, 14 juil., 25 déc. 35F (enf. : gratuit). ☎ 04 90 38 17 41.

Une exposition temporaire pourra donner prétexte à pénétrer dans ce bel hôtel particulier du 18e s., représentatif du classicisme français.

Hôpital

Fermé pour cause de travaux.

S'ouvrant sur la rue Jean-Théophile, longée par un bras de la Sorgue, il est digne d'intérêt à plusieurs titres : Vierge en bois doré, grand escalier avec rampe en fer forgé (18e s.), boiseries de la chapelle, collection de pots en faïence de Moustiers de la pharmacie et enfin, dans le jardin, charmante fontaine du 18e s.

alentours

Le Thor

5 km à l'Ouest sur la N 100, direction d'Avignon. L'ancienne capitale du raisin de table « chasselas » forme aujourd'hui un gros bourg agricole qui se partage entre cultures maraîchères et fruitières et viticulture. Le pont sur la Sorgue et ses alentours, notamment l'église, offrent une perspective rafraîchissante. Du Moyen Âge subsistent également des fragments de remparts et le beffroi. L'**église★**, achevée au début du 13e s., est romane dans son ensemble, mais sa nef unique est couverte d'une voûte gothique qui compte parmi les plus anciennes de Provence. Extérieur imposant avec sa haute nef qu'étayent de massifs contreforts, son abside ornée d'arcatures lombardes et son lourd clocher central, inachevé. Portails directement inspirés de l'art antique. *Tlj 8h30-12h, 14h-18h, dim. et lun. 8h30-12h. Visite guidée possible sur demande auprès de l'Office de Tourisme.*

Grotte de Thouzon

ENVOÛTANTE

Avec ses nombreuses concrétions colorées, la voûte, qui atteint parfois 22 m de hauteur, supporte des stalactites fistuleuses d'une rare finesse.

3 km au Nord du Thor par la D 16 sur laquelle s'amorce (à gauche) le chemin de la grotte. Avr.-oct. : visite guidée (3/4h) 10h-12h, 14h-18h (juil.-août : 10h-18h30) ; mars et nov. : dim. et j. fériés 14h-18h. 39F (enfants : 26F). ☎ *04 90 33 93 65.* La grotte s'ouvre au pied d'une colline que couronnent les ruines du château de Thouzon et un monastère. Ce fut le hasard d'un coup de mine, sur le site d'une carrière, qui fit découvrir cette grotte en 1902. Sur 230 m, on parcourt l'ancien lit de la rivière souterraine qui creusa cette galerie, terminée par un gouffre peu profond.

Labeaume★

Ici les villages semblent surgir du roc, indestructibles vestiges d'un temps où la civilisation n'avait guère de prise sur un pays sauvage, entaillé par des gorges et des rivières aux teintes de jade ou d'émeraude.

Renouard – Portrait d'Alphonse Daudet *(1886) : le « Petit Chose » a découvert Tartarin à la Vignasse.*

La situation

Cartes Michelin nos 80 Est du pli 8 et 245 Sud du pli 1 – Ardèche (07). La D 245 conduit au pied du village : un pont submersible, aux piles robustes protégées par des avant-becs, franchit la rivière et s'intègre de façon heureuse dans le site. Laisser votre voiture sur une vaste place à l'entrée du village.

Le nom

Le village, ou la rivière, tirent leur nom des nombreuses grottes creusées dans les falaises, les *baumas* en occitan.

Les gens

493 Labeaumois. Henri Reynaud, qui vivait au mas de la Vignasse, était un chasseur redoutable : plus pour ses auditeurs qui devaient subir ses interminables récits que pour la faune locale. Son cousin nîmois, Alphonse Daudet, qui venait fréquemment en vacances au mas, ne manqua pas de s'en inspirer pour créer le personnage de Tartarin.

se promener

Le village

Agréable promenade au fil des ruelles en pente du village, avec leurs passages couverts et leurs maisons à galeries, certaines restaurées par des artistes. À gauche de l'église, dont le clocher-porche du 19e s. repose sur deux colonnes rondes, une ruelle conduit à une esplanade ombragée, au bord de la rivière. Après avoir franchi le pont submersible et suivi sur quelques mètres le chemin qui s'élève sur la rive opposée, on aura une excellente vue du village.

Gorges de la Beaume*

Attrayante promenade, rive gauche, vers l'amont, en bordure des eaux transparentes, face à la falaise calcaire que l'érosion a rongée avec une grande fantaisie.

alentours

Mas de la Vignasse

6 km. Prendre la D 245 puis, juste avant de franchir l'Ardèche, la D 208 à droite. Laisser votre voiture à hauteur de l'église d'Auriolles et prendre à droite le chemin en montée (500 m) menant au mas signalé par l'effigie de l'écrivain. Avr.-Toussaint : visite guidée (1h). Pour les horaires, se renseigner. 30F. ☎ 04 75 39 65 07.

Ce mas, qui abrite aujourd'hui le « **museon dou Bas-Vivarès** », a appartenu de 1642 à 1937 aux Reynaud, producteurs et négociants de soie, ancêtres maternels d'Alphonse Daudet.

Dans l'ancienne magnanerie et la cour, un **musée d'Arts et Traditions rurales** expose des outils évoquant la vie d'un grand mas d'autrefois.

Le logement du sériciculteur (1714) abrite le **musée Alphonse Daudet** : manuscrits, documents et articles de presse.

Nostalgiques ?

Moulins à huile, alambic, pressoir à vin, charrues, fours à chaux et à pin, métiers à tisser, ateliers pour la filature de la laine, du chanvre et de la soie, ainsi que le matériel séricicole pour l'élevage des vers à soie : tout pour replonger dans l'ancien temps.

Petites bêtes gloutonnes

Comme dans les Cévennes, l'élevage des vers à soie était un complément de revenu fort utile pour les agriculteurs du Bas-Vivarais. Après s'être procuré les larves qu'on disposait sur des claies dans la **magnanerie**, on les nourrissait de feuilles de mûriers. À leur 4e mue, les vers tissaient un cocon qui, une fois le vers métamorphosé, était porté à la filature où, après l'avoir cuit, on le dévidait. Il ne restait plus alors qu'à tisser la soie pour en faire des étoffes. Chacun des vers, pesant 26 grammes au départ, avait consommé près d'une tonne de feuilles...

itinéraire

RUOMS ET SES ENVIRONS

11 km – environ 1h.

Quitter Labeaume par la D 245, puis prendre à gauche dans la D 4.

Défilé de Ruoms*

La route offre de jolis passages en tunnel et la vue surplombe l'Ardèche, avec ses eaux vertes et transparentes. Au défilé de Ruoms succèdent les gorges de la Ligne. Au retour, à la sortie des tunnels, on aperçoit dans l'axe de la vallée la silhouette du rocher de Sampzon, en forme de calotte.

Prendre à gauche vers Ruoms en traversant l'Ardèche.

Au confluent

... des deux rivières, dominé par des falaises hautes de 100 m, s'ouvre une belle perspective sur l'Ardèche en amont. La régularité des strates y est frappante.

Ruoms

Le quartier ancien est inscrit dans une enceinte carrée, flanquée de sept tours rondes. Au centre de la ville close s'élève l'**église romane** dont le clocher, percé d'arcatures et décoré de motifs incrustés en pierre volcanique, peut être apprécié depuis la ruelle St-Roch.

Quitter Ruoms par la D 579 en direction de Vallon puis prendre à droite l'étroite D 161 qui, après avoir franchi l'Ardèche, s'élève en lacet vers Sampzon. Laisser votre voiture au parking en contrebas de l'église du vieux village.

Rocher de Sampzon*

3/4h à pied. Gagner le sommet par le chemin goudronné, puis par le sentier qui part à hauteur de l'aire de retournement.

Du sommet (relais de télévision), panorama sur le bassin de Vallon, l'entablement du plateau d'Orgnac et les méandres de l'Ardèche.

Le Luberon★★★

À mi-chemin entre les Alpes et la Méditerranée s'étend la barrière montagneuse du Luberon. Parsemant ces paysages lumineux et accidentés, villages perchés ou mystérieuses bories confèrent à la région une forte personnalité.

La situation

Cartes Michelin nos 81 plis 12, 13, 14 et 15, 114 plis 1, 2, 3 ou 245 plis 30 à 32 – Vaucluse (84).

La combe de Lourmarin divise le Luberon en deux parties inégales : à l'Ouest, le Petit Luberon, plateau échancré de gorges et de ravins dont l'altitude ne dépasse guère 700 m ; à l'Est, le Grand Luberon aligne ses croupes massives qui s'élèvent jusqu'à 1 125 m au Mourre Nègre. Le versant Nord, aux pentes abruptes et ravinées, plus frais et humide, porte une belle forêt de chênes pubescents, tandis que le versant Sud, tourné vers le pays d'Aix, est plus méditerranéen par sa végétation (chênaie verte, garrigues à romarin). *Maison du Parc naturel régional du Luberon, 60 pl. Jean-Jaurès, 84400 Apt, ☎ 04 90 04 42 00. Internet : www.parcduluberon.com.*

Le nom

La montagne est anciennement citée sous le nom de Luerio ou Luerionis, d'une racine celtique signifiant la « montagne »... C'est sans doute la ressemblance avec *louba*, la « louve », qui a entraîné l'apparition de la forme moderne... et si la deuxième syllable n'a pas d'accent, seuls les « gens d'en haut » prononcent « Lubeuron » !

Les gens

L'avignonnais Henri Bosco (1888-1976) est l'écrivain du Luberon : cette escapade devrait être l'occasion de relire quelques-uns de ses ouvrages, à commencer par *Le Mas Théotime.*

Le logo du Parc naturel régional du Luberon, avec pour symbole une borie.

PARC NATUREL RÉGIONAL DU LUBERON

Créé en 1977, il englobe 67 communes couvrant 165 000 ha répartis sur les départements de Vaucluse et des Alpes-de-Haute-Provence, de Manosque à Cavaillon et de la vallée du Coulon (ou Calavon) à celle de la Durance. Il a pour vocation de préserver l'équilibre naturel de la région tout en visant l'amélioration des conditions de vie des villageois et la promotion des activités agricoles par l'irrigation, la mécanisation et la restructuration foncière. Les principales réalisations dans le domaine touristique concernent l'ouverture de centres d'information et de musées à Apt, Buoux et La Tour-d'Aigues, le balisage de sentiers de découverte dans la forêt de cèdres de Bonnieux, les falaises d'ocre de Roussillon, les terrasses de culture à Goult, la restauration du village de bories de Viens ou encore l'aménagement de routes touristiques thématiques comme « la route des Vaudois » et l'édition d'ouvrages, souvent remarquables.

comprendre

Le milieu naturel – La diversité du tapis végétal comblera les amoureux de la nature. Outre les forêts de chênes se développent de nombreuses autres essences : cèdre de l'Atlas sur les sommets du Petit Luberon, hêtre, pin sylvestre... Les landes à genêt et à buis, les garrigues, l'extraordinaire palette de plantes odorantes s'agrippent un peu partout sur les pentes rocailleuses. Le mistral se mêle de la partie et provoque des inversions locales, transportant le chêne vert sur les ubacs (versants exposés au Nord) et les chênes blancs sur les adrets (versants exposés au Sud). En hiver, les contrastes sont frappants entre les feuillages persistants et caducs. La faune est également très riche : couleuvres (sept espèces différentes), psammodrome d'Edwards (lézard), fauvettes, merle bleu, hibou grand duc, aigle de Bonelli, circaète Jean-le-blanc, etc.

POUR LE BOTANISTE

La flore du Luberon se distingue par quelques espèces propres comme la leuzée à cône (reconnaissable au cône résineux qui la termine), le ciste cotonneux, aux feuilles pelucheuses, et le chèvrefeuille d'Étrurie, particulièrement odorant.

Restauration

• Valeur sûre

La Table des Mamées – *1 r. du Mûrier - 84360 Lauris - 4,5 km au SO de Lourmarin par D 27 - ☎ 04 90 08 34 66 - fermé 15 au 30 oct., 1 sem. en fév. et lun. sf 1er mai au 15 sept. - réserv. conseillée - 130F.* Ici, la tradition de la cuisine de femme est cultivée avec passion. Dans ce restaurant de village les recettes de grand-mères font le bonheur des convives dans les deux salles voûtées des 14e et 15e s. Et soirées musicales en fin de semaine... Quelle ambiance !

Maison Gouin – *84660 Coustellet - 7 km au NO de Ménerbes par D 103 et N 100 - ☎ 04 90 76 90 18 - fermé 15 fév. au 8 mars, 14 nov. au 7 déc., mar. soir de nov. à mars et mer. - réserv. conseillée - 160F.* Ici, les tables sont dressées dans la boucherie ! Tenue par la même famille depuis 1928, cette boutique se prolonge d'une salle aux murs ocre jaune et d'une terrasse où l'on déguste une cuisine du marché.

Hébergement

• À bon compte

Camping Le Moulin à Vent – *84160 Cucuron - 2,3 km au S de Cucuron par D 182 rte de Villelaure puis rte secondaire - ☎ 04 90 77 25 77 - ouv. avr. à sept. - ⊄ - réserv. conseillée - 50 empl. : 54F.* Quel décor ! En pleine nature, ce terrain ouvre une vue sur le « Château des Oliviers ». À l'ombre de ses chênes verts, vous profiterez en plus de son calme pour vous reposer en toute quiétude. Installations simples.

L'Aiguebelle – *Pl. République - 04280 Céreste - ☎ 04 92 79 00 91 - fermé 15 nov. au 14 fév. et lun. sf juil.-août - 17 ch. : 190/330F - ☕ 38F - restaurant 89/230F.* Faites une pause dans cet hôtel sans prétention au cœur du village. Les chambres sont sobres et claires. Et on y prépare une cuisine régionale à la fois simple, appétissante et copieuse à des prix très raisonnables.

• Valeur sûre

Hôtel L'Oustau dï Vins – *La Font du Pin - 84460 Cheval-Blanc - 7 km à l'O de Mérindol, rte de Cavaillon - ☎ 04 90 72 90 90 - P - 6 ch. : 360F - ☕ 40F.* Sur un domaine arboré de 20 ha, au pied du Luberon, cette ancienne ferme bien restaurée abrite de belles chambres provençales aux tons ocre, toutes personnalisées. Joli poêle et mobilier en fer forgé dans la salle des petits-déjeuners. La propriétaire, œnologue, vous fera découvrir les vins de sa région. Piscine.

Chambre d'hôte La Maison des Sources – *Chemin des Fraisses - 84360 Lauris - 4,5 km au SO de Lourmarin par D 27 - ☎ 04 90 08 22 19 - ⊄ - 4 ch. : 370/450F.* Appuyée contre une falaise, où l'on devine les vestiges d'une habitation troglodytique, cette ferme rénovée abrite des chambres colorées à la chaux pigmentée. En bas, deux pièces voûtées servent de salon et de salle à manger. Une chambre originale avec quatre lits à baldaquin.

Chambre d'hôte Les Grandes Garrigues – *84160 Vaugines - 3 km à l'O de Cucuron par D 56 et D 45 (rte de Cadenet) - ☎ 04 90 77 10 71 - ⊄ - 5 ch. : 400/600F - repas 140F.* Sur un domaine de 11 ha, au pied du Luberon, voilà une belle propriété aux murs d'ocre et aux chambres confortables. De Pâques à septembre, les convives peuvent aussi profiter de la table d'hôte, dressée dehors, en face des Alpilles et de la Montagne Ste-Victoire.

Chambre d'hôte Domaine de Layaude Basse – *84480 Lacoste - 1,5 km au N de Lacoste dir. Roussillon et rte secondaire - ☎ 04 90 75 90 06 - fermé nov. à mars - ⊄ - 6 ch. : 490F - repas 135F.* Au cœur d'une grande propriété viticole, face au mont Ventoux, vos hôtes vous accueillent dans les jolies chambres de leur mas familial du 18e s. Les repas sont arrosés des vins du domaine et miels et confitures « maison » accompagnent les tartines du matin.

Achats

Distillerie bio Lavande 1100 – *84400 Lagarde-d'Apt - ☎ 04 90 75 01 42.* Producteur d'huiles essentielles, miel de lavande, vinaigre floral à la lavande... Visites commentées sur demande.

Loisirs-Détente

Randonnée pédestre – Guides édités par La Fédération française de la randonnée pédestre : *Tour du Luberon, GR 9* et *20 balades dans le Parc naturel régional du Luberon*. La maison du parc informe sur les promenades pédestres accompagnées *(gratuites)* et les possibilités d'hébergement en gîtes d'étape. Il existe également un topo-guide consacré aux sentiers historiques vaudois.

Randonnée à vélo – Itinéraire cyclotouristique (de Cavaillon à Forcalquier - environ 100 km) : des panneaux de signalisation sont implantés à chaque carrefour (blanc dans le sens Cavaillon-Forcalquier, ocre dans le sens inverse) ; d'autre panneaux, de type informatif, sont installés dans une vingtaine de villages... L'association « Vélo-loisirs en Luberon » regroupe les hébergements prêts à accueillir les cyclotouristes *(☎ 04 92 79 05 82)*.

Randonnée équestre – Se référer à la carte guide *Tourisme équestre en Vaucluse*, éditée par le Comité départemental du Tourisme.

Escalade – De nombreuses voies ont été aménagées dans les falaises de Buoux.

Association vélivole du Luberon – *26 av. de la Fontaine - 13370 Mallemort - ☎ 04 90 57 43 86.* Pour découvrir le Luberon grâce au vol à voile.

École de Rustrel – *84400 Rustrel - ☎ 04 90 04 42 00.* École de parapente.

Sortie

La Gare – *Pl. du Marché - Coustellet - 84660 Maubec - En venant de Gordes, dir. A 7 (Marseille). Au grand croisement de Coustellet, tt droit, puis à 80 m, à gche vers grande pl. - ☎ 04 90 76 84 38 - Jeu.-sam. 21h-2h, dim. 8h.-14h. Fermé juil.* Dûment labélisée scène de musiques actuelles, le lieu tient son nom de sa fonction ferroviaire première et conserve quelques éléments de son décor d'antan, comme une vieille horloge et la pancarte de l'arrêt : « Maubec ». Concerts, pièces de théâtre, débats et événements inclassables.

Vie et survie des villages perchés – Si le Luberon fut habité dès la préhistoire, les villages perchés n'apparaissent qu'au Moyen Âge. Blottis au pied d'un château ou d'une église, ils pressent à flanc de rocher leurs maisons aux murs imposants et aux pièces parfois creusées dans le roc. Les habitants descendaient des villages pour travailler dans la campagne environnante, où, lorsque l'éloignement le commandait, ils s'abritaient quelque temps dans des cabanes de pierres sèches, les bories. Les ressources venaient principalement de l'élevage (moutons), de l'olivier, de maigres céréales et de la vigne ; s'ajoutèrent ensuite la culture de la lavande et l'élevage du ver à soie. Cette économie traditionnelle a été balayée par les mutations agricoles des 19e et 20e s. et la fin de l'insécurité : peu à peu, les villages se sont dépeuplés et sont tombés en ruine. De nos jours, la tendance s'est inversée : les villages sont souvent bien restaurés et une nouvelle population, en augmentation constante, a remplacé les autochtones.

Culte de la pierre

Chaque parcelle cultivable était soigneusement épierrée - les pierres étaient rassemblées en tas, les « clapiers » - et bordée de murettes de pierres sèches, pour protéger le terrain du ravinement des eaux de pluie. Les troupeaux étaient aussi parqués dans des enclos de pierre.

Les bories – Sur les pentes du Luberon et du plateau de Vaucluse se dressent de curieuses cabanes de pierres sèches, les « bories ». Ils se présentent soit isolés, soit groupés en véritables villages : on en dénombre environ 3 000. Certains d'entre eux n'étaient que des remises à outils ou des bergeries, mais beaucoup ont été habités à différentes époques, depuis l'âge du fer jusqu'au 18e s.

Les bories étaient bâtis avec les matériaux trouvés sur place : feuilles de calcaire se détachant du rocher ou plaquettes provenant de l'épierrage des champs. Ces pierres, appelées « lauzes », d'environ 10 cm d'épaisseur, étaient assemblées sans mortier ni eau. L'épaisseur des murs, obtenue par la juxtaposition de plusieurs rangs de plaquettes, toujours renforcée à la base, varie de 0,80 m à 1,60 m. Pour leur couverture, à mesure que les murs montaient, on prenait soin de faire légèrement déborder chaque assise de pierres sur la précédente de façon que le diamètre diminue jusqu'à la dimension d'un simple orifice que l'on n'avait plus qu'à fermer avec une dalle. Pour éviter les infiltrations d'eau, les différents lits de pierres étaient inclinés vers l'extérieur. À l'intérieur, la voûte se présente souvent comme une coupole hémisphérique sur pendentifs, qui permettent de passer du plan carré au cercle ou au cône. Leurs formes sont très variées. Les plus simples, d'aspect circulaire, ovoïde ou carré, ne comportent qu'une seule pièce et une seule ouverture, la porte située à l'Est ou au Sud-Est. L'agencement intérieur se limite à des cavités, servant de placards, aménagées dans l'épaisseur des murs. La température de la cabane reste constante en toute saison. Des bâtiments de plus grandes dimensions existent. Ils sont rectangulaires, ont quelques rares ouvertures étroites, et leurs toitures à double ou quadruple pente utilisent la technique des fausses voûtes en plein cintre, en berceau brisé ou en « carène ». Leur organisation est celle d'une ferme traditionnelle : à l'intérieur d'une cour ceinte d'un haut mur, on trouve, outre l'habitation (sols dallés, banquettes et cheminée pour les plus confortables), le four à pain et les différents bâtiments d'exploitation.

Le mot *boria*, en occitan, désigne, au féminin, une ferme. Mais les bories du Luberon, bien qu'ayant la même étymologie, sont, eux, du genre masculin.

circuits

1 LE GRAND LUBERON**

Circuit au départ d'Apt – 119 km – une demi-journée, ascension au Mourre Nègre non comprise.

Quitter Apt par la D 48 au Sud-Est, par l'avenue de Saignon.

La route en montée offre de belles vues sur le site perché de Saignon, le bassin d'Apt, le plateau de Vaucluse et le Ventoux.

Saignon

Bâti sur un promontoire près d'un haut rocher, charmant village, avec église romane.

Suivre la D 48.

Elle atteint un replat cultivé. À droite, plateau des Claparèdes parsemé de bories.

Laisser votre voiture à Auribeau. Ressortir du village au Nord et prendre à gauche en direction du Mourre Nègre la route forestière non revêtue jusqu'au GR 92 qui permet d'atteindre le sommet du Mourre Nègre.

Petit coin d'Argentine

Maître de la nouvelle fantastique, l'écrivain argentin Julio Cortázar possédait une résidence à Saignon, qu'il évoque dans plusieurs de ses récits. Autour de lui, quelques Argentins de France se sont regroupés, créant dans ce village le quartier le plus oriental de Buenos Aires.

Le Mourre Nègre★★★

1/2 journée à pied AR.

Alt. 1 125 m. Le Mourre Nègre (ou Visage Noir) est le point culminant de la montagne du Luberon ; du sommet, immense **panorama**★★★ sur la montagne de Lure et les Préalpes de Digne au Nord-Est, la vallée de la Durance, avec en arrière-plan la montagne Ste-Victoire au Sud-Est, l'étang de Berre et les Alpilles au Sud-Ouest, le bassin d'Apt, le plateau de Vaucluse et le mont Ventoux au Nord-Ouest.

Scène pastorale sur la montagne du Luberon : clapiers et murettes, chèvres et brebis, une certaine idée de la sérénité.

Revenir à la D 48 pour traverser Auribeau puis le hameau étagé de **Castellet** qui possède des distilleries de lavande. On atteint alors la vallée du Calavon, qui fait suite aux garrigues.

Prendre à droite la N 100, puis, juste après avoir franchi le Calavon, une petite route sur la droite à suivre sur 2 km.

Peu après l'imposante façade pratiquement aveugle de la **tour d'Embarbe**, on arrive à Céreste.

Céreste

On s'attardera volontiers dans cette ancienne cité romaine située sur la voie Domitienne. Elle a conservé une partie de ses fortifications et forme un bel ensemble architectural. Le sol est riche en remarquables fossiles (poissons, végétaux) qui se sont formés dans les calcaires schisteux *(il est bien entendu interdit de les ramasser).*

Sortir de Céreste en direction de Forcalquier et prendre à gauche l'avenue du Pont-Romain.

Sur la droite apparaît le « pont romain » (en fait médiéval) enjambant l'Encrème. ►

Le « Nid d'amour »

C'est une curieuse fontaine-citerne sous voûte de pierre, alimentée par deux sources jaillissant du rocher ; un bassin la prolonge, en encorbellement du rocher *(en contrebas de Céreste, à proximité de l'Encrème).*

Suivre en restant toujours à droite cette petite route qui court sur les premiers contreforts du plateau de Vaucluse. À 3,5 km, tourner à gauche dans une route en descente.

Prieuré de Carluc

Visite sur demande préalable toute l'année (juil. : 15h30-19h). 10F. ☎ 04 42 54 22 70.

Au fond d'un paisible vallon se dressent les vestiges de l'ancien prieuré de Carluc édifié au 12e s. et placé sous la dépendance de Montmajour. Sur le flanc gauche de la petite église s'ouvre une galerie taillée dans le roc où des tombes à forme humaine sont aménagées dans le sol. Cette galerie menait à une seconde église dont il ne subsiste que la partie creusée dans le rocher.

Revenir à Céreste et prendre à gauche la D 31.

La route serpente sur le versant Nord du Grand Luberon (belles vues sur la vallée du Calavon et le plateau de Vaucluse).

En descendant le versant Sud vers Vitrolles, vous atteindrez la plaine par la D 42 puis, peu avant St-Martin-de-la-Brasque, par la D 27 qui longe l'étang de la Bonde.

Le Mai de Cucuron

Le samedi qui suit le 21 mai, les Cucuronais s'en vont couper le plus haut des peupliers de la commune, après y avoir juché un garçonnet, « l'enseigne ». Puis ils le transportent en procession jusqu'à l'église, au son d'un tambour. Cette fête a été instituée après la peste de 1720 pour remercier sainte Tulle d'avoir épargné le village.

Cucuron

L'église du village a conservé sa nef romane : Christ assis et enchaîné en bois peint du 16e s., dans la chapelle des fonts baptismaux, et chaire en marbre de couleurs variées. En face de l'église, l'hôtel de Bouliers (17e s.) abrite le petit **musée archéologique Marc Deydier** consacré à la préhistoire, à l'époque gallo-romaine et aux traditions locales. *Tlj sf jeu. 9h-12h, 15h-17h, mar. 15h-17h, dim. 9h-12h (juin-sept. : femeture à 18h). Fermé certains j. fériés. Gratuit.* ☎ 04 90 77 25 02.

De la plate-forme au pied du donjon, belle vue sur le bassin de Cucuron et, à l'horizon, sur la montagne Ste-Victoire.

Quitter Cucuron par la D 56 au Sud-Est.

Ansouis *(voir ce nom)*

Revenir à Cucuron par la D 56 qui mène à Lourmarin.

Gourmandise

Galeries d'art, boutiques d'artisanat et terrasses de cafés offrent l'occasion d'une promenade agréable que certains agrémenteront d'un « gibassier », galette sucrée à l'huile d'olive, spécialité du lieu.

Lourmarin★

Au pied de la montagne du Luberon, Lourmarin est dominé par le château, bâti sur une butte un peu à l'écart du village.

Ce **château★** comprend une partie du 15e s. et une partie Renaissance. La partie Renaissance est remarquable par son unité de style et de composition. Belles cheminées ornées de cariatides ou de colonnes. Originalité : une fine colonnette soutenant une coupole de pierre parachève le grand escalier. La partie du 15e s. est occupée par la bibliothèque et les chambres des pensionnaires qui donnent sur d'agréables galeries de pierre ou de bois. *Juil.-*

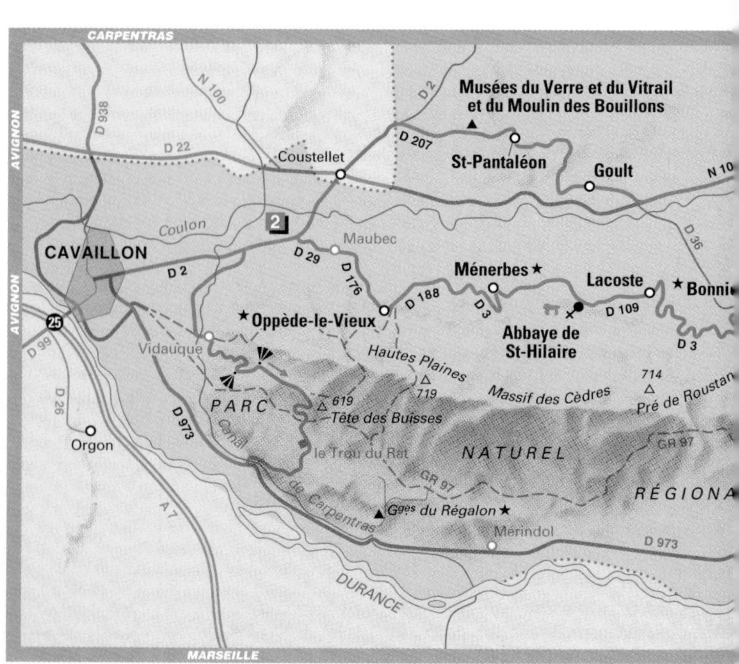

Les écrivains Henri Bosco (1888-1976) et Albert Camus (1913-1960) ont séjourné au château de Lourmarin ; ils reposent aujourd'hui au cimetière de Lourmarin.

août : (toutes les 1/2h) 10h-11h30, 15h-18h ; mai-juin et sept. : à 10h, 11h, 14h30, 15h30, 16h30, 17h30 ; oct.-déc. et fév.-avr. : à 11h, 14h30, 15h30, 16h30. Fermé janv. sf w.-end et 25 déc. 30F. ☎ *04 90 68 15 23.*

La D 943 au Nord-Ouest remonte la combe de Lourmarin.

La route, sinueuse, traverse des gorges étroites, aux parois abruptes, ouvertes dans le massif par l'Aigue Brun. Après les bâtiments (ancien château des 16e et 18e s.) de la colonie de vacances de Marseille, la route franchit un pont et conduit vers un groupe de maisons. Un peu avant ces dernières, tourner à droite dans le chemin (parking).

Fort de Buoux

1/2h à pied AR, puis 3/4h de visite. Passant la grille, puis sous une roche en surplomb, gagner la maison du gardien. Du lever au coucher du soleil. 15F. ☎ *04 90 74 25 75.*

Déjà occupé par les Ligures, puis par les Romains, l'éperon rocheux qui supporte le fort a longtemps conservé sa vocation militaire. Témoin des combats entre catholiques et protestants, il fut démantelé sur ordre de Louis XIV en 1660. Trois enceintes défensives demeurent, avec une chapelle romane, des habitats, des silos

SPORTIF

Les amateurs de varappe et de randonnée pourront suivre la petite route jusqu'au hameau des Seguins, ensemble de maisons de pierres sèches (dont une pittoresque auberge) édifié au pied de la paroi dans un environnement sauvage.

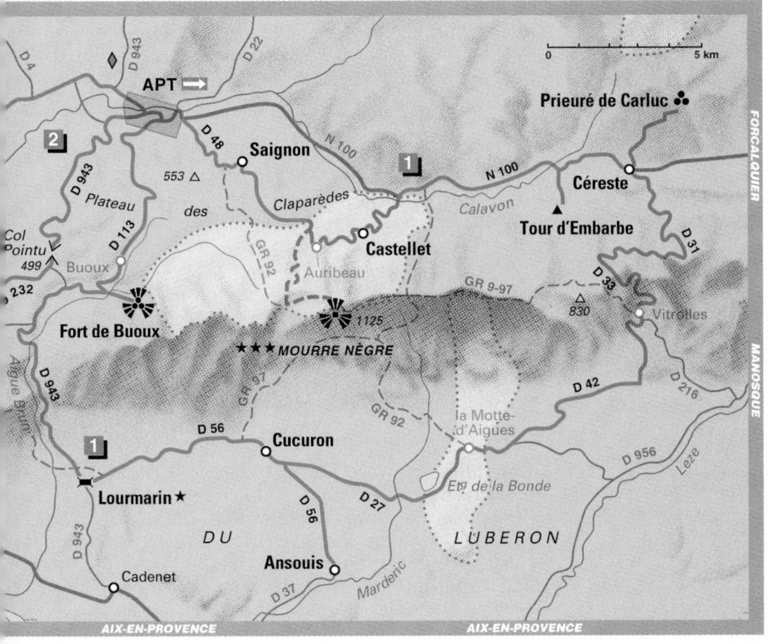

taillés dans le rocher, un donjon, une pierre de sacrifice ligure et un escalier dérobé. De la pointe de l'éperon, vue sur la haute vallée de l'Aigue Brun.

Revenir aux bâtiments de la colonie de vacances pour prendre à droite la D 113 qui traverse Buoux et, par un tracé pittoresque, rejoint Apt.

2 LE PETIT LUBERON★★

Circuit au départ d'Apt – 101 km – environ 6h.

Quitter Apt par la D 943, puis prendre immédiatement à droite la D 3 qui serpente parmi les vignes, occasion de s'arrêter chez quelques producteurs de « côtes du Luberon ».

Bonnieux★ *(voir ce nom)*

Quitter Bonnieux au Sud par la D 3, puis, à gauche, la D 109.

La route serpente sur le flanc du Petit Luberon, à l'arrière de Bonnieux ; en face apparaît le village de **Lacoste** et les murailles déchiquetées de l'imposant château en ruine, partiellement relevées, qui appartenait à la famille de Sade.

DIVIN MARQUIS

Plusieurs fois emprisonné, condamné à mort par contumace, Sade vient se réfugier en 1774 dans son château de Lacoste, où ce passionné de théâtre a fait aménager une luxueuse salle de spectacles.

Continuez vers Ménerbes par la D 109.

Après les carrières de Lacoste où l'on extraie une pierre de taille renommée, dans un joli site face au Luberon, l'ancienne **abbaye de Saint-Hilaire**, occupée par les Carmes du 13e au 18e s. et aujourd'hui propriété privée, conserve trois chapelles, respectivement des 12e, 13e et 14e s., ainsi que des bâtiments claustraux du 17e s. *9h-18h (hiver 10h-17h). Gratuit.*

Ménerbes★ *(voir ce nom)*

Emprunter la D 3 au Sud, puis la D 188.

Oppède-le-Vieux★

On laissera la voiture sur le parking aménagé après le village pour partir à sa découverte à pied.

Oppède-le-Vieux ou le temps suspendu : un oppidum sauvé par les artistes et les écrivains.

Étagé dans un **site★** remarquable sur un éperon rocheux, le village taillé dans le roc, naguère en grande partie ruiné, a retrouvé vie grâce à l'intervention d'artistes et d'hommes de lettres qui s'emploient, tout en le restaurant, à préserver son authenticité. Depuis l'ancienne place du bourg, on accède au village supérieur, couronné par la collégiale et les ruines du château, en passant sous une ancienne porte de ville. De la terrasse devant la collégiale, belle **vue★** sur la vallée du Coulon, le plateau de Vaucluse et Ménerbes. Derrière le château (fondé par les comtes de Toulouse et reconstruit aux 15e et 16e s.), vue dégagée sur les ravins qui sillonnent le flanc Nord du Luberon.

Après avoir traversé la région de Maubec (D 176, D 29) tourner à droite dans la D 2.

UN DÉTOUR ?

Prendre la D 2 à gauche puis, à la sortie de Robion, emprunter à gauche la D 31 puis à nouveau à gauche la route de Vidauque. Très raide et en lacet *(circulation à sens unique ; vitesse limitée à 30 km/h)*, la route qui longe la combe sauvage de Vidauque offre de magnifiques **vues★★** plongeantes : au Nord, la pointe du plateau de Vaucluse et la vallée du Coulon, au Sud et à l'Ouest les Alpilles, la vallée de la Durance et en contrebas la plaine de Cavaillon avec ses cultures maraîchères cloisonnées par des cyprès et des roseaux. La descente par la route du Trou-du-Rat mène à la D 973 qu'on prendra à droite en direction de Cavaillon où l'on reprendra, sur la droite, la D 2.

Coustellet

Le **musée de la Lavande** *(à droite sur la route de Gordes)* rassemble différents alambics anciens en cuivre rouge (à feu nu, à vapeur, à bain-marie, pour concrètes et pour l'absolue). Les produits proposés sont obtenus à partir de lavande cultivée au château du Bois sur la commune de Lagarde-d'Apt. ♿ *10h-12h, 14h-18h (juin-sept. : fermeture à 19h). Fermé janv.-fév. 15F.* ☎ *04 90 76 91 23.*

Trois km après Coustellet, prendre à droite la D 207 vers Moulin des Bouillons.

Musée du Moulin des Bouillons *(voir p. 217)*

St-Pantaléon *(voir p. 217)*

La D 104 puis la D 60 à droite mènent à Goult.

Goult

Dans ce village perché, dominé par son château et un moulin qui a retrouvé ses ailes, le « conservatoire des terrasses » a pour vocation de préserver et mettre en valeur (sentier de découverte) ce système de constructions de pierres sèches qui permettait de mettre en culture les terrains accidentés.

Rentrer vers Apt par la N 100 qui remonte la vallée du Coulon. Sur la gauche, s'étend le pays de l'ocre (voir p. 116).

Offert aux cieux

Dans son parc agréable, N.-D.-de-Lumières, lieu de pèlerinage célèbre en Provence, conserve une importante collection d'ex-voto.

Marseille★★★

On l'aime ou on la déteste. Pleine de vie et contradictoire, rivée à un port qui accueillit ses premiers habitants, fière de ses 2 600 ans d'histoire, elle perpétue une tradition d'intégration qui ne l'empêche pas d'être parfois intolérante... Quoi qu'il arrive, son exubérance méridionale, qui s'exerce en particulier dans la surenchère pagnolesque, ne vous laissera pas indifférent. Marseille, c'est avant tout un art de vivre dont il vous faudra sans doute quelques années pour en apprendre les règles.

La situation

Cartes Michelin n°s 84 pli 13, 114 pli 28, 245 pli 44 et 246 plis K, L, M – Bouches-du-Rhône (13).

Avant de vous immerger dans cette ville, prenez donc le temps d'admirer son site exceptionnel. N.-D.-de-la-Garde offre le meilleur observatoire. Du parvis, on découvre un extraordinaire **panorama★★★** sur les toits, le port et les montagnes environnantes. À gauche, les îles du Frioul et, au loin, le massif de Marseilleveyre ; en face, le port, avec, au premier plan, le fort St-Jean et le parc du Pharo, plus à droite, la ville, et au fond, la chaîne de l'Estaque ; en arrière, le sommet pelé de la chaîne de l'Étoile.

4 La Canebière, 13001 Marseille, ☎ 04 91 13 89 00.

Le nom

Massalia des Phocéens, Massilia des Romains, Marselha/Marsiho des Provençaux, Marseille des Français... et pourtant la ville pourrait ne pas s'appeler du tout : en effet, en 1793, afin de la punir de sa révolte fédéraliste, la Convention lui retira son nom et, comme il fallait bien la désigner, l'affubla du sobriquet de « Ville Sans Nom »... Mais d'où vient Massalia ? Mystère qui a donné lieu à bien des hypothèses. La plus délirante : les Grecs l'auraient baptisée ainsi car c'était le mas des Salyens...

Les gens

1 349 772 Marseillais dont Zinedine Zidane : ses deux coups de tête ont permis à la France de remporter la Coupe du monde de football 1998 en s'imposant devant le Brésil. Une particularité : cet enfant du quartier de la Castellane, Marseillais bon teint, n'a jamais porté le maillot blanc de l'OM.

L'OM

C'est plus et autre chose qu'un simple club de football. C'est l'âme de la ville, sa fierté et, sans doute, une part de son identité. De triomphes (un palmarès prestigieux comprenant la première coupe d'Europe jamais remportée par un club français) en désastres accompagnés de scandales, tout y est excessif : l'antre du Stade Vélodrome avec son public enthousiaste mais capable d'une sévérité inouïe, la presse qui décortique chaque jour sur plusieurs pages les états d'âme des joueurs, l'effectif où se bousculent les stars au point que bien des clubs feraient du banc des remplaçants leur équipe type, l'OM aujourd'hui centenaire passionne et soude comme jamais les Marseillais de toutes origines autour de ses couleurs blanc et bleu et de sa devise « droit au but ».

Transports

Métro – Le métro est le transport en commun le plus commode ; les deux lignes fonctionnent de 5h à 21h et sont remplacées de 21h à 1h par les « fluobus » ; les titres de transport sont vendus sous forme de cartes magnétiques valables pour un seul déplacement (carte solo), une journée (carte journée) ou pour plusieurs trajets (carte liberté ; 50 ou 100F). Le plan du réseau est distribué gratuitement aux guichets. Informations au ☎ 04 91 91 92 10.

Voiture – Il faut s'armer de patience, de philosophie et de courage : embouteillages incessants, conducteurs irascibles dénués de la moindre indulgence envers ceux qui semblent chercher leur chemin (surtout s'ils sont porteurs du 75 honni), n'hésitant pas à accompagner d'un assourdissant concert d'avertisseur ponctué d'invectives les manœuvres de stationnement dès lors qu'elles sont jugées trop longues, quasi impossibilité de se garer en dehors de parkings souterrains souvent complets, l'expérience peut relever, pour un public non averti, du calvaire.

Ferry boat – *8h-18h30, w.-end en été 8h-20h30. Dép. de la pl. aux Huiles à l'hôtel de ville. 5F AR, 3F aller.*

Visite

« Histobus » – Visite commentée de Marseille en bus (3h). Dim. 14h30 (tlj juil.-oct.). 75F (enf. 30F). ☎ 04 91 91 92 10.

« Taxis Tourisme » – Visite guidée avec commentaires sur cassette audio (entre 1h et 1 journée). De 200F à 570F. Réservation à l'Office de tourisme.

Petit train touristique – Deux circuits proposés : vers N.-D.-de-la-Garde par la basilique St-Victor ou dans le Vieux Marseille (quartier du Panier et Vieille Charité). Dép. : quai des Belges. Le circuit du Vieux Marseille ne fonctionne pas de mi-oct. à Pâques. 30F pour 1 circuit (enf. 15F), 50F pour les 2.

Restauration

Spécialités – À l'illustre bouillabaisse, le plat des pêcheurs, à base de poissons de roche qu'on trouvera proposée un peu partout, et au célébrissime aïoli, on ajoutera les pieds-et-paquets, plat à base de tripes.

Enfin, outre la brousse du Rove et les chichis frégis, la région de l'Estaque propose les panisses, pâte à base de poix chiches que l'on découpe en rondelles avant de les faire frire.

Restauration

• *À bon compte*

Dégustation Toinou – *3 cours St-Louis - ☎ 04 91 33 14 94 - fermé août - 65/120F.* C'est une institution et les Marseillais ne s'y trompent pas : ils viennent ici en foule déguster huîtres et crustacés... et les plateaux défilent à tous les étages de cet immeuble au décor contemporain de bois et de métal poli. Prix doux à deux pas du Vieux Port.

Salon de thé Couleur des Thés – *24 r. Paradis - ☎ 04 91 55 65 57 - fermé 20 juil. au 31 août, sam., dim. et le soir - 70/80F.* Au premier étage d'un immeuble du centre-ville, ce salon de thé est installé dans l'intimité d'un appartement cossu, agréablement décoré. Au programme, buffet de salades, charcuterie, tartes salées et pâtisseries maison. Cinquante variétés de thés à emporter en vrac.

Pignon sur Rue – *21 r. Sainte - ☎ 04 91 55 64 48 - fermé août, dim., lun. soir, mar. soir et mer. soir - 99F.* Conçu comme une rue commerçante de Marseille, ce restaurant tout en longueur ne manque pas d'originalité. Les tables de jardin aux parasols déployés sont dressées sous un ciel en trompe-l'œil : il ne manque que le mistral ! Cuisine simple aux accents du Sud.

La Cloche à Fromage – *27 cours d'Estienne-d'Orves - ☎ 04 91 54 85 38 - 99/150F.* Envie d'un plateau de fromages et d'un verre de vin ? Ici, vous pourrez vous resservir sous la grosse cloche toute la soirée : des plus doux aux plux corsés, il y en a pour tous les goûts ! À savourer sur la terrasse, formidable en été. Quelques plats sans fromage aussi.

• *Valeur sûre*

Les Arcenaulx – *25 cours d'Estienne-d'Orves - ☎ 04 91 59 80 30 - fermé 13 au 20 août et dim. - 145/295F.* Dînez parmi les livres qui tapissent les murs de ce restaurant provençal, associé à une librairie, dans les anciens entrepôts de l'Arsenal des Galères. Recettes d'inspiration provençale. Vous y trouverez aussi un salon de thé, des boutiques... Grande terrasse sur le cours d'Estienne-d'Orves.

Shabu Shabu – *30 r. de la Paix-Marcel-Paul - ☎ 04 91 54 15 00 -* fermé août, lun. midi et dim. - *réserv. conseillée le w.-end - 180F.* Tous les poissons de la Méditerranée préparés en sushis sous vos yeux ! Ici, le décor est japonais mais le chef est français... et passionné par la cuisine du pays du Soleil-Levant. Nous, on adore ses produits frais et comme c'est le seul restaurant japonais de la ville, on y court !

Chez Fonfon – *140 Vallon-des-Auffes - ☎ 04 91 52 14 38 - fermé 2 au 21 janv., dim. soir et lun. midi - 190F.* La salle à manger de ce restaurant réputé domine le petit port du Vallon des Auffes. Chaque matin, les « pointus » partent pêcher de quoi régaler les amateurs de poissons et fruits de mer.

L'Épuisette – *156 Vallon-des-Auffes - ☎ 04 91 52 17 82 - fermé 21 août au 4 sept., vacances de fév., dim. soir et lun. - 195/350F.* Aux premières loges, les jours de tempête ! Tel un navire, ce restaurant avance sur la mer, au-dessus des rochers,

face aux îles du Frioul, avec ses voiles tendues au plafond de la salle à manger. Cuisine bien tournée, au goût du jour.

Hébergement

● ***À bon compte***

Chambre d'hôte Villa Marie-Jeanne – *4 r. Chicot - ☎ 04 91 85 51 31 - www.fleurs-soleil.tm.fr - ⊭ - 3 ch : 180/350F.* Adresse rare à Marseille que cette bastide 19e s. aménagée avec goût. Dans un quartier résidentiel, elle mêle couleurs traditionnelles de la Provence et meubles anciens, fer forgé et toiles contemporaines dans un décor raffiné. Jardin à l'ombre de platanes et d'un micocoulier.

Hôtel Edmond Rostand – *31 r. du Dragon - ☎ 04 91 37 74 95 - 16 ch. : 250/290F - ☕ 36F.* La façade en pierre de taille et les persiennes bleues de cet hôtel entre la préfecture et la place Castellane cachent bien son jeu puisqu'il a été entièrement rénové. Les chambres sont sobres aux murs de crépi blanc et tentures colorées. Snack pour les résidents seulement.

● ***Valeur sûre***

Hôtel St-Ferréol's – *19 r. Pisançon - ☎ 04 91 33 12 21 - 19 ch. : 340/580F - ☕ 45F.* Cette ancienne maison est au cœur du quartier piétonnier, le plus commerçant et le plus animé de la cité phocéenne. L'ambiance est feutrée, douce et reposante dans les petites chambres bien insonorisées aux noms de peintres et dans les salles de bains en marbre.

New Hôtel Vieux Port – *3 bis r. de la Reine-Élisabeth - ☎ 04 91 90 51 42 - 47 ch. : 440/480F - ☕ 55F.* Flânez le long des quais du Vieux Port tout proche de cet hôtel. L'immeuble est ancien mais l'intérieur est entièrement rénové. Quelques chambres, dont certaines avec terrasse, ont vue sur les bateaux et sont bien insonorisées.

Le temps d'un verre

Café Parisien – *1 pl. Sadi-Carnot - ☎ 04 91 90 05 77 - Lun.-mer. 4h-21h, jeu.-ven. jusqu'à 1h.* En fin de semaine, ce café au décor baroque propose une animation musicale en fonction du thème des expositions qui y sont organisées tous les mois. Le Torcida Brésil en a fait son QG.

Le Pelle-Mêle – *8 pl. aux Huiles - ☎ 04 91 54 85 26 - www.pele-mele.com - Mar.-sam. à partir de 17h. Fermé août.* Ce magnifique établissement, dont l'arrière-salle est voûtée, accueille en fin de semaine des groupes de jazz de renommée internationale.

O'Brady's Irish Pub – *378 av. de Mazargues - ☎ 04 91 71 53 71 - www.celtic-irish-club.com - Tlj 11h-1h30. Fermé 25 déc. et 1er jan.* Proche du siège de l'OM et du Stade-Vélodrome, ce pub primé est l'un des rendez-vous préférés des supporters du club marseillais. Les soirs de match, retransmission sur écran géant et ambiance assurée.

O'Malley's – *9 quai Rive-Neuve - ☎ 04 91 33 65 50 - Tlj 16h-2h.* Pub irlandais au décor marin. Ambiance chaleureuse et typique, l'accent irlandais est de rigueur parmi le personnel. Concert de musique traditionnelle le mercredi à partir de 21h30.

Spectacles

Programmes – On les trouvera dans la presse quotidienne locale *(La Provence, La Marseillaise)* et dans l'hebdomadaire culturel gratuit *Taktik*, distribué à l'Office de tourisme, dans les lieux culturels et au journal, *55 cours Julien*. Citons aussi le petit livret *In Situ*, trimestriel, également distribué à l'Office de tourisme.

Pastorales – En déc et janv., représentations de pastorales (dont la fameuse pastorale Maurel) aux théâtres **Mazenod** *(88 r. d'Aubagne)* et **Nau** *(9 r. Nau)*.

Théâtres – Marseille s'enorgueillit de posséder plus de 20 théâtres en activité. Pièces classiques ou contemporaines au **théâtre National de Marseille-la Criée** dirigé par Gildas Bourdet *(30 quai de Rive-Neuve)*, aux théâtres du **Gymnase** *(4 r. du Théâtre-Français)*, **Toursky** (poésie et rencontres du théâtre méditerranéen; *16 passage Léo-Ferré*) et de **Lenche** *(4 pl. de Lenche)*. Créations Art et essai au théâtre du **Merlan-Scène nationale** *(av. Raimu)*, au théâtre des **Bernardines** *(17 bd Garibaldi)* et au **Chocolat-Théâtre** *(59 cours Julien)*.

Musique classique et danse – Concerts de musique classique et répertoire lyrique à l'**Opéra municipal** *(2 r. Molière)*. Danse par le **Ballet National** aujourd'hui dirigé par Marie-Claude Pietragalla *(20 bd de Gabès)*. Programmations musicales variées à la **Cité de la Musique** *(4 r. Bernard-du-Bois)* et à l'auditorium du Pharo.

Musiques d'aujourd'hui – Concerts de rock, jazz, reggae, etc. à l'**Espace Julien** *(39 cours Julien)*.

L'Atelier, *pièce de Grumberg à la Criée (1998).*

Concerts grand public au **Dôme** de Marseille, que surplombe une énorme arche de béton : une immense salle de spectacles de 8 000 places où ne se risquent que les plus grands.

Cinémas – D'art et d'essai : **Le César** *(pl. Castellane)*, le **Breteuil** *(r. Breteuil)* et le **Paris** *(r. Pavillon)* auxquels il faut rajouter **Les Nouvelles Variétés** *(sur la Canebière)*.

Salles grand public sur la Canebière et av. du Prado, près du Rond-Point.

Galeries – Toutes les disciplines artistiques s'expriment dans les anciens entrepôts de la **Friche de la Belle-de-Mai**, *r. Jobin, dans le 3e*.

Nombreuses galeries dans la rue Sainte, la rue Neuve-Ste-Catherine, le quartier des Arcenaulx, le cours Julien...

Achats

Marchés, foires – Tous les matins, marché aux poissons quai des Belges ; tous les matins sf dim., marchés alimentaires cours Pierre-Puget, pl. Jean-Jaurès (la Plaine), pl. du Marché-des-Capucins et av. du Prado.

Marchés aux fleurs mar. et sam. matin en haut de la Canebière et ven. matin av. du Prado.

Marché aux livres, cours Julien le 2e sam. du mois; bouquinistes et disques d'occasion devant le palais des Arts (tlj).

Marché aux puces dim. matin, av. du Cap-Pinède.

Foire aux santons de fin nov. à Noël sur la Canebière, allées Gambetta.

Grande foire commerciale internationale au parc Chanot, fin sept.-déb. oct.

Librairie-galerie-restaurant des Arcenaulx – *Pl. d'Estienne-d'Orves*. Siège des éditions « régionalistes » Jeanne Laffitte.

Librairie maritime – *26 quai de Rive-Neuve - ☎ 04 91 54 79 26*. On y trouve des ouvrages de référence sur la plongée.

Ateliers Marcel Carbonnel – *47 r. Neuve-Ste-Catherine - ☎ 04 91 54 26 58*. Santons traditionnels. Visite guidée des ateliers et du musée attenant (réservation conseillée).

Le Cabanon des Accoules – *24 montée des Accoules - ☎ 04 91 90 49 66*. Santonnier d'art installé dans le pittoresque quartier du Panier.

Le four des Navettes

Four des Navettes – *136 r. Sainte - ☎ 04 91 33 32 12 - navettes@aol.com - Tlj à partir de 7h.* Point de Chandeleur sans « navette » qui protégera la maison de la maladie et des catastrophes ! Dans la plus ancienne boulangerie de la ville, bénite à cette occasion, on achète ce biscuit parfumé à la fleur d'oranger dont on garde jalousement la recette depuis deux siècles. On y trouve aussi du chocolat à la lavande qui fleure bon la Provence.

Compagnie de Provence – *1 r. Caisserie - ☎ 04 91 56 20 94*. Savons de Marseille et produits naturels dérivés.

Au Père Blaize – *4-6 r. Méolan - ☎ 04 91 54 04 01*. Herboristerie. De l'anis étoilé à la marjolaine, en passant par thym, pèbre d'ase, pistou, romarin et bien d'autres, aromatiques ou médicinales, dans une boutique inchangée depuis 1780.

Souleïado – *101 r. Paradis et dans les boutiques de la r. Vacon*. Tissus provençaux.

La Boule bleue – *ZI La Valentine - montée de St-Menet - ☎ 04 91 43 27 20*. Pour acheter les indispensables boules qui détermineront qui doit offrir le pastis.

Loisirs-Détente

Thalassa-Form Le Grand Large – *42 av. du Grand-Large - ☎ 04 91 73 25 88*. Cures de remise en forme, séjours futures mamans, antistress, forfaits spécial dos, etc.

Baignade – Sur les plages, privées ou publiques, de Marseille : celle des Catalans, payante (il est de bon ton de s'y jeter à l'eau le 1er janvier au petit matin) comme les plages de Malmousque, celles du Prado où se rassemblent les amateurs de cerf-volant, celle de Pointe-Rouge ou celle de Montredon.

Foot – Adonnez-vous au culte de l'OM les soirs de match au **Stade Vélodrome**, *bd Michelet*, si on a pu se procurer un billet d'entrée ; ou alors au **café OM** sur le quai des Belges où les matchs sont retransmis en direct, ou encore dans un des multiples cafés qui retransmettent les matchs dans une ambiance passionnée. Les autres jours, allez fureter dans une des **boutiques de l'OM** *(bd Michelet, en face du stade ou sur la Canebière)* à la recherche de fanions, écharpes, maillots, banderoles et autres colifichets aux couleurs du club.

Calendrier

Fiesta des Suds – La grande fiesta du métissage marseillais : musiques, cultures et ambiances de tous les Suds : en oct. et certains w.-ends de l'année. Se tient actuellement au dock J4, à l'entrée du bassin de la Joliette.

Festivals – Théâtre et danse en divers lieux de la ville (juin-juillet). Festival des îles en juil.

Pétanques – Mondial de *La Marseillaise* à la pétanque suivi des Six Jours de *la Provence* (en juin) : éliminatoires au parc Borély, finales sur le Vieux Port. Une manifestation de masse avec beaucoup de célébrités du show-biz qui, après les premiers tours abandonnent le terrain aux vedettes de la discipline.

Folklore – Festival international du folklore, à Château-Gombert, déb. juil.

RÉPERTOIRE DES RUES ET SITES DES PLANS DE MARSEILLE

Aix (R. d') .... BY, ES
Anthoine (R.d') .... AX
Athènes (Bd d') .... FS 2
Aubagne (R. d') .... FTU
Aune (Bd A.) .... EV
Baille (Bd) .... BCY, GV
Ballard
(Cours Jean) .... EU 3
Barbusse (R. Henri) .... ET 4
Belges (Quai des) .... ET 5
Belles-Écuelles (R.) .... ES 6
Belsunce (Cours) ..... BY, FST
Bir-Hakeim (R.) .... ET 8
Blancarde
(Bd de la) .... CY
Bompard (Bd) .... AYZ
Bourdet
(Bd Maurice) .... FS 13
Breteuil (R.) .... EFUV
Briançon (Bd de) .... BX 14
Brun (R. R.) .... GV
Busquet (R.) .... GV 15
Cadenat (Pl. B.) .... BX
Camas (R. du) .... GT
Canebière (La) .... BY, FT
Cantini
(Av. Jules) .... BCZ, GV
Capelette
(Av. de la) .... CZ
Castellane (Pl.) .... BY, FV
Catalans (R. des) .... AY 16
Chape (R.) .... GS
Chartreux (Av. des) .... CY 17
Chave (Bd) .... GT
Chutes-Lavie (Av.) CX
Colbert (R.) .... ES 18
Corderie (Bd de la) .... DEU
Corinthe (Av. de) .... GV
Corse (Av. de la) .... DV
Curiol (R.) .... FT
Dames (Bd des) .... DES
Daviel (Pl.) .... DT 19
Delphes (Av. de) .... GV 20
Delpuech (Bd) .... GV 21
Dessemond
(R. Cap.) .... DV 22
Dr Escat (R.) .... FV
Dragon (R.) .... EFV
Dugommier (Bd) .... FT 23
Dunkerque
(Bd de) .... AX
Endoume (R. d') .... AY, DV
Estienne-d'Orves
(Crs d') .... EU 25
Estrangin (Bd G.) .... BZ
Évêché (R. de l') .... DS
Fabres (R. des) .... FT 27
Fauchier (R.) .... ES
Ferrari (R.) .... GU
Flammarion
(Bd Camille) .... GS
Foch (Av. Mar.) .... CY
Fort-du-Sanctuaire
(R. du) .... EV 29
Fort-Notre-Dame (R.) .... EU
Gambetta (R.) .... FS
Garibaldi (Bd) .... FT 30
Gaulle (Pl. Gén.-de) .... ET 31
Gènes (R. de) .... GV
Gouffé (Cours) .... GV
Grand'Rue .... ET 33
Grignan (R.) .... EU 34
Guesde (Pl. Jules) ..... BY, ES 35
Guibal (R.) .... BX
Guigou (Bd) .... BX 36
Héros (R. des) .... FGS
Honnorat (R.) .... FS
Iéna (R. d') .... GV 37
Italie(R. d') .... FV
Jean-Jaurès (Pl.) .... BY, GT
Jeanne-d'Arc (Bd) .... CY
Joliette (Pl. de la) .... DS 39
Joliette (Quai de la) .... DS
Joliette (R. de la) .... ES
Julien (Cours) .... FTU
Lazaret (Quai du) .... AX

Leblanc (R. V.) .... DS
Leclerc (Av. Gén.) ...... BY, FS
Lenche (Pl. de) .... DT
Lesseps
(Bd Ferdinand de) .... AX 40
Libération (Bd de la) .... GS
Liberté
(Bd de la) .... FS 42
Lieutaud
(Cours) .... BY, FTUV
Livon
(Bd Charles) .... AY, DU
Lodi (R. de) .... GUV
Longchamp (Bd) .... GS
Loubière (R. de la) .... GU
Marceau (Pl.) .... ES
Marché-des-Capucins
(Pl. du) .... FT
Mazargues (Av. de) .... BZ
Menpenti (R.) .... GV
Michelet (Bd) .... BZ
Moisson (R. F.) .... ES 45
Montricher (Bd) .... GS 46
Moulin (Bd Jean) .... CY 47
National (Bd) .... FGS
Nationale (R.) .... FS
Nau (R.) .... GU
Nedelec
(Bd Charles) .... FS
Neuve-Ste-Catherine
(R.) .... DEU
Notre-Dame (Bd) .... BY, EV
Panier (R. du) .... DS
Paradis (R.) .... BYZ, FUV
Paris (Bd de) .... BX
Pasteur (Av.) .... DUV
Pelletan (Av. C.) ...... BXY, ES
Périer (Bd) .... BZ
Philipon (Bd) .... GS 50
Pierre (Bd Eugène) .... GT
Plage (Prom. de la) .... BZ
Plombières (Bd de) .... BX
Pologne (Pl. de) .... CY 51
Pompidou
(Prom. Georges) .... BZ 52
Port (Quai du) .... DET
Prado (Av. du) .... VF
Président-J.-F.-Kennedy
(Corniche) .... AZ
Puget (Crs. Pierre) .... EFU
Pyat (R. Félix) .... BX
Rabatau (Bd) .... CZ
Raynouard
(Traverse) .... GV 53
République
(R. de la) .... ABY, DEST
Rive-Neuve
(Quai de) .... DEU
Roches (Av. des) .... AZ
Rolland
(R. du Cdt) .... BZ
Rome (R. de) .... BY, FUV
Roosevelt
(Crs Franklin) .... GS
Roucas-Blanc
(Chemin du) .... DV
Rouet (R. du) .... GV
Sadi-Carnot (Pl.) .... ES 54
St-Ferréol (R.) .... FU
St-Jean-Caisserie
(Av.) .... DT
St-Just (Av. de) CX
St-Laurent (R.) .... DT 55
St-Louis (Cours) .... FT 56
St-Pierre (R.) .... BCY, GU
St-Savournin (R.) .... GT
Sainte (R.) .... DEU
Ste-Barbe (R.) .... ES 57
Ste-Cécile (R.) .... GV
Ste-Marguerite (Bd) .... CZ
Ste-Marthe (Ch. de) .... BX
Ste-Philomène (R.) .... FV 58
Sakakini (Bd) .... CY
Salengro (Av. Roger) .... BX
Salvator (Bd L.) .... FU
Sartre (Av. Jean-Paul) .... CX 59

Schlœsing (Bd) .... CZ
Schuman (Av. Robert) .... DS
Sébastopol (Pl.) .... CY
Semard (Av. Pierre) .... FS
Sembat (R. Marcel) .... FS 60
Strasbourg (Bd) .... BX 61
Tapis-Vert (R. du) .... FST
Teisseire (Bd R.) .... CZ
Tellène (Bd) .... AY, DV
Terrusse (R.) .... GT
Thiars (Pl.) .... EU 62
Thierry (Crs J.) .... GS 63
Timone (Av. de la) .... CY
Toulon (Av. de) .... BY, GV
Tourette
(Esplanade de la) .... DT
Tourette (Quai) .... DS 64
Trois-Mages (R. des) .... FT
Vallon-l'Oriol
(Chemin) .... AZ
Vauban (Bd) .... BY, EFV
Vaudoyer (Av.) .... DS 65
Verdun (R. de) .... BY 70
Vertus (R. des) .... GUV
Victor-Hugo (Pl.) .... FS
Voltaire (Bd) .... FS

Alcazar .... FS
Ancienne Cathédrale
de la Major .... DS **B**
Basilique de Notre-Dame-
de-la-Garde .... BY,EV
Basilique St-Victor .... DU
Belvédère St-Laurent ..... DT **D**
Cathédrale
de la Major .... DS
Centre de la Vieille Charité :
Musée d'Archéologie
méditerranéenne,
Musée d'Arts africains,
océaniens,
amérindiens. .... DS **E**
Château Borély .... BZ **M^1**
Clocher
des Accoules .... DT
Docks
de la Joliette.... AXY, DS **F**
Église St-Ferréol .... ET

Église
St-Vincent-de-Paul... GST
Gare St-Charles .... FS
Hôtel de Cabre .... ET **G**
Hôtel de ville .... BY, ET **H**
Hôtel
du Département CX
Hôtel-Dieu,
Pavillon Daviel .... ES
Jardin des Vestiges .... ET **K**
Monument aux Morts
de l'Armée d'Orient ... AY **L**
Musée Cantini .... FU **M^2**
Musée d'Histoire
de Marseille .... ET **M^3**
Musée de la Marine
et de l'Économie
de Marseille .... ET **M^4**
Musée de la Mode .... FT **M^5**
Musée
des Docks romains .... DT **M^6**

Musée
du Vieux Marseille ... DET **M^7**
Musée
Grobet-Labadié .... GS **M^8**
Palais Longchamp :
Musée des Beaux-Arts,
Muséum d'Histoire
naturelle .... BY, GS
Parc Borély .... BZ
Parc du Pharo .... AY, DU
Port Moderne .... AX
Porte d'Aix .... ES **S**
Quartier
des Arsenaux .... EU
Quartier du Panier .... DS
Réplique du David
de Michel-Ange .... BZ **V**
Théâtre de la Criée .... DU
Vallon des Auffes .... AY
Vieux Port .... ABY, DET

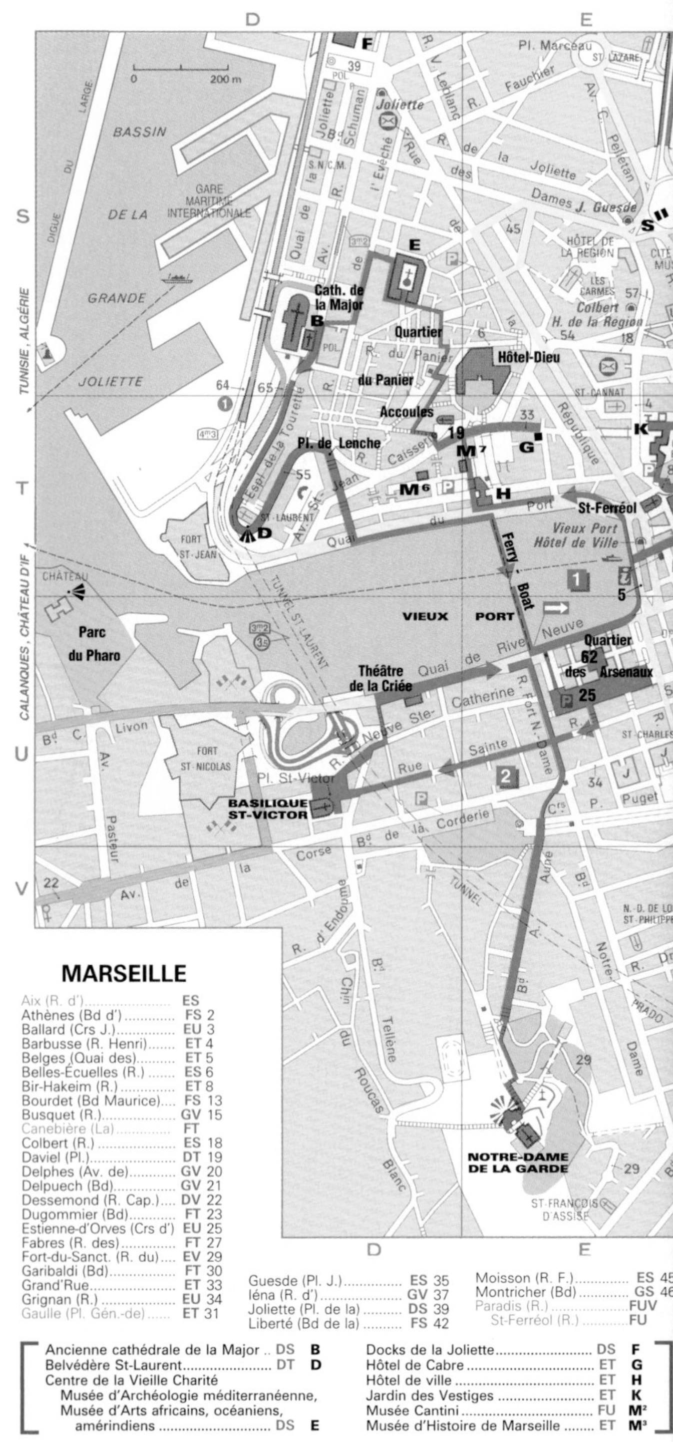

MARSEILLE

Aix (R. d') ES
Athènes (Bd d') FS 2
Ballard (Crs J.) EU 3
Barbusse (R. Henri) ET 4
Belges (Quai des) ET 5
Belles-Écuelles (R.) ES 6
Bir-Hakeim (R.) ET 8
Bourdet (Bd Maurice) FS 13
Busquet (R.) GV 15
Canebière (La) FT
Colbert (R.) ES 18
Daviel (Pl.) DT 19
Delphes (Av. de) GV 20
Delpuech (Bd) GV 21
Dessemond (R. Cap.) DV 22
Dugommier (Bd) FT 23
Estienne-d'Orves (Crs d') EU 25
Fabres (R. des) FT 27
Fort-du-Sanct. (R. du) EV 29
Garibaldi (Bd) FT 30
Grand'Rue ET 33
Grignan (R.) EU 34
Gaulle (Pl. Gén.-de) ET 31
Guesde (Pl. J.) ES 35
Iéna (R. d') GV 37
Joliette (Pl. de la) DS 39
Liberté (Bd de la) FS 42
Moisson (R. F.) ES 45
Montricher (Bd) GS 46
Paradis (R.) FUV
St-Ferréol (R.) FU

Ancienne cathédrale de la Major .. DS **B**
Belvédère St-Laurent DT **D**
Centre de la Vieille Charité
Musée d'Archéologie méditerranéenne,
Musée d'Arts africains, océaniens,
amérindiens DS **E**
Docks de la Joliette DS **F**
Hôtel de Cabre ET **G**
Hôtel de ville ET **H**
Jardin des Vestiges ET **K**
Musée Cantini FU **M²**
Musée d'Histoire de Marseille ET **M³**

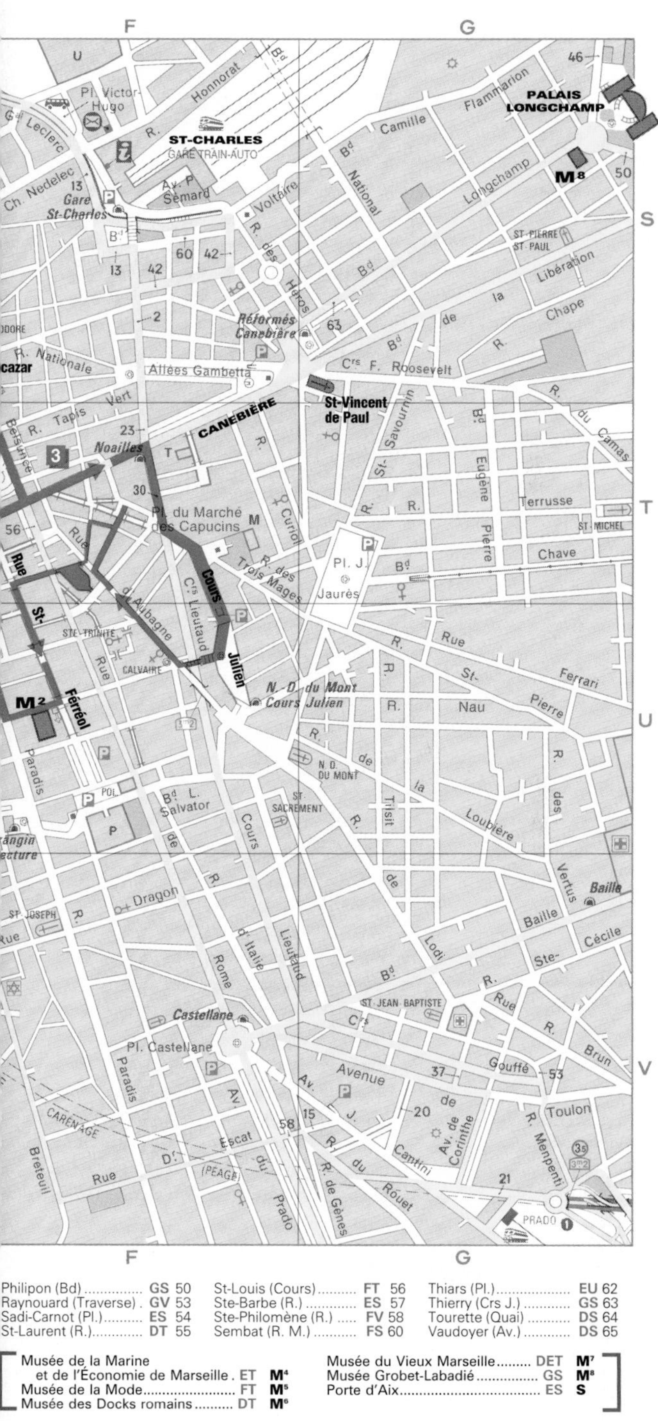

Philipon (Bd)	GS 50	St-Louis (Cours)	FT 56	Thiars (Pl.)	EU 62
Raynouard (Traverse)	GV 53	Ste-Barbe (R.)	ES 57	Thierry (Crs J.)	GS 63
Sadi-Carnot (Pl.)	ES 54	Ste-Philomène (R.)	FV 58	Tourette (Quai)	DS 64
St-Laurent (R.)	DT 55	Sembat (R. M.)	FS 60	Vaudoyer (Av.)	DS 65

Musée de la Marine et de l'Économie de Marseille . ET **M**[4]
Musée de la Mode .... FT **M**[5]
Musée des Docks romains .... DT **M**[6]
Musée du Vieux Marseille .... DET **M**[7]
Musée Grobet-Labadié .... GS **M**[8]
Porte d'Aix .... ES **S**

Répertoire des rues et sites, voir page 237.

MARSEILLE

Aix (R. d') .... BY
Anthoine (R. d') .... AX
Baille (Bd) .... BCY
Belsunce (Cours) .... BY
Blancarde (Bd de la) .... CY
Bompard (Bd) .... AYZ
Briançon (Bd de) .... BX 14
Cadenat (Pl. B.) .... BX
Canebière (La) .... BY
Cantini (Av. Jules) .... BCZ
Capelette (Av. de la) .... CZ
Castellane (Pl.) .... BY
Catalans (R. des) .... AY 16
Chartreux (Av. des) .... CY 17
Chutes-Lavie (Av.) CX
Dunkerque (Bd de) .... AX
Endoume (R. d') .... AY
Estrangin (Bd G.) .... BZ
Foch (Av. Mar.) .... CY
Guesde (Pl. Jules) .... BY 35
Guibal (R.) .... BX
Guigou (Bd) .... BX 36
Jean-Jaurès (Pl.) .... BY
Jeanne-d'Arc (Bd) .... CY
Lazaret (Quai du) .... AX
Leclerc (Av. Gén.) .... BY
Lesseps (Bd F. de) .... AX 40
Lieutaud (Cours) .... BY
Livon (Bd Charles) .... AY
Mazargues (Av. de) .... BZ
Michelet (Bd) .... BZ
Moulin (Bd Jean) .... CY 47
Notre-Dame (Bd) .... BY
Paradis (R.) .... BYZ
Paris (Bd de) .... BX
Pelletan (Av. C.) .... BXY
Périer (Bd) .... BZ
Plage (Prom. de la) .... BZ
Plombières (Bd de) .... BX
Pologne (Pl. de) .... CY 51
Pompidou (Prom. G) .... BZ 52
Président J.-F.-Kennedy (Corniche) .... AZ
Pyat (R. Félix) .... BX
Rabatau (Bd) .... CZ
République (R.) .... ABY
Roches (Av. des) .... AZ
Rolland (R. du Cdt) .... BZ
Rome (R. de) .... BY
St-Just (Av. de) CX
St-Pierre (R.) .... BCY
Ste-Marguerite (Bd) .... CZ
Ste-Marthe (Ch. de) .... BX
Sakakini (Bd) .... CY
Salengro (Av. R.) .... BX
Sartre (Av. J.-P.) .... CX 59
Sébastopol (Pl.) .... CY
Schlœsing (Bd) .... CZ
Strasbourg (Bd) .... BX 61
Teisseire (Bd R.) .... CZ
Tellène (Bd) .... AY
Timone (Av. de la) .... CY
Toulon (Av. de) .... BY
Vallon-l'Oriol (Ch.) .... AZ
Vauban (Bd) .... BY
Verdun (R. de) .... BY 70

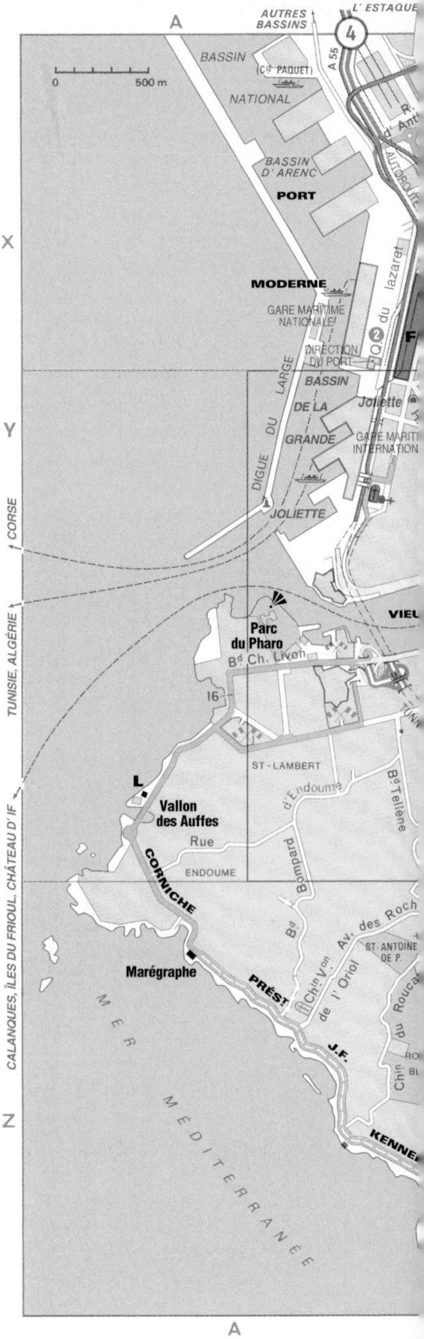

Château Borely .... BZ M¹
Docks de la Joliette .... AXY F
Hôtel de ville .... BY H
Monument aux Morts de l'Armée d'Orient .... AY L
Réplique du David de Michel-Ange .... BZ V

Répertoire des rues et sites, voir page 237.

Ici, les Phocéens sautèrent sur la rive de la calanque du Lakydon, créant ainsi Massalia.

comprendre

La bosse du commerce – Vers 600 avant J.-C., quelques galères, montées par des Phocéens (Grecs d'Asie Mineure), abordent dans la calanque du Lakydon, l'actuel Vieux Port.

Les Grecs, commerçants avisés, rendent vite la cité prospère. Après la destruction de Phocée par les Perses (540 avant J.-C.), elle se trouve au centre de nombreuses colonies supplémentaires. Les Massaliotes créent des comptoirs le long de la côte (Agde, Arles, Le Brusc, Hyères-Olbia, Antibes, Nice) et dans l'arrière-pays (Gla-

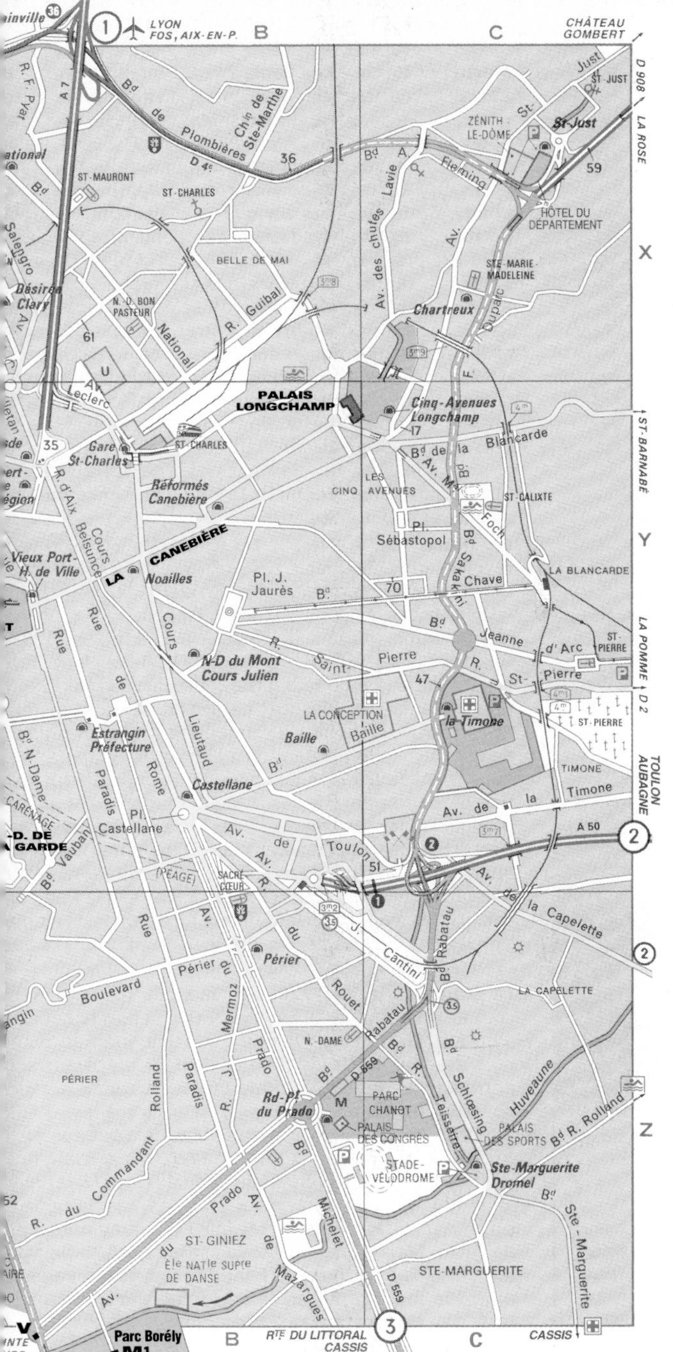

num, Cavaillon, Avignon et peut-être St-Blaise). Avec les Celto-Ligures, les échanges, intenses, portent sur les armes, les objets en bronze, l'huile, le vin, le sel, les esclaves et la céramique.

Maîtres des mers entre le détroit de Messine et les côtes ibères, dominateurs dans la vallée du Rhône après avoir supplanté leurs concurrents étrusques et puniques, les Massaliotes règnent sur le commerce international de l'ambre et surtout des métaux bruts : argent et étain d'Espagne ou de Bretagne, cuivre d'Étrurie. Après une éclipse, la cité organisée en République (Platon jugera exemplaire sa constitution) retrouve sa splendeur au

Les fouilles de la place des Pistoles (1995) ont mis au jour des vestiges d'habitat datant du 4e s. avant J.-C. : aménagements domestiques, céramiques, ainsi qu'un réseau de rues témoignent d'une intense activité.

4e s. Le littoral est mis en valeur, planté d'arbres fru tiers, d'oliviers, de vignes.

Marius et César – Les Romains entrent en Provence e 125, dégagent Massalia de l'emprise salyenne et entre prennent la conquête du pays. Massalia reste une répu blique indépendante alliée de Rome et se voit recon naître une bande de territoire le long du littoral.

Alors que la rivalité de César et de Pompée est à so point culminant, Marseille choisit malencontreusemen de miser sur le second. Assiégée pendant six mois, l ville est prise en 49 avant J.-C. Rancunier, César lu enlève sa flotte, ses trésors, ses comptoirs. Arles, Na bonne, Fréjus s'enrichissent de ses dépouilles. Toute fois, elle reste ville libre et entretient une universit brillante, dernier refuge de l'esprit grec en Occident.

Après les invasions, le port, toujours actif, continue commercer avec l'Orient : avec les cargaisons débarqué un jour de 543, la peste, dont c'est la première appar tion en Gaule. Le déclin définitif s'amorce à partir d 7e s. Les pillages des Sarrasins, des Grecs, de Charle Martel entraînent le repli de la ville dans l'enceinte épis copale de la butte St-Laurent.

Victor et Cassien

L'apparition du christianisme à Marseille est précoce : saint Victor y fut martyrisé vers 290, et on a trouvé traces de catacombes sur les pentes de la colline de la Garde. Au 5e s., le moine arménien Cassien établit dans ce quartier chrétien deux monastères, parmi les premiers fondés en Occident.

Le renouveau – Dès le 11e s., la cité phocéenne s réveille, mobilise toutes ses nefs et galvanise ses chan tiers de constructions navales. En 1214, elle peut à nou veau s'ériger en république indépendante, pour un courte durée, puisqu'elle doit se soumettre en 1252 Charles d'Anjou. Mais les croisades (12e-14e s.) font entre la ville dans une période faste : elle dispute aux Génoi le fret avantageux constitué par les croisés, leur matérie et leur ravitaillement. Ce soutien logistique lui rapport de gros bénéfices d'autant qu'à l'instar des grandes répu bliques italiennes, elle obtient en toute propriété un quar tier de Jérusalem avec son église propre. Ses marin pratiquent le cabotage sur les côtes catalanes, von concurrencer jusque chez eux les Pisans et les Génois, fré quentent le Levant, l'Égypte, l'Afrique du Nord. Aprè une phase de crise et de repli lorsqu'en 1423 la flotte ara gonaise ravage la ville, les affaires repartent sous l'impu sion de deux habiles négociants, les frères Forbin. Jacque Cœur lui-même installe ici son principal comptoir.

« Se faire payer chez Belsunce », c'est ne jamais toucher l'argent qu'on vous doit : le saint homme, passé à l'histoire pour son dévouement durant la grande peste, serait sans doute navré de l'apprendre... Mais son souvenir n'est pas en cause : il s'agit de sa statue, placée devant la Major, qui semble dire, les bras ballants : « Désolé, je n'ai plus d'argent ! »

La grande peste de 1720 – Au début du 18e s., Marseill compte environ 90 000 habitants. Grand port bénéficiar d'un édit de franchise depuis 1669, elle jouit du mono pole du commerce levantin et devient un gigantesqu entrepôt de produits d'importation (matières textile denrées alimentaires, drogues et « curiosités »). Ell s'apprête à se lancer à la conquête des Antilles et d Nouveau Monde quand, en mai 1720, un terrible fléa la frappe. Un navire venant de Syrie, le *Grand St-Antoine* a eu au cours de sa traversée plusieurs cas de peste. A son arrivée à Marseille, il est mis en quarantaine à l'îl de Jarre. Mais l'épidémie se déclare en ville; elle y fa des ravages foudroyants. L'interdiction, sous peine d mort, de toute communication entre Marseille avec l reste de la Provence n'empêche pas le fléau de s répandre et de gagner Aix, Apt, Arles et Toulon. Malgr la construction d'un « Mur de la Peste » de 28 km de long elle n'épargne pas le Comtat Venaissin. Au total, entr 1720 et 1722, environ 100 000 personnes ont péri don 50 000 à Marseille.

L'euphorie commerciale – Très vite, Marseille s relève. Le commerce trouve de nouveaux débouchés e direction des Amériques et surtout des Antilles ; o importe du sucre, du café et du cacao, tandis que la ville s'industrialise : savonnerie, verrerie, raffinage du sucre faïence, textile, manufactures de tabac, etc. De grande fortunes s'édifient : armateurs et négociants affichen leur opulence au milieu d'un petit peuple d'artisans e de salariés vivant au rythme de l'arrivée des cargaison au port. La ville accueille la Révolution avec enthou

siasme. En 1792, les volontaires Marseillais popularisent le *Chant de guerre de l'Armée du Rhin* composé par Rouget de Lisle et bientôt rebaptisé *La Marseillaise*. Marseille est aussi la première ville à demander l'abolition de la royauté. Mais la rude poigne de la Convention lui devient bientôt insupportable. Fédéraliste dans l'âme, elle se révolte. Enlevée d'assaut, elle devient la « ville sans nom ». Sous l'Empire, le commerce maritime est fortement atteint par le blocus continental et Marseille devient farouchement royaliste.
Sous le Second Empire, où d'importants travaux d'urbanisme sont réalisés, la ville, toujours rebelle, est républicaine... et toujours prospère car son activité, déjà stimulée par la conquête de l'Algérie, franchit un nouveau palier avec l'ouverture en 1869 du canal de Suez.

Aujourd'hui et demain – Touchée par les bombardements et surtout par la destruction en 1943 du vieux quartier compris entre la rue Caisserie et le Vieux Port, Marseille s'est lancée dès la Libération dans la reconstruction. C'est l'époque où Fernand Pouillon reconstruit le Vieux Port, mais la réalisation la plus marquante est la cité radieuse ou « maison du fada » : première « unité d'habitation » de Le Corbusier, édifiée sur le boulevard Michelet, elle rassemble en un seul volume les composantes d'une petite ville avec ses services de proximité, ses espaces de loisirs et de convivialité. Aujourd'hui, durement frappée par la crise économique, Marseille cherche un nouveau souffle : l'édification du « vaisseau bleu », le futuriste hôtel du département, par Will Alsop, pourrait en être le symbole tandis que le projet « Euroméditerranée », dont la réalisation est programmée sur 25 ans, vise à remodeler la cité entre la Belle de Mai, la gare St-Charles et la Joliette autour de pôles culturel, économique, commercial et portuaire.

Gastounet

Jeune journaliste gardois entré en Résistance, Gaston Defferre s'empare en août 1944 de l'hôtel de ville... où il restera, hors une brève période, jusqu'à sa mort en 1986. Figure des IVe et Ve Républiques, orateur au débit déconcertant, ce personnage à la haute silhouette coiffée d'un feutre à larges bords symbolisera petit à petit sa ville.

se promener

1 LE VIEUX MARSEILLE

Du Vieux Port au Panier – compter 3h, visite des musées non comprise.

Le Vieux Port**

C'est ici qu'en 600 avant J.-C. débarquèrent les Phocéens et que toute l'activité maritime se concentra pendant 25 siècles. Mais au 19e s. la profondeur de 6 m devint insuffisante pour les navires de fort tonnage, obligeant à créer de nouveaux bassins. Il n'empêche, le Vieux Port reste le vrai cœur de Marseille, là où toutes les voies convergent, là où les grands événements rassemblent la foule, où les promeneurs déambulent autour des cafés et des restaurants vantant leur bouillabaisse, tandis que

Conseil

Laisser votre voiture au parking souterrain de la place d'Estienne-d'Orves (accès par la place aux Herbes, quai de Rive-Neuve ou rue Breteuil) pour rejoindre le quai des Belges par le quai de Rive-Neuve.

Le Vieux Port, né d'une rive marécageuse que dominait un rocher abrupt, aujourd'hui dominé par N.-D.-de-la-Garde.

plus loin on furète parmi les étals du petit **marché au** **poissons** du **quai des Belges**. Point de départ de vedettes proposant des excursions aux îles ou vers le calanques, le Vieux port, dont le plan d'eau disparaî sous une forêt de mâts, est toujours traversé par l célèbre et pittoresque **ferry-boat** (prononcez « boate » *Le César*, popularisé par Pagnol.
Face au Vieux Port, au débouché de la rue de la Répu blique, l'**église St-Ferréol** ou des Augustins dresse s façade Renaissance, reconstruite en 1804.
Prendre en face, le **quai du Port** qui longe le « Corps de-Ville », quartier emblématique du Vieux Marseille que les nazis dynamitèrent en 1943 sous prétext d'insalubrité après avoir évacué 40 000 personnes. Seul quelques bâtiments remarquables furent épargnés, don l'hôtel de ville qu'encadrent des immeubles construit après la guerre par Fernand Pouillon.

L'ŒIL DE TARTARIN

En partance pour Alger, le héros de Daudet fut tout ébahi de voir sur le quai du Port « des magasins de confection bizarres, des baraques enfumées où les matelots faisaient leur cuisine, des marchands de singes, de perroquets, de cordes, de toiles à voiles, des bric-à-brac fantastiques ».

Hôtel de ville

Intéressante façade de style baroque provençal. L'écus son aux armes royales au-dessus de l'entrée principal est un moulage d'une œuvre de Pierre Puget.
Après l'avoir contourné sur la gauche, on accède à l **Maison Diamantée** (16ᵉ s.) qui doit son nom au pierres à facettes de sa façade. Elle abrite aujourd'hu le musée du **Vieux Marseille★** *(voir description dan « visiter »).*

Poursuivre jusqu'à la rue Caisserie qu'on prend sur la droit jusqu'à la Grand Rue où, au n°27bis, s'élève l'hôtel de Cabr (siège du Crédit Agricole).

Hôtel de Cabre

Construite en 1535, c'est l'une des plus anciennes mai sons de la cité. Son style composite témoigne d l'influence du gothique tardif sur l'architecture civil marseillaise.
En revenant sur ses pas vers la place Daviel, on ren contre le **Pavillon Daviel** (milieu du 18ᵉ s.), ancie palais de justice. Remarquer sur sa façade rythmée d pilastres un beau balcon en ferronnerie dont le décor di « à la marguerite » appartient à la tradition marseillaise L'imposante masse de l'**Hôtel-Dieu** domine le port, ave son architecture caractéristique par l'agencement de volumes et la superposition de galeries à arcades (18ᵉ s. Le **clocher des Accoules**, seul vestige d'une des plu anciennes églises de Marseille, donne accès au quartie du Panier.

Le Panier★

Bâti sur la butte des Moulins à l'emplacement d l'antique Massalia, c'est le dernier vestige du Vieux Mar seille. Ses habitants, gens de condition modeste vivan souvent de la mer, ont tiré le meilleur parti de leurs mi nuscules bouts de terrain en construisant des maison tout en hauteur dans ce lacis de ruelles qui, avec so animation, son linge séchant en aplomb des rues, se volées d'escalier et ses façades colorées n'est pas san évoquer Naples, la Catalogne, tous les rivages méditer ranéens qui s'associent aux Antilles, au Vietnam, au Comores... Dans l'air, lorsqu'on le parcourt en fin d matinée, flotte une odeur où le basilic s'associe à l ratatouille ; sur le pas des portes, des « cacous » en bleu de Shanghaï consultent la presse tout en commentan les résultats de l'OM dans un « français de Marseille aux tournures parfois étonnantes.
Empruntez la **montée des Accoules**, symbole du quar tier, mais n'hésitez pas non plus à vous fier au hasard la **rue du Panier**, les rues Fontaine-de-Caylus, Porte Baussenque, du Petit-Puits, Ste-Françoise, du Poirier, de Moulins (mène à la charmante place des Moulins)... toutes méritent d'être parcourues dans ce quartier au thentique qui a vu sa transformation progressive en ghetto arrêtée par des opérations de réhabilitation, suit

Le quartier du Panier : la Marseille des pêcheurs et des « cacous » prend un air d'Italie.

à la restauration de la Vieille Charité. Enfin, ne craignez pas de vous perdre : il suffit de monter pour atteindre le centre de la Vieille Charité.

Vieille Charité★★

Cet ancien hospice, remarquablement restauré, constitue un bel ensemble architectural édifié de 1671 à 1749 sur les plans des frères Puget. Les bâtiments de cet « Escurial de la Misère », conçu pour enfermer les pauvres de Marseille, s'ordonnent autour d'une **chapelle★** centrale au dôme ovoïde, belle œuvre baroque due à Pierre Puget. Donnant sur cour, trois niveaux de galeries à arcades sont construits en pierre de la Couronne aux reflets roses et jaunes.

PUGET DE MARSEILLE

Jeune sculpteur, mais aussi peintre et architecte, Pierre Puget (1620-1694) se rend en Italie pour recevoir l'enseignement de Pierre de Cortone. Après avoir sculpté le portail de l'hôtel de ville de Toulon, il travaille à Gênes, de 1660 à 1668, période la plus brillante de sa carrière. Rappelé par Colbert qui lui confie la décoration des vaisseaux à l'arsenal de Toulon, il se consacre ensuite à l'ornementation de villes de Provence comme Aix ou Marseille. Sculpteur baroque et expressif à une époque où le classicisme domine en France, il a montré la mesure de son talent dans la construction de l'hospice de la Vieille Charité...

Le centre abrite aujourd'hui le **musée d'Archéologie méditerranéenne**, le musée d'Arts africains, océaniens, amérindiens **(MAAOA)**, le centre de poésie et des expositions temporaires *(voir description dans « visiter »).*

Après avoir contourné sur la gauche la Vieille Charité, tourner à gauche, puis encore à gauche dans la rue de l'Evêché et enfin à droite vers la Major.

Cathédrale de la Major

9h-12h, 14h-17h30.

Cet édifice colossal a été construit à partir de 1852 dans le style romano-byzantin par l'architecte Espérandieu, à l'initiative du futur Napoléon III qui voulait se concilier du même coup l'Église et les Marseillais. Que vous appréciiez ou non ce pompeux édifice, regrettons tout de même qu'il ait entraîné la destruction d'une partie de l'**ancienne Major★** : bel exemple d'architecture romane dont seuls subsistent le chœur, le transept et une nef flanquée de collatéraux.

Par l'esplanade de la Tourelle, on rejoint la petite église Saint-Laurent, vieille paroisse des « gens de mer » du quartier. Depuis le belvédère, belle **vue★** sur le Vieux Port et l'entrée de la Canebière, la chaîne de l'Étoile, la basilique N.-D.-de-la-Garde ; en contrebas, le **fort Saint-Jean** qui, avec son homologue de la rive opposée, le **fort Saint-Nicolas**, fut édifié par Louis XIV afin de tenir la ville en respect ; le fort St-Jean englobe des constructions antérieures, dont la Tour du fanal ou Tourette, qui ressemble à un minaret.

Place de Lenche

À l'emplacement présumé de l'agora de Massilia s'ouvre aujourd'hui cette petite place animée aux façades agrémentées de balcons en ferronnerie, avec vue sur le Vieux Port et le théâtre de la Criée, que domine N.-D.-de-la-Garde.

Descendre sur le quai du Port jusqu'à l'embarcadère du légendaire ferry-boat que l'on emprunte pour gagner le quai de Rive-Neuve.

2 LA RIVE NEUVE

Vous aborderez le quai de Rive-Neuve près du buste de Vincent Scotto, face à la place aux Herbes. Bordé d'un bel ensemble d'immeubles au style néoclassique, il fut

L'IDOLE DES JEUNES

On imagine mal aujourd'hui le succès des opérettes de Vincent Scotto. Pour s'en faire une idée, une comparaison : pour la jeunesse de 1930, il représentait ce qu'est le groupe IAM pour celle d'aujourd'hui. Qui nous dit que les rappeurs marseillais n'auront pas leur effigie dans la ville d'ici quelques années ?

ainsi nommé car les hauts-fonds encombrant cette par tie du port ne furent que tardivement supprimés et l rive aménagée.
On entre par la place aux Herbes dans le **quartier de Arcenaulx.**
Sur le vaste **cours Honoré-d'Estienne-d'Orves**, amé nagé en place à l'italienne, un peu morne malheureu sement malgré les quelques restaurants et cafés qui l bordent, la façade de l'hôtel, au n° 23, et la « Librairie galerie des Arcenaulx » au n° 25 sont les derniers ves tiges visibles des bâtiments de l'Arsenal.
Le **carré Thiars**, autour de la place du même nom (fi 18e s.) s'inscrit sur l'ancien chantier naval de l'Arsenal Dans ce quadrillage de rues, notamment au carrefour d la rue St-Saëns et de la rue Fortia, de nombreux restau rants, véritable tour du monde gastronomique, entre tiennent une animation que les boîtes de nuit prolon gent jusqu'au petit matin : c'est l'heure où les « gabians viennent chercher leur pâture à la porte de service de cuisines.

Par la rue Marcel-Paul (escaliers) et la rue Sainte sur l droite, poursuivre vers la basilique.

Basilique St-Victor*

Un saint supplicié
Condamné à être broyé entre deux meules, saint Victor ne pouvait dès lors que devenir le saint patron des meuniers...

Dernier vestige de la célèbre abbaye, appelée « clef d port de Marseille » et fondée au début du 5e s. par sain Cassien, en l'honneur de saint Victor. Détruite par le Sarrasins, l'église fut reconstruite vers 1040 et puissam ment fortifiée. Extérieurement, c'est une véritable for teresse. Le porche, qui s'ouvre dans la tour d'Isarn, es voûté de lourdes ogives ; édifiées en 1140, elles comp tent parmi les plus anciennes du Midi.
À l'intérieur, ne manquez surtout pas la **crypte**** enterrée quand fut bâtie l'église du 11e s. À côté se trou vent la grotte de saint Victor et l'entrée des catacombe où, depuis le Moyen Âge, on vénère saint Lazare e sainte Marie-Madeleine. Dans les cryptes voisines remarquable série de sarcophages antiques, païens e chrétiens et, dans la chapelle centrale, près du sarco phage dit « de saint Cassien », martyrium du 3e s. découvert en 1965, qui contenait les restes de deux mar tyrs. L'abbaye fut édifiée sur leur tombe.
En descendant par la rue Neuve-Ste-Catherine puis, à gauche par la passerelle et les escaliers qui conduisen au quai de Rive-Neuve, vous passerez ensuite devant l **théâtre de la Criée** : aménagé après le déménagemen près de l'Estaque de l'ancienne criée aux poissons, il a connu la renommée sous la direction de Marcel Maré chal, entre 1976 et 1993.

À moins de vous sentir l'âme d'un alpiniste, reprenez votre voiture ou mieux, depuis le cours Jean Ballard, l'autobus n° 60 pour monter vers N.-D.-de-la-Garde. Les piétons irréductibles emprunteront le sentier piétonnier qui démarre, rue du Bois-Sacré, au boulodrome situé au pied de la Bonne Mère. L'ascension se fait à travers d'agréables espaces paysagers (98 marches).

Basilique N.-D.-de-la-Garde

Se garer sur « le plateau de la Croix » (parcs de stationnement). Possibilité de visite guidée sur demande. ☎ *04 91 13 40 80.*

N.-D.-de-la-Garde fut construite par Espérandieu, au milieu du 19e s., dans le style romano-byzantin alors en vogue. Elle s'élève sur un piton calcaire à 162 m d'altitude et son clocher de 60 m de haut est surmonté d'une énorme statue dorée de la Vierge, la fameuse *Bonne Mère*. L'intérieur de l'église est revêtu de marbres de couleur, de mosaïques et de peintures murales de l'école de Düsseldorf. De très nombreux ex-voto recouvrent les murs. Dans la crypte, belle *Mater dolorosa* en marbre, sculptée par Carpeaux.

Le principal intérêt de la montée à N.-D.-de-la-Garde réside sans doute dans le **panorama★★★** que l'on découvre de son parvis.

La « Bonne Mère » et son « minot » : à Marseille, difficile d'échapper à cette bienveillante surveillance !

3 LA CANEBIÈRE

Compter 2h.

Cette voie, percée au 17e s., tire son nom d'une corderie de chanvre (*canèbe*, en provençal) implantée autrefois à cet endroit.

Partant du Vieux Port, emprunter le trottoir de gauche.

Splendeur et décadence

Grâce aux marins qui ont porté son renom aux quatre coins du monde, elle est devenue la plus fameuse artère de la ville – et son symbole. Les célèbres opérettes de Vincent Scotto (*Un de la Canebière*, 1938), les chanteurs populaires de l'entre-deux-guerres ont aussi contribué à la renommée de cette avenue qui, jusqu'à l'Occupation, regroupait cafés prestigieux, commerces de luxe, grands hôtels, cinémas et théâtres. Elle a aujourd'hui perdu de son lustre et, malgré un « Plan Canebière » visant à la réhabiliter en y implantant des administrations, elle est encore loin d'avoir retrouvé le prestige et l'animation de naguère... en particulier après la tombée du jour. Un indice de son lent renouveau ? La réouverture récente des *Nouvelles Variétés*, l'un des grands caf'conc' des années 1930, aujourd'hui réhabilité et transformé en cinéma d'art et d'essai.

Marseille, porte de l'Orient ? On le dirait à voir le « minaret » de la Tourette du fort St-Jean !

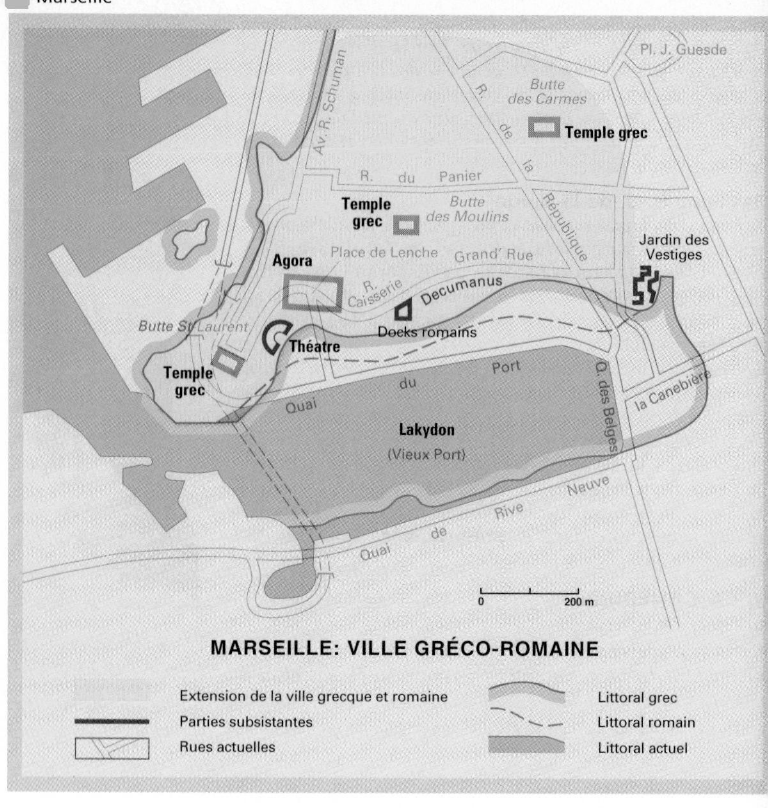

À droite de la rue St-Ferréol, un passage puis des escaliers mécaniques donnent accès au Centre Bourse, vaste complexe commercial dans lequel est aménagé le **musée d'Histoire de Marseille★** *(voir description dans « visiter »)* qui donne accès au Jardin des Vestiges dégagés lors des travaux d'aménagement du quartier.

Jardin des Vestiges

Les fortifications de la ville grecque, la corne du port antique entourée de ses quais du 1er s. et une voie d'entrée de la ville datant du 4e s. forment ce jardin archéologique. À l'époque phocéenne, ce site bordait un marécage qui fut progressivement asséché aux 3e et 2e s. avant J.-C. Dans la seconde moitié du 2e s. avant J.-C. on éleva de nouveaux remparts dont subsistent des traces : tours carrées, bastions et courtines édifiées en blocs de grand appareil taillés dans le calcaire rose du cap Couronne. Une voie d'époque romaine entre dans la ville par une porte plus ancienne (2e s. avant J.-C.) dont une des tours est encore bien identifiable.

En remontant la Canebière, plusieurs immeubles se signalent par la qualité de leur architecture, rappelant la gloire passée de la rue, notamment sur la rive droite entre la rue St-Ferréol et le cours St-Louis, façades à décor de rocaille du milieu du 18e s. ; à l'angle du cours St-Louis (n°s 1-3 du cours), bâtiment de style baroque construit en 1671-72, qui devait former un des côtés de la Place Royale dessinée par Pierre Pujet et jamais achevée ; aux n°s 53 (grand magasin C&A) et 62 (hôtel Noailles), immeubles caractéristiques du Second Empire. Sur le cours Belsunce donne la verrière de l'**Alcazar**, scène illustre et devenue mythique qui, dans un immeuble laissé à l'abandon depuis des années, donnera bientôt accès à la grande **Bibliothèque de Marseille**.

Sauf lorsqu'elle accueille, en fin d'année la foire aux santons, mieux vaut négliger la partie haute de la Canebière *pour redescendre dans le quartier commerçant qui se développe immédiatement au Sud de la Canebière.*

Souvenirs, souvenirs...

L'Alcazar, ouvert en 1857, fut pendant plus d'un siècle le temple de la variété à Marseille : spectacles de mimes, pastorales, « revues marseillaises », monstres sacrés du music-hall, « diseuses à voix », comiques troupiers, fantaisistes locaux et, dans les derniers temps, chefs de file du rock'n roll ou chanteurs yé-yé s'y succédèrent. Les opérettes de Vincent Scotto et Sarvil, servies par les estimés Alibert, Rellys ou Charpin, y devinrent un genre à part entière, tandis que l'esprit de l'Alcazar soufflait quelques répliques, et non des moindres, à Pagnol. La salle connut son apogée entre 1920 et 1950, accueillant Mayol, Mistinguett, Maurice Chevalier, fidèle entre tous depuis sa première prestation à l'âge de 16 ans, Rina Ketty... Raimu, Fernandel, Tino Rossi, Yves Montand y firent leurs débuts, ce dernier dans un répertoire de style western qui le consacra « jeune vedette swing 1941 ». Passer devant ce public impitoyable ne tolérant aucune fausse note ou faiblesse vocale, saisissant la moindre occasion pour chahuter, lancer des quolibets ou faire éclater un énorme rire, était une épreuve. Mais les artistes appréciaient sa compétence et les vedettes y testaient leur tour avant d'affronter la capitale. L'Alcazar ferma en 1964 : un des derniers à y triompher fut Johnny Halliday...

Prendre à droite le boulevard Garibaldi puis immédiatement à gauche.

Cours Julien

Ce fut jusqu'en 1972 le marché maraîcher de Marseille. Rénové et investi de restaurants, magasins d'antiquités ou de vêtements (Madame Zaza of Marseille, Fille de Lune, etc.), de librairies et de galeries, de lieux de spectacle (Espace Julien, Chocolat Théâtre...), il constitue un agréable lieu de détente, grâce à un aménagement paysager que ponctuent les terrasses des cafés. Les rues débouchant à l'Est du cours (rues de Bussy-l'Indien, Pastoret, Crudère, Vian) possèdent un petit côté « alternatif » avec leurs façades recouvertes de « tags » de facture plus ou moins artistique *(voir la devanture de La Maison Hantée, rue Vian)*, leurs clubs et leurs cafés qui s'animent à la tombée de la nuit.

Par la passerelle qui enjambe le cours Lieutaud, on rejoint la rue d'Aubagne, qui ne manque pas d'établissements insolites (l'épicerie au n° 34, par exemple) et conduit au « ventre de Marseille », toujours vivant même s'il a perdu de son importance économique : les rues du Musée et Rodolphe-Pollack, royaumes de la « coiffure afro-cosmétique », la **place du Marché-des-Capucins** face à la station de métro et de tram Noailles (petit musée des transports), où les « partisanes » s'époumonent en des « Allez ma chérie » afin de hâter la vente de leurs « primeurs », l'étroite **rue Longue-des-Capucins** dont l'atmosphère tient du souk et du marché aux puces, les odeurs d'épices se mêlant à celles du café, des olives « cassées » ou « à la picholine », des anchois, des herbes et aromates et des fruits séchés.

Références

Lire – La cité d'aujourd'hui est mise en scène par le biais du roman noir, surnommé ici le « polar bouillabaisse » et représenté par Jean-Claude Izzo (*Total Khéops*, *Chourmo* à la Série Noire) et Philippe Carrese *(Trois jours d'engatse)*. Ou encore, en BD, *Les Aventures de Léo Loden*, un privé marseillais.

Voir – Les films de Robert Guédiguian, l'auteur du fameux *Marius et Jeannette* mais aussi *Transit* de René Allio ou *Bye-Bye* de Karem Dridi. Et bien sûr, la trilogie de Pagnol, pour les nostalgiques d'une époque révolue.

Dans le « souk » de Marseille, la rue Longue-des-Capucins : un détonnant mélange de saveurs, de couleurs et de senteurs.

La rue des Halles-Charles-Delacroix, ancien marché aux poissons, bordée d'épiceries exotiques ouvre sur la petite rue Vacon avec ses rouleaux de tissus à l'étalage et conduit à « Saint-Fé », la **rue St-Ferréol**, principale artère piétonne de la cité où se concentrent commerces de prêt-à-porter, de chaussures, maroquiniers, glaciers, « fast-foods » et grands magasins comme les Galeries Lafayette, Mark's & Spencer ou le Virgin Megastore... Une visite au **musée Cantini★** *(voir description dans « visiter »)*, hôtel (17e s.) de la compagnie du Cap-Nègre légué à la ville, et vous rejoindrez la Canebière en prenant sur la droite la très commerçante rue Paradis.

LA CORNICHE

Cette longue promenade pourra s'effectuer en voiture. Mais une place de stationnement sur la corniche tiendra parfois du miracle...

Le Pharo

Au passage vous apercevrez le marégraphe, aujourd'hui désaffecté : c'est ici que furent prises les mesures de niveau de la mer permettant de déterminer l'altitude zéro.

Il occupe un promontoire qui domine l'entrée du Vieux-Port : très jolie **vue** de la terrasse située près du palais du Pharo, construit pour Napoléon III. Le parc abrite un auditorium en sous-sol.

En continuant sur le boulevard Charles-Livon, vous atteindrez la **corniche du Prés.-J.-F.-Kennedy★★**, longue de plus de 5 km, qui suit presque constamment le bord de mer, avec de belles villas construites à la fin du 19e s.

Après les populaires quartiers d'Endoume et des Catalans, depuis le **Monument aux Morts de l'Armée d'Orient,** vues sur la côte et les îles. Un viaduc franchit le pittoresque vallon des Auffes.

Vallon des Auffes

Accès par le boulevard des Dardanelles, juste avant le viaduc.

Dans ce minuscule port de pêche encombré de « pointus », barques traditionnelles, et cerné de cabanons qui s'étagent sur ses rives, on se sent loin de la ville bruyante et animée... que seule la circulation sur le viaduc vient rappeler. Un dîner en terrasse dans ce décor d'opérette qui inspira Vincent Scotto et dont l'éclairage se modifie sans cesse au soleil couchant devrait vous réconcilier durablement avec les charmes de la cité phocéenne... encore bien présents quelques mètres plus loin dans les ruelles bordées de villas qui conduisent à l'anse de Malmousque.

Promenade de la Plage

Elle prolonge la Corniche vers le Sud, longeant les **plages Gaston-Defferre**, ensemble de bassins de plaisance et de plages artificielles bordé de jardins. De l'autre côté de la route, nombreux restaurants.

Au-delà du rond-point de la Plage, où se dresse une réplique du *David* de Michel-Ange, la plage populaire de Pointe-Rouge se prolonge par un important centre de pratique de la voile.

Pointus (barques marseillaises) et cabanons, le pastis au frais : au cœur de la ville, le vallon des Auffes hors du tumulte de la cité.

Château et parc Borély

Édifié au 18e s. par de riches négociants, les Borély, le château devrait accueillir après restauration le musée des Arts décoratifs de la ville. Très bien remis en valeur, le parc, prolongé par un beau **jardin botanique**, est un but de promenade très prisé le dimanche, quand il n'accueille pas les grands concours de pétanque, événements de la vie marseillaise. ♿ *Mai-sept. : 15h-19h ; oct.-avr. : 14h-18h. Fermé entre Noël et Jour de l'an, 1er mai. 10F.* ☎ *04 91 55 24 96.*

Vous pourrez poursuivre la promenade jusqu'à la petite plage de Montredon où, dans « la campagne Pastré », belle bastide du 19e s., est installé le superbe **musée de la Faïence**★ *(voir description dans « visiter »)*, puis jusqu'aux calanques des Goudes et de Callelongue.

LE PORT

En 1844 le Vieux Port était devenu insuffisant pour les navires qui s'y tassaient sur quatre et cinq rangs. Une loi permit la création d'un bassin à la Joliette ; suivirent les bassins du Lazaret et d'Arenc et l'extension régulière en direction du Nord. De rares témoins subsistent du « système économique marseillais » reposant sur le triptyque industrie-négoce-marine : huileries, savonneries, minoteries, semouleries et usines métallurgiques.

Les guerres mondiales, la désaffection du canal de Suez et l'émancipation des colonies ont porté un rude coup à ce système. La reconversion, tournée vers le pétrole et la chimie, a entraîné un déplacement des grandes activités industrielles vers l'étang de Berre et le golfe de Fos. Ces nouvelles installations administrées par un seul organisme, le « Port Autonome de Marseille », classent la cité phocéenne parmi les trois premiers ensembles portuaires d'Europe.

À la recherche d'un nouveau souffle

Aujourd'hui, les vracs alimentaires conservent une place importante : Marseille redistribue sur l'Europe les fruits et légumes importés et conserve une activité sucrière et céréalière. Divers vracs industriels y sont également accueillis. Par ailleurs, le trafic passager a conservé une certaine importance avec les lignes régulières de Corse et d'Afrique du Nord (gare maritime de la Joliette) et la navigation de croisière (gare maritime Nord), créneau encore à développer. Le remodelage prévu par le **projet Euroméditerranée** devrait permettre à terme de donner un nouvel élan aux installations portuaires, tout en les ouvrant sur des quartiers réhabilités.

Les bassins

Visite guidée (2h) en autobus, juil.-août : mer. ; hors sais. : sur demande. S'adresser 2 sem. av. à l'Office de Tourisme de Marseille 4 La Canebière. ☎ *04 91 13 89 00, fax 04 91 13 89 20.*

Seule l'autoroute du littoral, lorsqu'on approche Marseille, offre une bonne **vue d'ensemble** sur les bassins et le trafic.

Les docks de la Joliette

Accès : métro Joliette. Entrée place de la Joliette, par l'hôtel d'Administration.

Construite de 1858 à 1863 sur le modèle des docks anglais, cette immense enfilade d'entrepôts de près de 400 m de long incarne le rayonnement économique de Marseille à son apogée. Outre divers services liés à l'activité portuaire, les docks, réhabilités, accueillent des entreprises de communication, des spectacles et des expositions qui donnent l'occasion d'admirer leurs remarquables caves voûtées.

Porte de l'Orient

Marseille tenait sa fortune des colonies dont les matières premières étaient transformées avant d'être, pour l'essentiel, réexportées. L'emploi exclusif de la pierre, de la brique et de la fonte, caractéristique de cette architecture, était destiné à prévenir les risques d'incendie.

visiter

DANS LE VIEUX MARSEILLE

Musée du Vieux Marseille★

PARTIE DE CARTES
Les amateurs de manille ne manqueront pas la donation Camoin, vieille famille de cartiers marseillais : tout le matériel nécessaire à la fabrication de la carte à jouer et les différentes techniques utilisées.

Fermé pour travaux. ☎ *04 91 55 10 19.*

Au rez-de-chaussée, meubles provençaux du 18e s. et objets domestiques en cuivre ou en faïence. Un bel escalier (plafond à caissons) mène au 1er étage où sont présentées de nombreuses crèches du 18e s. en verre filé ou en mie de pain, avec une importante collection de santons, de 1830 au début de ce siècle. Remarquez également les salles consacrées au Vieux Marseille (maquette de la ville en 1848) et à la grande peste de 1720. Au 2e étage, costumes, gravures et peintures illustrent la vie marseillaise au 19e s.

Musée des Docks romains★

Juin-sept. : tlj sf lun. 11h-18h ; oct.-mai : tlj sf lun. 10h-17h. Fermé j. fériés. 12F. ☎ *04 91 91 24 62.*

Au cours des travaux de reconstruction du Vieux Port, on a découvert des entrepôts commerciaux romains à *dolia* (grandes jarres) datant des 1er-3e s., aujourd'hui aménagés en musée. Il abrite des objets trouvés sur les lieux, tandis qu'une maquette aide à imaginer le site et ses abords à l'époque romaine. Les entrepôts comportaient un rez-de-chaussée (qui abritait des *dolia* pour le grain, le vin et l'huile) s'ouvrant sur le quai du port et un étage communiquant sans doute par un portique avec l'artère principale de la cité, la voie décumane, actuellement rue Caisserie. D'autres objets illustrent le rôle maritime de Marseille : céramiques, métaux et amphores provenant d'épaves, balances romaines et monnaies. Une maquette de four de potier illustre la technique de fabrication des amphores.

La Vieille Charité : un chef-d'œuvre de Puget pour cacher la pauvreté...

Centre de la Vieille Charité★★

INDISPENSABLE
Une des grandes collections archéologiques de France : pour tous ceux qui s'intéressent aux civilisations antiques des rivages méditerranéens.

Juin-sept. : tlj sf lun. 11h-18h ; oct.-mai : tlj sf lun. 10h-17h. Fermé j. fériés. Musée d'Archéologie méditerranéenne : 12F ; musée des Arts Africains, Océaniens et Amérindiens : 12F ; expos. temporaires : 18F ; billet combiné (2 musées et expos. temporaires) 30F. ☎ *04 91 14 58 80.*

Musée d'Archéologie méditerranéenne★★ – *1er étage, aile Nord.* On y aborde l'**Égypte**, du début de l'ancien Empire (2700 avant J.-C.) jusqu'à l'époque copte (3e-4e s. après J.-C.) : statuettes funéraires, dites « ouchebtis », deux masques d'Osiris en feuilles d'or martelées, un grand ibis en argent et bois doré (époque ptolémaïque), une statue de la déesse Neith en granit noir (XVIIIe dynastie), table d'offrande portant 34 cartouches royaux (XIXe dynastie).

SUPERBE
Livre des Morts en papyrus datant de la XXVIe dynastie. Ce recueil de textes et de formules avait pour but d'assurer la survie du défunt dans l'au-delà.

Du **Proche-Orient** : pièces assyriennes des palais de Sargon II à Dûr-Sharukin (l'actuelle Khorsabad) et d'Assurbanipal à Ninive. Remarquer deux céramiques d'une finesse exceptionnelle datant du 4e millénaire avant J.-C.

De **Chypre** : poteries à surface rouge lustrée portant un décor incisé ou appliqué en léger relief, mobilier funéraire de type mycénien, céramique tournée décorée de cercles concentriques.
Grèce et Grande Grèce : statues d'idoles cycladiques en marbre, céramiques décorées de frises de motifs géométriques, vases à parfums corinthiens décorés de motifs animaliers ou floraux, céramiques à figures noires et à figures rouges, *couros* (sculpture de jeune homme nu) et *koré* (jeune fille vêtue). Pour la Grèce classique, lécythes à fond blanc et stèles funéraires.
Étrurie et Rome : céramique en *bucchero-nero* (pâte noire soigneusement lissée), pièces d'argenterie, peinture funéraire de Chiusi et Tarquinia, sculpture en pierre de Vulci, *korés* de Cerveteri et Véies.
Les Celto-Ligures de Roquepertuse (oppidum situé au Nord de Vitrolles) : fragments peints, sculptés et gravés, statues de guerriers assis en tailleur, gros oiseau...

À VOIR
Hermès bicéphale★, magnifique groupe de deux têtes accolées ; également, le portique « aux têtes coupées » avec ses piliers dont la partie supérieure était destinée à recevoir des crânes.

Musée d'Arts africains, océaniens, amérindiens (MAAOA)★★ – *Au 2e étage des ailes Nord et Est.* Musée de province le plus riche en objets d'arts provenant d'Afrique, d'Océanie et des Amériques. Prenez votre temps, sa présentation privilégie la contemplation : les œuvres, toutes exposées sur un fond noir, rayonnent d'une lumière diffuse et indirecte. **Salle Pierre-Guerre** : masques, sculptures, reliquaires et objets quotidiens provenant principalement d'Afrique de l'Ouest. **Salle Antonin-Artaud** (civilisations d'Océanie et des Amériques) : coiffe-masque de Wayana (Brésil), têtes humaines réduites (« tsantsas » des Indiens Jivaros, Équateur). La collection Gastaut réunit une série unique de crânes humains, sculptés, gravés illustrant les civilisations anciennes de l'Océanie et de l'Amazonie. **Collection François-Reichenbach** : art populaire du Mexique.

Un masque en bois Tsin Shian (Colombie britannique) pour le premier musée des « arts premiers ».

AUTOUR DE LA CANEBIÈRE

Musée d'Histoire de Marseille★

Tlj sf dim. 12h-19h. Fermé j. fériés. 12F. ☎ *04 91 90 42 22.*
Situé au fond du Jardin des Vestiges, il retrace l'histoire de Marseille, de la préhistoire au Moyen Âge. La maquette de Marseille aux 3e et 2e s. avant J.-C. précise la situation du port antique, équipé de cales de halage. Les coutumes celto-ligures sont évoquées par la reconstitution du portique du sanctuaire de Roquepertuse exhibant des « têtes coupées ». La ville grecque, les usages funéraires, la métallurgie, etc., sont tour à tour abordés avec clarté. La présentation en coupe d'un *dolium* (grande jarre), l'exposition de divers modèles d'amphores ayant contenu du vin, de l'huile ou différentes préparations de poisson renseignent sur le transport et le stockage des denrées.
Un espace d'exposition, « Le temps des découvertes de Protis à la reine Jeanne », est consacré aux plus récentes trouvailles.

PETIT BATEAU
Surprenante, cette épave d'un navire marchand romain du 3e s., conservée par lyophilisation, tant les bois utilisés sont divers : quille en cyprès, étrave en pin parasol, clés et chevilles en olivier ou chêne vert, revêtement intérieur en mélèze et pin d'Alep.

Musée de la Marine et de l'Économie de Marseille

Rez-de-chaussée du palais de la Bourse. 10h-18h30. 12F. ☎ *04 91 39 33 33.*
De nombreuses maquettes de navires à voiles ou à vapeur, des peintures, des aquarelles, des gravures, des plans illustrent l'histoire de la marine et du port de Marseille, plus spécialement du 17e s. à nos jours.

Musée de la Mode

Tlj sf lun. 12h-19h. Fermé j. fériés. 18F. ☎ *04 91 56 59 57.*
Espace consacré à des expositions temporaires sur les thèmes de la mode et du costume... et excellente cafétéria !

Musée Cantini★

Juin-sept. : tlj sf lun 11h-18h ; oct.-mai : tlj sf lun. 10h-17h. Fermé j. fériés. 12F. ☎ *04 91 54 77 75.*

Ce musée s'est spécialisé dans l'art du 20e s. jusqu'en 1960 et en particulier dans les domaines du fauvisme, du premier cubisme, de l'expressionnisme et de l'abstraction : œuvres de Matisse, Derain *(Pinède, Cassis)*, Dufy *(Usine à l'Estaque)*, Alberto Magnelli (*Pierres n° 2*, 1932), Dubuffet (*Vénus du trottoir*, 1946), Kandinsky, Chagall, Jean Hélion et plusieurs Picasso... Le séjour à Marseille de nombre d'artistes surréalistes, réunis pendant la dernière guerre à la villa Air-Bel autour d'André Breton, justifie un traitement de choix du mouvement ; ainsi se trouvent rassemblés des tableaux d'André Masson (*Antille*, 1943), Max Ernst (*Monument aux oiseaux*, 1927), Wilfredo Lam, Victor Brauner, Jacques Hérold, Joan Miro, avec 7 (rares) dessins du Marseillais Antonin Artaud.

Paisible
Le *Vieux Port* de Marquet : eaux étales se confondant avec le ciel, et gracile silhouette du défunt Pont Transbordeur.

Le port de Marseille, autre grand sujet d'inspiration local avec l'Estaque, est représenté par des toiles de Marquet, Signac et du spécialiste marseillais en la matière, Louis Mathieu Verdilhan (1875-1928). La collection compte enfin quelques œuvres d'artistes en marge de toute école : Balthus *(Le Baigneur)*, Giacometti *(Portrait de Diego)* et Francis Bacon *(Autoportrait)*.

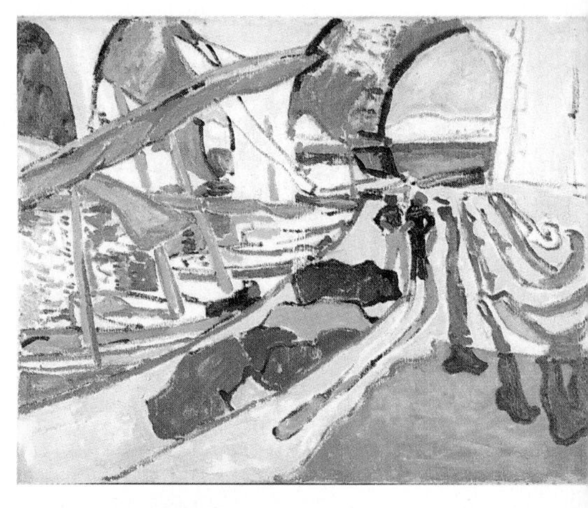

Alfred Lombard – Le Vallon des Auffes *(musée Cantini, Marseille), Marseille authentique.*

QUARTIER LONCHAMP

Musée Grobet-Labadié★★

Juin-sept. : tlj sf lun. 11h-18h ; oct.-mai : tlj sf lun. 10h-17h. Fermé j. fériés. 12F. ☎ 04 91 62 21 82.

Dans un cadre bourgeois, bel ensemble de tapisseries flamandes et françaises (16e au 18e s.), meubles, faïences de Marseille et de Moustiers (18e s.), orfèvrerie religieuse, ferronnerie, instruments de musique anciens. Aux murs, des primitifs flamands, allemands et italiens, école française des 17e, 18e et 19e s. Une collection de dessins des écoles européennes du 15e s. au 19e s. enrichit le musée.

Musée des Beaux-Arts★

Juin-sept. : tlj sf lun. 11h-18h ; oct.-mai : tlj sf lun. 10h-17h. Fermé j. fériés. 12F. ☎ 04 91 14 59 30.

Beau palais
Le musée des Beaux-Arts occupe l'aile gauche du **Palais Longchamp**, imposante construction mêlant avec une allégresse communicative tous les styles architecturaux répertoriés, véritable hymne à l'eau bienfaisante élevé par le redoutable (et inlassable) Espérandieu de 1862 à 1869.

Au 1er niveau, une galerie est consacrée à la **peinture des 16e et 17e s.** des écoles française (remarquer l'exquise *Vierge à la rose* de Vouet), italienne (Pérugin, Carrache et le Guerchin) et flamande, avec Snijders, Jordaens et plusieurs Rubens *(La Chasse au sanglier)* ; également, quelques œuvres provençales de Michel Serre, Jean Daret, Finson et Meiffren Comte. **Pierre Puget**, natif de Marseille, tient naturellement la vedette avec des peintures d'une grande variété dont le *Sommeil de l'Enfant Jésus* et *Achille et Le Centaure*, des sculptures (le *Faune)* et des bas-reliefs comme *La Peste à Milan* ou *Louis XIV à cheval*.

Dans l'escalier, peintures murales, aujourd'hui un peu désuètes, de Puvis de Chavannes *(Marseille, colonie grecque* et *Marseille, porte de l'Orient)*.

Au 2e niveau, plusieurs salles vouées exclusivement à la **peinture française des 18e et 19e s.** Le 18e s. est représenté par de belles toiles de Nattier, Verdussen, Watteau de Lille, Carle Van Loo, Françoise Duparc, Greuze, Joseph Vernet *(Une tempête)*, Mme Vigée-Lebrun *(La Duchesse d'Orléans)*. Parmi les œuvres du 19e s., on s'attardera devant Courbet *(Le Cerf à l'eau)*, Millet, Corot, Girodet, Gros, Gérard, Ingres, David et les Provençaux Guigou et Casile.

Le **cabinet des dessins** rassemble des collections italiennes et françaises, présentées sous forme d'expositions temporaires.

On le connaissait comme caricaturiste, Honoré Daumier, né à Marseille en 1808, était aussi sculpteur, facette méconnue d'un talent fécond.

Muséum d'Histoire naturelle*

Aile droite du Palais Longchamp. Tlj sf lun. 10h-17h. Fermé j. fériés. 12F. ☎ 04 91 14 59 50.

Il renferme de riches collections, très intéressantes pour les amateurs de zoologie, de géologie et de préhistoire. 400 millions d'années d'histoire de la région y sont retracés et un safari-muséum expose les peuplements zoologiques de la terre. Une salle est consacrée à la faune et à la flore provençales. Dans les **aquariums**, exposition permanente sur les « eaux vives, du Verdon aux Calanques ».

QUARTIERS SUD

Musée d'Art contemporain (MAC)

Hors plan. Depuis la Promenade de la Plage, tourner au niveau de l'Escale Borély dans l'avenue de Bonneveine et poursuivre jusqu'à l'intersection avec l'avenue d'Haïfa, où pointe un grand pouce métallique sculpté par César. ♿ Juin-sept. : tlj sf lun. 11h-18h ; oct.-mai : tlj sf lun. 10h-17h. Fermé j. fériés. 18F, gratuit dim. matin hors expo. temporaire. ☎ 04 91 25 01 07.

Ce musée occupe un bâtiment formé d'une juxtaposition de modules identiques. Sa collection permanente, qui privilégie les créateurs français et réserve une place de choix aux Marseillais de naissance ou d'adoption, regroupe diverses tendances de l'art contemporain des années 1960 à aujourd'hui : courants structurés comme le Nouveau Réalisme, Support/Surface ou l'Arte Povera mais aussi éclectisme propre aux années 1980 et œuvres de francs-tireurs résistant à toute tentative de classification. Dans un ensemble promis à l'enrichissement se mettent en évidence les Compressions et Expansions de César, les compositions de Richard Baquié (*Amore Mio*, 1985), Jean-Luc Parent (*Machines à voir*, 1993), Daniel Burren *(Cabane éclatée n° 2)*, les complexes démarches créatives de Martial Raysse (*Bird of Paradise*, 1960), Arman, Jean-Pierre Raynaud, la machine *Rotazaza* de Tinguely, une anthropométrie d'Yves Klein et les contributions de Robert Combas et Jean-Michel Basquiat à la valorisation de certains aspects de notre culture : bande dessinée, graffiti, etc.

Quand un César local crie « Pouce » dans la cité qu'un César romain mit à genoux (musée d'Art contemporain).

Musée de la Faïence*

Hors plan. Dépassez le parc Borély et continuez vers la Pointe Rouge. Le musée se trouve au bout du parc de Montredon. ♿ De mi-juin à fin sept. : tlj sf lun. 11h-18h (dernière entrée 1h1/2 av. fermeture) ; oct.-mai : 10h-17h. Fermé j. fériés. 12F. ☎ 04 91 62 21 82.

Un petit train permet d'y monter. Juin-sept. : tlj sf lun. (dép. toutes les 1/2h) 11h-17h30 ; oct.-mai : 10h-16h30. 8F AR.

Installé au château Pastré, belle bastide du 19e s. bâtie au pied du massif de Marseilleveyre, ce musée est consacré à l'art de la céramique, du néolithique ancien à nos jours. Collections en grande partie constituées de faïences de Marseille, grand centre de production à la fin du 17e s. et au 18e s. On verra successivement de très belles pièces de la fabrique Clérissy, la première à avoir relancé la faïence à la fin du 17e s. (grand feu bleu et manganèse) et des fabriques Madeleine Héraud, Louis

Leroy et Fauchier (ornementation rocaille et émail jaune). Quatre grandes fabriques utilisent au 18e s. la technique du petit feu : celles de la Veuve Perrin (décor de poissons, scènes chinoises, grandes fleurs avec insecte), de Gaspard Robert, Honoré Savy (petit feu vert) et Antoine Bonnefoy. Sont ensuite présentées les productions provençales : faïence de Moustiers, céramiques de la Tour-d'Aigues, d'Aubagne (poterie vernissée vert et jaune), d'Apt et du Castellet (terres mêlées vernissées). Quelques belles créations viennent illustrer la production de la fin du 19e s. : poterie vernissée (style Bernard Palissy) d'Avisseau, grès émaillés d'Ernest Chaplet, vases Art nouveau de Théodore Deck. Enfin, la création contemporaine n'est pas oubliée avec les œuvres d'Émile Decœur (années 1930), Georges Jouve (après 1954) ou Claude Varlan (1990).

alentours

Îles du Frioul

Été : dép. toutes les h. ; hiver : dép. toutes les h. et 1/2h. 50F. Avr.-sept. : 9h-17h40 ; oct.-mars : 9h15-18h45. 25F (visite château). Forfait îles d'If et du Frioul : 80F. Groupement des Armateurs Côtiers Marseillais, 1, quai des Belges, 13001 Marseille. ☎ 04 91 55 50 09.

À tout seigneur, tout honneur, votre première escale sera la célèbre île du **château d'If★★**, immortalisée par Alexandre Dumas. Il y fit croupir trois de ses héros : le Masque de Fer, le comte de Monte-Cristo et l'abbé Faria.

Prison-citadelle
Si elle renferma bien, semble-t-il, le mystérieux Masque de Fer, ce sont surtout les huguenots, puis des opposants au coup d'État de 1851 qui y séjournèrent.

Construit de 1524 à 1528 en un temps très court, le château d'If formait un avant-poste destiné à protéger la rade de Marseille. À la fin du 16e s., on l'entoura d'une enceinte bastionnée posée sur le rocher en lisière de la mer. Devenue inutile, la citadelle devint prison d'État. La visite, qu'agrémentent des vidéos extraites des multiples avatars cinématographiques du comte de Monte-Cristo, fait parcourir les cachots de ces nombreux prisonniers. D'une terrasse au sommet de la chapelle (désaffectée), **panorama★★★** sur la rade et la ville, les îles Ratonneau et de **Pomègues** reliées par le nouveau port du Frioul. Sur cette dernière, où l'on tenta naguère d'établir un quartier de la ville, l'**hôpital Caroline**, ancien centre de quarantaine, est en cours de restauration.

Les Calanques★★ *(voir ce nom)*

Musée des Arts et Traditions populaires du terroir marseillais de Château-Gombert *(voir p. 210)*

L'Estaque

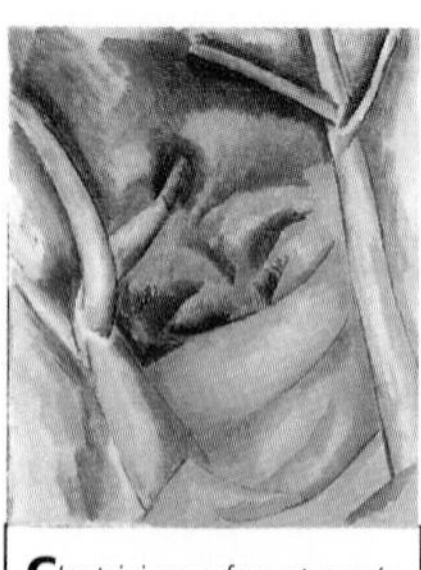

C'est ici que furent posés en partie, sous le pinceau des Cézanne, Renoir, Braque, Dufy (ci-dessus *Arbres à l'Estaque*, musée Cantini, Marseille), Derain, Marquet ou Othon Friesz, les fondements de la modernité en peinture, avec, notamment, entre 1908 et 1910, l'éclosion du cubisme.

9 km au Nord. Quitter Marseille par l'autoroute du littoral.
« C'est comme une carte à jouer. Des toits rouges sur la mer bleue. » Ainsi Paul Cézanne vantait-il à Camille Pissarro, en juillet 1876, les charmes de ce village de pêcheurs parsemé d'usines, dont une escouade de peintres avant-gardistes allait faire la renommée entre 1870 et la Première Guerre mondiale.

Aujourd'hui, l'Estaque peut décevoir le visiteur. Quelques poissonneries et restaurants y attirent les citadins, au même titre que les « baraques » perpétuant la fabrication des « chichi frégi », longs beignets frits un peu lourds à digérer, mais délicieux.

Toutefois, en montant dans le vieux village, sur la place de l'église, une vue panoramique sur la rade de Marseille, avec ses îles et, au premier plan en contrebas, les toits du vieux village, vous permettra de mieux comprendre l'engouement que ce lieu célèbre suscita naguère.

Chaîne de l'Estaque★ *(voir ce nom)*

Martigues

« Adieu Venise provençale », chantait Vincent Scotto. Certes, un sens de l'exagération tout méridional n'est pas étranger à cette appellation. Il n'empêche que cette ville harmonieuse, avec ses canaux colorés, ne manquera pas de vous séduire, comme elle a fasciné les peintres épris de lumière.

La situation

Cartes Michelin n°s 84 plis 11, 12, 245 pli 43 et 246, plis 13, 14 – Bouches-du-Rhône (13). Située en bordure de l'étang de Berre et reliée à la mer par le canal de Caronte, Martigues a connu un considérable développement depuis l'implantation du complexe portuaire de Lavéra. Après avoir franchi le viaduc de Caronte en direction de Marseille, quitter la voie rapide pour longer le canal de Galiffet par l'avenue Félix-Ziem, jusqu'au pont-levis qui permet d'atteindre l'île Brescon. Parking aménagé sur la droite.

2 quai Paul-Doumer, 13500 Martigues, ☎ 04 42 42 31 10.

Visite

Visite guidée de la ville – Découverte du Vieux Martigues sur l'île Brescou (1h1/2). Juil.-août : ven. 10h30. 15F. Sur RV à l'Office de tourisme.

La spécialité

C'est la *poutargue*, grappes d'œufs de muge (ou mulet) que l'on consomme râpée sur une tranche de pain de campagne. Mais il y a aussi le *mélets*, sorte de pommade à tartiner avec un filet d'huile d'olive faite à partir d'alevins d'anchois, accompagnés de poivre et de fenouil. Idéal pour tuer les petites faims !

Les gens

43 493 Martégaux. Architecte de formation, peintre orientaliste tenant de l'école de Barbizon et annonçant l'impressionnisme, Félix Ziem (1821-1911), né à Beaune, s'est fixé à Martigues et a pris l'étang de Berre comme sujet de prédilection. Ainsi le musée martégal porte-t-il son nom, d'autant que sa collection s'est enrichie d'une donation d'œuvres du peintre, léguée par sa petite-fille.

se promener

Le Martigues d'autrefois, alors que le village était avant tout un petit port de pêche, vous le retrouverez dans la petite île Brescon que traverse le canal St-Sébastien.

Miroir aux oiseaux*

Ziem, Corot et bien d'autres affectionnaient ce plan d'eau avec ses maisons chaudement colorées et ses barques aux teintes vives amarrées le long du canal : à contempler depuis le **pont St-Sébastien**.

carnet pratique

Restauration

• ***Valeur sûre***

Le Bouchon à la Mer – *19 quai L.-Toulmond - ☎ 04 42 49 41 41 - fermé 1er au 25 janv., dim. soir de sept. à juin, sam. midi en juil.-août et lun. - 120/170F.* Pour une promenade digestive, flânez le long des quais, dans l'île Brescon. Ce petit restaurant sans prétention donne sur le canal et le port. Salle à manger colorée à l'étage. Cuisine classique d'un bon rapport qualité/prix.

Hébergement

• ***À bon compte***

Le Cigalon – *37 bd du 14-Juillet - ☎ 04 42 80 49 16 - fermé fév. - P - 17 ch. : 200/300F - ☕ 38F - restaurant 98/210F.* L'œil est attiré par la façade colorée de cet hôtel familial, à quelques minutes du centre de la « Venise provençale ». Les chambres sont simples mais impeccables. Quant à la cuisine, elle a l'accent d'ici, servie dans un décor du pays. Une étape sans se ruiner...

Le temps d'un verre

Le Cours – *8 cours du 4-Septembre - ☎ 04 42 81 56 14.* Le Cours est le lieu de passage obligé pour prendre un verre à Martigues. Il se compose d'une suite de bars et de terrasses, nonchalamment prises d'assaut les jours d'été pour de longs bains de soleil et de détente.

Calendrier

Les joutes opposent les gros bras locaux, juchés en haut de la « tintaine », plate-forme surélevée au bout d'une barque conduite par une équipe de rameurs qui s'affrontent, au son des galoubets et des tambourins. Le règlement est simple : avec la lance, on vise le bouclier de l'adversaire, en tentant de le déséquilibrer et de le faire tomber à l'eau. Des grands tournois ont lieu à la fin du mois de juin sur le plan d'eau de Martigues.

« Venise provençale » ou Miroir aux oiseaux : l'eau, toujours au cœur de la cité martégale.

Église Ste-Madeleine-de-l'Île

Bâtie le long du canal St-Sébastien, cet édifice à la façade de style corinthien (17e s.) recèle une riche décoration intérieure ; imposant buffet d'orgue.

visiter

Musée Ziem

Bd du 14-Juillet. Juil.-août : tlj sf mar. 10h-12h, 14h30-18h30 ; sept.-juin : tlj sf lun. et mar. 14h30-18h30. Fermé 1er janv., Pâques, 1er mai, 14 juil., 1er et 11 nov., 25 déc. Gratuit. ☏ 04 42 80 66 06.

Outre les œuvres lumineuses de Ziem, vous pourrez y faire plus ample connaissance avec les peintres provençaux Guigou, Manguin, Monticelli ou Seyssaud. Outre Dufy, Rodin, Camille Claudel et Derain, une section d'archéologie locale et une collection d'art contemporain complètent cet ensemble.

Chapelle de l'Annonciade

Visite guidée (1h) mer. 10h30 sur demande. Gratuit. ☏ 04 42 42 31 10.

L'intérieur de cette ancienne chapelle des Pénitents Blancs, située derrière l'église St-Geniès, ravira les tenants du baroque provençal : boiseries dorées, fresques représentant la vie de la Vierge, plafond peint composent un décor dont la richesse tranche avec la sobriété extérieure du bâtiment.

alentours

Étang de Berre★

Circuit de 113 km par la D 5. Voir ce nom.

Chapelle N.-D.-des-Marins

À 3,5 km au Nord par la N 568 ; à 1,5 km du centre, au grand carrefour, prendre à droite la D 50C en direction de l'hôpital. 1,2 km plus loin, aussitôt après le sommet de la montée, prendre à droite un chemin revêtu qui conduit à un parking.

Des abords de la chapelle, large **panorama★** sur Port-de-Bouc, Fos, Port-St-Louis, Lavéra et son port pétrolier, le viaduc ferroviaire et le pont autoroutier de Caronte, la chaîne de l'Estaque avec Martigues au premier plan, l'étang de Berre et la digue du canal d'Arles à Fos, les chaînes de l'Étoile et Vitrolles, la Ste-Victoire (et, par temps clair, le Ventoux), Berre et, dans une échancrure entre deux collines, St-Mitre-les-Remparts.

Fos-sur-Mer

9 km par la N 568. Voir ce nom.

Ménerbes★

C'est l'un des plus célèbres villages perchés du Luberon. L'un des plus beaux également ? La concurrence est rude... Alors, rien de tel qu'une longue halte à Ménerbes pour trancher la question.

La situation

Cartes Michelin nos 81 pli 13, 245 pli 30 et 246 pli 11 – Vaucluse (84). Laissez votre voiture sur le parking à l'entrée du village : vous ne goûterez que mieux les charmes de cette promenade.

Le nom

Ménerbes est placée sous le patronage de Minerve, la déesse de la sagesse et des arts : cela ne pouvait qu'y attirer écrivains (Camus, François Nourissier) et artistes tels que Picasso qui y séjourna en 1946, ou Nicolas de Staël qui s'y installa en 1953.

Les gens

995 Ménerbois. Un de leurs concitoyens d'adoption, le Britannique Peter Mayle, a donné au village, dans son roman *Une année en Provence*, une renommée telle que Ménerbes est devenu étape incontournable pour maints touristes japonais et américains.

Restauration
Auberge de la Bartavelle – *R. du Cheval-Blanc - 84220 Goult - 6 km au NE de Ménerbes par D 218 et D 145 - ☎ 04 90 72 33 72 - fermé fin nov. à déb. mars et mar. de sept. à juin, le midi sf dim. et mer. - 135/215F.* Le patron a lui-même rénové cette vieille maison provençale. Dans la salle à manger voûtée, des meubles anciens ont été restaurés. L'été, elle se prolonge en terrasse dans la rue devenue piétonne. Cuisine régionale de produits frais.

se promener

En haut du village gagnez la belle **place de l'Horloge** que domine le beffroi de l'hôtel de ville et son sobre campanile en fer forgé. Dans un angle, une maison Renaissance, avec son portail en plein cintre, renforce la séduction du lieu. Depuis la terrasse, **vue★** sur la vallée du Calavon, Gordes, Roussillon et le Ventoux. L'**église**, du 14e s., à l'extrémité du village, était jadis un prieuré de St-Agricol d'Avignon.
La **Citadelle**, du 13e s. (mais reconstruite au 16e s. puis au 19e s.), joua un rôle important lors des guerres de Religion : si les Calvinistes s'en emparèrent en 1573, ce fut par la ruse ; pour les en déloger cinq ans plus tard, il fallut verser une rançon. De son système de défense, subsistent tours d'angle et mâchicoulis.

visiter

Musée du Tire-bouchon

À la sortie de Ménerbes, sur la D 3 en direction de Cavaillon. Avr.-oct. : 9h-12h, 14h-19h, w.-end et j. fériés 10h-12h, 15h-19h ; nov.-mars : tlj sf dim. et j. fériés 9h-12h, 14h-18h, sam. 10h-12h, 14h-17h. 24F. ☎ 04 90 72 41 58.
Voilà un musée qui, installé au domaine viticole de la Citadelle, fait le point sur cet indispensable instrument de matières (corne, métal, ivoire...) et de formes très diverses (en T, en forme d'animal, à l'effigie du sénateur Volstead, instigateur de la loi sur la prohibition au États-Unis...). 1 000 tire-bouchons du 17e s. à nos jours permettent de faire le tour de la question du débouchage où l'ingéniosité humaine a donné toute sa mesure. Et pour conclure, pourquoi pas une visite des caves, suivie d'une dégustation de côtes-du-Luberon ?

Un musée qui rend justice à un objet aussi indispensable que mal connu, le tire-bouchon.

Abbaye de Montmajour★

Datant du Moyen Âge pour une part, du 18e s. pour l'autre, les ruines de l'abbaye de Montmajour forment avec leur colline boisée de pins un ensemble romantique, chargé d'histoire et de légendes.

La situation

Cartes Michelin nos 83 pli 10, 245 pli 28 et 246 pli 26 – Bouches-du-Rhône (13). Deux kilomètres à la sortie d'Arles en direction de Fontvieille... et, soudain, comme un avant-poste des Alpilles posé dans la plaine, apparaît la colline de Montmajour que vous contournerez avant de vous garer devant l'entrée de l'abbaye.

Le nom

Mont Majour, le mont majeur : référence à cette colline qui se dresse dans une zone de marais, un peu comme une île.

Les gens

Ce n'était sans doute pas le plus recommandable, mais ce fut le plus célèbre : le dernier abbé de Montmajour, le cardinal de Rohan, fut compromis dans l'affaire du collier de la reine ; en guise de représailles, Louis XVI prononça, en 1786, la suppression de cette abbaye par trop mondaine.

comprendre

Durs à l'ouvrage
Les premiers moines bénédictins s'étaient fixé une tâche considérable : l'assèchement des marais entre Alpilles et Rhône.

Un travail de bénédictins – Il faut se rappeler que la plaine actuelle était au haut Moyen Âge une zone de marais insalubres. Sur les rochers de Montmajour, quelques ermites, veillant sur un cimetière, sont à l'origine de l'abbaye bénédictine qui s'établit au 10e s.

Une communauté bien frivole – Au 17e s., l'abbaye est en décadence. Parmi la communauté, on compte bon nombre de « religieux laïques » qui, par faveur royale, ont obtenu une place dans la communauté et surtout une part des revenus. Leur goût pour les futilités de ce bas monde entraîne une réaction : de nouveaux moines sont envoyés pour restaurer la discipline tandis que les anciens, expulsés *manu militari*, saccagent l'abbaye. Au 18e s., une partie des bâtiments s'effondre ; on les remplace par de nouvelles constructions.

Un dépeçage en règle – En 1791, Montmajour est vendue comme bien national à une brocanteuse qui dépèce les bâtiments. Meubles, boiseries, plomb, charpentes, marbres s'en vont par charretées. Le successeur, un marchand de biens, s'attaque, lui, au gros œuvre en débitant la pierre de taille... L'action d'Arlésiens amis des vieux monuments (comme le peintre Réattu), bientôt relayés par la municipalité, permit de commencer la restauration des bâtiments médiévaux en 1872, tandis que les constructions du 18e s. demeurent en ruine.

visiter

3/4h. Avr.-sept. : 9h-19h ; oct.-mars : tlj sf mar. 10h-13h, 14h-17h. Fermé 1er janv., 1er mai, 1er et 11 nov., 25 déc. 35F, gratuit 1er dim. du mois de oct. à fin mai. ☎ 04 90 54 64 17.

Église Notre-Dame★

Cet édifice, du 12e s. dans sa partie principale, comprend une église haute et une crypte ou église basse.
Jamais achevée, l'**église haute** se compose du chœur, d'un transept et d'une nef à deux travées. La **crypte★**, aménagée pour compenser la déclivité du terrain, est en partie creusée dans le roc et en partie surélevée.

Fenêtre gothique de la chapelle du transept Nord (église Notre-Dame).

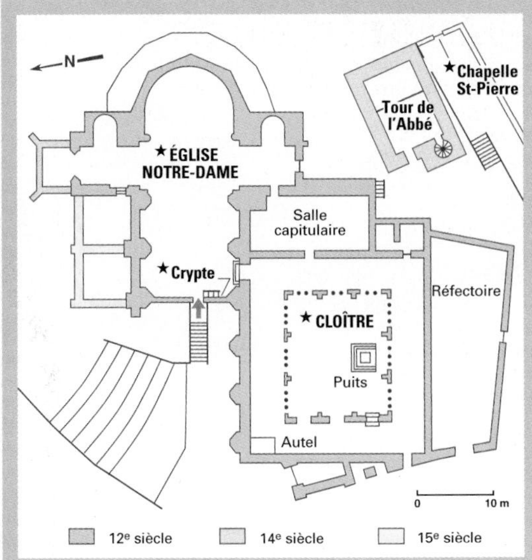

Cloître★
Il a été édifié au 12e s. mais seule la galerie Est a conservé son authenticité romane : le remarquable décor historié des chapiteaux a pu être inspiré par celui de St-Trophime d'Arles.

Locaux d'habitation
Subsistent la salle capitulaire avec un beau berceau en plein cintre et le réfectoire aux voûtes surbaissées *(accès par l'extérieur)*. Le dortoir occupait le 1er étage, au-dessus du réfectoire.

Tour de l'Abbé
De la plate-forme supérieure de ce beau donjon (124 marches), **panorama★** sur les Alpilles, la Crau, Arles, les Cévennes, Beaucaire et Tarascon.

Chapelle St-Pierre★
À demi creusée dans le roc, à flanc de colline, elle fut édifiée lors de la fondation de l'abbaye. Elle comprend une église à deux nefs et, dans le prolongement, un ermitage formé de grottes naturelles.

Chapelle Ste-Croix★
Visite guidée sur demande préalable. ☎ 04 90 54 64 17.
Ce charmant petit édifice du 12e s. se trouve en dehors de l'abbaye *(à 200 m sur la droite vers Fontvieille)*. Son plan est en forme de croix grecque : un carré entouré de quatre absidioles. C'était la chapelle du cimetière de l'abbaye. On remarque, creusées dans le roc, les tombes du cimetière qui s'étendait sur toute la plate-forme rocheuse.

Dentelles de **Montmirail★**

Rendez-vous des peintres, paradis pour botanistes, randonneurs, alpinistes, amateurs de crus locaux ou de vieilles pierres, les dentelles de Montmirail offrent un environnement riche et préservé, où chacun pourra satisfaire sa soif d'aventure, d'escalades... ou de bon vin.

La situation
Cartes Michelin nos 81 plis 2, 3 et 12, 245 pli 17 et 246 plis 9, 10 – Vaucluse (84). Bien que de faible altitude (elles culminent à 734 m au mont St-Amand), les dentelles ont un caractère alpestre plus marqué que leur puissant voisin, le Ventoux, haut de 1 909 m.

QUAND?
En mai-juin, lorsque les genêts, très abondants, illuminent les collines de leurs fleurs jaunes, les paysages des dentelles de Montmirail révèlent alors leur sereine beauté.

Crêtes aiguës, villages médiévaux, roches escarpées : broderies en tous genres à Montmirail.

Le nom

Il suffit d'observer le découpage caractéristique des crêtes, érodées en arêtes et en aiguilles, pour comprendre leur appellation. Quant à Montmirail, c'est le nom d'un minuscule village qui se niche au Sud du massif, à 2 km de Vacqueyras.

Les gens

Les vignerons de Séguret (vins capiteux et parfumés), Vacqueyras (rouges charpentés et blancs élégants), Gigondas (qui parviennent à rivaliser avec leurs collègues de Châteauneuf-du-Pape) et de Beaumes-de-Venise (spécialisés dans le muscat) ont porté haut le renom de la région... et méritent amplement une visite.

circuit

AU FIL DES DENTELLES

Circuit au départ de Vaison-la-Romaine – 60 km – 1/2 journée environ.

Quitter Vaison-la-Romaine par la D 977, route d'Avignon et à 5,5 km prendre à gauche la D 88 qui, en s'élevant, offre de belles vues sur la vallée de l'Ouvèze.

carnet pratique

Restauration

• *Valeur sûre*

La Bastide Bleue – *Rte de Sablet - 84110 Séguret - ☎ 04 90 46 83 43 - fermé 4 janv. au 8 fév., jeu. midi et mer. sf juil.-août - 130F.* Installé dans les écuries de cet ancien relais de poste, vous pourrez goûter une cuisine de terroir présentée à l'ardoise. En été, la cour bien ombragée fait office de terrasse. Derrière, une jolie piscine entourée d'un jardin. Chambres de caractère.

• *Une petite folie !*

L'Oustalet – *Pl. du Portail - 84190 Gigondas - ☎ 04 90 65 85 30 - fermé 15 nov. au 28 déc., dim. sf le midi du 1er juil. au 15 août et lun. - 210F.* Sur la charmante place du village, ce restaurant dans une ancienne bâtisse prolongée par une terrasse. Là, ou dans sa salle rustique et sobre, on vous servira une cuisine réalisée avec des produits frais, gentiment arrosée de vins d'ici, comme il se doit !

Hébergement

• *À bon compte*

Chambre d'hôte La Farigoule – *Le Plan-de-Dieu - 84150 Violès - 10 km à l'O de Gigondas par D 80 dir. Orange puis D 8 et D 977 dir. Violès - ☎ 04 90 70 91 78 - fermé nov. à mars - 5 ch. : 220/330F.* Cette maison de vignerons du 18e s. a gardé son authenticité. Vos hôtes, anciens libraires, ont donné à chaque chambre le nom d'un poète provençal et mettent leurs œuvres à disposition. Petits-déjeuners servis dans une salle voûtée.

• *Valeur sûre*

Chambre d'hôte Mas de la Lause – *Chemin de Geysset - 84330 Le Barroux - ☎ 04 90 62 33 33 - www.provence-gites.com - fermé 5 nov. au 31 mars - ⊭ - 5 ch. : 280/450F - repas 95F.* Ce mas familial de 1883 est au milieu des vignes et des abricotiers. Rénovées dans un style contemporain, ses chambres ont gardé leurs couleurs provençales. La cuisine, mitonnée avec des produits locaux, est servie sous la tonnelle, en face du château.

Loisirs-Détente

Escalade – Renseignements auprès de l'*Office de tourisme de Gigondas, ☎ 04 90 65 85 46.*

Randonnées pédestres – Un GR de pays permet de sillonner les Dentelles. Guides et cartes auprès du Comité départemental du Tourisme de Vaucluse, *☎ 04 90 80 47 00.*

Calendrier

Fêtes du vin – Célébrées dans tous les villages viticoles, de Séguret à Vacqueyras, le samedi qui suit l'Ascension.

Séguret★

Superbe village, bâti en gradins au pied d'une colline. À l'entrée du bourg, emprunter le passage sous voûte que prolonge la rue principale. Chemin faisant, vous passerez devant la jolie fontaine comtadine des Mascarons (15e s.) et le beffroi (14e s.), puis l'église St-Denis (12e s.). Depuis la table d'orientation installée sur la place, vue étendue sur les dentelles et la plaine du Comtat. Un château féodal en ruine, des ruelles étroites en forte pente bordées d'anciennes demeures ajoutent encore au charme de ce lieu préservé où vous aimerez sans doute vous attarder.

À la sortie de Séguret, prendre à gauche la D 23 vers Sablet, puis la D 7 et la D 79 vers Gigondas.

Gigondas

Petite localité connue pour son vin rouge issu de Grenache, un des grands crus des Côtes-du-Rhône. Multiples possibilités de dégustation et d'achats à la propriété.

Par les Florets, qui abritent un chalet du Club Alpin Français, gagnez le col du Cayron.

Col du Cayron

Alt. 396 m. Ici, les parois des dentelles peuvent atteindre près de 100 m et les adeptes de l'escalade s'en donneront à cœur joie, d'autant qu'ils pourront y rencontrer toute la gamme des difficultés.

1h AR. Les plus sages laisseront leur voiture et prendront à pied sur la droite une route non revêtue qui serpente parmi les dentelles : superbes **vues★** sur la plaine rhodanienne barrée par les Cévennes, le plateau de Vaucluse et le mont Ventoux.

Revenir à votre voiture pour rejoindre la D 7, ou tourner à gauche et descendre sur Vacqueyras, autre haut lieu des côtes-du-rhône.

Gigondas : pour partir à l'assaut de ce sommet des côtes-du-rhône, un tire-bouchon suffit.

Chapelle Notre-Dame d'Aubune

Chapelle romane située près de la ferme Fontenouilles, au pied des dentelles de Montmirail, sur une petite terrasse. Élégant **clocher★** orné sur chaque face de longs pilastres inspirés de l'antique ; les quatre baies sont encadrées de piliers ou de colonnettes décorées de cannelures droites ou torses, de raisins, de pampres, de feuilles d'acanthe et de visages grimaçants.

Suivre à gauche la D 81 qui serpente parmi vignes et oliviers.

Beaumes-de-Venise

Sur les premiers contreforts des dentelles, ce village (dont le nom est une altération du mot Venaissin) est le grand lieu de production du fameux muscat, subtilement parfumé.

Quitter Beaumes par la D 21 à l'Est, puis prendre à gauche la D 938, et à gauche de nouveau la D 78.

Le Barroux

Parking à l'entrée du village.

Pittoresque bourg aux rues pentues, dominé par la haute silhouette de son **château**. Ce vaste quadrilatère flanqué de tours rondes fut au 12e s. une place forte qui assurait la protection de la plaine comtadine. Siège de plusieurs seigneuries successives, il fut remanié à la Renaissance, incendié au cours de la Seconde Guerre mondiale, puis restauré. La visite permet de découvrir la chapelle, les salles basses et la salle des Gardes, puis les étages, dont les salles accueillent des expositions d'art contemporain. Depuis les jardins, agréable vue panoramique. *Juin-sept. : 10h-20h ; oct. : 13h-18h ; d'avr. à fin juin : w.-end et j. fériés 10h-18h. Fermé nov.-mars. 20F. ☎ 04 90 62 35 21.*

Quitter le Barroux au Nord en direction de Suzette et rejoindre la D 90. Après Suzette, la route pénètre dans le cirque de St-Amand aux parois à pic.

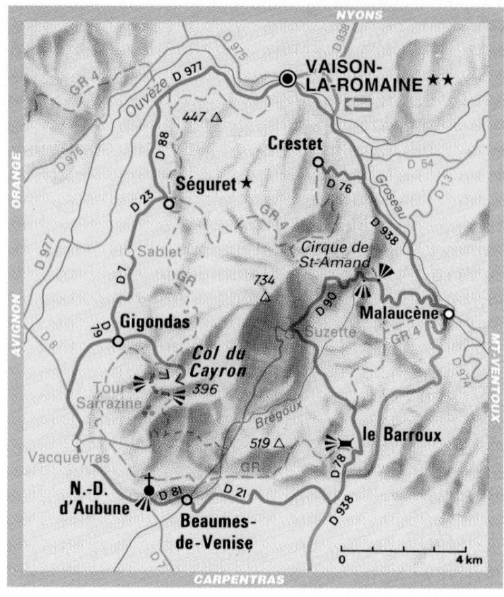

La route s'élève vers un petit col qui ménage une belle **vue★** d'un côté sur les dentelles, de l'autre sur le mont Ventoux, la vallée de l'Ouvèze et les Baronnies.

Malaucène

Dédale de ruelles
Dans la vieille ville, maisons anciennes, fontaines, lavoirs, oratoires, et au centre un vieux beffroi coiffé d'un campanile en fer forgé vous plongeront dans une atmosphère pleine de fraîcheur.

Ce gros bourg est entouré en grande partie d'un cours planté d'énormes platanes : pas de doute, nous sommes bien en Provence...

Son **église fortifiée** (bâtie au 14e s. à l'emplacement d'un édifice romain, elle faisait partie de l'enceinte de la ville) ne manque pas d'intérêt : nef de style roman provençal, et belles boiseries ornées d'instruments de musique du buffet d'orgue (18e s.). La porte Soubeyran, à côté de l'église, donne accès à la **vieille ville**.

Les plus courageux emprunteront, à gauche de l'église, un chemin qui mène au calvaire : belle vue sur les montagnes de la Drôme et le Ventoux.

La D 938, au Nord-Ouest, remonte la fertile vallée du Groseau que l'on quitte pour prendre, à gauche, la D 76.

Crestet

Laisser votre voiture au parc de stationnement du château.

Une placette ornée d'une arcade, d'une fontaine et du porche de l'église (14e s.), des ruelles bordées de maisons Renaissance escaladant la colline que couronne le château du 12e s... : un adorable village vauclusien. De la terrasse du château, belle vue sur le village, sa colline verdoyante, l'Ouvèze, le Ventoux et les Baronnies.

Revenir à la D 938 où l'on tourne à gauche pour regagner Vaison-la-Romaine.

Nîmes★★★

À la lisière des collines, des garrigues et de la plaine marécageuse de Petite-Camargue, Rome française pour les uns, Madrid selon d'autres, Nîmes présente toujours deux visages : catholique ou protestante, austère mais débridée pendant les ferias, fière de son passé romain mais soucieuse de modernité... Même le climat est à l'unisson : sec le plus souvent, il déclenche parfois des orages torrentiels et dévastateurs.

La situation

Cartes Michelin nos 83 pli 9, 245 pli 27 et 246 plis 25 et 26 – Gard (30). Selon votre approche, Nîmes se montre bien différente : depuis Alès, Sauve ou Uzès, la route sinueuse passe par les collines autrefois parsemées de mazets, avant d'entrer dans la ville par le canal de la Fontaine, puis le boulevard Victor-Hugo jusqu'aux arènes, à contourner pour stationner au parking souterrain de l'Esplanade. En revanche, venant d'Avignon, de Montpellier ou d'Arles, vous ferez connaissance avec la « ville active » avant de vous glisser sous le viaduc du chemin de fer et d'arriver à l'Esplanade par l'avenue Feuchère, bordée d'aristocratiques façades.

6 r. Auguste, 30000 Nîmes, ☎ 04 66 67 29 11.

Le nom

De la source du dieu Nemoz, vénéré par les populations locales (le mot viendrait du celtique *Nemeto*, signifiant « sanctuaire »). Adopté par les Romains, il devient Nemausus, puis Nesmes, Nismes et enfin Nîmes.

Les gens

148 889 Nîmois : parmi eux, un empereur romain (Antonin), un ministre de Louis-Philippe (Guizot), le pape de la NRF (Paulhan), l'égérie de la « nouvelle vague » (Bernadette Lafont), des écrivains (Marc Bernard, André Chamson, Daudet), une poignée de toreros et l'inventeur anonyme de la brandade de morue.

La brandade

« Que faire de tout cela ? », se demandaient les Nîmois en voyant arriver des cargaisons de morue séchée envoyées par les terre-neuvas bretons, en paiement du sel d'Aigues-Mortes. L'un d'entre eux eut l'idée, après en avoir retiré les arêtes mais conservé la peau, de piler le poisson dans un mortier avant d'y ajouter de l'huile d'olive et du lait, obtenant ainsi une préparation crémeuse : la brandade (du provençal *brandar*, « remuer ») était née. Servie avec des croûtons ou en garniture de vol-au-vent, ce plat est aujourd'hui au menu de toute table de la région.

comprendre

Ils sentaient bon le sable chaud... – Les légionnaires romains qui, selon la tradition, succédèrent en 31 avant J.-C. aux Volques Arécomiques, venaient de l'armée d'Égypte. Une vaste enceinte de 16 km de longueur est élevée ; la ville, traversée par la voie Domitienne, se couvre de splendides édifices : un forum, bordé au Sud par la Maison carrée, un amphithéâtre, un cirque, des thermes et des fontaines qu'alimentaient un aqueduc

Légende ?

Les spécialistes en débattent âprement mais cette hypothèse avait l'avantage d'expliquer les armoiries de la ville montrant un crocodile enchaîné à un palmier.

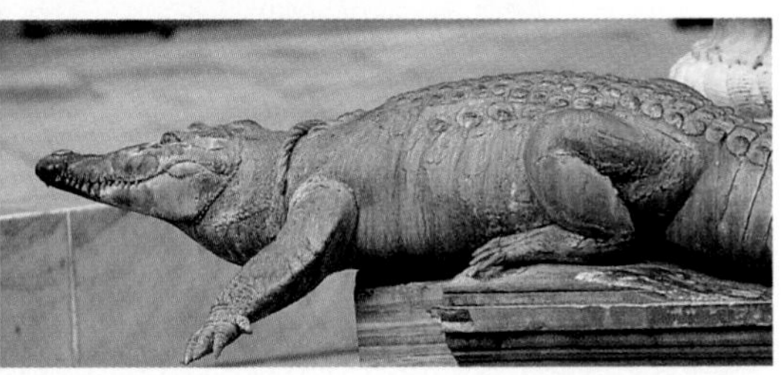

Enchaîné à son palmier de la place du Marché, le débonnaire « croco » nîmois, symbole de la ville (sculpture de Martial Raysse).

VISITES

Quand (ne pas) y aller... – Si l'on déteste la chaleur, éviter le mois d'août : Nîmes est alors une étuve et même les nuits y sont caniculaires. Si l'on déteste les corridas et/ou la foule, on évitera le w.-end de Pentecôte : du reste, difficile de visiter quoi que ce soit, hors les « bodegas » et impossible de s'y loger!

Visites guidées de la ville – Nîmes est classée « Ville d'Art et d'Histoire » et les visites guidées (2h) organisées par l'Office de tourisme sont commentées par des guides agréés par le Centre des Monuments Nationaux. Elles permettent notamment de voir l'hôtel Fontfroide *(voir p. 272)*, non ouvert à la visite autrement. *Tte l'année : sam. 14h30 (juil.-sept. : 10h) ; période scol. : mar., jeu. sam. : 14h30. 35F.*

Pass – Il permet de visiter l'ensemble des monuments : se le procurer au guichet du premier d'entre eux. 60F (enf. : 30F), valable 3 j.

Balises – Au cours de vos pérégrinations dans le centre-ville de Nîmes, remarquez à vos pieds le clou de Nîmes, dessiné par Philippe Stark.

RESTAURATION

• *Valeur sûre*

Bistrot des Arènes – *11 r. Bigot - ☎ 04 66 21 40 18 - fermé août, sam. midi et dim. - 109/129F.* « Guignol » est en Provence ! Nous l'avons trouvé à deux pas des arènes, dans ce bouchon typiquement lyonnais. Dans un décor fouillis à souhait et sympathique comme tout, vous dégusterez une cuisine de là-bas sur des tables bistrot.

Aux Plaisirs des Halles – *4 r. Littré - ☎ 04 66 36 01 02 - fermé 8 au 14 janv., 14 au 20 août, dim. soir et lun. - 140/250F.* En ville tout le monde en parle... Passé la discrète façade, place au plaisir ! Celui d'une pimpante salle jaune aux fauteuils drapés de toile, d'un patio joliment dressé en terrasse et d'une cuisine soignée fort bien tournée. Sans oublier la belle carte des vins.

Le Bistrot au Chapon Fin – *3 pl. du Château-Fadaise - ☎ 04 66 67 34 73 - fermé août, sam. midi et dim. - 150/200F.* Derrière l'église St-Paul, sa façade ancienne est une invitation... À l'intérieur, le décor style bistrot, avec ses affiches de feria et de cinéma et ses tableaux nîmois, ne vous décevra pas. Vous admirerez sa collection de coqs et choisirez vos plats du jour à l'ardoise...

HÉBERGEMENT

• *À bon compte*

Hôtel Amphithéâtre – *4 r. des Arènes - ☎ 04 66 67 28 51 - fermé 20 déc. au 1er fév. - 17 ch. : 185/270F - ☕ 35F.* Proche des arènes, dans une rue piétonne, ce petit hôtel familial à la façade un peu austère est une bonne adresse pour les petits budgets : central, il propose des chambres assez spacieuses de différents styles, avec un mobilier plutôt rustique.

Chambre d'hôte La Mazade – *Dans le village - 30730 St-Mamert-du-Gard - 17 km à l'O de Nîmes par D 999 et D 1 - ☎ 04 66 81 17 56 - fermé janv. - ⊄ - 3 ch. : 250/300F - repas 100F.* Voilà une maison de famille originale : toutes ses pièces au décor « design » débordent de plantes vertes et d'objets d'art mexicains... Le mélange pour le moins pittoresque est très amusant ! Le soir, dîner sous la treille de la terrasse, en face du jardin.

• *Valeur sûre*

New Hôtel la Baume – *21 r. Nationale - ☎ 04 66 76 28 42 - 34 ch. : 450/510F - ☕ 55F - restaurant 90/110F.* Mariage réussi du moderne et de l'ancien dans cet hôtel particulier du 17e s. autour duquel fut bâti le New Hôtel La Baume. Un escalier intérieur de pierres conduit aux chambres sobres. Admirez les jolis plafonds peints à la française dans quelques-unes d'entre elles.

• *Une petite folie !*

Hôtel L'Enclos des Lauriers Roses – *71 r. du 14-Juillet - 30210 Cabrières - 7 km au NE de Nîmes par N 86 puis D 3 - ☎ 04 66 75 25 42 - fermé 6 janv. au 14 mars et 11 nov. au 19 déc. - P - 13 ch. : à partir de 550F - ☕ 65F - restaurant 120/240F.* Les lauriers roses fleurissent cette jolie maison gardoise coiffée de tuiles romaines. Les chambres provençales, dans des bungalows, ouvrent sur le jardin où un amandier centenaire offre son ombre, près des trois piscines.

LE TEMPS D'UN VERRE

Espace Pablo-Romero – *12 r. Émile-Jamais.* Autour d'un patio décoré d'azulejos, plusieurs bars permettent de déguster fino et manzanilla accompagné de tapas, sous d'impressionnantes têtes de taureaux tandis que des salles accueillent colloques et

expositions et, bientôt, un musée consacré aux fameux taureaux gris de l'élevage andalou Pablo Romero, aujourd'hui disparu.

Bar Hemingway – *15 r. Gaston-Boissier - ☏ 02 66 21 90 30 - hotel.imperator@wanadoo.fr - Tlj 8h-23h.* Ouvrant sur un jardin arboré de séquoïas, de cèdres du Liban, et agrémenté d'une fontaine et de sculptures, le bar Hemingway de l'Hôtel Imperator Concorde est un lieu empreint de calme et de magie. Quelques photographies évoquent le passage en ces murs de deux amoureux de la tauromachie. Ava Gardner et Ernest Hemingway, l'auteur de *Mort dans l'après-midi* (1962), magnifique livre consacré à la corrida.

Grand Café de la Bourse – *2 bd des Arènes - ☏ 04 66 67 21 91 - Tlj 7h-1h.* Un plafond à caissons de style Napoléon III, une terrasse située face à l'entrée des arènes, des fauteuils en rotin profonds et confortables, autant d'indices qui ne trompent pas : nous sommes ici dans l'un des plus prestigieux cafés de Nîmes dont le service diligent et le professionnalisme attirent une clientèle de tous les âges et de tous les milieux.

Haddock Café – *13 r. de l'Agau - ☏ 04 66 67 86 57 - www.haddock.cafe.fr - Lun.-ven. 11h30-15h, 18h30-1h, sam. 18h30-1h.* Ce bar à vin-restaurant courtise autant la bonne chère (vin au verre, menu à tarif modique) que les muses, en organisant coup sur coup des soirées concert, théâtre, littéraire, philo et des expositions de peinture. Derrière son grand bar en métal, Philippe, le patron, préside certainement l'un des foyers les plus dynamiques de la vie culturelle nîmoise.

La Cantina – *4 r. Graverol - ☏ 04 66 21 65 10 - Lun.-mar., dim. 18h30-1h, mer.-jeu. 18h30-2h, ven.-sam. 18h30-3h. Fermé août.* Ce bar à vin, à tacos et autres plats mexicains est un véritable morceau de bravoure de culture sud-américaine et urbaine. À l'entrée, l'avant d'un bus bleu a été transformé en toilettes où l'on peut lire :« Interdit de parler au conducteur ». Une carte du Mexique, des poteaux électriques reliés par des câbles sur lesquels sont perchés des oiseaux, deux horloges dont l'une, tombée en panne depuis plusieurs années, marque dix heures et quart - le surnom du bar. Musiques actuelles et concerts-découvertes.

Le Diagonal – *41bis r. Émile-Jamais - ☏ 04 66 21 70 01 - Mar.-jeu. 17h-2h, ven.-dim. et veilles de fêtes 17h-3h. Fermé 3 sem. en août.* Ce grand bar à la déco années 1950 est tenu par un couple dont le mari espiègle, tel le Sphinx à l'entrée de Thèbes, pose des devinettes à ses habitués, à la différence près qu'ici l'ambiance est conviviale comme en témoignent la chorale des clients, les nombreux jeux de société et les expositions de peinture (vernissage le 1er jeudi de chaque mois). Tapas et punch maison.

Spectacles

Programmes – On consultera le quotidien *Midi-Libre*, l'hebdomadaire *La Semaine de Nîmes* ou son concurrent *La Gazette de Nîmes*, ou encore *Le César* (gratuit), que l'on trouvera à l'Office de tourisme.

Le Sémaphore – *25 r. Porte-de-France - ☏ 04 66 67 83 11.* Cinéma d'art et d'essai.

L'Armature – *12 r. de l'Ancien-Vélodrome - ☏ 04 66 82 20 52.* Théâtre installé dans une friche industrielle (ancien hangar). Musique, théâtre, expositions.

Achats

Maison Villaret – *13 r. de la Madeleine - ☏ 04 66 67 41 79.* Spécialités de croquants.

Brandade Raymond – *34 r. Nationale - ☏ 04 66 67 20 47.* Un siècle consacré à la brandade !

La Vinothèque – *18 r. Jean-Reboul - ☏ 04 66 67 20 44.* Vins de la région.

Les Olivades – *4 pl. de la Maison-Carrée - ☏ 04 66 21 01 31.* C'est sous Louis XI que l'industrie textile est née à Nîmes avec la création de la première manufacture. Au 18e s., les tissages nîmois (soierie et serge) faisaient tourner 300 métiers et occupaient 10 000 personnes. Cette tradition s'est perpétuée jusqu'à nos jours, avec des hauts et des bas, et si Cacharel n'a plus rien de nîmois, elle subsiste avec les Olivades.

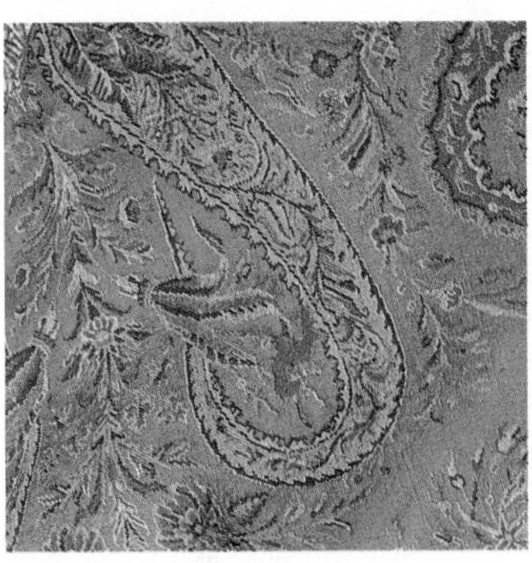

Librairie Goyard – *34 bd Victor-Hugo - ☏ 04 66 67 20 51.* Livres sur la région ou sur la corrida.

Marchés – Grand marché lundi sur le bd Gambetta. Marché biologique vendredi matin av. Jean-Jaurès. Marché aux puces samedi matin sur le parking du stade des Costières. Marché nocturne en juil.-août, jeudi 18h-22h (« Les jeudis de Nîmes »).

Calendrier

Ferias – Elles sont au nombre de trois : fin fév., celle dite de « Primavera », suite de novilladas durant un week-end. La plus connue, celle de Pentecôte, du jeu. au lun. avec « pégoulade » sur les boulevards, « abrivados », novilladas et corridas matin et soir, et animations diverses dans la ville. La plus locale, celle des Vendanges, à la mi-sept.

Trouver un billet – Les places sont vendues sous deux formes : abonnement pour toutes les corridas ou à l'unité pour chacune. Seul privilège des abonnés, ils sont servis les premiers. Inutile d'espérer entrer au dernier moment pendant le week-end de Pentecôte ou le dimanche des Vendanges, à moins de passer par le marché noir où les prix peuvent atteindre des sommes astronomiques. Au guichet, compter de 100 à 500F pour une corrida, de 30 à 50F pour une novillada.

Bureau de location : *1 r. Alexandre-Ducros, ☏ 04 66 67 28 02.*

Bulle – Depuis 1988, les arènes reçoivent d'oct. à avr. une couverture amovible formée d'une lentille de toile gonflable, accrochée à une poutre elliptique s'appuyant sur des poteaux fixés aux parties modernes du monument. Nîmes dispose ainsi d'une salle de spectacle de 7 000 places pour les mois d'hiver.

Autres spectacles – En dehors des ferias, les arènes accueillent de nombreuses manifestations : spectacles grand public, concerts (rock ou chanson), foires et salons, événements ponctuels comme le Téléthon, la Dictée de Pivot ou des rencontres de la Coupe Davis.

Festivals – **Le Printemps du jazz** (2e sem. de mai) : concerts en divers lieux (théâtres, musées, lycées, hôpital... et maison d'arrêt. Renseignements : ☎ *04 66 36 65 10*.

Horas latinas : flamenco, salsa, « son », tango et on en passe ; toutes les musiques latines se retrouvent à Nîmes en octobre !

NÎMES

Antonin (Square) ... CU
Arènes (Bd des) ... CV 2
Arènes (Pl. des) ... CV
Arnavielle (R.) ... AZ
Aspic (R. de l') ... CUV
Auguste (R.) ... CU 4
Beaucaire (R. de) ... BX
Bernis (R. de) ... CV 6
Bouillargues (R. de) ... BY
Bouquerie (Sq. de la) ... CU
Briçonnet (R.) ... BY 8
Carnot (Av.) ... BY, DV
Chapitre (Pl. du) ... DU
Chapitre (R. du) ... CU 12
Cirque-romain (R. du) ... AY 13
Cité-Foulc (R.) ... BY
Colbert (R.) ... DU
Courbet (Bd Amiral) ... DUV 14
Crémieux (Rue) ... DU 16
Curaterie (R.) ... DU 17
Daudet (Bd Alphonse) ... CU 18
Dhuoda (R.) ... AZ
Ducros (R. A.) ... CV
Faïta (R. V.) ... BX, DU
Feuchères (Av.) ... DV
Fontaine (Quai de la) ... CU 20
Fresque (R.) ... CV
Gambetta (Bd) ... ABX, CDU
Gamel (Av. P.) ... BZ 22
Gaulle (Esplanade de) ... DV
Générac (R. de) ... AYZ 23
Générac (Rte de) ... AZ
Grand'Rue ... DU 24
Grand-Temple (Pl. du) ... DU
Greffes (R. des) ... CDV
Guesde (Pl. J.) ... AY
Guizot (R.) ... CU 26
Halles (R. des) ... CU 27
Henri-IV (R.) ... AYZ
Herbes (Pl. aux) ... CU
Horloge (Pl. de) ... CU
Horloge (R. de l') ... CU 28
Hôtel-Dieu (R. de l') ... AY
Jamais (R. E.) ... AY, CV
Jean-Jaurès (Av.) ... AYZ
Kennedy (Av.) ... AY
Leclerc (Av. du Général) ... BYZ
Libération (Bd de la) ... DV 30
Madeleine (R. de la) ... CU 32
Maison Carrée (Pl. de la) ... CU 33
Mallarmé (R. Stéphane) ... AX 34
Marchands (R. des) ... CU 35
Marché (Pl. du) ... CV
Marronniers (R. des) ... BZ
Martyrs-de-la-Résistance (Pl. des) ... AZ 36
Mendès-France (Av. Pierre) ... BZ 39
Mistral (R. Frédéric) ... AYZ
Montcalm (Pl.) ... AY
Nationale (R.) ... CDU
Natoire (Bd) ... BY
Notre-Dame (R.) ... BX, DV
Painlevé (R. P.) ... BY
Pasteur (R.) ... AX
Péri (Pl. Gabriel) ... DU
Perrier (R. Gén.) ... CU
Placette (Pl. de la) ... AY
Planas (R.du) ... BZ
Pompidou (Av. Georges) ... AY
Porte-de-France (R.) ... CV
Prague (Bd de) ... DV 42
Président-Allende (Bd) ... BZ
Puech-du-Teil (R.) ... AZ
Régale (R.) ... CDV
République (R. de la) ... AYZ
République (R. de la) ... CV 43
Revoil (R. Henri) ... AYZ
Révolution (Pl. de la) ... CU
Rouget-de-L'Isle (R.) ... AX
Roussy (R.) ... DUV
St-Gilles (R. de) ... AYZ
Saintenac (Bd E.) ... DU 45
Ste-Anne (R.) ... AY 46
Ste-Perpétue (R.) ... BY
Sauve (R. de) ... AX
Séguier (R.) ... BX
Semard (R. Pierre) ... BX, DU
Servie (R. de la) ... DV
Séverine (Pl.) ... AZ
Seynes (R. A.-de) ... AZ
Sully (R.) ... BX
Talabot (Bd) ... BX
Tessier (R. G.) ... AZ
Tour-l'Évêque (R. de la) ... BZ
Tour-Magne (R. de la) ... AX
Triaire (Bd Sergent) ... ABZ
Verdun (R. de) ... AY 47
Victor-Hugo (Bd) ... CUV
Villars (R.) ... BX
Violettes (R.) ... CV 49
11-Novembre (Pl.) ... DV
11-Novembre (Sq. du) ... DV

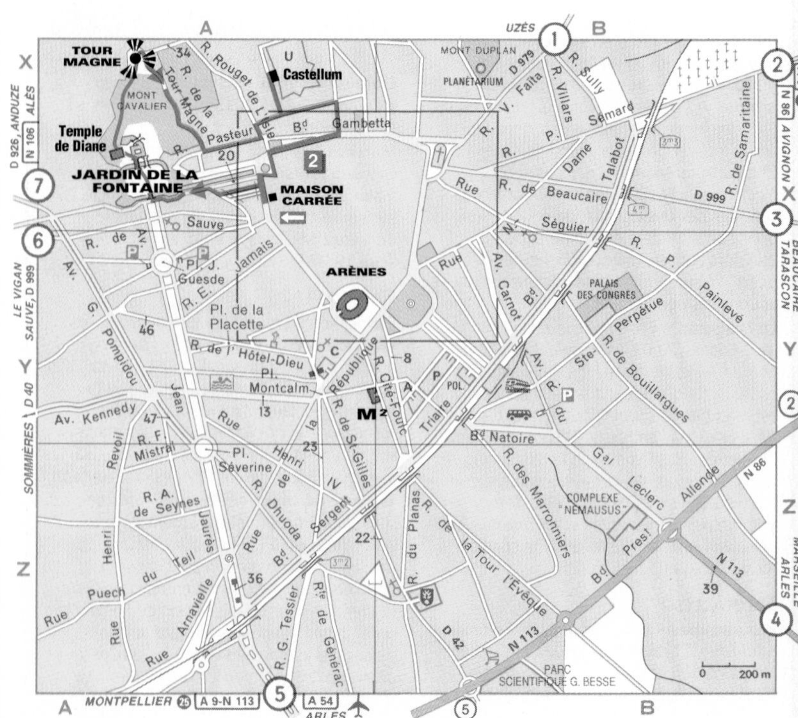

Répertoire des sites, voir page 273.

(le Pont du Gard en est le plus spectaculaire vestige) débitant 20 000 m^3 d'eau par jour. Au 2e s., choyée par Hadrien et, plus encore, par Antonin le Pieux (de mère nîmoise), la ville atteint son apogée : elle compte près de 25 000 habitants, voit s'édifier la mystérieuse basilique de Plotine et le quartier de la Fontaine.

On ne badine pas avec la religion – Le caractère « réboussié » des habitants de la Rome française et leur goût pour la polémique ne s'est jamais démenti. Quelques exemples : au 5e s., les Nîmois fraîchement christianisés préférèrent les persécutions à la soumission ; au 13e s., ils prennent fait et cause pour les Albigeois... mais se rendent sans résistance à Simon de Montfort (1213). Un siècle plus tard, les juifs, pourtant bien intégrés à la vie économique et intellectuelle locale, sont expulsés de la ville et leurs biens saisis. Au 16e s., la ville devient huguenote, se gouverne de façon autonome et traque les catholiques : 200 d'entre eux, surtout des prêtres, seront massacrés le 29 septembre 1567 lors de la Michelade. Il s'ensuivra une période de troubles et de persécutions, chaque communauté prenant tour à tour le pouvoir (Guerre des Camisards après la Révocation de l'édit de Nantes, Révolution vécue comme une revanche des protestants, Terreur blanche exercée par les catholiques sous la Restauration) et n'ayant rien de plus pressé que de faire payer cher à l'autre les affronts de la période précédente.

La croix huguenote a été inventée par un orfèvre nîmois vers 1692. Louis XIV avait interdit aux protestants tout insigne ; ces derniers, en signe d'insoumission, utilisèrent pour leur croix la croix de Malte fleurdelisée... Quant à la colombe, elle représente le Saint Esprit, expression de la relation du chrétien avec Dieu.

La conquête de l'Ouest – Modeste, mais essentielle, telle fut la contribution nîmoise à la conquête de l'Ouest. On peut dire, sans exagération, que, sans Nîmes, jamais l'Amérique n'aurait été découverte : la solidité de la serge nîmoise, connue de toute l'Europe dès le Moyen Âge était telle que Christophe Colomb n'aurait voulu d'autre toile pour les voiles de ses caravelles. Cette toile, dans laquelle les marins taillaient leurs pantalons, s'exportait depuis Gênes... et en 1873, un certain Lévy-Strauss, émigré bavarois aux États-Unis, eut l'idée d'en exploiter la robustesse pour y tailler des pantalons qu'il vendit aux chercheurs d'or et autres aventuriers partant à la conquête de l'Ouest. Sa fortune était faite et le « bleu de Gênes » prononcé à l'américaine devint *blue jeans* tandis que la marque Denim perpétue l'apport du textile nîmois à l'épopée américaine.

Copieurs

Le State Capitol de Richmond (Virginie) a été édifié à l'imitation de la Maison Carrée qui avait eu l'heur d'enthousiasmer Thomas Jefferson, lors de son passage à Nîmes en 1787.

Nîmes en feria – Si la feria de Pentecôte, créée en 1952 ► à l'imitation des ferias (à l'origine foires agricoles) espagnoles est centrée autour des arènes et des corridas et novilladas qui s'y déroulent, c'est toute une ville qui se retrouve autour de ses traditions : *pégoulade* nocturne autour des boulevards, courses d'amateurs dans les arènes de la périphérie, abrivados dans différents quartiers, concerts, expositions et bals rassemblent dans la ville une population considérable venant de tous horizons. De nombreuses associations d'aficionados

Ville en fête

Nîmes en fête perd tous repères dans une atmosphère où se mêlent battements sourds des tambours des bandas massacrant allègrement les paso doble, tubes des années 1960 repris en chœur, accents flamencos, trompettes de mariachis, accords métalliques du rock, sabots des chevaux, fumets et fumées d'inépuisables paellas sur leurs réchauds jusqu'aux heures pâles du petit matin.

Paso doble ponctués de vibrants « olés », pastis « au kilomètre » et paellas à gogo : la feria dans la rue.

(connaisseurs) créées afin d'analyser les corridas qui viennent de se dérouler ou d'affirmer leur ferveur pour tel ou tel torero (ou élevage) ouvrent à cette occasion dans les lieux les plus inattendus des bodegas (caves) où la cuisine (tapas) et les vins espagnols sont à l'honneur, d'autres préférant jouer la carte régionale avec l'inusable pastis débité « au kilomètre ».

La colère du dieu Nemoz – Le 8 octobre 1988 au petit matin, un de ces orages accompagnés de trombes d'eau dont Nîmes a le secret éclata sur la ville. Quelques minutes plus tard, de nombreux ruisseaux, généralement à sec, les *cadereaux*, sortaient de leur lit, tandis que ceux qui étaient enterrés crevaient leurs canalisations. La route d'Alès devint bientôt un impétueux torrent de boue qui envahit la ville, arrachant tout sur son passage, projetant arbres et véhicules contre les murs, causant 8 morts et semant la désolation.

se promener

1 NÎMES ROMAINE ET MÉDIÉVALE

Cette promenade permet de découvrir les principaux monuments de la ville romaine ainsi que l'« Écusson », lacis de ruelles du quartier médiéval serré entre les boulevards ombragés de micocouliers. L'itinéraire proposé permet de découvrir un certain nombre de points d'intérêt, parmi ces vieilles rues ponctuées de vitrines et de beaux hôtels particuliers parfois en cours de réhabilitation (même si un peu partout les digicodes interdisent souvent l'accès aux cours intérieures).

Esplanade

Laisser votre voiture au parking souterrain.

Cette vaste place, bordée d'un côté par les colonnes du palais de justice et de nombreuses terrasses de cafés, ouvre de l'autre sur la belle avenue Feuchères. En son centre, Fontaine Pradier, élevée en 1848.

Poursuivre le boulevard de la Libération jusqu'à la place des Arènes.

Sur le vaste terre-plein des arènes, après la statue de El Nimeño II, vestiges (tour et courtines) de l'enceinte augustéenne (un autre tronçon ainsi qu'une tour sont visibles non loin dans le jardin de la clinique St-Joseph).

Un matador pour une ville : Christian Montcouquiol, « El Nimeño II », le plus grand torero français.

Arènes★★★

Accès au monument au débouché de la rue de l'Aspic. Juin-sept. : 9h-18h30 ; oct.-mai : visite guidée 9h-17h30. Fermé 1er janv., 1er mai, Pentecôte, 25 déc. et j. de spectacle. 28F. ☎ 04 66 76 72 77.

Même époque (fin du 1er s., début du 2e s.), dimensions, contenance comparables (133 m sur 101 m, 24 000 spectateurs) : cet amphithéâtre ne se distingue de son frère arlésien que par des points de détail, comme les voûtes des galeries en berceau, suivant la tradition romaine. Si de par ses dimensions, il n'est que le 9e des 20 amphithéâtres retrouvés en Gaule, il est le mieux conservé du monde romain.

Construit en grand appareil de calcaire de Barutel, il présente à l'extérieur deux niveaux de 60 arcades chacun (hauteur totale 21 m) couronnés d'un attique. La principale des quatre portes axiales, au Nord, a conservé un fronton orné de taureaux. Une visite de l'intérieur permet d'apprécier le système complexe de couloirs, d'escaliers, de galeries et de vomitoires qui permettait au public d'évacuer l'édifice en quelques minutes. Du sommet des gradins, on appréciera une vue d'ensemble du monument et de la *cavea*, ensemble des gradins. Sous l'arène (68 m sur 37 m), deux larges galeries disposées en croix servaient de coulisses.

Bronzage interdit
Dans la partie supérieure subsistent des consoles percées d'un trou : elles recevaient les mâts supportant le *velum* destiné à protéger le public du soleil.

Après l'interdiction des combats de gladiateurs en 404, les arènes furent transformées en forteresse par les Wisigoths : il leur suffit de boucher les arcades, d'ajou-

Dans un silence attentif, l'infinie solitude du rendez-vous ancestral de l'homme et du taureau dans les arènes de Nîmes.

ter quelques tours, de creuser un fossé et, peut-être, d'édifier une petite enceinte supplémentaire (vestiges dans le sous-sol du palais de justice). Deux arcades murées, percées de petites fenêtres romanes, du côté de l'Esplanade, sont les seuls témoignages subsistant d'un château des vicomtes de Nîmes, édifié à l'intérieur du monument. Lui succéda un véritable village qui comptait encore 700 habitants au 18e s. Le dégagement commença à partir de 1809, prélude à la restauration de l'édifice et à son retour à sa vocation première avec l'organisation de courses de taureaux camarguaises puis, à partir de 1853, de corridas.

Remonter le boulevard Victor-Hugo, laissant à gauche, après le lycée, l'église romano-byzantine St-Paul. Séparée du Carré d'Art par le boulevard, au centre d'une place élégante, s'élève la Maison Carrée.

Maison Carrée★★★

Juin-sept. : 9h-12h, 14h30-19h ; oct.-mai : 9h-12h30, 14h-18h. Fermé 1er janv., 1er mai, 25 déc. Gratuit. ☎ 04 66 36 26 76.

Avec son portique aux colonnes sculptées, elle devait avoir fière allure aux abords du forum... La Maison Carrée, sans doute le mieux conservé des temples romains, fut édifiée sous le règne d'Auguste (fin du 1er s. avant J.-C.), sur le plan du temple d'Apollon à Rome. Elle était probablement vouée au culte impérial et dédié aux princes de la jeunesse, les petits-fils d'Auguste, Caïus et Lucius Caesar.

La pureté de lignes, les proportions de l'édifice et l'élégance gracile de ses colonnes cannelées dénotent sans doute une influence grecque (décoration sculptée). Mais avant tout, il s'en dégage un charme empreint de

CARRÉMENT CARRÉE !

Pourquoi qualifier de carré un bâtiment indubitablement rectangulaire ? Tout simplement parce que le mot rectangle est d'apparition récente et que ce que nous désignons ainsi s'appelait autrefois un « carré long ».

UNE SALLE POLYVALENTE AVANT L'HEURE

Les consuls de la ville en avaient fait, au Moyen Âge, leur salle de réunion avant que le monument ne soit « privatisé » en 1540. Dès lors, ses propriétaires successifs s'acharnèrent à lui chercher une utilisation : les ducs d'Uzès, en toute modestie, voulaient en faire leur chapelle funéraire ; le projet n'aboutit pas mais au 16e s., un sieur de Brueys, plus terre à terre, n'hésita pas à y installer son écurie. En 1670, les Augustins en firent l'église de leur couvent proche tandis que Colbert envisageait de la démonter pierre à pierre pour l'installer à Versailles ! Après la Révolution, elle abrita tour à tour les archives départementales, le musée des Beaux-Arts et le musée Archéologique, jusqu'en 1875, et, encore récemment, des collections d'art contemporain. Aujourd'hui, toute de grâce et de légèreté, sa beauté n'a plus pour autre fin que d'illuminer la vie de ceux qui la côtoient.

fragilité qui tient autant à l'harmonie du monument proprement dit qu'à son inscription dans la cité, désormais bien mise en valeur : au centre d'une vaste place dallée, la proximité audacieuse du Carré d'Art semble lui avoir donné une nouvelle jeunesse.
Comme tous les temples classiques, elle se compose d'un vestibule délimité par une colonnade et d'une *cella*, chambre consacrée à la divinité à laquelle on accède par un escalier de 15 marches. À l'intérieur, exposition didactique sur l'architecture et l'histoire, fort agitée, de la Maison Carrée. Superbe mosaïque découverte lors d'un chantier de construction aux environs de la Fontaine.

Prendre l'étroite rue de l'Horloge, puis à droite sur la place de l'Horloge et, enfin, à gauche, la rue de la Madeleine.

Rue de la Madeleine

Principale artère commerçante de la cité. Au n° 13, la boulangerie Villaret s'enorgueillit de fabriquer depuis deux siècles ses fameux « croquants » dans le même four. Au n° 1, remarquer la finesse des sculptures de la façade de la « **maison romane** », la plus ancienne maison du vieux Nîmes.
On débouche sur la très agréable **place aux Herbes** où une pause à une terrasse de café s'impose, d'autant qu'elle permet de contempler la façade de la **cathédrale N.-D.-et-St-Castor** qui a conservé, malgré tous ses malheurs, une frise en partie romane où sont figurées des scènes de l'Ancien Testament.

Prenant à gauche de la cathédrale une étroite ruelle, par la rue Curaterie et la place du Grand-Temple, vous rejoindrez le boulevard Amiral-Courbet.

Porte d'Auguste

« Oh ! L'Auguste ! Tu regardes s'il pleut ? » (interjection familière des vieux Nîmois à casquette).

C'est ici que la voie Domitienne arrivait dans Nemausus. Flanquée à l'origine de deux tours, la porte comporte deux larges passages réservés aux chars et deux plus étroits pour les piétons. Copie en bronze d'une statue d'Auguste.

Revenir sur le boulevard, puis après l'ancien collège des Jésuites qui abrite le musée Archéologique, prendre à droite la rue des Greffes puis tout de suite à droite la Grand'Rue.

Chapelle des Jésuites

Ce lieu, devenu aujourd'hui salle d'expositions et de concerts, mérite amplement le coup d'œil. Si la façade est surtout imposante, l'**intérieur★** ne manquera pas de surprendre par l'harmonie de ses proportions. Abondant décor sculpté où l'architecte semble s'être ingénié à rappeler les monuments romains de la ville, qu'il réinterprète à sa manière.

Prendre sur la gauche la rue du Chapitre (belle façade 18e s. et noble cour pavée de l'**hôtel de Régis** au n° 14) *puis la rue de la Prévôté qui débouche sur la place du Chapitre.*
Après l'ancien évêché, actuel musée du Vieux Nîmes, vous retrouverez la place aux Herbes pour prendre sur la gauche la **rue des Marchands** et longer les vitrines du pittoresque passage couvert des Marchands.
Sur la droite s'ouvre la rue de Bernis.

Rue de Bernis

Au carrefour avec la **rue de l'Aspic**, quelques pas sur la droite mènent à l'**hôtel Meynier de Salinelles** (n° 8) dont le porche est orné de trois sarcophages paléochrétiens scellés dans le mur. Quelques pas sur la gauche permettent d'admirer au n° 14 le remarquable escalier à double révolution de l'**hôtel Fontfroide**. *Visite guidée uniquement (Voir carnet pratique).*
Au n° 3 de la rue de Bernis, l'**hôtel de Bernis** présente une élégante façade du 15e s.

Par la rue Fresque à gauche, un passage sous arche permet de déboucher sur la **place du Marché** où se dresse le palmier, symbole de Nîmes, tandis que le crocodile, en bronze, se mire dans l'eau d'une fontaine, œuvre de Martial Raysse.

Rejoindre l'Esplanade par la place de l'Hôtel-de-Ville (voir cour et l'escalier) puis, à droite, par la rue Régale.

2 RETOUR AUX SOURCES

Depuis la place de la Maison Carrée, remonter le boulevard Daudet jusqu'à la **place d'Assas** : cette vaste étendue, bordée d'un côté par des terrasses de restaurants, a été redessinée par Martial Raysse.

En obliquant sur la droite, on débouche sur l'aristocratique **quai de la Fontaine**, bordé de beaux hôtels.

Suivre alors le canal, ombragé de micocouliers : leurs feuillages se mirent dans ces eaux calmes, où glissent dédaigneusement quelques cygnes.

Jardin de la Fontaine**

On y pénètre par la majestueuse grille faisant face à l'avenue Jean-Jaurès. Ce jardin a été aménagé au 18e s. par un ingénieur militaire, J.-P. Mareschal. Au pied et sur les premières pentes du mont Cavalier que surmonte la tour Magne, il a respecté le plan antique de la fontaine de Nemausus qui s'étale en miroir d'eau avant d'alimenter des bassins et le canal.

À l'époque gallo-romaine, ce quartier comprenait les thermes (on peut en apercevoir quelques vestiges), un théâtre et un temple. Des fouilles récentes ont permis de dégager dans les environs une riche demeure du 2e s. (r. Pasteur), les traces d'un quartier populaire indigène et, au croisement du boulevard Jaurès et de la rue de Sauve, un édifice public somptueux dont l'usage demeure mystérieux.

ORIGINES

Résurgence des eaux de pluie qui s'infiltrent dans les collines calcaires des garrigues, la **fontaine** fut jadis le sanctuaire autour duquel se créa la ville.

Sur la gauche de la fontaine, le **temple de Diane**, ruiné en 1577 lors des guerres de Religion, compose avec la végétation un tableau des plus romantiques. L'édifice, datant du 2e s. n'était du reste sans doute pas un temple mais, selon certains, un lupanar ! Quoi qu'il en soit, il mé-

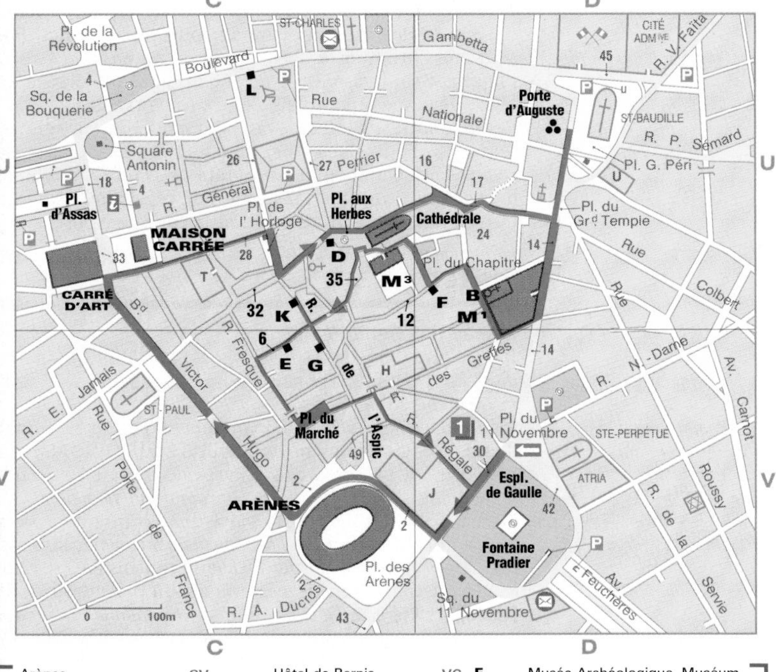

Répertoire des rues, voir page 268.

rite une visite, avant de partir à l'assaut du mont Cavalier, peuplé d'essences méditerranéennes, somptueux écrin de verdure d'où émerge l'emblème de la cité, la **tour Magne★**. Il s'agit du plus imposant vestige de la très longue enceinte romaine de Nîmes. Cette tour polygonale à trois étages, haute de 34 m et fragilisée par les travaux d'un chercheur de trésor du 16e s., est antérieure à l'occupation romaine. Depuis la petite plate-forme, superbe **vue★** sur les toits roses de Nîmes, avec en toile de fond le Ventoux et les Alpilles. *Juin-sept. : 9h-18h30 ; oct.-mai : 9h-17h. Fermé 1er janv., 1er mai, 25 déc. 15F. ☎ 04 66 67 65 56.*

Quitter le jardin, redescendre vers le canal de la Fontaine par la rue de la Tour-Magne puis prendre à gauche la rue Pasteur.

Les thermes romains désormais illuminés les soirs d'été : prélude pour un retour aux sources (jardin de la Fontaine).

Castellum

Ce bassin de distribution des eaux était le point d'aboutissement de l'aqueduc romain puisant les eaux à la source d'Eure, près d'Uzès, pour alimenter Nîmes.

Plus haut se dresse le Fort Vauban, citadelle élevée en 1687, devenue aujourd'hui centre universitaire.

Redescendre sur le boulevard Gambetta où les admirateurs du Petit Chose ne manqueront pas d'aller se recueillir devant la **maison natale de Daudet**, demeure bourgeoise située au n° 20, avant de regagner la Maison Carrée par le square Antonin et la rue Auguste.

visiter

Musée des Beaux-Arts

R. Cité-Foulc. ♿ Avr.-sept : tlj sf lun. 10h-18h ; oct.-mars : tlj sf lun. 11h-18h. Fermé 1er janv., 1er mai, 25 déc. 28F. ☎ 04 66 67 38 21.

FÉROCE
Arracheur de dents du peintre hollandais Jan Miel (1599-1663).

Réaménagé en 1986 par Jean-Michel Wilmotte autour d'une mosaïque romaine découverte en 1883 *(Le Mariage d'Admète)*, il présente des œuvres du 15e au 19e s. des écoles italienne, hollandaise, flamande et française. Au hasard des salles, on pourra s'attarder devant un Bassano *(Suzanne et les vieillards)*, un *Portrait de moine* par Rubens, une *Moissonneuse endormie* de Jean-François de Troy, un étonnant mascaron de céramique dû à Andrea della Robia, *La Vierge à l'Enfant*, dite aussi *Madone Foulc*, des portraits dus à Nicolas Largillière et Hyacinthe Rigaud. Les fans du « pompiérisme » ne manqueront pas le théâtral *Cromwell devant le cercueil de Charles Ier* de Paul Delaroche. Quant à la peinture régionale, elle est représentée par de délicats portraits de l'Uzétien Xavier Sigalon (1787-1837), une marine de Joseph Vernet, des tableaux d'histoire du Nîmois Natoire et un *Paysage des environs de Nîmes* daté de 1869 et signé de J.-B. Lavastre (1839-1891) qui, s'il ne mérite sans doute pas d'entrer dans l'histoire de la peinture, cultivera la nostalgie d'un temps où les collines de Nîmes étaient encore le cadre de la « civilisation du mazet ».

Carré d'Art*

♿ Tlj sf lun. 10h-18h. Fermé 1er janv., 1er mai, 25 déc. 28F. ☎ 04 66 76 35 70.

Ce bâtiment élancé, aux formes élégantes, hardiment placé face à la Maison Carrée dont il ambitionne d'être le pendant contemporain, a été conçu par Norman Foster pour abriter la médiathèque, installée en sous-sol, et le musée d'art contemporain de la ville. Panorama de la création de 1960 à nos jours, selon trois grands axes : l'art en France, l'identité méditerranéenne (Espagne et Italie en particulier avec l'Arte Povera et le mouvement Transavangarde) et la création anglo-saxonne et germanique. La collection réunit quelques œuvres représentatives des grands mouvements picturaux contemporains comme le Nouveau Réalisme, Support/Surface, le groupe BMPT, la Figuration libre ou la Nouvelle figuration. César, Jean Tinguely, Sigmar Polke, Christian Boltanski, Gérard Garouste, Martial Raysse, Julian Schnabel, Miquel Barceló, Annette Messager, le photographe Thomas Struth et, bien sûr, le Nîmois Viallat sont quelques-uns des grands noms d'une collection exposée par roulement aux deux étages supérieurs de l'édifice (le dernier étant parfois consacré à des expositions temporaires).

Des escaliers de verre pour un « carré » voué à l'art : une création de Norman Foster.

Musée du Vieux Nîmes

Pl. aux Herbes. Tlj sf lun. 11h-18h (avr.-sept. 10h-18h). Fermé 1er janv., 1er mai, 1er et 11 nov., 25 déc. 28F. ☎ 04 66 36 00 64.

Installé dans l'ancien évêché (17e s.), à côté de la cathédrale, ce musée fondé en 1920 par Henri Bauquier, présente, souvent sous forme d'expositions thématiques, des collections évoquant la vie traditionnelle nîmoise : industrie du textile (superbes châles), mobilier provençal et languedocien (remarquez les *manjadous*, ou garde-manger), protestantisme, tauromachie, tant camarguaise qu'espagnole.

PERSPECTIVES

Au 2e niveau du musée, vue sur les tons chauds des tuiles romaines roses orangées, parmi le feuillage sombre des arbres d'où émerge la tour Magne ; ou, depuis la terrasse de la cafétéria, sur la Maison Carrée en contrebas.

Musée archéologique*

13 bis bd Amiral-Courbet. Tlj sf lun. 11h-18h. Fermé 1er janv., 1er mai, 1er et 11 nov., 25 déc. 28F. ☎ 04 66 67 25 57.

Installé dans l'ancien collège des Jésuites, il présente dans la galerie du rez-de-chaussée des objets antérieurs à la colonisation ainsi que des inscriptions romaines (bornes milliaires). À l'étage, objets de la vie quotidienne à l'époque gallo-romaine (toilette, parure, outils, stèles funéraires, lames à huile), verreries, céramiques (grecque, étrusque ou punique), monnaies, dont le fameux « as » de Nîmes et d'étonnantes maquettes en liège des principaux monuments antiques de la cité.

VIEUX MATOU

Pour les amoureux des chats, *Félin au bord d'une corniche*, panneau peint datant d'environ 150 après J.-C.

Muséum d'Histoire naturelle

Tlj sf lun. 11h-18h. Fermé 1er janv., 1er mai, 1er et 11 nov., 25 déc. 28F. ☎ 04 66 67 39 14.

Dans le même bâtiment, le muséum d'Histoire naturelle, avec ses animaux empaillés dans des vitrines fleurant bon l'encaustique, ne manque pas d'un charme désuet. En contraste avec cette muséologie vieillotte, il présente de remarquables expositions temporaires.

LES COLONNES DE LA DISCORDE

La mise à bas de la colonnade du théâtre, seul vestige de l'édifice détruit par le feu en 1952, a déclenché une de ces polémiques dont les Nîmois ont le secret, opposant partisans de la modernité et nostalgiques d'un théâtre dont 35 ans après, ils n'avaient pas fait le deuil. C'est la raison pour laquelle ces nobles colonnes veillent désormais sur la plaine du Vistre.

alentours

Aire de Caissargues

Entre l'échangeur de Nîmes-Centre et l'échangeur de Garons sur l'autoroute A 54.

À l'extrémité d'un mail bordé de micocouliers a été réédifiée la colonnade néoclassique de l'ancien théâtre de Nîmes, qui, naguère, à la place du Carré d'Art, faisait pendant à la Maison Carrée. Le bâtiment d'exposition (ouvert toute l'année) rassemble des vestiges (moulages) découverts lors des travaux de construction de l'autoroute, en particulier la fameuse « Dame, dite de Caissargues », squelette de femme âgée de 25 à 30 ans inhumée en position fœtale 5 000 ans avant J.-C. et portant au cou un collier de coquillages.

circuit

LA VAUNAGE

Circuit de 44 km – environ 2h1/2.

Depuis l'Esplanade, prendre la rue de la République puis, au-delà de l'avenue Jean-Jaurès (rond-point) prendre en face la rue Arnavielle que prolonge la route de Sommières (D 940).

Caveirac

DÉTAIL ORIGINAL
Le porche d'entrée de la mairie de Caveirac est assez large pour laisser passer une route, la D 103.

La mairie de ce village occupe un imposant château du 17e s. en fer à cheval : deux tours d'angle carrées couvertes de tuiles vernissées, des fenêtres à meneaux, de belles gargouilles et un grand escalier à rampe en fer forgé.

Poursuivre sur la D 40 puis, passant au large de St-Dionisy, prendre sur la gauche la D 737 en direction de Nages-et-Solorgues. Un chemin caillouteux (fléché) gravit la colline des castels et conduit au chantier de fouilles de l'oppidum.

Oppidum de Nages

C'est l'un des cinq oppidums de l'âge du fer (800 à 50 avant J.-C.) qui rassemblaient la population de la Vaunage. Les îlots d'habitations aménagés dans le sens de la pente (donc du ruissellement), séparés par des rues parallèles, laissent deviner ce que pouvait être le cadre urbain des Celto-Ligures.
On distingue nettement les alignements de petites maisons uniformes, aux murs de pierres sèches parfois très hauts. Chaque habitation comprenait en son centre un foyer et n'avait à l'origine qu'une seule pièce. Ce n'est qu'au 2e s. avant J.-C. que les maisons s'agrandirent et se subdivisèrent mais le confort restait pour le moins rudimentaire. Une partie de l'enceinte de l'oppidum (en fait il y en eut quatre successives) a été dégagée. Aucun monument public n'a été découvert, hormis une sorte de *fanum* (petit temple indigène) daté de 70 avant J.-C. La pénétration romaine n'arrêta pas le développement de l'oppidum qui atteignit sa plus grande extension entre

Toits de tuiles romaines, cyprès... Calvisson a des airs de Toscane.

70 et 30 avant J.-C., époque à laquelle semble s'être ébauchée une spécialisation économique (présence d'une forge).

Au retour, à l'entrée du village, la première rue à gauche conduit à la fontaine romaine qui alimente encore en eau plusieurs fontaines du bourg.

Nages-et-Solorgues

Situé au 1er étage de la mairie, le **musée Archéologique** regroupe divers objets évoquant la vie quotidienne des habitants du lieu : activités vivrières (agriculture, élevage, chasse), artisanales (travail des métaux, fabrication de la céramique, tissage), armes, ustensiles de toilette et objets funéraires. *S'adresser au secrétariat de la mairie de Nages-et-Solorgues tlj sf w.-end. ☎ 04 66 35 05 26.*

Retourner à la D 40 que l'on prend sur la gauche.

Calvisson

Au centre de la plaine de la Vaunage, ce paisible village viticole est célèbre pour son corso de Pâques.

Dans le centre du bourg, prendre le CD 107 vers Fontanès : à la sortie du village, prendre à gauche la route (signalée) du Roc de Gachonne.

De la table d'orientation placée au sommet d'une tour, vue sur les toits de tuiles rouges du village, la vallée du Vidourle au Sud-Ouest et le pic St-Loup à l'Est.

Regagner la D 40 pour prendre à gauche la D 249 jusqu'à Aubais.

À gauche, la D 142 conduit à **Aigues-Vives** (patrie de deux « gastounets » célèbres : le président de la République Doumergue et le maire de Marseille, Defferre). Après être passé sous l'autoroute, rejoignez **Mus** (qui, comme sa voisine **Gallargues** mérite un coup d'œil) puis Vergèze.

La D 139 conduit à la source Perrier.

Source Perrier

Juil.-août : 9h30-10h30, 13h-18h, w.-end 10h-10h30, 13h30-16h30 ; sept.-juin : 9h30-10h30, 13h-16h, w.-end 13h30-17h. Fermé de mi-déc. à fin janv. et 1er mai. 20F. Réservation conseillée. ☎ 04 66 87 61 01.

La source des Bouillens est une nappe d'eau souterraine de 15° dont se dégage du gaz naturel qui, recueilli par des captages, est réincorporé à l'eau. C'est le bon docteur Perrier qui découvrit à l'eau des Bouillens de mystérieuses vertus thérapeutiques. Mais c'est un Anglais du nom d'Harmosworth qui en dirigea la commercialisation, ce qui explique sans doute le succès de Perrier dans les pays anglo-saxons, et la présence d'un manoir de style victorien sur le site. De nos jours, la marque appartient au groupe Nestlé et vend 700 millions de bouteilles par an. La visite des usines permet d'assister à la fabrication des bouteilles et aux opérations d'embouteillage, d'étiquetage, d'emballage et de stockage des fameuses bouteilles vertes en forme de haltères.

Retour vers Nîmes par la D 135, puis, au domaine de la Bastide, la D 613 à gauche.

Quand les Bouillens bouillonnent : le « champagne des eaux de table », potion du bon docteur Perrier.

Nyons

Pour tous les oliviers de la terre, Nyons est un véritable paradis, et pas que pour les oliviers ! Ici, les plantes exotiques poussent en pleine terre et les habitués du lieux y passent des hivers très doux... La cause de tout cela ? La situation géographique de Nyons bien sûr ! Car voyez-vous, la ville a été bâtie au débouché de la vallée de l'Eygues, dans la plaine du Tricastin bien abritée par les montagnes. Ce qui a fait écrire à Jean Giono, un expert en la matière : « Nyons me paraît être le paradis terrestre. » Tout simplement.

carnet pratique

Restauration

• À bon compte

La Charrette Bleue – *7 km au NE de Nyons sur D 94 (rte de Gap) - ☎ 04 75 27 72 33 - fermé 2 au 31 janv., 30 oct. au 8 nov., mar. soir de sept. à juin, dim. soir de nov. à mars et mer. - 98/182F.* Oui, une charrette bleue s'est perchée sur le toit de ce joli mas coiffé de tuiles romaines. Si le soleil est trop vif pour rester en terrasse, préférez la fraîcheur de sa salle à manger avec ses poutres apparentes et ses dalles anciennes. Cuisine de terroir dans les règles de l'art.

Hébergement

• Valeur sûre

Hôtel Picholine – *Prom. Perrière - 1 km au N de Nyons par prom. des Anglais - ☎ 04 75 26 06 21 - fermé fév. et 16 oct. au 3 nov. - P - 16 ch. : 325/410F - ☕ 45F - restaurant 135/230F.* Dans une voie privée, cette grande bâtisse est une halte paisible sur les collines de Nyons. Son jardin, sa piscine à l'ombre des feuillages légers des oliviers et sa belle terrasse séduiront les amateurs de farniente.

Visite-Achats

Les **oliviers,** qui donnent au paysage une grâce très provençale, fournissent les olives (en particulier la variété noire de Nyons, dite « tanche ») et l'huile qui font la réputation de la ville. Nyons est aussi un des marchés français de la **truffe**. Enfin, on y distille également la lavande et autres plantes aromatiques.

Moulin Autrand-Dozol – *4 prom. de la Digue - Le Pont Roman - ☎ 04 75 26 02 52 - Sept.-juin : lun.-sam. 9h-12h, 14h-18h30 ; juil.-août : tlj sf dim. ap.-midi. Fermé en oct.* Ce moulin de 1750 produit une huile d'olive AOC vendue sur place, parmi d'autres produits régionaux. La visite du musée présente des moulins à huile des 18 ᵉ et 19 ᵉ s., une savonnerie du 18 ᵉ et une vieille cuisine provençale.

Distillerie Bleu Provence – *58 prom. de la Digue - ☎ 04 75 26 10 42 - Juil.-août : lun.-sam. à 10h30 et 17h ; avr.-juin et sept. : lun.-sam. à 17h - 18F.* Vente de produits et visite de la distillerie. De juin à septembre, possibilité d'assister aux distillations. D'avril à octobre, atelier découverte art floral ou parfum le mardi après-midi (90F, sur RV).

Jardin des Arômes – *Prom. de la Digue - ☎ 04 75 26 10 35.* Collection de plantes aromatiques, médicinales et à parfum.

Marchés – Marché traditionnel jeudi matin. Marché provençal (artisanat, produits régionaux) dimanche matin de mi-juin à mi-sept.

La situation

Cartes Michelin nos 81 pli 3 ou 245 plis 4, 17 ou 246 pli 9 – Drôme (26). Pointe avancée de la Provence, on atteint Nyons, venant de Vaison-la-Romaine, par la D 538. Après avoir traversé l'Eygues, prendre l'avenue Draye-de-Meyne jusqu'à la place de la Libération, puis sur la droite, la place du Dr.-Bourdongle.

Pl. de la Libération, 26110 Nyons, ☎ 04 75 26 10 35.

Le nom

Au 2e s., Nyons se nommait *Noimagos*, contraction de *Novio Magos* signifiant le « nouveau marché ». Au fait, il a lieu tous les jeudis.

Les gens

6 723 Nyonsais. Le plus célèbre d'entre eux est sans doute René Barjavel (1911-1985), connu pour ses ouvrages où science-fiction et fantastique (*Ravages*, paru en 1943, est sans doute le plus connu) expriment l'angoisse ressentie devant une technologie que l'homme ne maîtrise plus. Retour donc aux valeurs pastorales du « bon vieux temps »

D'oliviers en huile, une civilisation millénaire qui fabrique, dit-on, bien des centenaires !

quand un sou était un sou et que la lavande, sauvage, se coupait à la main. L'écrivain, qui passa toute son enfance à Nyons, dans la boulangerie paternelle, fait revivre cette période dans un récit autobiographique, *La Charrette bleue*.

découvrir

LES OLIVES DE NYONS

Les moulins à huile fonctionnent de novembre à février.

Moulin Ramade

Accès à l'Ouest par ③ du plan et la quatrième rue à gauche. ♿ *Nov.-fév. tlj sf dim. (excepté le 1er dimanche de fév.) 8h30-12h, 14h-18h30, sam. 9h-12h, 14h-18h ; mars-oct. 8h-12h, 14h-19h. Fermé j. fériés. Gratuit. ☎ 04 75 26 08 18.*

La première salle contient les meules et les presses utilisées pour la fabrication de l'huile d'olive. La deuxième sert à l'affinage et au stockage.

Vieux moulins

Accès par la promenade de la Digue. Visite guidée (1/2h) tlj sf dim. et lun. 10h30, 11h30, 15h, 16h ; 17h (juil.-août : tlj, dim. 10h30, 11h30). Fermé en janv., 1er mai, 25 déc, 1er janv. 23F. ☎ 04 75 26 11 00.

Dans ces moulins des 18e et 19e s., l'huile est fabriquée selon les procédés traditionnels. On visite également une ancienne savonnerie.

Coopérative oléicole et viticole

Pl. Olivier-de-Serres. Accès à l'Ouest par ③ du plan. ♿ *Juil.-août : visite guidée (1h) sur demande 15 j. av. 8h30-13h, 14h-19h30, dim. 9h30-12h30, 15h-19h ; sept.-nov. : 8h30-12h30, 14h-19h, dim. 9h30-12h30, 14h30-18h30 ; déc.-juin : 8h45-12h15, 14h-18h30, dim. 10h-12h30, 14h30-18h. Fermé 1er janv., 1er mai, 25 déc. Gratuit. ☎ 04 75 26 03 44.*

Dans deux salles contiguës, on peut suivre la fabrication de l'huile d'olive vierge obtenue en une seule pression à froid. Le reste des olives est utilisé pour la conserverie.

Musée de l'Olivier

Av. des Tilleuls. Accès à l'Ouest par ③du plan, puis au Nord-Ouest de la place Olivier-de-Serres. ♿ *Juin-oct. : tlj sf dim. 10h-11h, 14h45-18h ; de mars à fin oct. : tlj sf dim. 14h45-18h ; nov.-fév. : tlj sf dim. et lun. 14h45-18h. 12F. ☎ 04 75 26 12 12.*

NYONS

Autiero (Pl.) 2
Chapelle (R. de la) 3
Digue (Promenade de la) 4
Liberté (R. de la) 6
Maupas (R.) 8
Petits-Forts (R. des) 10
Randonne (R.) 12
Résistance (R. de la) 14

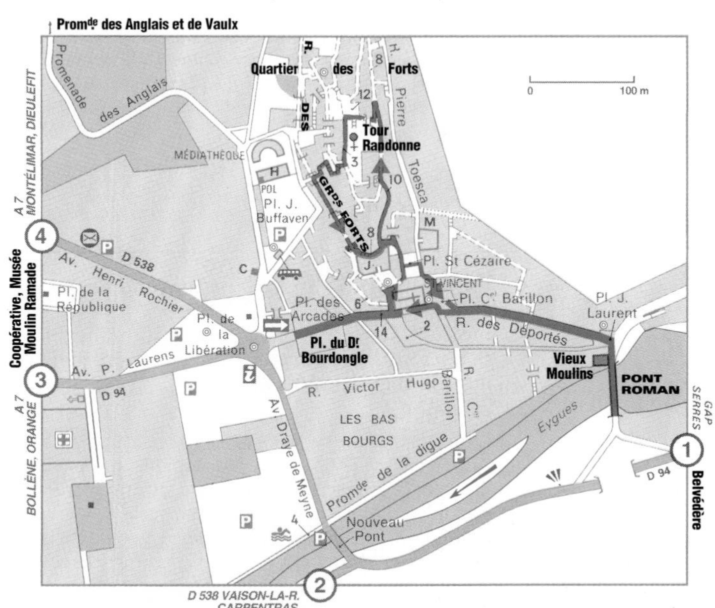

Un record ?
Remarquer, entre autres, un fossile géant pesant... 148 kg.

Il présente un inventaire de l'outillage traditionnel nécessaire à la culture de l'olivier et à la fabrication de l'huile. Nombreux objets, comme des lampes, se rapportant aux utilisations multiples de celle-ci. Des documents complètent cette présentation.

se promener

Le Vieux Nyons★

Pour découvrir ce vieux quartier, bâti sur une colline, partir de la **place du Dr-Bourdongle**, entourée d'arcades. Par la rue de la Résistance, puis celle de la Mairie, gagner la rue des Petits-Forts, étroite venelle dont les maisons basses datent du début du 14e s. Au bout, sur une place, la **tour Randonne** du 13e s. abrite la minuscule chapelle de N.-D.-de-Bon-Secours. Prendre à gauche la rue de la chapelle pour rejoindre la **rue des Grands Forts★**, longue galerie couverte dont les murs épais sont percés de fenêtres. Franchissant la haute porte voûtée, vestige du château féodal, tournez à gauche dans le Maupas, rue à degrés, qui ramène rue de la Mairie. Par les places St-Cézaire et Barillon, puis la rue des Déportés, on rejoint les rives de l'Eygues.

Pont roman (Vieux Pont)★

Ce pont en dos d'âne fut construit aux 13e et 14e s. Son arche, de 40 m d'ouverture, est une des plus hardies du Midi.

alentours

Belvédère

Franchir le Nouveau Pont, prendre à gauche la D 94, laisser le Vieux Pont sur la gauche ; passer sous le tunnel et tourner à droite.

Du piton rocheux (banc), **vue** sur le vieux Nyons dominé par la montagne d'Angèle (1 606 m) ; la vallée de l'Eygues, encaissée à droite, contraste avec le large bassin, à gauche, où se déploie la ville nouvelle.

Promenade de Vaulx

8 km AR. Quitter Nyons par la promenade des Anglais (Nord-Ouest du plan) et, à 300 m, prendre à droite. Pour revenir, dans la descente vers la D 538, laisser à droite un chemin vers Venterol et prendre la D 538.

La route, étroite et sinueuse mais bien tracée, court à flanc de colline parmi les oliviers ; elle offre de belles vues sur Nyons, la vallée de l'Eygues et le massif des Baronnies.

Orange★★

Porte du Midi, important marché de primeurs, Orange doit surtout sa célébrité à deux prestigieux monuments romains : l'arc commémoratif et le théâtre antique, qui constitue l'extraordinaire cadre des Chorégies, créées en 1869.

La situation

Cartes Michelin nos 81 plis 11 et 12 ou 245 pli 16 et 246 pli 24 – Vaucluse (84). Il faut absolument arriver à Orange par la N 7 depuis Montélimar : là, sur un terre-plein, se dresse l'arc majestueux qui donne accès à la ville. Après l'avoir contourné, prendre à gauche au-delà de la Meyne pour ranger votre voiture sur les parkings du cours Aristide-Briand.

Cours Aristide-Briand, 84100 Orange, ☎ 04 90 34 70 88.

Le nom

Ar-, en préceltique (« ville en hauteur »), était certes un peu bref ; mais les Romains en rajoutèrent un peu trop, avec leur *Colonia Firma Julia Secundanorum Arausio*... Pas évident de demander son chemin à un autochtone... Aussi prit-on l'habitude de l'abréger en *Arausio*, puis *Aurenja*, bientôt francisée en Orange peut-être par confusion avec les fruits.

Les gens

27 989 Orangeois, sans compter les milliers de mélomanes qui se pressent aux Chorégies.

comprendre

Une cité romaine – Établie en 35 avant J.-C., la colonie romaine d'Orange accueille les vétérans de la IIe légion. La ville nouvelle se construit selon un plan très régulier, se pare de monuments et s'entoure d'une enceinte qui englobe environ 70 ha. Elle commande un vaste territoire que les arpenteurs romains cadastrent avec précision. Des lots fonciers sont attribués en priorité aux vétérans ; d'autres, plus médiocres, sont donnés en location ; d'autres encore restent propriété de la collectivité. Ainsi est facilitée la colonisation et la mise en valeur du sol, au détriment des autochtones. Jusqu'en 412, date du pillage de la cité par les Wisigoths, Orange connaît une existence prospère et devient siège d'un évêché.

Un petit coin de Hollande – Dans la seconde moitié du 12e s., la ville devient le siège d'une petite principauté enclavée dans le Comtat Venaissin ; son prince, Raimbaut d'Orange, est un troubadour réputé qui chante son amour pour la comtesse de Die. Le hasard des alliances et des héritages fait qu'Orange échoit à une branche de

carnet pratique

Restauration

• *À bon compte*

Le Yaca – *24 pl. Silvain - ☏ 04 90 34 70 03 - fermé 1er au 21 nov., mar. soir sf juil.-août et mer. - 65/125F.* Ici, le patron se décarcasse pour satisfaire ses clients ! Tout est fait maison, frais et vraiment pas cher dans ce petit restaurant à quelques enjambées du théâtre antique... Petite salle voûtée, proprette avec lampes et fleurs sur les tables. Terrasse en été.

Les Acacias – *Pl. de la Mairie - 84100 Uchaux - 9 km au N d'Orange dir. Bollène par N 7, D 976 puis D 11 - ☏ 04 90 40 60 59 - fermé 15 au 31 oct., mar. soir et sam. midi - 65/100F.* Un four à pizzas remplace l'ancienne forge et la salle à manger est installée dans les anciennes écuries... C'est là, à l'ombre de l'acacia, que vous dégusterez les petits plats mitonnés par la maman. Un endroit sans chichis qui fleure bon le midi.

Hébergement

• *À bon compte*

Hôtel St-Florent – *4 r. du Mazeau - ☏ 04 90 34 18 53 - www.multimania.com/saintflorent - fermé déc. - 18 ch. : 200/350F - ☕ 35F.* À deux pas du théâtre antique, vous serez surpris par ce petit hôtel original, où toutes les peintures ont été réalisées par la propriétaire des lieux. Chaque chambre est personnalisée et le mobilier s'accorde avec son décor.

Achats

Marchés – Marché traditionnel jeudi matin. Marché provençal et des métiers d'art (tissus, céramiques, santons...) de déb. juin à déb. sept samedi pl. de la République.

Calendrier

De mi-juil. à début août, le théâtre antique accueille les **Chorégies**, festival consacré à l'opéra et à la musique symphonique. C'est, tout d'abord, l'occasion de voir de très grands et beaux spectacles, ensuite d'apprécier le grandeur du théâtre antique.

Bureau de location – *Pl. Silvain (à côté du théâtre antique) - ☏ 04 90 34 24 24 - Minitel 3615 Thea.*

la maison des Baux, héritière, en outre, de la principaut germanique de Nassau. Au 16e s., Guillaume de Nassau dit le Taciturne, prince d'Orange, crée la république de Provinces-Unies, dont il devient le *stathouder*. La ville qui opte pour la Réforme, subit de plein fouet les ravage des guerres de Religion, mais parvient à préserver so autonomie.

La maison d'Orange-Nassau tout en gouvernant les Pays Bas et, pendant quelque temps, l'Angleterre, n'oubli pas son minuscule domaine français. En 1622, Mauric de Nassau, grand amateur de fortifications, entoure l ville d'une enceinte puissante et élève un formidabl château.

Malheureusement, il utilise comme carrière les monu ments romains que les Barbares n'avaient pu détruir complètement. Cette fois, tout disparaît, sauf le théâtre englobé dans les remparts, et l'arc, transformé en forte resse.

Le hold-up de Louis XIV – Quand Louis XIV entre e guerre contre la Hollande, il s'empresse de faire mai basse sur la principauté d'Orange. C'est le comte de Gri gnan, lieutenant général du roi en Provence et gendr de Mme de Sévigné, qui s'empare de la ville. Les rem parts et le château sont mis à bas. Le rattachemen d'Orange à la France sera entériné en 1713 par le trait d'Utrecht.

Postérité
Aujourd'hui encore, les souverains néerlandais portent le titre de prince ou princesse d'Orange et ont conservé la couleur orange comme emblème. En outre, un État, des villes, des fleuves, fondés ou découverts par les Néerlandais, portent le nom d'Orange, tant en Afrique du Sud qu'en Amérique.

découvrir

ORANGE ROMAINE

Compter 2h.

Arc de Triomphe**

À l'entrée de la ville sur la N 7. Parking gratuit au carre four.

Véritable porte de la cité, cet arc magnifique s'élève à l'entrée Nord d'Orange, sur la via Agrippa qui reliai Lyon et Arles. S'il est remarquable pour ses dimension imposantes (22 m de hauteur, 21 m de largeur et 8 m de profondeur, le troisième par la taille des arcs romain qui nous sont parvenus), c'est surtout l'un des mieu conservés : la face Nord en particulier a gardé pour une bonne part sa décoration d'origine.

Construit vers 20 avant J.-C., et dédié plus tard à Tibère il commémorait les exploits des vétérans de la IIe légion Percé de trois baies encadrées de colonnes, surmonté à l'origine par un quadrige en bronze flanqué de deux tro phées, il présente deux particularités : le fronton trian gulaire, au-dessus de la baie centrale, et deux attique superposés.

Exubérante
Sa décoration tient à la fois du classicisme romain et de l'art hellénistique. Les scènes guerrières évoquent la pacification de la Gaule, tandis que les attributs marins semblent faire référence à la victoire remportée par Auguste à Actium sur la flotte d'Antoine et Cléopâtre.

Théâtre antique***

Les tickets d'entrée donnent également accès aux fouilles e au musée municipal. Avr.-sept. : 9h-18h30 ; oct.-mars : 9h 12h, 13h30-17h. Fermé 1er janv. et 25 déc. 30F. ☎ 04 90 34 70 88.

Au fronton de l'arc d'Orange : quand nos ancêtres les Gaulois en décousaient avec les Romains...

ORANGE

Arc-de-Triomphe (Av. de l') .... AY
Artaud (Av. A.) .... ABY
Blanc (R. A.) .... BZ
Briand (Cours A.) .... AYZ
Caristie (R.) .... BY 2
Châteauneuf (R. de) .... BZ 3
Clemenceau (Pl. G.) .... BY 4
Concorde (R. de la) .... BY
Contrescarpe (R. de la) .... BY
Daladier (Av. E.) .... ABY
Fabre (Av. H.) .... BY
Frères-Mounet (Pl. des) .... BY 5
Guillaume-le-Taciturne (Av.) .... BY
Lacour (R.) .... AY
Leclerc (Av. Gén.) .... BZ
Levade (R. de la) .... BY
Mistral (Av. F.) .... BY 6
Noble (R. du) .... ABY
Pourtoules (Cours) .... BZ
Pourtoules (R.) .... BZ 7
Princes-d'Orange-Nassau (Mtée des) .... AZ
République (Pl. de la) .... BY 8
République (R. de la) .... BY 9
Roch (R. Madeleine) .... BZ 10
St-Clément (R.) .... AZ
St-Florent (R.) .... BY 12
St-Jean (R.) .... AY
St-Martin (R.) .... AY 13
Tanneurs (R. des) .... AY 16
Thermes (Av. des) .... AZ
Tourre (R. de) .... AZ 20
Victor-Hugo (R.) .... AY

Hôtel de ville .... ABY **H**
Musée municipal .... BY **M**

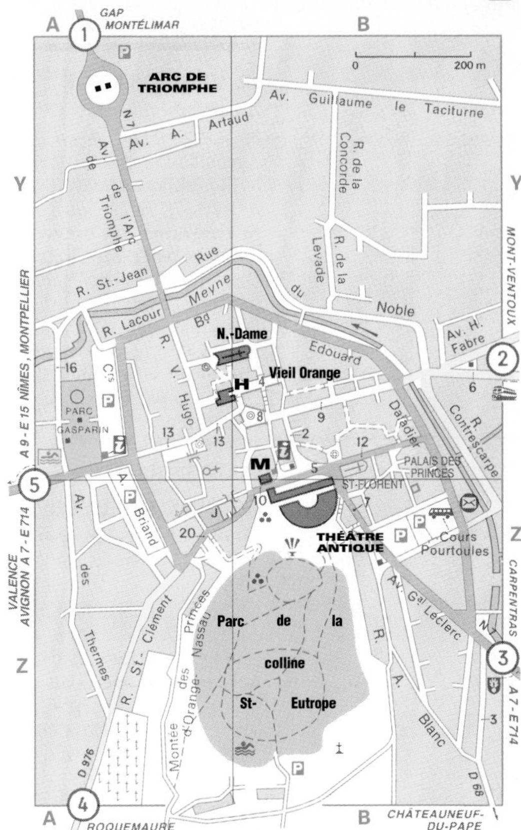

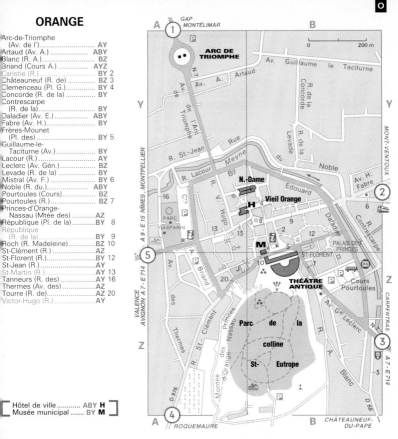

Édifié sous le règne d'Auguste (alors Octave), ce théâtre fait, à juste titre, la fierté d'Orange : il s'agit en effet du seul théâtre romain qui ait conservé son mur de scène pratiquement intact.

Lorsque l'on arrive sur la place, on est avant tout frappé par ce mur imposant long de 103 m et haut de 36 m, qui se dresse devant nous et que Louis XIV, dit-on, avait qualifié de « plus belle muraille du royaume ». On aperçoit, tout en haut, la double rangée de corbeaux (pierres en saillie) au travers desquels passaient les mâts servant à tendre le voile *(velum)* qui protégeait les spectateurs du soleil. Au bas, les 19 arcades donnaient accès aux coulisses et aux loges.

Imaginez
L'impression, lorsqu'on accède aux gradins, est grandiose. Ne manquent à l'édifice que le portique couronnant les gradins, le toit abritant la scène et, bien sûr, le fastueux décor de celle-ci.

L'hémicycle *(cavea)* pouvait contenir entre 8 et 9 000 spectateurs, répartis selon leur rang social. Il se divise en 3 zones, étagées en 37 gradins et séparées par des murs. En contrebas, l'*orchestra* forme un demi-cercle ; en bordure, trois gradins, sur lesquels on plaçait des sièges mobiles, étaient réservés aux personnages de haut rang. De part et d'autre de la scène, de grandes salles superposées (on entre actuellement par la salle inférieure occidentale) servaient à l'accueil du public et abritaient les coulisses. La scène, faite d'un plancher de bois sous lequel était logée la machinerie, mesure 61 m de longueur pour 9 m de profondeur utile : elle dominait l'*orchestra* d'environ 1,10 m, soutenue par un mur bas, le *pulpitum*. En arrière se trouve la fosse du rideau (qu'on abaissait pendant les représentations).

Acoustique
Comment se faire entendre lorsqu'on est acteur ? Certes, les masques faisaient office de porte-voix ; le plafond, les portes en creux et les vases résonateurs jouaient un rôle ; pourtant s'ils ont aujourd'hui disparu, même du haut des gradins (sauf coup de mistral), on peut vérifier que le théâtre a conservé une acoustique étonnante.

Le mur de scène atteint le niveau du sommet de la *cavea* ; il présentait un riche décor de placages de marbre, de stucs, de mosaïques, de colonnades étagées et de niches abritant des statues, dont celle d'Auguste, haute de 3,55 m qui a été remise en place en 1951. Ce mur est percé de trois portes : la porte royale au centre (entrée des acteurs principaux) et les deux portes latérales (entrée des acteurs secondaires).

se promener

LE VIEIL ORANGE

À partir du théâtre, emprunter la rue Caristie jusqu'à la rue de la République, axe de la cité.

Après l'avoir prise sur la gauche et traversé la place de la République (statue du prince-troubadour Raimbaut d'Orange), on se dirigera vers l'**ancienne cathédrale Notre-Dame**, en prenant à droite la rue Fusterie puis après la place du Cloître, la rue du Renoyer, à gauche. D'origine romane, l'église a été très endommagée et en partie reconstruite après les guerres de Religion.

Des brasseries et des cafés animés ont installé leurs terrasses sur la place Georges-Clemenceau où s'élève l'**hôtel de ville** qui a conservé son beffroi du 17e s.

Depuis la place de la République, la rue Stassart conduit à une placette ombragée de platanes, la **place aux Herbes**, qu'on traversera avant de regagner le théâtre par la rue du Mazeau.

COLLINE ST-EUTROPE

S'y rendre en voiture par la montée des Princes-d'Orange-Nassau. Stationner sur le parking devant le parc municipal.

L'allée principale franchit les fossés de l'ancien château des princes d'Orange, dont les fouilles ont révélé, à gauche du square Reine-Juliana, d'importants vestiges. À l'extrémité Nord du parc, à côté d'une statue de la Vierge, table d'orientation offrant une excellente **vue★** sur le théâtre antique, la ville avec ses toits de tuiles, la plaine du Rhône et son cadre de montagnes.

visiter

Musée municipal

Avr.-sept. : 9h30-19h ; oct.-mars : 9h30-12h, 13h30-17h30. Fermé 1er janv. et 25 déc. 30F billet donnant droit à la visite du théâtre antique. ☎ 04 90 51 18 24.

Installé dans l'hôtel édifié au 17e s. par un noble hollandais, il expose les collections lapidaires provenant de fouilles effectuées dans la ville, ainsi qu'une pièce unique en France, le **cadastre** romain d'Orange. Sur ces tableaux de marbre, on a pu reconnaître le quadrillage des terres découpées en centuries, carrés de 709 m de côté organisés autour de deux axes Nord-Sud et Est-Ouest, ainsi que des renseignements écrits sur le statut juridique des terres.

Des autres salles, on retiendra surtout celles consacrées à la famille Wetter, industriels d'origine suisse qui employaient en 1764 à Orange 530 ouvriers pour la fabrication d'indiennes qu'ils exportaient dans toute l'Europe.

Les pinceauteuses sont les personnes qui apportent à l'impression sur étoffe (les indiennes) les dernières finitions (Gabriel M. Rossetti – La Fabrique d'indiennes des frères Wetter, *1764, musée municipal d'Orange).*

alentours

Caderousse

6 km à l'Ouest par la D 17.

Cette localité, totalement enserrée dans des remparts percés seulement de deux portes, est située au bord du Rhône, voisin fort envahissant : des plaques, apposées sur la façade de l'hôtel de ville, en témoignent. À l'intérieur de l'**église St-Michel**, exemple caractéristique de roman provençal, la chapelle St-Claude, avec ses belles voûtes de style flamboyant, fut ajoutée au 16e s.

Harmas J.-H. Fabre

8 km au Nord-Ouest par les N 7 et D 976. Visite guidée (1h) tlj sf mar. et dim. 9h-11h30, 14h-18h (de nov. à fin fév. jusqu'à 17h). Fermé en oct. et j. fériés. 15 F. ☎ 04 90 70 00 44.

À l'entrée de Sérignan, à droite, se trouve le harmas où l'entomologiste J.-H. Fabre (1823-1915) vécut les trente-six dernières années de sa vie. On visite le cabinet de travail avec ses vitrines contenant les collections du savant (insectes, coquillages, fossiles, minéraux), la salle où sont rassemblées des aquarelles peintes avec un beau talent par Fabre (champignons de la région).

Souvenir

Le *harmas* (« terrain en friche »), qui fut le principal champ d'observation de J.-H. Fabre, est aujourd'hui un superbe jardin botanique.

Le Homère des insectes

C'est ainsi que Victor Hugo appelait ce personnage romanesque qui consacra sa vie aux insectes et leur dédia de passionnants *Souvenirs entomologistes* (2 360 pages dans la collection Bouquins que les fans de *Microcosmos* se doivent de dévorer !). Cet autodidacte, qui dut être vendeur ambulant de citrons pour payer ses études, fut contraint de démissionner de l'enseignement pour avoir, horreur !, fait un exposé sur la sexualité des plantes en présence de jeunes filles ! Et, s'il proclamait haut et fort son amour des insectes vivants (à l'exclusion des cigales, trop bruyantes à son goût), il n'hésitait pas à les proposer accommodés à sa façon lors de repas que ses invités redoutaient particulièrement.

Aven d'Orgnac★★★

Draperies colorées, extraordinaires stalagmites de tailles et de formes impressionnantes : l'exploration de ce gouffre féerique laisse un souvenir inoubliable.

La situation

Cartes Michelin nos 80 pli 9, 245 pli 14 et 246 pli 23 – Ardèche (07). À 2 km de la commune d'Orgnac, située à l'extrémité Sud de l'Ardèche, l'aven est aisément accessible depuis Barjac (par la D 176 puis le D 317) comme de Bagnols-sur-Cèze (par la D 298 jusqu'aux gorges de la Cèze puis, à droite, la D 417 jusqu'à Orgnac-l'Aven).

Naissance d'un aven

Les immenses salles de cet aven doivent leur origine à l'action des eaux souterraines alimentées par infiltration dans les calcaires fissurés. Les premières concrétions, qui avaient parfois 10 m de diamètre, furent brisées par un tremblement de terre à la fin de l'ère tertiaire ; ces colonnes tronquées ou renversées servent de base à des stalagmites plus récentes.

Les gens

Robert de Joly (1887-1968) explora l'aven le 19 août 1945. Ce pionnier de spéléologie, qui visita bon nombre de gouffres de la région, joua un rôle fondamental dans la mise au point du matériel et de la technique d'exploration. À tel point qu'en dernier hommage, l'urne contenant son cœur fut placée dans la niche d'une concrétion de la salle supérieure.

visiter

Aven

Mars-oct. : visite guidée (1h) 9h30-12h, 14h-17h (avr.-juin et sept. : 18h ; juil.-août : 9h30-18h). 47F (enf. : 30F). ☎ 04 75 38 62 51.

Haute de 17 à 40 m, longue de 250 m et large de 125 m, la **salle supérieure** possède de magnifiques stalagmites. Les plus grosses, au centre, montrent des excroissances

Lunaire

La faible lueur bleutée qui tombe par l'orifice naturel de l'aven contribue à l'impression d'irréalité que l'on ressent en pénétrant dans la salle supérieure.

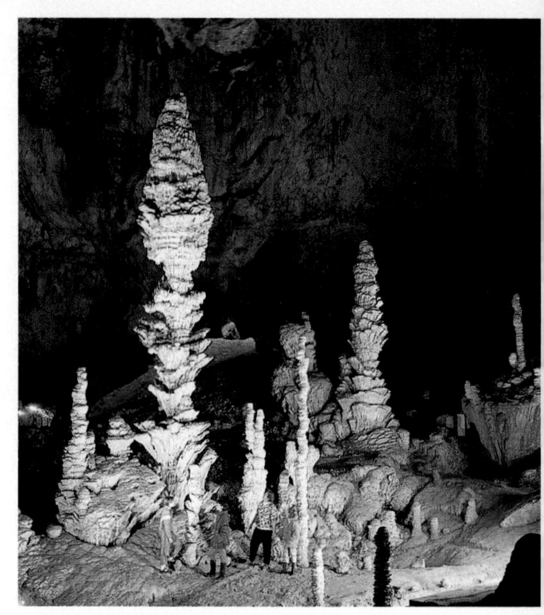

Les « pommes de pin » de la salle supérieure : de quoi méditer sur la petitesse de l'humanité...

qui leur donnent l'aspect de « pommes de pin ». Elles n'ont pu, à cause de la hauteur de la voûte, se souder aux stalactites pour former des colonnes, mais elles se sont épaissies à la base, atteignant parfois un diamètre imposant. D'autres, plus récentes et plus grêles, en forme d'« assiettes empilées », les surmontent. Sur le pourtour de la salle, on remarque de frêles colonnettes postérieures au tremblement de terre. Certaines ont atteint une grande hauteur, les unes « en baïonnette », d'autres très droites.

Dans la **salle du Chaos**, encombrée de concrétions tombées de la salle supérieure, de magnifiques draperies aux colorations variées s'échappent d'une fissure de la voûte. Au niveau du belvédère de la 1re Salle Rouge, les eaux d'infiltration, enrichies en carbonate de chaux par la traversée de la couche calcaire, ont permis aux concrétions de se multiplier. Tout proche, le puits intérieur le plus profond de l'aven (34 m) conduit à une salle enfouie à moins 180 m.

Musée de Préhistoire

♿ *Mars-oct. : 10h-12h, 14h-17h (avr.-juin et sept. fermeture à 18h ; juil.-août : 10h-19h). Fermé 1er avril et 1er nov. 31F50 (combiné musée et grotte 57F).* ☎ *04 75 38 65 10.*

Résultat de fouilles pratiquées dans la région. Des reconstitutions (une cabane, un atelier de taille du silex ou la grotte ornée de la Tête du Lion) permettent de mieux comprendre le mode de vie de nos lointains ancêtres.

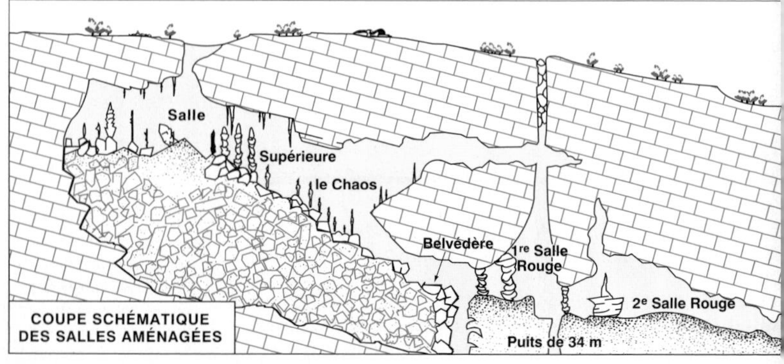

carnet pratique

VISITE

Recommandations – La température (constante) dans la grotte est de 13° : prévoir donc de se couvrir surtout au plus fort de l'été quand dehors il fait (très) chaud... sinon gare aux angines et bronchites !

D'autre part, au cours de votre exploration vous n'aurez pas moins de 788 marches (on les a comptées !) à gravir ou à descendre.

Safari souterrain – Partager l'espace d'un instant les sensations de Robert de Joly ? Si vous avez le cœur bien accroché, vous pouvez, entre avril et septembre, descendre à la verticale par le puits d'entrée de l'aven. Quant à ceux qui se sentent une âme de spéléologue, ils pourront en avoir le cœur net en explorant l'aven au-delà de la partie aménagée. Prendre rendez-vous. *☎ 04 75 38 62 51.*

HÉBERGEMENT ET RESTAURATION

• À bon compte

Les Stalagmites – *07150 Orgnac-l'Aven - ☎ 04 75 38 60 67 - fermé nov. à mars - 65/110F.* Une pension familiale simple, très accueillante et vraiment pas chère dans le village. Vous y mangerez une cuisine traditionnelle, copieusement servie, à l'ombre des arbres de la terrasse en été. Menu enfant. Chambres et studios à louer.

Bois de Païolive★

Un vaste chaos de rochers ruiniformes aux formes étranges, une végétation abondante de chênes pubescents, des gorges étroites, parfois impressionnantes... et le silence : lieu baigné de mystère, dont les amateurs de nature auront plaisir à suivre les sentiers.

La situation

Cartes Michelin nos 80 pli 8 et 240 pli 7 – Ardèche (07).

Ce chaos calcaire du Bas-Vivarais s'étend sur environ 16 km², au Sud-Est des Vans, de part et d'autre du Chassezac. On l'atteindra depuis les Vans par la D 901 ou, depuis Vallon-Pont-d'Arc par la D 579 (direction Ruoms) puis à gauche la D 111 que prolonge la D 104 et, enfin, par la D 901.

ℹ Pl. Ollier, 07140 Les Vans, ☎ 04 75 37 24 48.

Le nom

Pas la moindre olive, hélas, dans ces bois de chênes : les contre-révolutionnaires affamés de 1792 en firent l'amère expérience...

Les gens

Entre 1790 et 1792, le château de Jalès devient le fief des fidèles de l'Ancien Régime. Le 21 juin 1792, la cocarde tricolore est foulée aux pieds à Berrias. Reconnu pour chef des royalistes de la région, le comte de Saillans, Dauphinois d'origine, précipite la date du soulèvement. Le complot dévoilé, une troupe, envoyée contre les hommes de Saillans, les défait près de Courry (18 km au Sud des Vans), le 11 juillet. Saillans se réfugie au château de Banne, puis prend la fuite avec quelques compagnons. Arrêtés sur la route de Villefort, ils sont conduits aux Vans : la foule, qui reproche à Saillans l'exécution de plusieurs « patriotes », les massacre dans la rue. Selon la tradition, quelques royalistes auraient réussi à gagner le bois de Païolive où ils périrent de faim.

itinéraire

Environ 2h. La D 252 traverse le bois d'Ouest en Est.

Clairière★

Un endroit idéal, d'autant qu'on y est à l'ombre : la clairière est accessible aux voitures, près de la D 252, dans un grand virage à droite en venant des Vans, par une rampe non revêtue. Et, de là, on peut partir se dégourdir les jambes à la découverte des rochers les plus proches.

PÉTRIFIANT

À environ 300 m de la D 901, une vingtaine de mètres à droite en venant des Vans, un rocher caractéristique : l'Ours et le Lion (site d'escalade).

Corniche du Chassezac★★

1/2h à pied AR. Se garer sur le premier grand parking à gauche de la route en direction de Mazet-Plage. Un sentier balisé « Corniche » conduit sur les bords des grandes falaises qui dominent les profondes gorges.

On découvre soudain la grandiose tranchée du Chassezac serpentant au pied de falaises forées de cavités. La corniche, à-pic de 80 m, se poursuit à gauche, face au château, jusqu'à un belvédère situé en amont.

Revenir par le même chemin.

Mazet-Plage

1/4h à pied AR. Un chemin revêtu, partant de la D 252, mène, 300 m plus loin, à un camping proche de la rivière.

Le site de Mazet est situé à la sortie des gorges de Chassezac dont il est un accès privilégié. Pour rejoindre des zones plus éloignées dans les gorges, aux sites de baignades et d' escalades par exemple, traverser la rivière en direction de **Casteljau** et se garer dans les parkings aménagés.

On peut longer le Chassezac vers la gauche, sur environ 500 m, parmi les gros galets et les petits saules face aux étranges falaises criblées de cavités.

Banne

À 6 km du carrefour entre les D 901 et 252. Laisser votre voiture sur la place, pour gravir la rampe derrière le calvaire.

On accède à une plate-forme gazonnée dominant la dépression du Jalès. Du sommet des rochers, portant les vestiges de l'ancienne citadelle de Banne, vaste **panorama★** sur les confins du Gard et de la Basse-Ardèche. À demi enfoncée dans la plate-forme, du côté Sud-Ouest, longue galerie voûtée ; elle servait d'écuries au château de Banne, qui fut abattu après l'échec des contre-révolutionnaires.

Pernes-les-Fontaines★

On la surnomme « perle du Comtat »... et dans cette petite ville, le temps, à l'ombre d'un haut donjon, semble suspendu : placettes ornées de fontaines, ruelles enchevêtrées... lieu de flânerie et de contemplation, à la faveur d'une longue soirée d'été.

La situation

Cartes Michelin nos 81 plis 12, 13 ou 245 pli 17 et 246 pli 11 – Vaucluse (84). Posée sur la Nesque, l'ancienne capitale du Comtat Venaissin est située au carrefour de la D 28, venant d'Avignon, et de la D 138 joignant Carpentras à Cavaillon. Quittant ces voies un peu trop fréquentées, laissez votre voiture au parking situé non loin de l'Office de tourisme, sur la droite du cours Frizet (D 1, direction Mazan) afin de pouvoir explorer la ville à pied.

Pl. Gabriel-Moutte, 84210 Pernes-les-Fontaines, ☎ 04 90 61 31 04.

La ville où l'on peut dire sans risque excessif : « Fontaine, je ne boirai plus de ton eau » (fontaine de l'Ange).

Le nom

Il semble bien que le nom de Pernes vienne de celui d'un dénommé Paternus, probable propriétaire terrien installé jadis sur les lieux. Quant aux fontaines, *li fonts*, il suffit de les compter ! Elles sont au nombre de 36, et datent souvent du 18e s., à l'époque où l'on a découvert une importante source près de la chapelle St-Roch.

Les gens

10 170 Pernais. Esprit Fléchier (1632-1710), le plus fameux d'entre eux, s'est illustré dans un genre littéraire qui faisait fureur au 17e s. : l'oraison funèbre.

PERNES-LES-FONTAINES

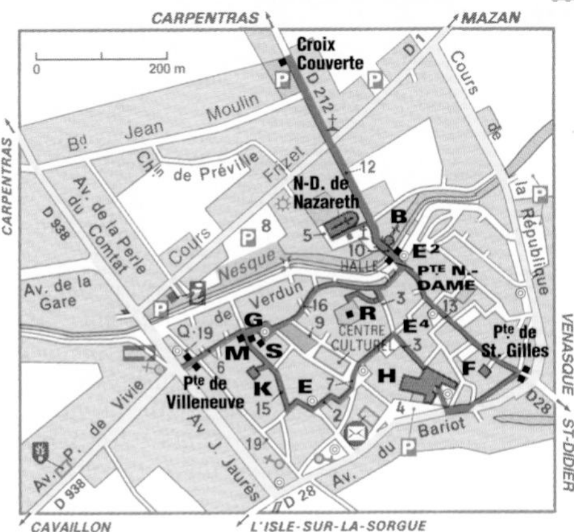

se promener

À LA RECHERCHE DES FONTAINES

Compter 1h ou plus pour ceux qui souhaiteraient prolonger leur flânerie dans le lacis de ruelles de la vieille ville. Départ de l'église N.-D.-de-Nazareth.

L'**église N.-D.-de-Nazareth** date, dans ses parties les plus anciennes, de la fin du 11e s. Elle a conservé (côté Sud) une belle porte dont la décoration, malheureusement très endommagée, est inspirée de l'antique.
En face, la Nesque, ombragée de saules, est franchie par un vieux pont qui conduit à la porte Notre-Dame.

Porte Notre-Dame*

Sur l'une des piles s'élève la minuscule chapelle N.-D.-des-Grâces : dominé par la tour de l'Horloge (élégant campanile en fer forgé), un ensemble plein de fraîcheur.

Sitôt après la porte, sur la droite se dresse une halle couverte du 17e s. En face, la **fontaine du Cormoran**, peut-être la plus intéressante fontaine de la ville.

Prendre à droite la rue Victor-Hugo qui court parallèlement à la Nesque. Prendre la rue de Brancas puis immédiatement à droite.

Tour de l'Horloge

10h-17h (de mi-juin à mi-sept. : jusqu'à 19h).

Donjon et unique vestige du château des comtes de Toulouse. Depuis le sommet, panorama sur la plaine du Comtat, le pays d'Avignon et, en arrière-plan, au Nord et à l'Est, les dentelles de Montmirail et le Ventoux.

De nouveau dans la rue Victor-Hugo, on passe devant le Clos de Verdun, bucolique et minuscule jardin public aménagé à l'emplacement d'un ancien moulin à huile.

RESTAURATION
Dame l'Oie – Le Troubadour - *56 r. Troubadour-Durand - ☎ 04 90 61 62 43 - fermé fév., mar. midi de Pâques à Toussaint, mar. soir hors sais. et lun. - 70/105F.* Autour de la fontaine de pierre où trône une belle oie, un décor provençal jaune et blanc sert d'écrin à une amusante collection d'oies blanches en faïence. Saveurs classiques, « caprice de dame l'oie » et bons vins de terroir dont un biologique.

BELLES FRESQUES
Au 3e étage de la tour Ferrande : certaines retracent l'épopée de Charles d'Anjou en Italie du Sud.

Tour Ferrande

Visite guidée (1/4h) sur demande préalable auprès de l'Office de tourisme. 15F.

Sur une placette qu'orne la fontaine de Guilhaumin ou du Gigot se dresse la tour Ferrande (13e s.) crénelée et enclavée dans les maisons.

Au bout de la rue Gambetta, la **porte de Villeneuve**, flanquée de deux tours rondes à mâchicoulis (vestige de l'enceinte du 16e s.).

Revenir sur vos pas, jusqu'à la rue de la République pour la prendre à droite.

À l'angle, le **magasin Drapier**, qui a conservé l'apparence d'une boutique de mode du 19e s., abrite le charmant petit musée du costume comtadin. En face, **hôtel de Vichet** (16e s.), au portail surmonté par un élégant balcon de fer forgé.

Après avoir renouvelé sa provison d'hosties (une industrie qui exporte !) chez les religieuses de la Retraite chrétienne, passer devant l'hôtel de Villefranche *(en retrait sur la droite)* du 17e s.

Prendre à gauche la rue Barrau.

La **fontaine de l'Hôpital**, datant de 1760, fait face à l'hôtel des Ducs de Berton, seigneurs de Crillon.

On débouche bientôt sur la place Louis-Giraud où s'élève le centre culturel des Augustins, installé dans une ancienne église.

Prendre à droite l'étroite rue Brancas.

Hôtel de ville

C'est l'ancien hôtel des ducs de Brancas dont l'un fut maréchal de France et ambassadeur de Louis XIV en Espagne. Traversez la cour pour aller voir la fontaine entourée d'un portique.

Par l'avenue du Bariot, à gauche, rejoignez la **porte de St-Gilles** : cette tour carrée qui a conservé ses mâchicoulis faisait partie de l'enceinte du 14e s.

Franchir la porte et prendre la rue Raspail.

Au n° 214 (en retrait), beau portail Louis XV de l'hôtel de Jocas. On passe ensuite devant la **fontaine Reboul** ou « Grand Font » avec son décor en écailles de poisson et, avant de retrouver la porte Notre-Dame, un petit crochet à droite permet de découvrir la **maison Fléchier**, lieu de naissance du célèbre orateur.

Traverser le pont et continuer sur 200 m environ, après le cours Frizet.

Croix Couverte

Élégant monument quadrangulaire qui aurait été élevé au 15e s. par le Pernois Pierre de Boèt.

Pont du Gard★★★

L'une des merveilles de l'Antiquité, ouvrage grandiose édifié au 1er siècle, le Pont du Gard, serti dans son cadre superbe, mériterait presque à lui seul une halte en Provence.

La situation

Cartes Michelin nos 80 pli 19, 245 pli 15 et 246 pli 25 – Gard (30). Le pont routier étant désormais fermé à la circulation motorisée, vous avez le choix entre l'une ou l'autre rive... La rive gauche, par la route de Vers (D 981 d'Uzès à Remoulins) et un grand parking (payant) de 800 places ; ou bien la rive droite que vous atteindrez en franchissant le Gardon à Remoulins (parking de 600 places).

Pl. des Grands-Jours, 30210 Remoulins, ☎ 04 66 37 22 34.

Chiffres à l'appui

Hauteur totale : 49 m au-dessus des basses eaux du Gardon. Étage inférieur : 6 arches, 142 m de longueur, 6 m de largeur, 22 m de hauteur. Étage moyen : 11 arches, 242 m de longueur, 4 m de largeur, 20 m de hauteur. Étage supérieur : 35 arches, 275 m de longueur, 3 m de largeur, 7 m de hauteur.

Le nom

Affluent du Rhône ayant donné son nom à un département, le Gard présente la particularité rare de ne pas exister... Du moins sous ce nom, car formé par l'adjonction de multiples cours d'eau, les Gardon (et réputé pour ses redoutables *gardonnades*), il conserve l'appellation de Gardon jusqu'à son embouchure.

Le pont

Rarement une œuvre humaine ne s'est insérée dans le paysage de façon aussi « naturelle ». Car la performance technique n'est pas tout : ses vieilles pierres mordorées, l'étrange sensation de légèreté, inattendue dans un ouvrage aussi colossal, le cadre de collines couvertes d'une végétation méditerranéenne, les eaux vertes du Gardon dans lesquelles le pont mire ses arches, le ciel d'un bleu intense, chacun de ces éléments contribue à

carnet pratique

Visite

Visite guidée – C'est le seul moyen de voir l'intérieur du conduit. Au programme également : la carrière romaine et les vestiges de l'aqueduc. Départ et renseignements aux bureaux d'accueil des deux rives. 25F.

Restauration

• ***À bon compte***

Le Clos des Vignes – *Pl. du 8-mai-1945 - 30210 Castillon-du-Gard - 4 km au NE du Pont-du-Gard par D 19 et D 228 - ☎ 04 66 37 02 26 - fermé 15 janv. au 15 fév., lun. et mar. hors sais. - 95/149F.* Sur la place du village, cette façade discrète cache une maison sympathique. La salle est décorée comme un patio intérieur avec ses poutres et son toit en grosses tuiles. Même effet de style pour la terrasse, aménagée dans une cour. Cuisine régionale.

Hébergement

• ***Valeur sûre***

Chambre d'hôte Vic – *Mas de Raffin - 30210 Castillon-du-Gard - 4 km au NE du Pont-du-Gard par D 19 et D 228 - ☎ 04 66 37 13 28 - fermé janv. - ⊭ - 5 ch. : 290/450F.* Ancienne ferme viticole rénovée où les chambres, aux rouges et jaunes soutenus, associent vieilles pierres et décoration moderne avec succès. Certaines sont voûtées, d'autres ont une mezzanine. En été, petit-déjeuner sous le mûrier. Piscine.

Chambre d'hôte Le Grand Logis – *Pl. de la Madone - 30210 Vers-Pont-du-Gard - 4 km au NO de Pont-du-Gard par D 981 - ☎ 04 66 22 92 12 - fermé 15 nov. au 15 mars - ⊭ - 3 ch. : 350/450F.* Proche de la mairie, cette maison du 15e s. a gardé tout son caractère. Dans le salon de détente, levez la tête pour admirer les peintures murales du Directoire. Les chambres spacieuses sont aux couleurs régionales. Pour les amateurs de « bronzette », terrasse-solarium au dernier niveau.

Loisirs-Détente

Kayak Vert – *R. Traversière - Les berges du Gardon - 30210 Collias - ☎ 04 66 22 80 76 - www.canœfrance.com - Mars-oct. : tlj 9h-19h.* Depuis sa création en 1978, Kayak Vert propose des descentes du Gardon en canoë ou en kayak à partir de Collias. Cette rivière de classe 1 ne présente pas de danger et cette activité peut donc être pratiquée par tous. Rafraîchissant !

Randonnée pédestre – Le GR 6, aménagé, permet de suivre à travers la garrigue les vestiges de l'aqueduc de Nîmes.

Baignade – Plages artificielles au bord du gardon. Idéal lorsqu'un soleil de plomb écrase la Mardonnenque. Attention aux remous, aux trous d'eau et... aux gardonnades soudaines et imprévisibles.

un merveilleux spectacle que vous ne vous lasserez pas de contempler sous divers points de vue : depuis le pont lui-même quand les arcades semblent jouer avec les rayons du soleil rasant, depuis les rives, du haut des collines...

comprendre

Un aqueduc pour Nîmes – Les Romains attachaient une grande importance à la qualité des eaux dont ils alimentaient leurs cités. Captée de préférence sur le versant Nord des collines, l'eau était conduite dans un canal voûté et entièrement maçonné, pourvu d'ouvertures d'aération ainsi que de purgeurs pour vidanger, nettoyer et réparer. Qu'un accident de terrain se présente et on le franchissait au moyen de ponts, de tranchées, de tunnels ou de siphons. Ainsi, l'aqueduc de Nîmes, qui captait les eaux des sources de l'Eure, près d'Uzès, long de près de 50 km, avait une pente moyenne de 34 cm par kilomètre, plus forte en amont du pont afin de réduire le plus possible la hauteur de cet ouvrage. Son débit était d'environ 20 000 m^3 d'eau, distribuée chaque jour dans la cité par le castellum. À partir du 4e s., il ne fut plus guère entretenu, les dépôts calcaires s'accumulant jusqu'à obstruer aux deux tiers la conduite. Au 9e s., il était devenu inutilisable et les riverains prélevèrent une grande partie des pierres et des dalles pour leurs propres constructions.

visiter

Juin-août : 9h30-22h ; sept.-mai : 9h30-18h30. Parking sur chaque rive 7h-1h. 20F les 2 premières h (30F en juil.-août 20h-1h). Accès libre au pont. Activités : sceno 35F, studio 30F, ludo 25F (forfait global 70F). ☎ 04 66 37 50 99.

Rive gauche

On accède, dès que l'on a quitté la voiture, à un vaste espace d'accueil, « Le Portal », abritant une cafétéria, une bibliothèque, une salle vidéo (le « studio »), une salle d'activités pour enfants (le « ludo ») et une exposition

Un travail de Romains ! Le Pont du Gard, partie la plus spectaculaire de l'aqueduc de Nîmes.

multi-médias. Toutes ces activités sont axées sur l'histoire de l'aqueduc, les techniques de construction et la civilisation romaine.

Par un chemin piétonnier, on gagne le pont.

Le pont★★★

Bâti en blocs colossaux de 6 à 8 tonnes hissés à plus de 40 m de hauteur, il enjambe la vallée du Gardon. Afin de rompre toute sensation de monotonie, les trois étages d'arcades sont en retrait l'un sur l'autre et l'architecte a su varier, dans un même étage, la dimension des arcs. Les arches sont faites d'anneaux indépendants accolés, ce qui donne à la masse beaucoup d'élasticité en cas de tassement. Les pierres saillant sur les façades supportaient les échafaudages. Les bancs de pierre qui apparaissent sous les arcades servaient de points d'appui aux cintres de bois utilisés pour l'établissement des voûtes.

Rive droite

Encastré dans la colline, à gauche de la route d'accès, le bâtiment d'accueil à la façade de verre (« La Baume ») propose un spectacle panoramique (le « sceno ») racontant comment les hommes ont vécu sur ce territoire et l'ont transformé.

Des escaliers et des sentiers permettent d'aller sous le pont ou de l'admirer de haut.

Travail de Romains

Ces derniers transportaient sans doute les blocs sur des barges après avoir mis en eau la carrière. Puis ils les élevaient avec des palans, le treuil étant constitué par un tambour de bois que faisaient tourner des « hommes-écureuils ». On estime que les travaux n'ont pas duré plus de cinq ans.

Pont-Saint-Esprit

Un pont audacieux lancé sur le Rhône au Moyen Âge, un peu en amont du confluent avec l'Ardèche, a favorisé l'éclosion de cette petite cité négociante qui a conservé quelques belles demeures anciennes et sa vocation de marché.

La situation

Cartes Michelin n°s 80 pli 10, 245 pli 15 et 246 pli 23 – Gard (30). On ne peut faire moins que de traverser le Rhône sur le pont... avant d'emprunter, après le grand carrefour de l'Europe, le boulevard Gambetta sur la gauche puis, encore à gauche, le boulevard Carnot de façon à pouvoir laisser la voiture sur les allées Jean-Jaurès. ℹ *Résidence Welcome, 30130 Pont-Saint-Esprit, ☎ 04 66 39 44 45.*

Le nom

C'est un pont... et il fut édifié entre 1265 et 1309 par une confrérie placée sous le signe du Saint-Esprit.

Les gens

9 265 Spiripontins. La cité est le berceau d'une lignée de nobliaux provençaux qui allaient connaître un destin national. La raison ? Charles, marquis d'Albert et futur duc de Luynes (1578-1621), était d'une part habile à dresser les faucons et, ce qui ne gâtait rien, fort joli garçon. Quant à en faire un ministre... il y avait un pas que Louis XIII n'hésita guère à franchir en le nommant connétable du royaume.

Un kilomètre de pont sur le fleuve-roi : il fallait bien l'intervention du Saint-Esprit...

se promener

C'est un pont... mais ce n'est pas qu'un pont, car sa situation en fit dès le Moyen Âge un important lieu d'étape dont la ville a conservé quelques traces. Pour s'en assurer, prenez la **rue St-Jacques**, que bordent des logis anciens tels l'**hôtel de Roubin**, du 17e s. *(au n° 10)* et surtout la maison des Chevaliers.

Maison des Chevaliers

Au n° 2. Cet hôtel particulier à la jolie baie romane géminée abrite aujourd'hui le musée d'Art sacré du Gard *(voir description dans « visiter »)*, dont la visite permet de découvrir en particulier les deux salles d'apparat superposées de Guillaume de Piolenc (plafonds peints avec écus armoriés).

INDÉLOGEABLES...
Il est assez rare qu'une maison soit occupée pendant huit siècles par la même famille... C'est pourtant le cas de la maison des Chevaliers, édifiée au 12e s. et habitée jusqu'en 1988 par les Piolenc, grande famille de négociants de la vallée du Rhône.

Passant devant l'ancienne maison de ville qui abrite le musée Paul-Raymond *(voir description dans « visiter »)*, par la rue du Haut-Mazeau, on atteint la place St-Pierre. Encadrée au Nord par l'église paroissiale du 15e s., au Sud-Ouest, par la façade baroque de la chapelle des Pénitents et, au Sud, par l'ancienne église St-Pierre du 17e s., la **terrasse** donnant sur le Rhône offre une belle vue d'ensemble du pont.
Un escalier monumental à double volée donne accès au quai de Luynes que l'on suit jusqu'au pont. À gauche, presque au pied de celui-ci, la **maison du Roy** est percée de baies Renaissance.

carnet pratique

RESTAURATION

• ***Valeur sûre***

Le St-Pancrace – *Rte de Barjac - 3 km au NO de Pont-St-Esprit dir. Gorges de l'Ardèche - ☎ 04 66 39 47 81 - fermé 2 au 15 janv. et mer. d'oct. à mars - 110/230F.* Bien connue des habitants de la région, cette maison doit sa réputation à la qualité de sa cuisine et à la gentillesse de ses hôtes. Vous dégusterez ses mets dans de belles salles claires, dont l'une ouvre en véranda. Les tables s'installent dans le jardin en été.

CALENDRIER

Rencontres musicales internationales de Pont-Saint-Esprit – Concerts classiques durant la 2e semaine d'août. ☎ *04 66 39 28 31.*

Le pont

Long de près de 1 000 m, il a conservé 19 arches anciennes sur 25. À l'origine, il était défendu à ses extrémités par des bastilles, et en son milieu par deux tours, ouvrages défensifs aujourd'hui démolis. Depuis le pont, belle vue en aval sur le Rhône et la ville.

Du centre de l'esplanade, on aperçoit le portail flamboyant (15e s.) de l'ancienne **collégiale du Plan**, ainsi que des vestiges de la citadelle fortifiée au 17e s. par Vauban.

Après être revenu sur vos pas, empruntez la vieille rue des Minimes puis la rue du Couvent, pour rejoindre votre voiture par les rues Bas-Mazeau, Haut-Mazeau et St-Jacques.

PASSAGE REDOUTÉ

Les remous du fleuve, l'impétuosité de son courant et l'étroitesse des arches entraînèrent maints naufrages de bâteliers. Ainsi les deux premières arches furent-elles remplacées par une arche unique.

visiter

Musée d'Art sacré du Gard

♿ *De mi-sept. à mi-juin : 10h-12h, 14h-18h ; de mi-juin à mi-sept. : 10h-12h, 15h-19h. Fermé en fév., 1er janv., Pâques, 14 juil., 15 août, 1er et 11 nov., 25 déc. 20F. ☎ 04 66 90 75 80.*

Il a pour objet de faire mieux connaître le patrimoine religieux en familiarisant le public à ses rites et à leur signification. Ainsi une collection de vêtements sacerdotaux et d'objets servant à la messe est illustrée par une borne interactive montrant le prêtre en train de s'habiller pour la messe et expliquant le déroulement de celle-ci. Les salles du rez-de-jardin proposent une réflexion sur la place de la Bible face à la science et sur le sens du sacré. L'ancienne tour dominant le jardin est réservée aux crèches et aux santons des 18e et 19e s. tandis qu'une salle conserve une collection de reliquaires domestiques dont quelques « paperolles », tableaux composés de papiers roulés formant décor autour des reliques. Parmi les œuvres exposées, outre un émouvant *Christ à l'agonie* polychrome (17e s.), on remarquera l'*Adoration des Mages* par Nicolas Dipre (vers 1495). Enfin, la pharmacie de l'Hôpital du Saint-Esprit (bel ensemble de céramiques hispano-mauresques médiévales) et un petit cabinet d'apothicaire complètent la visite.

SUPERBE

La **cour royale de justice★**, magnifique écrin pour *Le Mystère de la chute des anges*, retable de 1509-1510 dû au primitif provençal Raymond Boterie.

PONT-ST-ESPRIT

Rue	N°
Allègre-Chemin (Bd)	2
Ancienne mairie (Pl. de)	3
Bas-Mazeau (R.)	4
Bruguier-Roure (R. L.)	5
Couvent (R. du)	6
Doumergue (Av. G.)	7
Gaulle (Av. du Gén.-de-)	8
Haut-Mazeau (R.)	9
Jaurès (Allées J.)	10
Jemmapes (R.)	12
Joliot-Curie (R.)	
Minimes (R. des)	
Mistral (Allées F.)	15
Paroisse (R. de la)	17
Plan (Pl. du)	18
République (Pl. de la)	21
St-Jacques (R.)	25
St-Pierre (Pl.)	26
Ville (Pl. Georges)	27
19-Mars-1962 (R. du)	28

Lieu	Repère
Hôtel de Roubin	B
Maison du Roy	K
Musée Paul-Raymond	M1
Maison des Chevaliers (Musée d'Art sacré du Gard)	M2
Ancienne collégiale du Plan	N

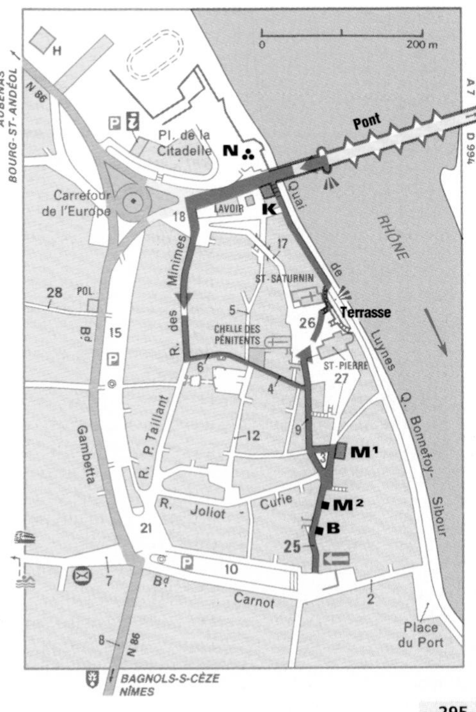

Musée Paul-Raymond

Juil.-sept. : tlj sf lun. 10h-12h, 15h-19h (juil.-août tlj) ; oct.-juin : tlj sf lun. et sam. 10h-12h, 14h-18h. Fermé en fév. et j. fériés. 20F. ☏ 04 66 39 09 98.

Il abrite sur deux étages l'œuvre du peintre Benn (1905-1989), dont les tableaux illustrent divers thèmes religieux. Au sous-sol se trouve l'ancienne glacière de la ville (1780).

Rochefort-du-Gard

Dans la lumière d'une belle fin d'après-midi d'été, ce village perché, avec ses ruelles montantes et ses placettes ombragées, invite à une paisible promenade.

La situation

Cartes Michelin nos 80 pli 20, 245 Sud des plis 15, 16 et 246 pli 25 – Gard (30). À quelques kilomètres de Villeneuve-lès-Avignon, sur l'agréable D 976 qui relie Roquemaure à Remoulins, Rochefort apparaît, écrasée de soleil, sur son piton rocheux. Une petite route permet d'atteindre le village que l'on se plaira à découvrir à pied.

Le nom

Un rocher fortifié : sans doute ne faut-il pas chercher plus loin l'origine du nom de Rochefort.

Les gens

5 821 Rochefortais, solidement accrochés à leurs vieilles pierres.

Restauration

L'Olive Noire – *2 r. de l'Église - ☏ 04 90 31 72 11 - fermé 26 mars au 8 avr., 21 oct. au 4 nov., mer. d'oct. à mars et dim. - 90/140F.* Un ancien moulin à huile : voilà un bel endroit pour dîner ! Le soir, sur la terrasse, vous pourrez contempler sa superbe façade en pierre de pays, mise en valeur par un éclairage judicieux. La cuisine tourne autour des produits régionaux.

se promener

On prendra plaisir à flâner dans les ruelles de ce vieux village, avec sa mairie aménagée dans une ancienne chapelle ; un peu à l'écart, à l'Est, le *castellas* qui fut à l'origine du village n'est guère plus qu'un souvenir : il n'en subsiste que la chapelle romane, silhouette blanche et massive. Depuis la plate-forme, belle **vue**★ sur N.-D.-de-Grâce, l'étang asséché de Pujaut et l'arrière-plan montagneux.

alentours

Sanctuaire N.-D.-de-Grâce

2 km. Quitter Rochefort par la D 976 en direction de Roquemaure. À 700 m, prendre à gauche une petite route en montée. Mer., dim. et j. fériés : 15h-17h (hiver : 16h). ☏ 04 90 31 72 01.

Élevé à l'emplacement d'un prieuré bénédictin fondé en 798, ravagé au 18e s. et restauré par les pères maristes au 19e s., le sanctuaire qui abrite un foyer de charité se dresse sur une petite éminence en bordure de la forêt de Rochefort.

Dans la chapelle, très dépouillée, belle grille en fer forgé fermant le chœur, avec un autel en marbre de couleur que surmonte une statue de N.-D.-de-Grâce. Sur le pilier de droite, à l'entrée du chœur, ex-voto offert par Anne d'Autriche après la naissance de Louis XIV. Une salle attenante à la chapelle abrite plus de cent ex-voto allant du 17e au 20e s.

Contourner le bâtiment d'accueil par la droite et gagner le chemin du calvaire.

De cette terrasse, **vue**★ dégagée sur la montagne de la Lance, le Ventoux, le plateau de Vaucluse, la Montagnette et les Alpilles, la plaine rhodanienne.

Tactique

Comment confesser un lépreux sans risquer la contagion : tel est le problème résolu dans la salle de l'écho située dans le cloître où deux personnes placées dans des angles opposés et se tournant le dos peuvent parler à voix basse et s'entendre parfaitement.

Roussillon★★

Rouge comme la terre qui l'entoure, rouge comme son nom, le village de Roussillon entremêle ses maisons aux façades badigeonnées d'ocre : avec le couchant, une symphonie de couleurs où toutes les nuances, du jaune au rouge, se répondent et s'illuminent en un tableau de rêve.

La situation

Cartes Michelin nos 81 pli 13, 245 plis 18 et 31 et 246 pli 11 – Vaucluse (84). Venus d'Apt, de Joucas ou de Gordes, vous aboutirez au parking de la place du Pasquier, devant le centre social « Lou Pasquié » où vous pourrez laisser votre voiture. *Rte de la Poste (au coin de la pl. du Pasquier), 84220 Roussillon, ☎ 04 90 05 60 25.*

Le nom

Vicus Russeolus, le village rouge, devenu ensuite Russulus tout court puis, par altération Roussillon.

Les gens

1 161 Roussillonnais. L'un d'entre eux, Jean-Étienne Astier, eut l'idée à la fin du 18e s. de laver le sable ocreux pour en extraire le pigment pur et fit naître l'industrie qui allait apporter au village sa renommée.

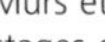

STAGE

Murs et peintures : stages d'initiation aux techniques et matériaux (badigeons, chaux, enduits décoratifs tels que tadellakt, stuc de Mantoue ou marmorino), aux pigments et colorants (indigo, peintures végétales, etc.). **Association Ôkhra,** *ancienne usine Mathieu - D 104 - ☎ 04 90 05 66 69.*

Roussillon, ocrement dit : un village perché du Luberon dont les murs rougissent au soleil.

découvrir

TERRES D'OCRES

Un séjour à Roussillon sera l'occasion de découvrir, outre un merveilleux village, l'ocre dans tous ses états, depuis les carrières où il était extrait jusqu'aux murs auxquels il donne leur éclat, en passant par l'usine où il était transformé.

Sentier des ocres★

Départ devant le cimetière, face à la place Pasquier. Accès payant des Rameaux à la Toussaint. Fermé en cas de pluie. 1 km. Compter 1h.

Ce sentier aménagé, balisé et agrémenté de panonceaux didactiques permet de découvrir la flore particulière des collines d'ocres (yeuses, chênes blancs, genévriers...) ainsi que les étonnants paysages formés par les anciennes carrières : action de l'homme mais aussi de l'érosion sculptant ces **aiguilles des fées** au-dessus de la fameuse **chaussée des géants★★**.

CONSEIL

Balade à faire de préférence en début de matinée ou en fin de journée ensoleillée, lorsque la lumière révèle les nuances infinies de l'ocre (16 ou 17, pas moins...).

Conservatoire des ocres et pigments appliqués★ (ancienne usine Mathieu)

Situé sur la route d'Apt (D 104), à 1 km environ de la place Pasquier. ♿ Fév.-nov. visite guidée (3/4h) 10h-18h (juil.-août 9h-19h), lun. 13h30-18h. 25F. ☎ 04 90 05 66 69.

Outre la fabrication du pigment utilisé pour peintures et badigeons, l'ocre avait diverses applications industrielles parfois insolites : mélangé à l'hévéa, il entrait dans la composition du caoutchouc ; on en faisait des chambres à air, des élastiques, du linoléum, la peau des saucisses de Strasbourg et... on en colorait le papier des Gitanes maïs.

Dans cette usine, fermée en 1963, on transformait l'ocre extraite des carrières et apportée ici en wagonnets. La première étape consistait à éliminer un maximum de sable en le versant dans un batardeau avec de l'eau. Après malaxage, le sable se déposait au fond et l'ocrier, grâce à un jeu de bouchons, évacuait le mélange d'ocre et d'argile vers les bassins de décantation après avoir évalué la teneur en sable... en le goûtant. À l'étape suivante, l'ocre reposait dans des bassins (un par couleur). L'argile se déposait au fond et l'eau était alors évacuée. Plusieurs couches successives étaient ainsi amenées dans les bassins jusqu'à la fin de l'hiver et mises à sécher tout l'été. Lorsqu'elles avaient la consistance de la pâte à modeler, elles étaient découpées en briques. Enfin, elles étaient conduites au four où s'achevait le séchage (certains ocres rouges étaient obtenus en cuisant un ocre jaune à 450°), puis au moulin où elles étaient broyées et mises dans des sacs ou des tonneaux.

ROUSSILLON

- Abbé-Avon (Pl. de l') 2
- Burlière (Av. de la) 3
- Çasteau (R.) 4
- Église (R. de l') 5
- Eynard (Pl. J.) 6
- Forge (Pl. de la) 7
- Lauriers (R. des) 8
- Mairie (Pl. de la) 9
- Mathieu (Pl. C.) 12
- Pignotte (Pl.) 14

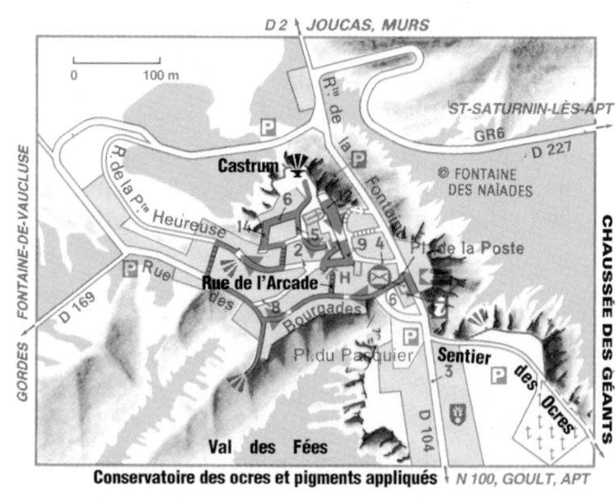

se promener

Le village*

Avec ses ruelles étroites, parfois en escaliers, ses maisons imbriquées dont les façades badigeonnées d'ocre rivalisent de couleur et d'harmonie, ses galeries où artistes et potiers exposent leurs créations, les vues que l'on découvre soudain au hasard d'une échappée, le village de Roussillon est un enchantement continuel, en particulier à la tombée du jour lorsque les rayons rasants du soleil viennent illuminer les façades.

Vous pouvez prendre, à gauche de l'Office de tourisme, la rue des Bourgades puis on s'engagera dans la rue de l'Arcade, venelle à degrés en partie couverte. Passant sous la tour du Beffroi, gagner le **castrum** *(fléchage)*. De cette plate-forme, vue panoramique avec, au Nord, le Ventoux, au Sud le Grand Luberon avec le Mourre Nègre et, perchée sur son roc, au Nord-Ouest, Gordes.

Par la rue des Bourgades, vous rejoindrez votre voiture.

Vue

Par la place Pignotte, gagnez le chemin de ronde : vue sur les **aiguilles du Val des Fées**, entailles verticales dans une falaise d'ocre couronnée de pins aux silhouettes torturées.

carnet pratique

Restauration

• *Valeur sûre*

Le Bistrot – *Pl. de la Mairie - ☎ 04 90 05 74 45 - fermé 15 nov. au 15 mars et mer. sf juil.-août - 120F.* Un petit bonheur la terrasse derrière la maison... Elle donne sur les toits du village et le Val des Fées. Cadre idéal pour savourer le menu à l'accent provençal mitonné par la patronne et déguster un vin du coin. Salle aux tons ocre et seconde terrasse sur la place animée.

Hébergement

• *Valeur sûre*

Chambre d'hôte Mamaison – *Quartier Les Devens - 4 Km au S de Roussillon dir. Bonnieux puis N 100 - ☎ 04 90 05 74 17 - www.mamaison-provence.com - fermé fin oct. à mi-mars - 6 ch. : 490/880F.* Digne d'une couverture de magazine de décoration, ce mas de caractère est une ancienne ferme du 18e s. Artistes peintres, les propriétaires ont tout réuni pour votre plaisir : parc, verger, piscine, chambres originales et personnalisées, poutres, tomettes et beau mobilier...

Saint-Blaise

À proximité de la mer, du Rhône, de l'étang de Berre et de la plaine de la Crau, ce site chargé d'histoire vécut pendant des siècles de l'exploitation et du commerce du sel.

La situation

Cartes Michelin nos 84 pli 11, 245 pli 43 et 246 pli 13 – Bouches-du-Rhône (13). À proximité de St-Mitre-les-Remparts, St-Blaise domine l'étang de Lavaduc. On peut s'y rendre par la D 51, sur la gauche de la D 5, lorsqu'on vient de Martigues. Laisser votre voiture au parc de stationnement pour prendre, à gauche, un chemin en montée qui mène à l'enceinte médiévale entourant les fouilles.

Le nom

Peut-être Heraclea ou Mastralaba dans l'Antiquité (on ne sait trop), Ugium en 874, Castelveyre en 1231, St-Blaise enfin, ainsi baptisée en hommage au patron des cardeurs.

Les gens

Les derniers habitants de l'oppidum sont partis en 1390 pour devenir des Saint-Mitrois.

visiter

Compter 3 à 4h. Sais. : 9h-12h, 14h-19h ; basse sais. : tlj sf mar. 14h-17h.

L'oppidum se présente sous l'aspect d'un éperon. Ses défenses naturelles, d'importantes falaises verticales, sont renforcées par des remparts établis sur le versant plus accessible qui domine le vallon de Lavalduc.

Le comptoir étrusque

Les plus anciennes traces d'occupation du site remontent au début du 5e millénaire avant J.-C. Sur cet oppidum celto-ligure (les fouilles y ont révélé un sanctuaire indigène, comparable à ceux d'Entremont ou de Glanum avec portique à crânes et stèles votives), les Étrusques ont créé au 7e s. un comptoir et entrepris le commerce fructueux du sel recueilli sur place. Malgré la redoutable concurrence des Phocéens de Marseille, l'oppidum poursuit son développement et se couvre d'un habitat proto-urbain protégé par une enceinte. Comme à Entremont apparaissent une ville haute et une ville basse. Les cases sont construites en pierre selon un plan quadrangulaire ; l'une d'elles, dans la ville basse, conserve encore ses murs sur une hauteur de 0,90 m. Suit une longue période de transition (475 à 200 avant J.-C.) après un incendie et l'abandon du comptoir par les Étrusques, tandis que Marseille prend le relais.

Prospère

On a relevé sur le site de nombreuses traces d'activités commerciales et artisanales : celliers où s'entassaient les *dolia* (jarres), atelier de fondeur, etc. Il semblerait en effet que le site ait été un bien prospère entrepôt.

Le rempart hellénistique★

Sans en faire une colonie, Marseille tient l'oppidum sous sa dépendance et, peu à peu, le commerce reprend : de la fin du 3e s. jusqu'au milieu du 1er s. avant J.-C., St-Blaise atteint son apogée. De grands travaux de nivellement précèdent la mise en place d'un plan d'urbanisme et d'un puissant rempart. Le **rempart hellénistique★**, en grand appareil, élevé par des maîtres d'œuvre grecs entre 175 et 140, étend sur plus d'un kilomètre une succession de courtines en ligne brisée avec tours de bastions, trois poternes et une porte charretière. Cette enceinte admirable possédait un dispositif d'évacuation des eaux par chenaux. Le rempart à peine terminé, l'oppidum dut subir un siège violent (des dizaines de boulets l'attestent). On pense que St-Blaise, ayant échappé au contrôle de Marseille, aurait été pris par les Romains lors de la conquête de 125-123 avant J.-C. Après

Saint-Blaise : un comptoir pris d'assaut malgré la construction du rempart hellénistique.

cet événement, le déclin est rapide : une brève réoccupation au milieu du 1er s. avant J.-C. précède quatre siècles d'abandon.

Le bourg paléochrétien et médiéval

Devant la montée de l'insécurité à la fin de l'Empire romain, le vieil oppidum est de nouveau habité. Les fortifications hellénistiques sont réutilisées. Deux églises sont construites : St-Vincent (dont on distingue l'abside près de l'ancienne porte principale) et St-Pierre. Une nécropole (tombes creusées dans le roc) s'étend au Sud. L'habitat de cette époque est malheureusement indiscernable au milieu des autres vestiges. En 874, Ugium (c'est le nom du bourg d'alors) est détruit par les Sarrasins. Il se relève lentement : l'église St-Pierre est reconstruite au 11e s. (substructions à côté de la chapelle St-Blaise). En 1231, à la pointe Nord du plateau, un nouveau rempart vient clôturer Castelveyre (nouvelle appellation) et son église N.-D.-et-St-Blaise. Mais en 1390, les bandes de Raymond de Turenne mettent le bourg à sac : les survivants s'établissent alors à St-Mitre, abandonnant définitivement le site.

PANORAMA
Depuis la pointe de l'éperon, vue sur l'étang de Lavalduce ; au loin, le port de Fos.

Saint-Gilles★

Porte de la Camargue, cette importante cité agricole (fruits, vins des Costières) est surtout renommée pour son ancienne église abbatiale : véritable chef-d'œuvre, la façade offre l'un des plus beaux exemples de statuaire romane provençale.

La situation

Cartes Michelin nos 83 pli 9, 245 pli 28 et 246 pli 26 - Gard (30). Le vieux Saint-Gilles se cache ! Les visiteurs, qu'ils arrivent de Nîmes ou d'Arles, traversent la cité par la rue Gambetta, aussi commerçante qu'animée : ils auront tout intérêt à garer la voiture au parking signalé (sur la droite en venant de Nîmes) pour gagner à pied par la rue Porte-des-Maréchaux la place de l'église, à moins qu'ils ne préfèrent tenter leur chance parmi les ruelles de la vieille ville.

Pl. Frédéric-Mistral, 30800 St-Gilles, ☎ 04 66 87 33 75.

Le nom

De saint Gilles (sant Gèli en provençal), grec touché par la grâce vers le 8e s. : il distribua ses biens aux pauvres et embarqua sur une nef qui le conduisit, au gré des flots, en Provence. Il y vécut dans une grotte, nourri par une biche... qui est aujourd'hui devenue l'emblème de la ville. Mais comment Aegidius, nom que portait le saint homme en Grèce, a-t-il pu devenir Gilles ?

MIRACLES EN SÉRIE
La biche, un jour poursuivie par un seigneur, se réfugie auprès de son maître. La flèche que lance le chasseur est alors arrêtée en plein vol par l'ermite... Pour honorer l'auteur d'un tel miracle, le seigneur décide de fonder une abbaye en cet endroit. Et quand le pape fait don à saint Gilles de deux portes destinées à l'édifice, celui-ci les jette dans le Tibre : elles traversent la mer, remontent le Petit Rhône et parviennent à la grotte en même temps que lui.

Les gens

11 626 Saint-Gillois. Le canal irriguant le bas Languedoc, du Rhône à Montpellier, porte désormais le nom de Philippe Lamour (1903-1992), avocat, journaliste, fondateur d'une revue d'art (avec Fernand Léger) et pionnier de l'aménagement hydraulique du territoire. Sa pièce maîtresse est située à 5 km au Nord-Est de St-Gilles par la D 38 (direction Bellegarde, Beaucaire) au lieu-dit Pichegu : c'est la **station de pompage Aristide-Dumont**, située à la jonction du canal d'irrigation et du canal des Costières qui se dirige vers le Nord. Élevée à une hauteur suffisante, l'eau s'écoule par simple gravité à travers toute la plaine du bas Languedoc.

comprendre

L'alliance de la foi et du commerce – À l'emplacement du tombeau de saint Gilles s'élève un sanctuaire, objet d'un culte fervent et d'un pèlerinage car il se situait sur l'une des quatre routes principales de St-Jacques-de-Compostelle. C'est au 12e s. que le monastère atteint son apogée. Les croisades, et les flux commerciaux qui les accompagnent, ne font qu'accroître sa fortune : dans son port transitent quantité de marchandises orientales ; des pèlerins, des croisés s'y embarquent, et les St-Gillois possèdent des comptoirs avec privilèges dans les États latins de Jérusalem. La foire de St-Gilles, en septembre, connaît un rapide essor : elle constitue l'un des grands points d'échanges entre Méditerranéens et Nordiques. Cette prospérité se réduira au 13e s., notamment sous l'effet de la concurrence du port royal d'Aigues-Mortes.

Gloire et déchéance des comtes de Toulouse – C'est à Saint-Gilles que commence l'aventure de Raimond IV de Toulouse. Fils cadet du comte Pons, il reçoit en lot la seigneurie de Saint-Gilles. Un mariage judicieux avec la fille du comte de Provence, la succession de son frère Guillaume IV de Toulouse, mort sans enfants, et Raymond se retrouve à la tête d'un vaste domaine, de Cahors aux îles de Lérins : les « États de Saint-Gilles ». En 1096, le puissant comte y accueille le pape Urbain II et fait vœu de se consacrer entièrement à la reconquête de la Terre sainte. Il sera tué au cour du siège de Tripoli (1105).

Son arrière petit-fils, Raimond VI, devait vivre des heures plus amères dans cette même cité. Sommé par le pape Innocent III d'entrer en lutte contre ses sujets hérétiques, les cathares, il reçoit à St-Gilles, le 14 janvier 1208, le légat Pierre de Castelnau, porteur des exigences papales. L'entrevue est orageuse et, le lendemain, le légat est assassiné. Innocent III excommunie aussitôt Raimond VI et fait prêcher la croisade. Raymond cède.

carnet pratique

Visite

Visites guidées – S'adresser au bureau d'accueil aux monuments : *pl. de l'Église - ☎ 04 66 87 41 31.*

Achats

Maison des métiers – *Grand-Rue - ☎ 04 66 87 09 05.* Ateliers d'artisans : céramiques, orfèvrerie, vitrail, poterie et tapisserie d'ameublement.

Restauration

Spécialité – Le bœuf à la saint-gilloise, dit aussi « gardiane des mariniers », est une variante locale (et succulente) de la gardiane de taureau.

• *À bon compte*

Le Clément IV – *36 quai du Canal - ☎ 04 66 87 00 66 - fermé dim. et lun. soir - 90/140.* Une vraie carte postale ce petit port de plaisance dans le marais ! Juste en face, en terrasse ou en véranda, découvrez produits de la mer et spécialités camarguaises dans ce restaurant aux allures campagnardes.

Calendrier

Cité de vieille tradition taurine, terre de « bouvine » (nombreuses courses camarguaises tout au long de la saison), St-Gilles se devait d'avoir sa **feria**. C'est désormais chose faite, sous le signe « de la pêche et de l'abricot », le 3e w.-end d'août : corridas, lâchers de taureaux dans les rues.

Le 12 juin 1209, il se présente nu devant le grand portail de l'église de St-Gilles et jure obéissance au pape. On lui passe une étole au cou et le nouveau légat, le tirant par cette étole, le fait entrer dans le sanctuaire, tout en le flagellant vigoureusement ; la pénitence se poursuit dans la crypte devant le tombeau de Castelnau et le comte est enfin libéré et absous. Cette soumission durera peu ; Raimond VI entamera une lutte sans merci contre les « Barons du Nord » conduits par Simon de Montfort.

découvrir

ÉGLISE SAINT-GILLES

Ancien chœur, vis de St-Gilles et crypte : Tlj sf dim. 9h-12h, 14h-17h (dernière entrée 1/2h av. fermeture), avr.-sept. : femeture à 19h. Fermé j. fériés. 20F. ☎ 04 66 87 41 31.

Le portail devant lequel Raimond VI jura obéissance – pour peu de temps – au pape.

On a du mal aujourd'hui, à imaginer l'importance de l'abbaye lors de son apogée. Pour s'en faire une idée, il faut reconstruire mentalement le chœur de l'ancienne abbatiale au-delà du chœur actuel, avec, sur la droite de l'église, un cloître dont la cour était entourée d'une salle capitulaire, d'un réfectoire, de cuisines et d'un cellier en sous-sol.

L'édifice, comme ses occupants, fut victime des guerres de Religion. En 1562, les protestants, non contents de jeter les religieux dans le puits de la crypte, incendient le monastère : les voûtes de l'église s'effondrent ; en 1622, ils abattent le grand clocher. Si bien qu'au 17e s., pour ne pas entreprendre de réparations trop importantes, l'église est raccourcie de moitié et sa voûte abaissée. Ainsi, du magnifique monument médiéval ne subsistent qu'une admirable façade, quelques vestiges du chœur et la crypte.

Façade 

Cette œuvre, une des plus belles pages de sculpture romane du Sud de la France, a été exécutée au 12e s. par plusieurs ateliers de sculpteurs (on y distingue cinq groupes stylistiques), très inspirés de l'antique comme l'atteste leur goût pour la technique du haut-relief et pour la représentation des volumes et des formes (drapés et vêtements plissés). Le thème représenté est celui du Salut à travers les épisodes de la vie du Christ.

La grande frise se lit de gauche à droite : les événements de la Semaine Sainte s'y déroulent, du jour des Rameaux au matin de la Résurrection pascale, avec la découverte du tombeau vide par les saintes femmes.

Ancien chœur

C'est la partie qui fut ravagée au 17e s. et rasée sous la Révolution. À l'extérieur de l'église actuelle, les bases des piliers et des murs montrent parfaitement le plan de l'ancien chœur avec son déambulatoire et ses cinq chapelles rayonnantes. Sur les côtés du déambulatoire, deux

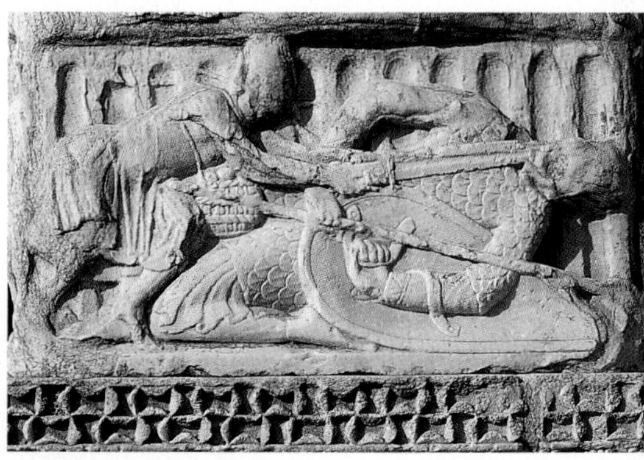

Parmi les artistes des bas-reliefs du portail, le « maître de saint Thomas » n'y allait pas de main morte !

Cinq artistes pour un chef-d'œuvre

Un style antiquisant, lourd et austère caractérise les sculptures attribuées au seul maître ayant laissé sa marque, Brunus (sculptures représentant Matthieu, Barthélemy, Jean l'Évangéliste, Jacques le Majeur et Paul). Un traitement linéaire et animé, de facture typiquement romane, marque la contribution du « maître de saint Thomas », auteur de Thomas, Jacques le Mineur, Pierre, ainsi que des bas-reliefs du portail central. On a qualifié de « maître doux » (drapés souples modelant les plis autour des bras et des jambes) l'auteur des apôtres, du tympan et du linteau du portail de gauche. Remarquez la différence de facture avec celle « maître dur », auteur des apôtres et du portail de droite : les plis des drapés sont plus rudes et les contrastes entre ombres et lumières sont accentués. Quant au « maître de saint Michel », son style mouvementé et très expressif peut être apprécié avec saint Michel terrassant le dragon ainsi que les entablements de part et d'autre du portail central.

petits clochers étaient desservis par des escaliers tournants, dont celui de gauche, la « vis de St-Gilles », subsiste.

Vis de St-Gilles★

Il faut monter au sommet *(50 marches)* de cet escalier, terminé en 1142, pour découvrir la rare qualité de la taille et de l'assemblage des pierres : les marches s'appuient sur le noyau central et sur les murs, intérieurement cylindriques. Leur emboîtement parfait compose une voûte hélicoïdale à 9 claveaux. L'art du tailleur apparaît dans la double concavité et convexité de chaque claveau.

De tout temps, la vis de St-Gilles a fasciné les compagnons tailleurs de pierre qui, dans leur tour de France, ne manquaient pas de venir l'étudier : de nombreux graffiti marquent leur passage et d'innombrables « chefs-d'œuvre », exécutés en réduction, témoignent de cette admiration.

Crypte★

Ici, autour du tombeau de saint Gilles, se déroulait un des plus importants pèlerinages d'Occident : pendant trois jours une foule de 50 000 personnes défilait dans le sanctuaire. L'église basse était autrefois couverte par des voûtes d'arête : il en subsiste quelques-unes dans des travées à droite de l'entrée. Le reste de la crypte présente des voûtes d'ogives (milieu du 12e s.) qui comptent parmi les plus anciennes de France. Remarquez l'escalier et le plan incliné qu'empruntaient les moines pour accéder à l'église haute. Sarcophages, autels antiques et chapiteaux romans méritent également l'attention.

visiter

Maison romane

Tlj sf dim. 9h-12h, 14h-17h (juil.-août : 9h-12h, 15h-19h). Fermé en janv. et j. fériés. Gratuit. ☎ 04 66 87 40 42.

C'est dans cette belle demeure du 12e s. que serait né Guy Foulque, devenu en 1265 le pape Clément IV. À l'intérieur, une salle d'ethnographie présente la vie saint-gilloise d'autrefois : outils et objets de berger, tonnellerie, travail des champs et vie quotidienne. Dans la salle « médiévale » (magnifique cheminée), petit musée lapidaire où sont rassemblés des vestiges (sarcophages, bas-relief du 12e s., tympan et chapiteaux) provenant de l'ancienne abbaye.

circuit

LA CAMARGUE GARDOISE★

73 km – compter une demi-journée.

Entre Costières et Petit-Rhône, Saint-Gilles et Aigues-Mortes, la Camargue gardoise, terre de marais et de roseaux, présente sans doute des paysages plus sévères que le delta du Rhône. Mais son attachement aux traditions, en particulier à celles liées à la « bouvine », en font un pays qui mérite d'être préservé... et exploré.

Courses

En août à Vauvert, une semaine de courses camarguaises. Le Cailar prend la relève avec une dizaine de courses. Aimargues et St-Laurent-d'Aigouze achèvent le mois avec force « abrivados », « bandidos » et courses camarguaises.

Quitter St-Gilles au Sud-Ouest par la N 572 en direction de Montpellier.

À flanc de coteaux, la route traverse le territoire des Costières de Nîmes (nombreuses caves de producteurs où l'on pourra faire quelques emplettes) tout en dominant sur la gauche une zone lacustre : les vastes étangs de Scamandre, puis du Charnier, que l'on devine parmi les roselières.

Prendre sur la gauche la D 179 en direction de Gallician puis, dans ce bourg viticole, à droite la petite D 381. Après le Mas Teissier, prendre sur la gauche la D 401 jusqu'au canal du Rhône à Sète.

Pont des Tourradons

Depuis ce pont perdu dans les marais, **vue★** intéressante sur un paysage typique de Petite-Camargue : canal rectiligne, étangs, roseaux, mariage de la terre et du ciel dans la solitude et le silence. En été, quelques manades de taureaux noirs aux cornes en lyre paissent paisiblement dans les « prés » du Cailar. Il s'agit sans doute d'un des endroits où l'on peut approcher au plus près ce qu'est véritablement la Camargue authentique.

Reprendre en sens inverse la D 104 puis, à droite, en direction de Vauvert, la D 352.

Vauvert

Ce gros bourg viticole, aujourd'hui banlieue résidentielle de Nîmes, a conservé un centre ancien, avec des halles converties en lieu d'expositions.

Continuer sur la N 572 vers Aimargues.

Au rond-point donnant accès au village du Cailar (dont la signalétique a été conçue et réalisée par le peintre François Boisrond), tombeau d'un fameux taureau camarguais, Le Sanglier.

Avant Aimargues, prendre sur la gauche la D 979 en direction d'Aigues-Mortes.

DIABLE !

L'expression « Au diable Vauvert » n'a effectivement rien à voir avec Vauvert qui, du reste, s'appelait autrefois Posquières avant de prendre le nom d'un lieu de pèlerinage proche, la Vallis Viridis, ou Vallée verte. Quoi qu'il en soit, Vauvert célèbre chaque année avec ferveur ses « Diableries ».

Château de Teillan *(voir p. 98)*

Saint-Laurent-d'Aigouze

Gros bourg viticole dont il faut absolument fréquenter les arènes, installées sur la place du village qu'ombragent de grands platanes et adossées à l'église (la sacristie semble servir de toril...), lors des grandes courses camarguaises de la fête votive (fin août).

Par la D 146, on passe devant la **tour Carbonnière** *(voir p. 98)*.

Rejoindre la D 58 pour prendre à gauche en direction d'Arles, traversant alors le domaine des vins (et des asperges) des sables. De proche en proche, grands mas, souvent ombragés de bosquets de pins parasols.

Au bout de 9,5 km, prendre sur la gauche en direction de Montcalm et St-Gilles la petite D 179.

Dans le hameau de **Montcalm**, vestiges d'une vaste demeure (très dégradée) du début du 18e s. où le marquis de Montcalm séjourna avant son départ au Canada. Une chapelle de la même époque, accolée à un mas, s'élève à droite dans le vignoble.

Très étroite, la route longe le canal des Capettes jusqu'au mas des Iscles. Au carrefour, garez votre voiture dans le parking du centre du Scamandre.

LA SAGNE

La coupe du roseau, ou « sagne », a de tout temps constitué une ressource locale majeure. De la mi-novembre au mois d'avril, le roseau sec est coupé, souvent à la main, par les « sagneurs » puis entassé en gerbes. La récolte sert à confectionner des toits de chaume (pour les cabanes de gardian, par exemple) et à fabriquer les « paillassons » utilisés pour protéger les cultures. Mais cette pénible et peu rentable activité est de plus en plus délaissée (malgré la mécanisation) et les roseaux ont tendance à proliférer au détriment des équilibres écologiques du marais...

Centre de découverte du Scamandre

Nov.-mai : mer.-sam. 9h-17h. Fermé dim. et j. fériés. Se renseigner au préalable. 30F. ☎ 04 66 73 52 05.

Aménagé dans la réserve naturelle du Scamandre, il a pour mission essentielle la protection et la gestion des marais ainsi que la sensibilisation du public à ce fragile écosystème.

La D 179, à droite, conduit vers Gallician, le long du canal des Capettes, très fréquenté par les pêcheurs et qui court entre les étangs du Charnier et de Scamandre, dans une véritable forêt de roseaux, fort appréciés des « sagneurs ».

Après avoir franchi le canal du Rhône à Sète et traversé Gallician, rentrer sur Vauvert par la N 572 à droite.

Dans les roselières des étangs de Scamandre et du Charnier, une récolte aujourd'hui mécanisée (près de Gallician).

Saint-Maximin-la-Sainte-Baume★★

De loin, sa magnifique basilique la domine de façon impressionnante : petite ville très provençale, Saint-Maximin vous propose une étape agréable et verdoyante sur la route des vacances.

La situation

Cartes Michelin nos 84 plis 4, 5, 114 pli 18 et 245 pli 33 – Var (83). La ville occupe le fond d'un ancien lac, non loin des sources de l'Argens, dans une région que cernent au Nord des collines boisées, entrecoupées de vignobles, et au Sud les assises du massif de la Ste-Baume. Par la N 7 ou par l'autoroute, on accède à la place du marché, ombragée de platanes (vaste parking à proximité). *Hôtel de ville, Accueil du Couvent Royal, 83470 St-Maximin-la-Ste-Baume, ☎ 04 94 59 84 59.*

Terroir

Marché provençal (miel, fruits, légumes) sur la Grand-Place les sam. et dim. matin.

Le nom

Le village a pris le nom du saint qui, selon la légende, l'évangélisa et dont on retrouva le tombeau au 13e s.

Les gens

12 402 St-Maximinois qui doivent à Lucien Bonaparte (1775-1840) la sauvegarde de leur basilique. Le frère de Napoléon, sans doute le plus intelligent de la fratrie, était pendant la Révolution président du club jacobin de Saint-Maximin : il empêcha la destruction de la cathédrale en la transformant en dépôt de vivres, et celle des orgues... en y faisant jouer *La Marseillaise*.

se promener

Le village

Dans cette ancienne « ville neuve », au plan en damier, placettes ombragées et fontaines incitent à la flânerie. Au Sud de l'église, un passage couvert rejoint la rue Colbert. Celle-ci, bordée d'arcades du 14e s., signale l'emplacement de l'ancien ghetto ; de l'autre côté, maison habitée par Lucien Bonaparte et ancien Hôtel-Dieu. En revenant en arrière, on aboutit à une placette dominée par la tour de l'Horloge et son campanile. Sur la droite, en direction de la rue De Gaulle, jolie maison du 16e s. (tourelle en encorbellement).

visiter

La basilique★★

DÉCOUVERTE

Sainte Marie-Madeleine était apparue en songe, parlant d'un lieu « où se trouverait une plante de fenouil toute verdoyante ». Charles II d'Anjou fit immédiatement faire des fouilles et l'un des sarcophages ayant laissé échapper des effluves anisés, il ne restait plus qu'à élever une basilique sur place pour honorer la sainte parfumée.

Visite : 3/4h. À l'emplacement d'une église mérovingienne, on avait découvert en 1279 les tombeaux de sainte Marie-Madeleine et de saint Maximin, cachés en 716 par crainte des Sarrasins qui dévastaient la région. En 1295, le pape Boniface VIII reconnut les saintes reliques et, sur le lieu de la découverte, Charles d'Anjou, roi de Sicile et comte de Provence fit bâtir une basilique et un couvent accolé, vaste bâtiment à 3 étages en forme de U. Il y installa les dominicains, gardiens du tombeau et animateurs du très célèbre pèlerinage.

L'extérieur de l'édifice, le plus important exemple de style gothique en Provence, mêle des influences du Nord (Bourges en particulier) aux traditions locales ; l'absence de clocher, la façade inachevée et les contreforts massifs qui soutiennent, en s'élevant très haut, les murs de la nef contribuent à lui donner un aspect trapu. Il n'y a ni déambulatoire ni transept.

L'**intérieur** comprend une nef, un chœur et deux bas-côtés d'une remarquable élévation. La nef, haute de 29 m, à deux étages, est voûtée d'ogives dont les clefs de voûte portent des blasons des comtes de Provence et des rois de France ; une abside à cinq pans clôture le chœur. Les bas-côtés, hauts de 18 m seulement pour permettre l'éclairage de la nef par ses fenêtres hautes, s'achèvent par une absidiole à quatre pans.

HÉBERGEMENT

Hôtellerie du Couvent Royal – *Pl. Jean-Salusse - ☎ 04 94 86 55 66 - www.hotelcouventstmaximin.com - P - 29 ch. : 290/480F - ☕ 60F - restaurant 235F.* Un hôtel au cœur de l'histoire... Accolées à la basilique, les anciennes cellules du couvent sont désormais des chambres à la sobriété monacale. Dix d'entre elles sont dans une aile plus actuelle. Les repas sont servis dans la salle capitulaire ou dans le cloître. Un lieu rare.

Remarquez successivement le double buffet des grandes orgues **(1)**, œuvre du frère Isnard de Tarascon, un des plus beaux qui nous restent du 18e s. ; une belle statue en bois doré de saint Jean-Baptiste **(2)** ; le retable des Quatre Saints, du 15e s. **(3)** ; l'autel du rosaire **(4)** ; la clôture du chœur (17e s.) aux découpures garnies de

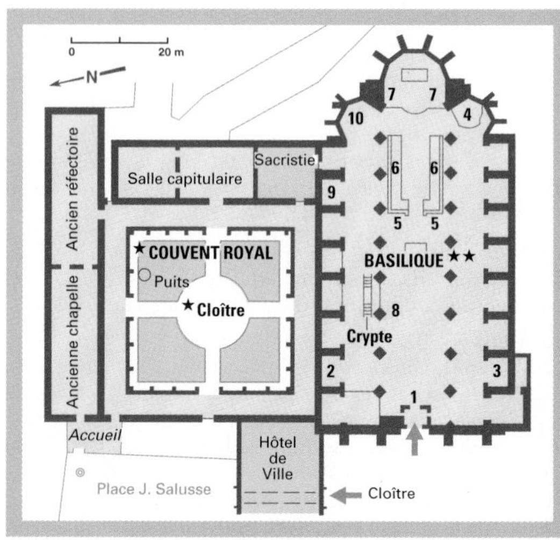

grillages en fer forgé, aux armes de France **(5)** ; les 94 stalles exécutées au 17e s. par le frère convers dominicain Vincent Funel **(6)** ; la décoration en stuc de J. Lombard **(7)** ; la chaire, véritable chef-d'œuvre de travail du bois, dont les sculptures représentent diverses phases de la vie de Marie-Madeleine **(8)** ; la base d'un retable du 15e s. de l'école provençale où l'on voit la décollation de saint Jean-Baptiste, sainte Marthe arrêtant la Tarasque sur le pont de Tarascon et le Christ apparaissant à Marie-Madeleine **(9)** ; et surtout, un **retable★** en bois peint (16e s.) de Ronzen, dont le tableau central (Crucifixion) est entouré de 18 médaillons **(10)**.

La **crypte**, ancien oratoire paléochrétien, renferme quatre sarcophages du 4e s. : ceux de sainte Marie-Madeleine, saintes Marcelle et Suzanne, saints Maximin et Sidoine.

Au fond, reliquaire du 19e s. contenant un crâne, vénéré comme étant celui de sainte Marie-Madeleine. Quatre plaques de marbre ou de pierre comportent des figures gravées au trait de la Vierge, Abraham, Daniel (an 500 environ).

Restauration

Du Côté de Chez Nous – *Pl. Malherbes* - ☎ *04 94 86 52 40 - 110/160F.* C'est dans cette auberge que Lucien Bonaparte épousa la fille de l'aubergiste en 1794. Aujourd'hui, mobilier en fer forgé, couleur rouge et boiseries servent de cadre à une cuisine régionale. Terrasse et véranda sur la place.

Le sarcophage de saint Sidoine : pour le trouver, il suffit de suivre l'odeur anisée du fenouil...

Couvent royal★

9h-18h. Gratuit. ☎ *04 94 86 55 66.*

Commencé au 13e s. en même temps que la basilique à laquelle il s'adosse, il fut achevé au 15e s. Le **cloître★**, d'une grande pureté de lignes, compte 32 travées. Autour des galeries se répartissent une ancienne chapelle aux belles voûtes surbaissées et l'ancien réfectoire des religieux. La **salle capitulaire**, qui s'ouvre par une porte flanquée de deux fenêtres, présente une belle voûte gothique sur de fines colonnettes aux chapiteaux ornés de feuillage et prenant appui sur des culs-de-lampe placés très bas. L'hôtel de ville occupe l'hôtellerie du couvent, important bâtiment du 17e s.

Soirées romantiques

Le jardin du cloître, avec sa végétation abondante et variée (buis, ifs, tilleuls, cèdres), sert de cadre, en été, aux concerts des Soirées musicales de St-Maximin.

Saint-Michel-de-Frigolet

Au creux d'un vallon de la Montagnette, l'abbaye de St-Michel se dresse parmi les pins, les oliviers et les cyprès : on comprend que les moines de Montmajour aient choisi au 10e s. ce cadre enchanteur parfumé de thym, de lavande et de romarin.

La situation

Cartes Michelin nos 81 pli 11, 245 pli 29 et 246 pli 25 – Bouches-du-Rhône (13).

Qu'on arrive de Tarascon ou d'Avignon, en abordant l'abbaye par Barbentane (et la D 35 E), Boulbon ou Graveson (et la D 81), surprise garantie devant l'enceinte néo-médiévale qui avec ses tours, courtines, créneaux et

Effet secondaire de l'élixir du père Gaucher ? Le délire néo-médiéval d'un émule de Viollet-le-Duc !

mâchicoulis semble tout droit sortie d'un dessin animé de Walt Disney. 🅷 *Hôtellerie, abbaye St-Michel-de-Frigolet, 13150 Tarascon,* ☎ *04 90 90 52 70.*

Le nom

Frigolet est une altération de *farigola*, la « farigoule », nom occitan désignant le thym : quelques pas dans la Montagnette suffisent pour convenir que l'appellation n'a rien d'usurpé.

Les gens

Le R.-P. Gaucher qui, tortillant son chapelet de noyaux d'olives, confiait au prieur le secret de l'élixir de la tante Bégon est sans doute né de l'imagination de Daudet.

Dix siècles bien agités

Fondée par les moines de Montmajour souvent atteints de fièvres paludéennes (ils venaient s'y rétablir, d'où le nom de la chapelle de N.-D.-du-Bon-Remède), l'abbaye vit se succéder des religieux de divers ordres avant d'être vendue comme bien national à la Révolution. Pensionnat quelque temps (elle compta Mistral parmi ses élèves), elle fut abandonnée en 1841 avant que les prémontrés ne viennent s'y établir en 1858. La communauté fut dispersée en 1880 après avoir subi un véritable siège, puis à nouveau en 1903 avant que les prémontrés reprennent, après 1918, possession des lieux.

Adresse
Distillerie Liqueur de St-Michel-de-Frigolet – *26 r. Voltaire - 13160 Châteaurenard -* ☎ *04 90 94 11 08.* Si le père Gaucher n'a pas existé, son élixir, lui, est bel et bien fabriqué, vendu et bu !

visiter

Église abbatiale et N.-D.-du-Bon-Remède

Cette abbatiale néo-gothique du 19ᵉ s. a été construite autour de la chapelle de N.-D.-du-Bon-Remède dont la structure romane est dissimulée sous une débauche de **boiseries★** dorées (offertes par Anne d'Autriche) et de tableaux attribués à l'école de Nicolas Mignard. Dans le hall sur lequel s'ouvre le réfectoire, beaux santons modernes en bois d'oliviers millénaires sculptés par... un professeur de judo de Noves.

Dans la galerie Nord du **cloître** (début du 12ᵉ s.) quelques vestiges romains : frises, chapiteaux, masques. *Visite guidée (1h) tlj sf sam. à 14h30, dim. à 16h. Fermé j. fériés. Gratuit.* ☎ *04 90 95 70 07.*

Musée

Il abrite des meubles provençaux, une belle collection de pots de pharmacie anciens et la porte Renaissance qui fermait autrefois la chapelle N.-D.-du-Bon-Remède.

Église St-Michel

L'église St-Michel (12ᵉ s.) charme par sa simplicité. Elle a conservé un beau toit en dalles de pierre que termine une élégante crête ajourée.

Saint-Rémy-de-Provence★

Au cœur des Alpilles, Saint-Rémy fleure bon la Provence : boulevards ombragés de platanes, terrasses de cafés caressées par le soleil, ruelles débouchant sur des places ornées de fontaines, senteurs du thym et du romarin lorsque le marché envahit la ville, tout ici vous invite à remettre au lendemain ce qui ailleurs semblerait urgent... avec à deux pas, les ruines romaines, rappel d'un passé qui, sur cette vieille terre, demeure toujours un peu présent.

Visite
Visites guidées de la ville (1h1/2) – Elles sont organisées par l'Office de tourisme, dans la vieille ville. Ven. 10h. Réservation obligatoire. 35F.

La situation

Cartes Michelin nᵒˢ 84 pli 1, 245 pli 29 et 246 pli 26 – Bouches-du-Rhône (13). Impossible de se tromper : après avoir traversé les faubourgs, on aboutit aux boulevards ombragés qui enserrent la vieille cité... en sens unique.

Restauration

• À bon compte

Le Monocle – *48 r. Carnot - fermé nov. à fév., jeu. et dim. - ☒ - 68/88F.* Univers de science-fiction dans ce petit restaurant résolument original, avec ses fresques murales fantastiques. À la fois raffinés et copieux, les plats méridionaux, en revanche, ne sont pas fictifs. Venir tôt de préférence car les places sont comptées.

La Cassolette – *53 r. Carnot - ☎ 04 90 92 40 50 - fermé 2 janv. au 13 fév., lun. soir hors sais. et mar. sf j. fériés - ☒ - 72/165F.* Il faut s'enfoncer dans le vieux St-Rémy pour trouver cette maisonnette où les jeunes patrons concoctent une cuisine régionale pur jus. Vous la dégusterez dans une de ses deux salles aux murs patinés de jaune, servie par l'aimable patronne.

• Valeur sûre

La Maison Jaune – *15 r. Carnot - ☎ 04 90 92 56 14 - fermé 8 janv. au 8 mars, dim. soir en hiver, mar. midi de juin à sept. et lun. - réserv. obligatoire - 180/305F.* Jaune est la façade de ce restaurant en plein centre-ville. Jaune aussi le carrelage à motifs de sa jolie terrasse sur deux niveaux, à l'ombre d'un auvent charpenté et ouvrant sur l'église. Mobilier en teck et ferronnerie. Cuisine du marché légère aux senteurs provençales.

Hébergement

• À bon compte

Camping Monplaisir – *0,8 km au NO de St-Rémy par D 5 rte de Maillane et chemin à gauche - ☎ 04 90 92 22 70 - ouv. mars au 5 nov. - réserv. conseillée - 130 empl. : 80F.* Cyprès, pins parasols et lavande... C'est tout un jardin provençal fleuri au pied de votre tente, à 1 km du centre-ville. Espace vert autour de la piscine pour « farnienter » en toute tranquillité.

• Valeur sûre

L'Amandière – *Av. Plaisance du Touch - 1 km au NE de St-Rémy par rte d'Avignon puis rte de Noves - ☎ 04 90 92 41 00 - fermé fin oct. à mi-déc. et début janv. à mi-mars - P - 26 ch. : 295/360F - ☕ 41F.* Le quartier est calme, la bâtisse récente, le jardin et la piscine sont plaisants, avec en prime un accueillant charmant... Que demander de plus ? Les chambres sont sobres, de taille moyenne, certaines avec petites terrasses ou balcons. Petit-déjeuner soigné sous la véranda ou en terrasse.

Le Petit Duc

Chambre d'hôte La Chardonneraie – *60 r. Notre-Dame - 13910 Maillane - 7 km au NO de St-Rémy par D 5 - ☎ 04 90 95 80 12 - fermé déc. et janv. - ☒ - 4 ch. : 360/470F.* Faisant partie d'un ancien mas provençal, cette maison de charme saura vous séduire avec ses couleurs chatoyantes, son mobilier ancien, son petit jardin et sa piscine. Au petit-déjeuner, le propriétaire vous indiquera les routes et sentiers pittoresques pour découvrir la région.

Le temps d'un verre

Café des Arts – *30 bd Victor-Hugo - ☎ 04 90 92 13 41 - Mar.-dim. 7h-0h30. Fermé en fév.* Foyer artistique de la ville, ce café est fréquenté par des célébrités du show-biz venues chercher un peu de tranquillité dans ces modestes murs, dont les cimaises accueillent les toiles des peintres régionaux et ce depuis des décennies. Ne pas oublier d'ailleurs de jeter un coup d'œil à la décoration de la salle à manger.

Achats

Santonnier Laurent-Bourges – *Rte Maillane - À 2 km de Saint-Rémy par la D 5. - ☎ 04 90 92 20 45 - Tlj 9h-19h.* En pleine campagne où il réside, Laurent Bourges se consacre à son métier de santonnier depuis 44 ans. Rendez-lui visite, il vous montrera son atelier et, qui sait, vous dévoilera peut-être quelques secrets de son savoir-faire ancestral. Il arrive qu'on y croise quelque célébrité venue compléter sa collection de santons.

Le Petit Duc – *7 bd Victor-Hugo - ☎ 04 90 92 08 31 - Tlj 10h-13h, 15h-19h sf mer.* Recréées à partir de recettes puisées dans de vieux grimoires, les douceurs du Petit Duc vous surprendront aussi bien par leur saveur que par leurs noms tendrement évocateurs : oreilles de la bonne déesse, pastilles d'amour et surtout la spécialité de la ville : le Pignolat de Nostradamus.

Calendrier

Festival Organa – Le festival international d'orgue a lieu en août dans la collégiale St-Martin.

Nuits d'été saint-rémoises – Festival de théâtre et cinéma sous les étoiles à l'espace Dourguin entre mi-juin et mi-sept.

Glanum en fête – Théâtre sur le site de Glanum en juin.

Jazz dans les Alpilles – À l'espace Dourguin.

Fête de la transhumance – Lun. de Pentecôte : chèvres, brebis et moutons traversent la cité en fête qui accueille une foire aux fromages, une brocante et une exposition d'ânes de Provence.

Feria provençale – Mi-août. Courses camarguaises, *abrivados, encierros* (lâchers de taureaux) et *carreto ramado* (charrette décorée, tirée par 40 chevaux).

Noël – Marché du « gros souper » permettant de se procurer les ingrédients de base pour le repas de Noël ; veillée de Noël et pastorale jouée par les Saint-Rémois.

Fêtes de la route des peintres – Elles se déroulent entre mai et oct. sur 4 week-ends. Plus de 200 artistes exposent leurs œuvres dans la rue.

Une peinture murale sur la façade de l'hôtel de ville rappelle que Charles Gounod séjourna à St-Rémy en 1869 et qu'il y composa la musique de Mireille.

Reste à trouver une place : au parking de la place de la République, s'il n'y a pas trop de monde. Sinon, un conseil : cherchez plutôt sur le boulevard Marceau, près des arènes. *Pl. Jean-Jaurès, 13120 St-Rémy-de-Provence, 04 90 92 05 22.*

Le nom

Une fois l'antique Glanum (dont le nom pourrait signifier rivière) abandonnée, la nouvelle cité se développa sous la protection de l'abbaye St-Rémi de Reims. En témoignage de reconnaissance, elle prit le nom de son lointain parrain.

Les gens

9 806 Saint-Rémois qui surent attirer les artistes (les nombreuses galeries d'art de la ville maintiennent la tradition) : Van Gogh séjourna un an à St-Paul de Mausole et le peintre Mario Prassinos y réalisa en 1985 les saisissantes *Peintures du Supplice* de la chapelle Notre-Dame de Pitié.

découvrir

LE PLATEAU DES ANTIQUES**

2h. Quitter St-Rémy par ③ du plan. Garer votre voiture sur le parking aménagé à droite, devant l'arc municipal.

Au pied des derniers contreforts des Alpilles, à 1 km au Sud de St-Rémy, parmi pinèdes et olivettes, s'élevait la riche cité de Glanum. Abandonnée à la suite des destructions barbares de la fin du 3e s., il en subsiste deux magnifiques monuments – le mausolée et l'arc municipal – qui semblent veiller sur le champ de ruines antiques.

Au 1er étage du mausolée, on peut lire sous une frise à sujet marin cette inscription : « Sextius, Lucius, Marcus, fils de Caïus, de la famille des Julii, à leurs parents. » Il s'agit d'une dédicace que trois frères firent graver en l'honneur de leurs père et grand-père, dont les statues sont placées à l'intérieur de la rotonde à colonnade corinthienne du 2e étage.

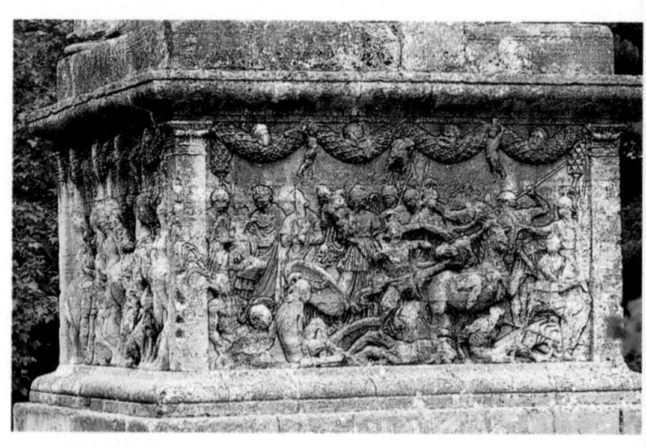

Le mausolée**

À l'exception de la pomme de pin qui coiffait sa coupole, ce mausolée de 18 m de haut, un des plus beaux du monde romain, nous est parvenu intact. On sait aujourd'hui qu'il ne s'agissait pas d'un tombeau, mais d'un monument élevé à la mémoire d'un défunt, sans doute vers 30 avant J.-C.

Des bas-reliefs représentant des scènes de batailles et de chasse ornent les quatre faces du socle carré.

Arc municipal*

Peut-être contemporain du mausolée, il passe pour le plus ancien des arcs romains de Narbonnaise. Sur le passage de la grande voie des Alpes, il marquait l'entrée de Glanum. Ses proportions parfaites (12,5 m de longueur, 5,5 m de largeur et 8,6 m de hauteur) et la qualité exceptionnelle de son décor sculpté dénotent une influence grecque, très sensible à Glanum : arcade unique sculptée d'une ravissante guirlande de fruits et de feuilles ; voûte ornée de caissons hexagonaux finement ciselés. Sur les côtés, des captifs, hommes et femmes, au pied de trophées, laissent transparaître leur abattement.

COPIEURS

Selon certaines hypothèses, la forme très particulière de cet arc aurait inspiré certains portails romans, comme celui de St-Trophime à Arles.

Glanum, de I à III

À l'origine sanctuaire vénéré par une peuplade celto-ligure, les Glaniques, situé à proximité de deux importantes routes, Glanon (ou Glanum I) ne tarda pas à entrer en contact avec les négociants massaliotes. Cette cité hellénisée comprenait des édifices publics (temple, agora, salle d'assemblée, rempart) et des maisons à péristyle.

Glanum II commence avec la conquête romaine de la fin du 2e s. avant J.-C. et l'occupation du pays par les armées de Marius après sa victoire sur les Cimbres et les Teutons. Les bâtiments publics disparaissent en grande partie.

La dernière période (Glanum III) suit la prise de Marseille par César en 49 avant J.-C. La romanisation s'intensifie et, sous Auguste, la ville fait peau neuve. Au centre, les constructions anciennes laissent place à une vaste esplanade sur laquelle se dressent de grands monuments publics : forum, basilique, temples, thermes, etc.

Explications

Dans le bâtiment d'accueil, deux maquettes du site, des fresques reconstituées, ainsi que divers fragments d'architecture et objets domestiques familiarisent le visiteur avec les différentes phases de l'histoire du site.

Glanum★

Avr.-sept. : 9h-19h ; oct.-mars : 9h-12h, 14h-17h (dernière entrée 1/2h av. fermeture). Fermé 1er janv., 1er mai, 1er et 11 nov., 25 déc. 32F. ☎ 04 90 92 23 79.

Le champ de ruines présente un ensemble de structures complexes, suite aux trois périodes distinctes d'occupation.

Sanctuaire gaulois – Établi en terrasses, il remonte au 6e s. avant J.-C. Dans le secteur, on a retrouvé des statues de guerriers accroupis et des stèles à crânes identiques à celles des grands oppidums salyens.

Bassin monumental – Il marque l'emplacement de la source qui est peut-être à l'origine de Glanum. Il est constitué de murailles en grand appareil de type grec. Un escalier mène au fond, encore alimenté en eau. Juste à côté, Agrippa fit édifier en 20 avant J.-C. un temple dédié à Valetudo, déesse de la santé.

Conseil

Depuis les **belvédères**, on embrasse du regard l'ensemble du site.

Porte fortifiée – Ce remarquable vestige hellénistique utilise, comme à St-Blaise, la technique massaliote des fortifications en gros blocs rectangulaires bien ajustés avec merlons et gargouilles. Le rempart, qui comprend une poterne en chicane et une porte charretière, était destiné à protéger le sanctuaire.

Temples – Au Sud-Ouest du forum (sur la gauche en descendant) s'élevaient deux temples jumeaux entourés d'un péribole dont la partie Sud recouvrait partiellement une salle d'assemblée (le *bouleutérion*) avec ses gradins. Ces monuments romains, les plus anciens de ce type en Gaule, dateraient de 30 avant J.-C. De leur riche décoration, on a exhumé d'importants fragments et de très belles sculptures *(visibles à l'hôtel de Sade)*. En face, devant le forum, s'étendait la cour trapézoïdale d'un bâtiment hellénistique, entourée de colonnades, où se dressait une fontaine monumentale **(1)**.

Forum – Aménagé sur les décombres d'édifices préromains, le forum se terminait au Nord par la basilique (bâtiment à vocation multiple, commerciale et administrative

Glanum : tout le charme d'une ville abandonnée depuis plus de 17 siècles.

en particulier) dont il reste 24 piles de fondations, et sous laquelle se trouvaient un temple et la maison de Sulla qui a livré des mosaïques sans doute les plus anciennes de la Gaule **(2)**. Au Sud de la basilique s'étendait la grande cour du forum, sous laquelle ont été retrouvés une maison et un grand bâtiment hellénistique.

Canal couvert – C'est vraisemblablement un ancien égout, drainant les eaux du vallon et de la ville, dont la couverture a formé le pavement de la principale rue de Glanum.

Thermes – Ils remontent à l'époque de César. On reconnaît la salle de chauffe **(3)**, la salle froide **(4)**, la salle tiède **(5)** et le bassin chaud **(6)**, une palestre, aménagée pour les exercices physiques, et enfin la piscine froide, peut-être à eau courante.

On vous écoute
Remarquez, dans la maison d'Atys, un autel votif dédié aux oreilles (attentives) de la déesse.

Maison d'Atys – Elle se divisait, dans son état primitif, en deux parties (cour à péristyle au Nord et bassin au Sud) reliées par une large porte. Par la suite, un sanctuaire de Cybèle fut aménagé vers le péristyle.

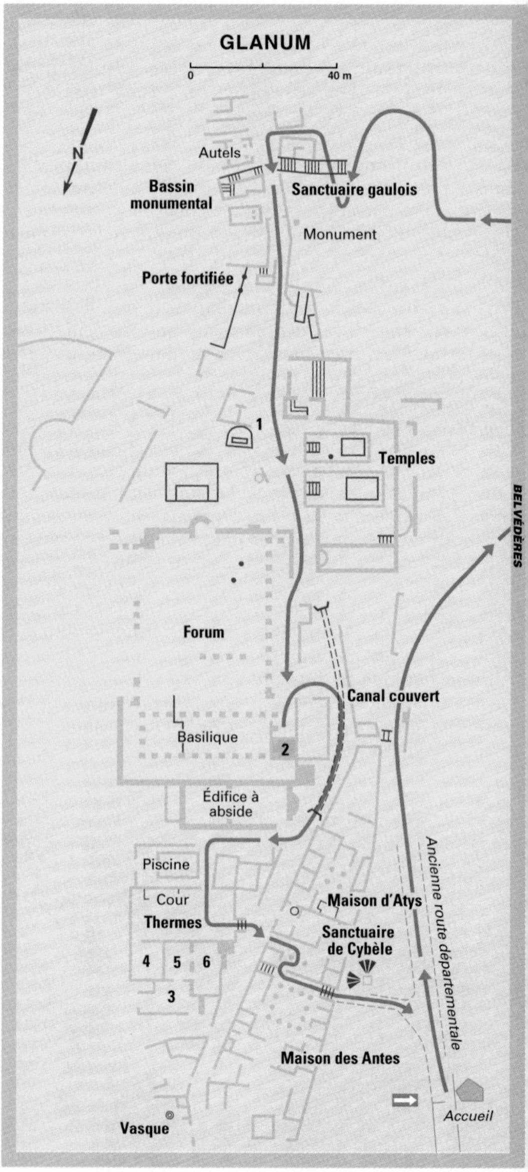

GLANUM
0
40 m
N
Autels
Bassin monumental
Sanctuaire gaulois
Monument
Porte fortifiée
1
Temples
BELVÉDÈRES
Forum
Canal couvert
Basilique
2
Édifice à abside
Piscine
Cour
Thermes
4 5 6
3
Maison d'Atys
Sanctuaire de Cybèle
Ancienne route départementale
Maison des Antes
Vasque
Accueil

ST-RÉMY-DE-PROVENCE

Carnot (R.)	Y
Combette (Ch. de la)	Z
Commune (R.)	Z 2
Durant-Maillane (Av.)	Z
Fauconnet (Av.)	Z
Favier (Pl.)	Y
Gambetta (Bd)	Y
Gras (Av. F.)	Y
Hoche (R.)	Z 4
Jaurès (Pl. J.)	Z
La Fayette (R.)	Z 6
Libération (Av. de la)	Y 7
Marceau (Bd)	Y
Mirabeau (Bd)	YZ 8
Mistral (Av. F.)	Y
Mistral (Av. L.)	Y
Nostradamus (R.)	Y 10
Parage (R.)	Y 12
Pasteur (Av.)	Z
Pelissier (Pl. J.)	Z
République (Pl. de la)	Z
Résistance (Av.)	Z 13
Roux (R.)	Z 14
Salengro (R. R.)	Y 15
Schweitzer (Av. A.)	Y
Taillandier (Av. G. St-René)	Y
Victor-Hugo (Bd)	Z
8-Mai-1945 (R. du)	Z 16

Maison natale de Nostradamus	Z **D**
Ancien hôpital St-Jacques	Z **E**
Hôtel Estrine (Centre d'Art Présence Van Gogh)	Z **F**
Fontaine Nostradamus	Y **K**
Hôtel de Sade (dépôt lapidaire)	Y **L**
Hôtel Mistral de Mondragon (musée des Alpilles Pierre-de-Brun)	Y **M**
Hôtel de Lubières	Y **N**
Hôtel d'Almeran-Maillane	Y **R**
Chapelle Notre-Dame-de-Pitié (Donation Mario Prassinos)	Y **S**

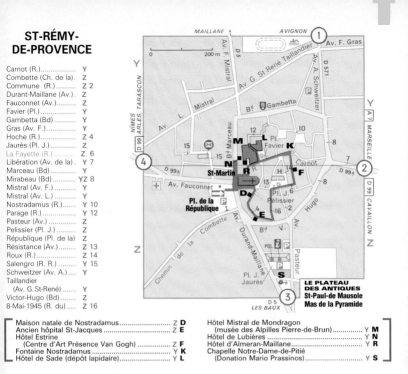

Maison des Antes – Contiguë à la précédente, c'est une vaste et belle demeure de type grec ; son plan est organisé autour d'une cour centrale à péristyle et sa citerne. La baie d'entrée d'une salle conserve encore ses deux pilastres (les *antes*).

se promener

Bordant le boulevard circulaire, la **place de la République** anime le centre-ville avec ses terrasses de café et les couleurs des jours de marché.

Collégiale St-Martin

Son imposante façade n'a conservé de l'édifice primitif que le clocher du 14e s. À l'intérieur, exceptionnel buffet d'orgue polychrome, reconstruit en 1983.

Admirer

L'orgue de St-Martin, sur lequel les plus grands interprètes viennent jouer en juillet, est l'œuvre d'un facteur carpentrassien, Pascal Quoirin. Il comprend 62 jeux (environ 500 tuyaux) répartis sur 3 claviers et un pédalier.

Dans la rue Hoche qui, à droite de la collégiale, longe les restes de l'enceinte du 14e s., **maison natale de Nostradamus** et bâtiment de l'**ancien hôpital St-Jacques**.

Par le boulevard Victor-Hugo puis, à droite la rue du 8-Mai-1945, on atteint la place Jules-Pélissier, où se dresse la mairie, installée dans un ancien couvent. Poursuivre par la rue La Fayette (à droite) puis, à gauche, la rue Estrine.

Hôtel Estrine

Au n° 8. Bâti en 1748, ce bel hôtel doit son nom actuel à un maître cordier marseillais, Louis Estrine. Le bâtiment en pierre de taille, à trois niveaux, présente en façade une partie centrale concave où s'ouvre le portail surmonté d'un élégant balcon en fer forgé. À l'intérieur, l'escalier monumental en pierre dessert les pièces du 1er étage pavées de tomettes et ornées de gypseries. L'hôtel abrite le **Centre d'Art Présence Van Gogh** : montage audiovisuel et expositions consacrées à l'œuvre et au séjour saint-rémois de Vincent ; expositions d'art contemporain. *De mi-mars à fin oct. et déc. : tlj sf lun. 10h30-12h30, 14h30-18h30. 20F. ☎ 04 90 92 34 72.*

À l'angle des rues Carnot et Nostradamus, **fontaine Nostradamus** (19e s.) ornée du portrait de l'enfant du pays.

À quelques pas, la place Favier (Le Planet ou ancienne place aux Herbes) est entourée de beaux hôtels des 15e et 16e s., transformés en musées : l'**hôtel de Sade** (15e-16e s.), aujourd'hui musée lapidaire, et l'**hôtel Mistral de Mondragon**, vaste demeure du 16e s. ordonnée autour d'une belle cour avec tourelle d'escalier ronde et loggias, qui abrite le musée des Alpilles.
Plus loin, hôtel **d'Almeran-Maillane** (Gounod y donna la première audition de *Mireille*) avant de retrouver le boulevard Marceau.
Un crochet sur la droite permet de découvrir, au n° 11, l'ancien **hôtel de Lubières**, dit aussi « maison de l'amandier ».

visiter

Dépôt lapidaire★

Hôtel de Sade. Avr.-sept. : 10h-12h, 14h-18h (juil.-août : fermeture à 19h) ; oct.-mars : 10h-12h, 14h-17h. Fermé 1er janv., 1er mai, 1er et 11 nov., 25 déc. 15F. ☎ 04 90 92 64 04.

La visite de cette collection complète la découverte du site de Glanum dont il expose de remarquables vestiges. Citons le très bel acrotère du temple de la déesse Valetudo, des restes des thermes du 4e s. et d'un baptistère du 5e s. (dans la cour). Au 2e étage, collection d'objets évoquant la vie quotidienne à Glanum : outillage, objets en bronze et en os, urnes funéraires, céramiques, lampes à huile (parmi elles, rare lampadaire à deux rangées superposées de lampes), bijoux (dont une magnifique bague en cristal de roche ornée d'une tête féminine finement ciselée).

Acro quoi ?
Un acrotère est l'extrémité ou le socle du fronton d'un temple qui servait de support à des statues ou à un vase.

Musée des Alpilles Pierre-de-Brun

Mars-oct. : 10h-12h, 14h-18h (juil.-août : fermeture à 19h) ; nov.-déc. : 10h-12h, 14h-17h. Fermé janv.-fév., 1er mai, 25 déc. 18F. ☎ 04 90 92 68 24.

Collections d'arts et traditions populaires : meubles, folklore, costumes, santons, etc. Documents relatifs à Nostradamus ; minéraux.

Donation Mario Prassinos★

Chapelle N.-D.-de-Pitié. Juil.-août : 10h-12h, 15h-19h ; sept.-juin : 14h-18h. Fermé janv.-fév., 1er mai, 1er et 11 nov., 25 déc. Gratuit. ☎ 04 90 92 35 13.

C'est pour la petite chapelle **Notre-Dame-de-Pitié**, où jadis les pèlerins se rendaient lorsqu'apparaissaient de grands fléaux, peste ou famine, que **Mario Prassinos** (1916-1985), artiste d'origine grecque établi à Eygalières, a réalisé cette série de peintures murales sur le thème du supplice. Des gravures sur cuivre, des estampes, des encres de Chine sur papier, présentées en alternance, complètent cette donation.

Chant du cygne
Difficile de résister à l'émotion devant ces troncs et ses branches torturées, réalisées dans une austère opposition de noir et de blanc : un cancer allait emporter l'artiste quelques jours après qu'il eut achevé cette œuvre.

Monastère de St-Paul-de-Mausole

♿ Mars-oct. : tlj 9h30-18h, w.-end et j. fériés 10h30-18h ; de nov. à fin fév. : tlj sf lun. et sam. 11h-17h, w.-end et j. fériés 11h-17h. 15F. ☎ 04 90 92 77 00.

Saint-Paul-de-Mausole : Van Gogh y rencontra les étoiles de son envoûtante Nuit étoilée.

À proximité des Antiques auquel son nom est lié, ce monastère devint maison de santé dès le milieu du 18e s. Un beau clocher carré, orné d'arcatures lombardes, coiffe l'église (fin 12e s.). Sur le **cloître★** adjacent, élégant décor roman avec chapiteaux sculptés de motifs variés (feuillages, animaux, masques, etc.). Le monastère garde le souvenir de Van Gogh qui s'y fit interner volontairement du 3 mai 1889 au 16 mai 1890. Disposant d'un atelier, l'artiste ne cessa de peindre : son cadre de vie, la nature (*Les Cyprès, Le Champ de blé au faucheur*, etc.), des autoportraits. Un sentier balisé permet de suivre ses promenades préférées.

Mas de la Pyramide

Accès à 200 m de l'ancien monastère de St-Paul-de-Mausole. ♿ 9h-18h. 20F. ☎ 04 90 92 00 81.

Ce mas troglodytique, à l'aménagement intérieur insolite, fut construit en grande partie dans les anciennes carrières romaines, dont les matériaux ont servi à l'érection de Glanum. Les cavités abritent un musée rural rassemblant des outils et du matériel agricole utilisé autrefois par les paysans du terroir.

Au centre du terrain, la « pyramide », rocher vertical de 20 m de haut, permet d'apprécier l'ancien niveau de la surface avant le début de l'exploitation des carrières.

Massif de la Sainte-Baume★★

Lieu de spiritualité depuis les temps les plus reculés (déjà les Gaulois en avaient fait un bois sacré), le massif de la Sainte-Baume attire les amoureux de la nature par la diversité de ses reliefs abrupts et ses multiples promenades. Mais son extraordinaire forêt surtout, curieusement peuplée d'essences nordiques, lui donne un caractère unique en Provence.

La situation

Cartes Michelin nos 84 pli 14, 114 plis 30, 31 et 245 plis 45, 46 – Bouches-du-Rhône (13) et Var (83).

Le massif, le plus étendu et le plus élevé des chaînons provençaux, atteint 1 147 m au Signal de la Ste-Baume. Le versant Sud, aride et dénudé, monte en pente douce du bassin de Cuges à la ligne de crête, longue de 12 km, dont l'un des points culminants, le Saint-Pilon (alt. 994 m) offre un splendide panorama. Une falaise verticale, haute de 300 m environ, donne sa physionomie au versant Nord qui abrite la célèbre grotte ; en contrebas s'étale la forêt domaniale, près du plateau du Plan d'Aups évoquant les Causses.

Le nom

La *bauma* (ou *baoumo*), « grotte » en provençal, devenue sainte depuis que Marie-Madeleine a choisi de s'y retirer, a donné son nom à la forêt comme au massif.

Les gens

Impossible ici de ne pas évoquer Marie-Madeleine qui, selon la légende, évangélisa la Provence.

Du Golgotha au Saint-Pilon

Sœur de Marthe et de Lazare, Marie-Madeleine mène une vie peu édifiante jusqu'à sa rencontre avec Jésus. Subjuguée, la pécheresse repentie suit le Sauveur. Elle se trouve au pied de la Croix au Golgotha et, le matin de Pâques, c'est la première à qui Jésus ressuscité se manifeste. Selon la tradition provençale, elle fut chassée de Palestine lors des premières persécutions contre les chrétiens, avec Marthe, Lazare, Maximin et d'autres saints. Après qu'ils eurent abordé aux Stes-Maries, l'itinéraire de prédication de Marie-Madeleine la mena à la Ste-Baume. La sainte passa là trente-trois ans dans la prière et la contemplation. Sentant venir sa dernière heure, elle descend dans la plaine où saint Maximin lui donne la dernière communion et l'ensevelit.

carnet pratique

HÉBERGEMENT

• ***Valeur sûre***

Hôtel Lou Pebre d'Aï – *rte* Pic-de-Bertagne *- 83460 Le Plan-d'Aups - ☎ 04 42 04 50 42 - fermé 2 janv. au 6 fév., mar. soir et mer. du 15 sept. au 15 mai - 🅿 - 12 ch. : 280/380F - ☕ 38F - restaurant 160/250F.* Dans ce petit village isolé au cœur du massif de la Ste-Baume cette grande maison est une halte reposante. Atmosphère d'auberge au restaurant ou champêtre côté terrasse avec le jardin et la piscine. La table est régionale. Chambres simples et calmes.

Le Parc – *Vallée St-Pons - 13420 Gémenos - 1 km à l'E de Gémenos par D 2 - ☎ 04 42 32 20 38 - 🅿 - 11 ch. : 300/500F - ☕ 38F - restaurant 90/240F.* Au calme, en retrait de la départementale, la maison est dans un écrin de verdure. Grande terrasse ombragée et salle à manger s'ouvrant sur le jardin. Les petites chambres aux couleurs gaies sont simples et coquettes.

LOISIRS

Escalade – Les amateurs d'escalade pourront s'adonner à leur sport favori sur le pic de Bertagne. Ailleurs, la pratique est déconseillée en raison de la fragilité écologique du site.

comprendre

D'une superficie d'environ 140 ha, la **forêt**★★ (altitude comprise entre 680 et 1 000 m) doit à son originalité d'être classée en réserve biologique domaniale. En effet elle est peuplée surtout de hêtres géants et d'énormes tilleuls entremêlés d'érables dont les hautes voûtes de feuillages légers se ferment sur l'épaisse et sombre ramure des ifs, des fusains, des lierres et des houx. Pourquoi rencontre-t-on, en pleine Provence, des arbres qui ne dépareraient pas les forêts de l'Île-de-France ? Tout simplement à cause de l'ombre portée par la haute falaise qui, au Sud, domine la région boisée : elle y entretient une fraîcheur et une humidité toutes septentrionales, fort appréciées l'été, comme on s'en doute, par les populations locales. Dès que cette muraille s'abaisse, les chênes méditerranéens resurgissent. Depuis un temps immémorial, la « forêt-relique » est quasiment « hors de coupe » : on veille essentiellement à assurer une régénération suffisante de ce patrimoine unique en Provence et à prévenir la chute des arbres dangereux.

circuit

Circuit de 69 km au départ de Gémenos – environ 3h, ascension du St-Pilon non comprise.

Gémenos

À l'entrée du verdoyant vallon de St-Pons, dans la vallée de l'Huveaune, le village a conservé un château de la fin du 17e s.

Suivre pendant 3 km la D 2 qui remonte le vallon de St-Pons.

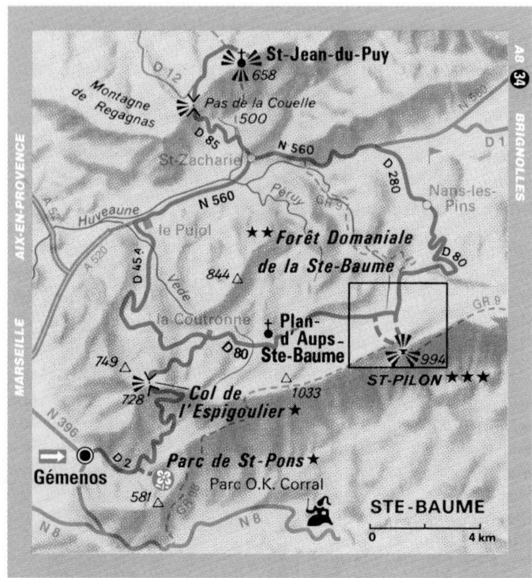

Saint-Pons, oasis de Provence : des arbres et des sources pour échapper à la canicule.

Parc de Saint-Pons★

Laisser sa voiture au parc de stationnement avant le pont (le week-end, on se garera le long de la route) et emprunter le sentier qui borde le ruisseau.

Un vieux moulin abandonné, près d'une cascade formée par les eaux de la source vauclusienne de St-Pons, et les restes importants d'une abbaye cistercienne, fondée au 13e s, se nichent dans ce havre de fraîcheur, qu'ombrage une abondante végétation (hêtres, frênes, érables et autres essences rares en Provence).

La route s'élève en lacet sur le versant Sud du massif creusé d'un profond amphithéâtre jusqu'au **col de l'Espigoulier★** (alt. 728 m.) d'où la vue s'étend sur le massif de la Ste-Baume, la plaine d'Aubagne et la chaîne de St-Cyr, Marseille, la chaîne de l'Étoile. La descente sur le versant Nord offre des vues sur la chaîne de l'Étoile et la montagne Ste-Victoire, séparées par le bassin de Fuveau.

À la Coutronne, suivre à droite la D 80.

Après la petite station climatique de **Plan d'Aups** (église romane), on poursuit sur le plateau jusqu'à l'hôtellerie.

QUAND VENIR ?
Au printemps, lorsque illuminé par la magnifique floraison des arbres de Judée, le parc de St-Pons brille de tout son éclat.

Hôtellerie

Dans le hall, portail d'entrée à la grotte, réalisé au 16e s. par Jean Guiramand. Une chapelle a été aménagée en 1972 dans une belle salle voûtée, l'ancien abri des pèlerins. Sur la gauche de l'hôtellerie, humble cimetière des dominicains décédés durant leur séjour au couvent.

ADRESSE
Hôtellerie des Dominicains de la Ste-Baume – *83460 Le Plan d'Aups - ☎ 04 42 94 54 84.* En pleine nature, accueil pour les pèlerins comme pour les randonneurs et pour tous ceux qui désirent s'abstraire un temps du monde pour méditer sur le sens de la vie.

Accès à la grotte

1h1/2 à pied AR. Deux possibilités s'offrent : depuis l'hôtellerie emprunter le chemin à gauche des bâtiments, qui passe par le Canapé, amoncellement d'énormes blocs moussus ; ou, depuis le carrefour de Trois Chênes (D 80 et D 95), suivre le « chemin des Rois », plus aisé.

Ces deux chemins se rejoignent au carrefour de l'Oratoire après un agréable parcours sous la magnifique futaie de la Ste-Baume. Du carrefour, à droite, un large sentier rejoint un escalier taillé dans le roc et barré, à mi-côte, par une porte décorée de l'écu fleurdelisé de

UN PÈLERINAGE TRÈS COURU

Dès le 5e s., les moines de St-Cassien s'installent dans la grotte, déjà vénérée par la population. Sa renommée attire de nombreux pèlerins, parmi lesquels du beau monde : de nombreux rois de France (dont Saint Louis), plusieurs papes, des milliers de grands seigneurs, des millions de fidèles feront le voyage de la Ste-Baume. Un des premiers actes publics du roi René en Provence sera de se rendre à la grotte en compagnie de son neveu, le futur Louis XI. À partir de 1295, les dominicains ont la garde de la grotte. Leur hôtellerie toute proche sera brûlée à la Révolution (des traces de son emplacement sont encore visibles sur la paroi rocheuse). En 1859, le père Lacordaire y ramène les dominicains ainsi qu'à St-Maximin. L'hôtellerie a été reconstruite sur ses indications, en bas sur le plateau.

Paganisme

Dans ce lieu où l'on vénérait les déesses de la fécondité, la tradition a perduré sous le christianisme : chaque couple de promis, sur le chemin de la grotte, élevait un tas de pierres. Autant de cailloux, autant d'enfants désirés dans le futur foyer...

France ; à gauche, une niche sous roche protège un calvaire en bronze. L'escalier *(150 marches)* aboutit à une **terrasse** au parapet surmonté d'une croix de pierre (Pietà en bronze, treizième station du chemin de croix). Belle **vue★** sur la montagne Ste-Victoire que semblent prolonger, à droite, le mont Aurélien, et en contrebas sur Plan d'Aups, l'hôtellerie et la forêt touffue. La **grotte**, en forme d'hémicycle, s'ouvre au Nord de la terrasse, à 946 m d'altitude. Un reliquaire, à droite du maître-autel, contient les reliques de sainte Madeleine provenant de St-Maximin. Derrière le maître-autel, dans une anfractuosité surélevée de 3 m, seul lieu sec de la grotte, se trouve une statue de Marie-Madeleine allongée ; cet endroit serait le « lieu de pénitence » de la pécheresse repentie.

Calendrier

Le lun. de Pentecôte a lieu le pèlerinage de toute la Provence. Pour la fête de sainte Marie-Madeleine, un spectacle est donné le 21 juil. au soir, une messe est célébrée le 22. À Noël, une messe de minuit se tient dans la grotte.

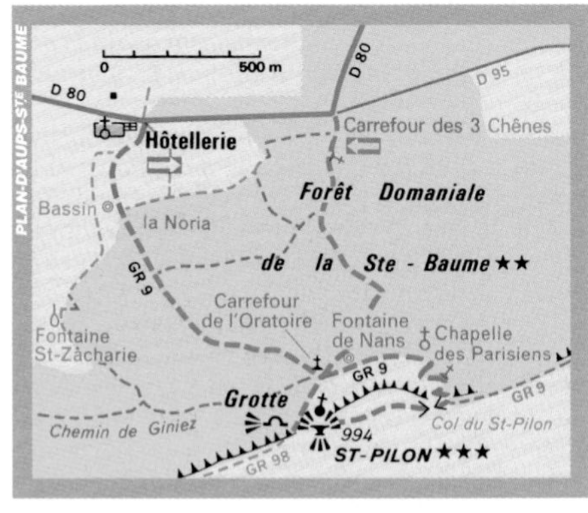

Saint-Pilon★★★

2h à pied AR. Au carrefour de l'Oratoire, passer devant l'oratoire, puis prendre le sentier de droite (jalonnement rouge et blanc du GR 9). Ce sentier longe une chapelle abandonnée, dite des Parisiens, monte en zigzag et tourne à droite au col du St-Pilon.

Au sommet se trouvait une colonne (d'où le nom de St-Pilon), remplacée par une petite chapelle. En ce lieu, dit la légende, sept fois par jour, les anges portaient sainte Madeleine qui écoutait avec ravissement les « concerts du Paradis ». Du St-Pilon (alt. 994 m), magnifique **panorama★★★** *(table d'orientation)* : au Nord sur l'hôtellerie de la Ste-Baume au premier plan, le Ventoux que l'on devine au loin, le Luberon, la montagne de Lure, le Briançonnais, le mont Olympe et, plus près, le mont Aurélien ; au Sud-Est sur le massif des Maures ; au Sud-Ouest sur la chaîne de la Sainte-Baume et le golfe de La Ciotat ; au Nord-Ouest sur les Alpilles et la montagne Ste-Victoire.

Reprendre la voiture et gagner Nans-les-Pins par la D 80.

La route descend en lacet dans la forêt, puis révèle de belles vues sur la montagne de Regagnas.

Dans Nans-les-Pins, prendre à gauche la D 280 qui traverse une pinède. La N 560, à gauche, gagne St-Zacharie par la haute vallée de l'Huveaune.

Oratoire de St-Jean-du-Puy

9 km au départ de St-Zacharie, puis 1/4h à pied AR. Sur la D 85, que l'on prend à droite, peu après le Pas de la Couelle s'amorce à droite un chemin très étroit qui conduit, après une forte rampe, à un poste radar militaire ; y laisser sa voiture. Un sentier jalonné permet de gagner à pied l'oratoire : très belle **vue★** sur la montagne Ste-Victoire et la plaine St-Maximin au Nord, les massifs des Maures et de la Ste-Baume au Sud-Est avec, au premier plan, la montagne de Regagnas, la chaîne de l'Étoile et le pays d'Aix à l'Ouest.

Montagne de la Ste-Baume : 33 ans de pénitence et 300 m d'escalade : les voies du Seigneur sont souvent escarpées.

Continuer sur la N 560 et, au Pujol, prendre à gauche la D 45ᴬ. À la Coutronne, tourner à droite pour regagner Gémenos.

La Sainte-Victoire★★★

À l'Est d'Aix-en-Provence, la montagne Ste-Victoire, immortalisée par Cézanne, avec sa face abrupte qui lui donne une silhouette reconnaissable entre toutes, la Sainte, comme on l'appelle affectueusement, plus qu'une montagne est un symbole pour la Provence, un véritable point de ralliement.

Hébergement et Restauration

Au Moulin de Provence – *33 av. des Maquisards - 13126 Vauvenargues - ☎ 04 42 66 02 22 - fermé mar. midi et mer. midi - 90/130F.* Une visite au village, au château, sur la tombe de Picasso puis le gîte et le couvert dans cette maison simple et familiale. De la terrasse et de la salle colorée de pastel, la vue s'étend jusqu'à la montagne Ste-Victoire. Plats d'ici et chambres modestes.

La situation

Cartes Michelin nos 84 plis 3, 4, 114 plis 16, 17 et 245 pli 32 - Bouches-du-Rhône (13). Ce massif calcaire culmine à 1 011 m au pic des Mouches. Orientée d'Ouest en Est, la chaîne présente, au Sud, une face abrupte dominant le bassin de l'Arc, tandis qu'au Nord, elle s'abaisse doucement en une série de plateaux calcaires vers la plaine de la Durance. Un saisissant contraste oppose le rouge franc des argiles de la base au blanc des calcaires de la haute muraille, notamment entre Le Tholonet et Puyloubier.

Le nom

Comme le Ventoux, c'est la racine *vin-* signifiant « montagne », qui a donné son nom au massif, le Ventúri... Mais comment en est-on venu à Victoire ? Selon Mistral, le surnom n'apparaît qu'en 1802, époque où Napoléon voguait de victoire en victoire. Et comment est-elle devenue sainte ? Peut-être faut-il y voir l'influence de la croix qui la surmonte ?

Les gens

Impossible de ne pas associer à cette montagne emblématique le nom de Paul Cézanne (1839-1906). À travers une recherche inlassable et quasi mystique d'approfondissement de son art, épuré jusqu'à poser les bases du cubisme, le peintre représenta une soixantaine de fois la montagne qui le hantait.

Le massif de la Sainte-Victoire : les dinosaures venaient y pondre, Cézanne venait y peindre. Quant à nous, plus modestes, nous nous contenterons de l'admirer lorsque la lumière du soir la teinte de rose.

circuit

SUR LES PAS DE CÉZANNE

Circuit de 74 km au départ d'Aix-en-Provence – compter une journée, visite d'Aix non comprise

Quitter Aix-en-Provence par la D 10 à l'Est, puis prendre à droite une route en direction du barrage de Bimont.

Barrage de Bimont

Ouvrage principal du projet d'extension du canal du Verdon, il a été construit sur l'Infernet dans un très beau site boisé, au pied de la montagne Ste-Victoire. En aval de belles gorges mènent (*1h à pied AR)* au barrage Zola (édifié par l'ingénieur François Zola, père du célèbre écrivain), deuxième ouvrage de ce projet conçu pour irriguer et distribuer l'eau à une soixantaine de communes de la région.

Revenir à la D 10 où l'on tourne à droite. Au lieu dit la ferme des Cabassols, laisser la voiture sur un petit parc de stationnement à droite de la route.

Croix de Provence★★★

3h1/2 à pied AR. Prendre le chemin muletier des Venturiers qui s'élève rapidement dans la pinède, puis cède la place à un sentier, plus aisé, serpentant en lacet à flanc de montagne.

Une chapelle, un bâtiment conventuel et les vestiges d'un cloître : c'est le prieuré de N.-D.-de-Ste-Victoire (alt. 900 m) édifié en 1656 d'où l'on découvre, depuis la terrasse, une jolie **vue** sur le bassin de l'Arc et la chaîne de l'Étoile. Une petite escalade permet de gagner la Croix de Provence (alt. 945 m), haute de 17 m (avec un soubassement de 11 m). La vue embrasse un magnifique **panorama★★★** sur les montagnes provençales : au Sud, le massif de la Ste-Baume et la chaîne de l'Étoile puis, en tournant vers la droite, la chaîne de Vitrolles, la Crau, la vallée de la Durance, le Luberon, les Alpes de Provence et, plus à l'Est, le pic des Mouches. À l'Est sur la crête, se trouve le **gouffre du Garagaï,** profond de 150 m.

TÉNÉBREUX

Le Garagaï fut une source inépuisable de légendes, qui, contées à la veillée, ont fait cauchemarder bien des enfants...

Vauvenargues

Village situé dans la vallée de l'Infernet : son château (17e s.) perché sur un éperon rocheux, appartint à Picasso qui s'y trouve enterré, dans le parc.

Après Vauvenargues, la route remonte les **gorges de l'Infernet★** très boisées, dominées à gauche par la Citadelle (723 m), et franchit le col des Portes. Au cours de la descente, les Préalpes se dessinent à l'horizon. Prendre à droite au Puits de Rians la D 23 qui contourne la montagne Ste-Victoire par l'Est et traverse le bois de Pourrières. Sur la gauche se dresse le Pain de Munition (612 m).

Dans Pourrières, où Marius aurait écrasé l'armée des Teutons, tourner à droite en direction de Puyloubier.

PRATIQUE

Escalade - Association **Sud Grimpe** à Puyloubier, ☎ *04 42 66 5 05.*

Randonnée pédestre - Le GR 9, des Cabassols à Puyloubier, passe par la Croix de Provence puis suit la crête jusqu'au pic des Mouches.

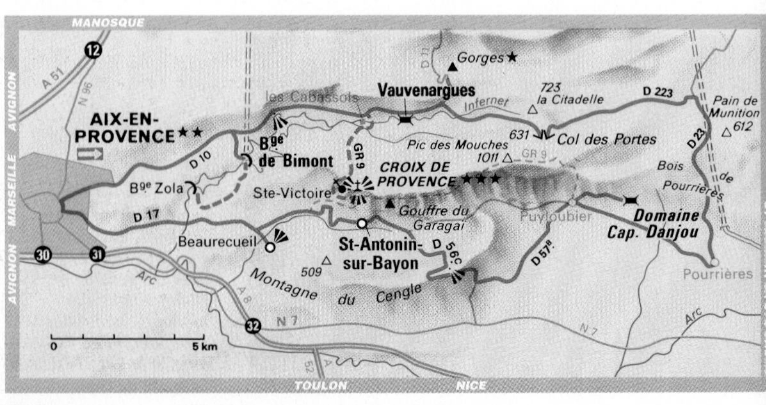

Domaine Capitaine Danjou

♿ *Ateliers : tlj sf w.-end 8h-12h, 14h-17h. Boutique : tlj sf lun. 10h-12h, 14h-17h. Fermé en août. Gratuit.* ☎ *04 42 66 38 20.* On l'atteint depuis un chemin qui part dans Puyloubier. Dans le château, qui abrite l'Institution des invalides de la Légion étrangère, on peut visiter les ateliers (céramique, reliure, ferronnerie) et un petit musée.

Revenir à Puyloubier et emprunter la D 57^{B}, puis la D 56^{C} à droite.

Ce parcours pittoresque offre de belles vues sur la montagne Ste-Victoire, le bassin de Trets et le massif de la Ste-Baume, puis franchit la montagne du Cengle avant de rejoindre la D 17, qui serpente en direction d'Aix entre la Sainte-Victoire et la montagne du Cengle.

Saint-Antonin-sur-Bayon

Le village abrite la **Maison de la Sainte Victoire** : exposition permanente sur la montagne, son écosystème, son histoire (les œufs de dinosaure) et les expériences de reforestation entreprises depuis le terrible incendie qui ravagea la montagne en 1989. *10h-18h, w.-end et j.fériés 10h-19h. Fermé 1er janv. et 25 déc. 25F.* ☎ *04 42 66 84 40.*

Avant de reprendre le chemin d'Aix, un détour par **Beaurecueil** s'impose : c'est depuis ce village que la vue sur la Sainte-Victoire est certainement la plus belle, surtout à l'« heure cézanienne » lorsque le soleil déclinant vient caresser la montagne et les campagnes environnantes.

Retour à Aix par le Tholonet le long de la « route Paul Cézanne ».

Les Saintes-Maries-de-la-Mer★

La légende des Saintes, le fameux pèlerinage des gitans, les gardians et les taureaux, les flamants roses... Dans l'imaginaire, ces images fortes résument les Saintes-Maries : ce paysage baigné de lumière, où l'eau et le ciel se confondent, offre une excellente base de départ pour la découverte, à pied, en VTT ou à cheval de la Camargue. Quant aux amateurs de farniente, ils apprécieront cette station balnéaire, avec ses immenses plages et son port de plaisance.

La situation

Cartes Michelin nos 83 pli 19 ou 245 pli 41 et 246 pli 27 – Bouches-du-Rhône (13). Entre la mer et les étangs de Launes et des Impériaux, à deux pas de l'embouchure du Grand Rhône, cabanes de gardians et petites maisons blanches se serrent autour de l'église-forteresse qui signale, de loin, l'approche des Saintes. En été, s'y garer peut relever de l'utopie ; hors saison, on tentera sa chance place Mireille, autour de la place des Gitans ou le long des digues qui protègent la cité des assauts de la mer.

ℹ *5 av. Van-Gogh, 13730 Les Stes-Maries-de-la-Mer,* ☎ *04 90 97 82 55.*

Le nom

Il évoque la légendaire arrivée en barque, vers 40 après J.-C., de Marie Jacobé, sœur de la Vierge, Marie Salomé, mère des apôtres Jacques le Majeur et Jean. Lazare, le ressuscité, et ses deux sœurs, Marthe et Marie-Madeleine, Maximin et Sidoine, l'aveugle guéri, les accompagnaient, tous abandonnés en mer sur une barque sans voile, sans rames et sans provisions. Sara, la servante noire des deux Maries, ne devait pas être du voyage : mais Marie Salomé jeta à l'eau son manteau qui servit de radeau à Sara pour rejoindre la barque. La protection divine fit le reste... et la Provence pouvait être évangélisée.

Que sont-ils devenus ?

Marthe évangélisera Tarascon après avoir vaincu la Tarasque ; Marie-Madeleine continuera sa pénitence à la Sainte-Baume ; Lazare sera l'apôtre de Marseille, Maximin et Sidoine répandront la parole divine à Aix. Quant aux deux Maries et Sara, elles restent en Camargue et, à leur mort, les fidèles placent leurs reliques dans l'oratoire qu'elles avaient édifié à leur arrivée.

carnet pratique

Restauration

• ***Valeur sûre***

L'Hippocampe – *R. Camille-Pelletan - ☎ 04 90 97 80 91 - fermé 2 nov. au 17 mars et mar. sf du 12 juil au 25 sept. - 130/194F.* Dans une maisonnette du village à l'écart de la foule, ce restaurant sert une cuisine bien tournée dans ses deux salles ouvertes sur un patio. En été, la terrasse sous les arcades vous permettra de profiter de la douceur des soirées méditerranéennes. Quatre chambres bien tenues.

L'Impérial – *Pl. des Impériaux - ☎ 04 90 97 81 84 - fermé 6 nov. au 14 avr. et mar. hors sais. - 135/185F.* La cuisine teintée de saveurs locales de ce petit restaurant familial est préparée à partir de produits frais et honnêtes, ce qui est méritoire dans ce village très touristique ! Décor désuet égayé de nappes colorées et terrasse sous les arcades en été.

Hébergement

• ***Valeur sûre***

Chambre d'hôte Mazet du Maréchal Ferrand – *Rte du Bac - 5 km des Stes-Maries par D 570 dir. Arles et rte du Bac par D 85 - ☎ 04 90 97 84 60 - ⊭ - 3 ch. : 330F.* Ici, pas de chichis. La propriétaire sait vous mettre à l'aise tout de suite. Ses chambres, toutes au rez-de-chaussée, sont simples et colorées. Les petits-déjeuners se prennent sous le mûrier-platane ou dans une petite pièce aux couleurs provençales.

Achats

Les bijoux de Sarah – *12 pl. de l'Église - ☎ 04 90 97 73 73.* Vente de bijoux fait main, en particulier le pendentif « gitan » qui protège des mauvais sorts et apporte le bonheur...

Marchés – Marché traditionnel lundi et vendredi pl. des Gitans.

Calendrier

Pèlerinage des saintes – Chaque sainte a droit à son pèlerinage : Marie-Jacobé, les 24 et 25 mai et Marie-Salomé, le dim. d'oct. le plus proche du 22. Le premier jour, l'après-midi, les châsses sont descendues de la chapelle haute dans le chœur. Le lendemain, les statues des saintes, précédées d'un groupe d'Arlésiennes et entourées des gardians à cheval, sont promenées en procession dans les rues, sur la plage et dans la mer.

Pèlerinage des gitans – En mai. Venus en foule de tous les pays, les gitans occupent la crypte où règne leur patronne Sara, qu'ils ont canonisée sans autre forme de procès. Ils la promènent également le premier jour en procession jusqu'à la mer et profitent de cette rencontre pour élire tous les 3 ou 4 ans leur reine.

Traditions camarguaises – Le marquis de Baroncelli-Javon, lui, n'a pas été (encore) canonisé mais il n'en est pas moins l'objet d'un culte fervent : le 26 mai, Arlésiennes en costume, farandoles, ferrades, jeux gardians, abrivados dans les rues et course camarguaise aux arènes, bref, un concentré des traditions camarguaises.

Noël – Messe de minuit camarguaise avec gardians et Arlésiennes... et une belle crèche camarguaise dans l'église avec gardians, chevaux et taureaux.

Les gens

2 478 Saintois, mais on dit plus volontiers Santens. Sur eux plane l'ombre tutélaire de Folco de Baroncelli-Javon, appelé avec respect Lou Marqués (1869-1943), poète, manadier, mainteneur et rénovateur des traditions camarguaises, enterré à l'emplacement de son mas du Simbèu, près de l'embouchure du Grand Rhône.

séjourner

Séjourner aux Saintes, c'est flâner dans les ruelles aux maisons basses d'une blancheur éclatante qui se blottissent contre l'église et s'abandonner au charme de cette petite ville qui a échappé par miracle à la folie immobilière des bords de mer. Parfois, une gitane tentera de vous forcer la main pour y lire votre avenir...

C'est également arpenter la digue qui protège la ville des assauts de la mer, se baigner parmi les épis sur les plages de la ville, ou encore emprunter à vélo ou à pied la **digue à la mer**, en direction du phare de la Gacholle, pour profiter en toute liberté des immenses **plages** camarguaises. C'est participer aux abrivados en se mêlant aux « atrapaïres » qui se jettent au devant des chevaux des gardians pour faire échapper les « bious », avant d'aller vibrer aux arènes devant les « coups de barrière » des cocardiers. C'est, en toute sérénité, regarder le couchant illuminer les étangs de couleurs flamboyantes.

visiter

Église★

Forteresse destinée à protéger les reliques des saintes (mais aussi les Saintois) en cas d'incursion des Sarrasins : la chapelle haute forme un véritable donjon, entouré, à la base, d'un **chemin de ronde** et surmonté d'une plate-forme crénelée. *D'avr. à mi-nov. : 10h-12h, 14h-18h (juil.-août 10h-20h) ; de déc. à fin mars : mer. et w.-end 10h-12h, 14h-17h. 10F. ☎ 04 90 97 82 55.*

Courage!
On accède au **toit** de l'église par un escalier de 53 marches. Son chemin de ronde entoure le toit en dalles de pierres ; n'hésitez pas à l'escalader : **vue★** immense sur la mer, les toits de la ville et les étangs.

Un clocher à peigne domine l'ensemble. Sur le flanc droit, remarquer deux beaux lions dévorant des animaux qui servirent, croit-on, de supports à un porche.
On pénètre à l'**intérieur** par une petite porte ouvrant sur la place de l'église. La nef unique, romane, est très sombre. Le chœur, surélevé au moment de la construction de la crypte, présente des arcatures aveugles que supportent huit colonnes de marbre, surmontées de chapiteaux, dont deux illustrent l'Incarnation et le sacrifice d'Abraham.
À droite, au bord de l'allée centrale, s'ouvre le puits qui servait aux défenseurs en cas de siège. Dans la troisième travée à gauche, au-dessus de l'autel, est placée la barque des saintes Maries, portée en procession jusqu'à la mer lors des pèlerinages. À droite de cet autel, remarquer l'« oreiller des Saintes », une pierre polie enchâssée dans une colonne, provenant des fouilles ayant abouti, en 1448, à la découverte des reliques des saintes. Dans la 4e travée, à gauche, s'élève un autel païen. Émouvante collection d'ex-voto de facture naïve.
Quelques marches donnent accès à la **crypte** (les plus grands se méfieront de la voûte) : constitué en partie par un fragment de sarcophage, l'autel supporte la châsse contenant les ossements présumés de Sara. À droite, statue de Sara, et des ex-voto offerts par les Gitans.
Dans la **chapelle haute**, ornée de boiseries Louis XV vert clair et or, se trouvent les châsses des deux saintes Maries. Mistral y a situé la scène où Mireille, venue implorer le secours des « reines du Paradis », et frappée d'insolation, rend le dernier soupir entre ses parents et Vincent.

Comme un rocher, l'église des Saintes-Maries, point culminant de la Camargue.

De l'oratoire à la forteresse

Au milieu du 9e s., une première église aurait été édifiée à l'emplacement du vieil oratoire (attesté au 6e s.). Au 11e s., les moines de Montmajour établissent un prieuré, puis, au 12e s., reconstruisent l'église, qui est incorporée aux fortifications de la ville. À la fin du 14e s., l'allure guerrière de l'édifice est renforcée par l'adjonction de mâchicoulis. Lors des invasions, les restes des saintes avaient été enterrés dans le chœur. En 1448, on entreprit des fouilles à la demande du roi René et les reliques, retrouvées, furent placées dans des châsses.

Musée Baroncelli

D'avr. à mi-nov. : 10h-12h, 14h-18h. 10F. ☎ 04 90 97 82 55. Installé dans l'ancienne mairie, il présente des documents recueillis par le marquis Folco de Baroncelli : mode de vie traditionnel de Camargue, histoire de la ville, dioramas présentant la faune camarguaise (dont une héronnière), tête naturalisée du fameux cocardier « Vovo » (aux cornes émoussées par les frappes contre les planches des barricades), mobilier provençal du 18e s., vitrines consacrées à Van Gogh, au marquis et à ses amis comme le peintre russe Ivan Prashninikoff.

Salon-de-Provence★

Cité de Nostradamus, fameuse pour son industrie de l'huile d'olive implantée au 15e s., Salon est une étape obligée pour les amoureux des astres... Quant aux autres, ils lèveront quand même les yeux au ciel pour admirer les spectaculaires démonstrations de la Patrouille de France.

Tremblement

Le 11 juin 1909, la région de Salon et Aix fut secouée par un violent tremblement de terre qui détruisit les villages de Vernègues et de Rognes, causa d'importants dégâts à Salon, Lambesc et St-Cannat et fit une soixantaine de victimes.

La situation

Cartes Michelin nos 84 pli 2 ou 245 pli 30 ou 246 pli 12 – Bouches-du-Rhône (13). À mi-chemin entre Arles et Aix, au centre d'une campagne où domine l'olivier, Salon a profité de cette situation de carrefour pour développer des quartiers modernes qu'il faudra traverser pour atteindre la vieille cité, nichée dans une vaste ceinture de cours ombragés. ℹ *56 cours Gimont, 13300 Salon-de-Provence, ☎ 04 90 56 27 60.*

Le nom

Selon, en provençal, signifierait-il que Salon était un grenier à sel ? Curieux emplacement pour stocker le sel si loin de la mer, notent les toponymistes distingués qui font valoir que la racine *sal-* désigne une colline. Oui, mais Salon est construite en plaine, objectera-t-on. Aujourd'hui peut-être, mais à 3 km, sur une butte, on a trouvé des traces d'habitat dans un lieu nommé Selonet, que les habitants auraient quitté pour se fixer à l'emplacement actuel.

Nostradamus avait prévu la mort accidentelle de Henri II : rien de tel pour lancer une carrière !

Les gens

37 129 Salonais... qui ont accueilli parmi eux en 1547 le Saint-Rémois Michel de Nostre Dame, plus connu sous le nom de Nostradamus.

Du stéthoscope à l'horoscope

À une époque où la science et l'ésotérisme était intimement liés, on ne s'étonne guère qu'un médecin, né en 1503 et ayant étudié à Montpellier, n'ait pas jugé indigne de s'adonner aux prédictions astrologiques qui firent sa fortune. Après douze ans de voyage en Europe et en Orient mis à profit pour mettre au point des remèdes dont il garda jalousement le secret, Nostradamus obtint quelques succès en luttant contre des épidémies à Aix et à Lyon, ce qui lui attira la jalousie de ses confrères. Retiré à Salon, il se consacra dès lors à l'astrologie et publia les fameuses *Centuries astrologiques* assez énigmatiques pour faire encore aujourd'hui sa gloire. Précurseur de la météo, il se livra à des prédictions sur le temps publiées dans un *Almanach* qui connut un grand succès.

carnet pratique

Restauration

• À bon compte

La Fabrique – *75/77 r. de l'Horloge - ☎ 04 90 56 07 39 - la.fabrique@wanadoo.fr - fermé dim. midi - réserv. le soir - 79/156F.* Tout près de la porte de l'Horloge, ce restaurant aux couleurs provençales décline les pâtes à l'infini. Fabriquées maison, avec des recettes d'autrefois, elles sont cuisinées à toutes les sauces et servies avec le sourire... Dans le décor amusant d'un ancien garage.

• Valeur sûre

Le Clos des Arômes – *20 montée du Château - ☎ 04 90 56 91 06 - fermé dim. soir et mer. - 145/269F.* C'est dans le quartier piéton au pied du château que vous découvrirez ce restaurant avec sa charmante terrasse, ombragée par un acacia. Un peu à l'écart du centre-ville, vous y savourerez une cuisine de bon aloi, concoctée par une femme en toque.

L'Eau à la Bouche – *Pl. Morgan - ☎ 04 90 56 41 93 - fermé 24 au 30 déc., dim. soir et lun. - 167/265F.* Couplé à une poissonnerie, ce restaurant vous apporte les poissons et crustacés du magasin, avant de les cuisiner : fraîcheur et qualité des produits garanties ! Vous les dégusterez dans sa salle sobrement décorée ou dans sa véranda, très agréable en été.

Hébergement

• Valeur sûre

Chambre d'hôte Domaine du Bois Vert – *Quartier Montauban - 13450 Grans - 7 km au S de Salon par D 16 et dir. Lançon par D 19 - ☎ 04 90 55 82 98 - www.multimania.com/leboisvert - fermé 5 janv. au 28 fév. - ⊭ - 3 ch. : 300/380F.* Dans cette demeure traditionnelle entourée d'un parc de chênes et de pins, les chambres sont campagnardes avec leur sol en tomette rouge, comme dans l'ancien temps. Petits-déjeuners servis dans la grande pièce ou sur la terrasse en face du jardin. Belle piscine.

• Une petite folie !

Hôtel Abbaye de Sainte-Croix – *5 km au NE de Salon-de-Provence par D 17 - ☎ 04 90 56 24 55 - fermé 6 nov. au 23 mars - P - 20 ch. : à partir de 910F - ☕ 120F - restaurant 430/595F.* La garrigue, les hautes voûtes romanes et le chant des cigales inspireront votre rêverie dans cette ancienne abbaye du 12e s. Les chambres sont sobres et dénudées, pour garder l'esprit cellule monastique, mais confortables. Piscine dans le jardin et terrasse ombragée. Table réputée.

Le temps d'un verre

Brasserie Le St-Michel – *Pl. des Centuries - ☎ 04 90 56 27 45 - Juin-août : tlj 8h-2h ; mai, sept. : tlj 8h-20h30 ; oct.-avr. : lun.-sam. 8h-20h30. Fermé vac. scol. de fév., 25 déc. et 1er janv.* Outre son choix de bières, cette brasserie possède surtout une terrasse avec vue imprenable sur le château-musée de l'Empéri, qui domine la vieille ville de son imposante masse. Soirées à thème (musicales ou théâtrales) chaque mois.

Le Longchamps – *8 pl. Eugène-Pelletan - ☎ 04 90 56 21 29 - Tlj 7h-1h.* Le Longchamps est actuellement le bar à la mode pour vider un godet ou tout simplement jouer les supporters lorsqu'il retransmet les matchs importants, c'est-à-dire ceux de l'OM !

Achats

Capitale de l'huile, Salon fut aussi celle du savon qui assura sa richesse au 19e s.

Savonnerie Marius Fabre Jeune – *148 av. Paul-Bourret - ☎ 04 90 53 24 77 - lun.-ven. 9h30-12h, 13h45-17h30 (16h30 ven.).* Vente de savons traditionnels. Une visite guidée (1/2h) de la savonnerie est proposée lundi et jeudi à 10h30.

Savonnerie Rampal-Patou – *71 r. Félix-Pyat - ☎ 04 90 56 07 28.* Savons traditionnels. Visite guidée mardi et jeudi 10h-12h, 16h-18h.

Marchés – Marché traditionnel mercredi pl. Morgan et sur les cours. Brocante le 1er dimanche du mois, pl. Morgan.

Calendrier

Festival Fiesta du jazz – Il a lieu durant la 2e sem. d'août. Animation garantie dans toute la ville.

Loopings – La **patrouille de France**, basée à Salon, s'entraîne généralement le mar., entre 12h et 14h. Pour y assister, contacter le *☎ 04 90 53 90 90.*

se promener

LE CENTRE-VILLE

2h par l'itinéraire indiqué sur le plan.

Château de l'Empéri

Bâti sur le rocher du Puech, sa masse imposante domine la ville. Cette ancienne résidence des archevêques d'Arles, seigneurs de Salon, fut construite du 10e au 13e s. et complétée au 16e s. par une galerie Renaissance dans la cour d'honneur. La Chapelle Ste-Catherine (12e s.), la salle d'honneur avec sa cheminée finement sculptée (15e s.) et une trentaine de salles abritent le musée de l'Empéri *(voir description dans « visiter »)*.

Question d'empires

L'Empéri du château et du musée n'est pas celui que créa Napoléon 1er : il s'agit du Saint-Empire germanique dont plusieurs souverains séjournèrent au château.

SALON-DE-PROVENCE

Ancienne Halle (Pl.) ... BY 2
Carnot (Cours) ... AY 4
Capucins (Bd des) ... BZ 3
Centuries (Pl. des) ... BY 6
Clemenceau (Bd Georges) ... AY 7
Coren (Bd Léopold) ... AY 8
Craponne (Allées de) ... BZ 10
Crousillat (Pl.) ... BY 12
Farreyroux (Pl.) ... BZ 13
Ferrage (Pl.) ... BZ 14
Fileuses-de-Soie (R. des) ... AY 15
Frères J. et R.-Kennedy (R. des) ... AY
Gambetta (Pl.) ... BZ 18
Gimon (Cours) ... BZ
Horloge (R. de l') ... BY 20
Ledru-Rollin (Bd) ... AY 22
Massenet (R.) ... AY 23
Médicis (Pl. C. de) ... BZ 24
Mistral (Bd Frédéric) ... BY 26
Moulin d'Isnard (R.) ... BY 27
Nostradamus (Bd) ... AY 28
Pasquet (Bd) ... BZ 30
Pelletan (Cours Camille) ... AY 32
République (Bd de la) ... AY 33
Raynaud-d'Ursule (R.) ... BZ 34
St-Laurent (Square) ... BY 35
Victor-Hugo (Cours) ... BY 38

Porte Bourg-Neuf ... BY **F**
Hôtel de ville ... BY **H**
Porte de l'Horloge ... BY **K**
Musée Grévin de Provence ... BY **M¹**
Maison de Nostradamus ... BY **M²**

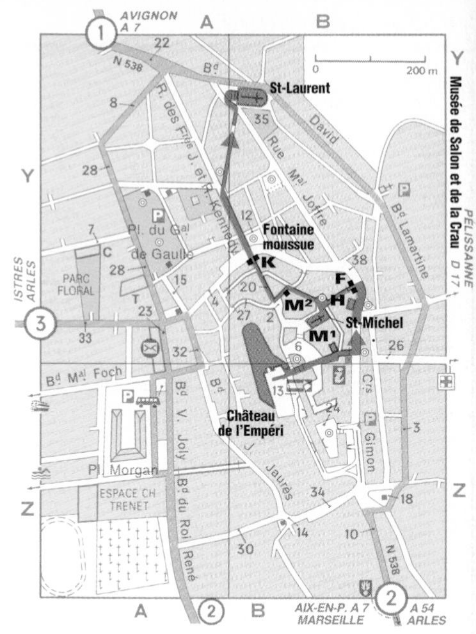

Hôtel de ville

Élégant hôtel du 17ᵉ s. avec deux tourelles d'angle et balcon sculpté. Sur la place, statue de l'ingénieur Adam de Craponne (1527-1576) qui fertilisa la région en construisant un canal d'irrigation amenant les eaux de la Durance par son ancien passage naturel, le pertuis de Lamanon. En face de la mairie, se dresse la **Porte Bourg-Neuf**, vestige des anciens remparts.

Église St-Michel

Fermé pour cause de travaux. Son beau clocher-arcade et le tympan sculpté du portail raviront les amoureux de sculpture romane.

On passera, au cœur du vieux Salon, devant la maison de Nostradamus avant de franchir la **porte de l'Horloge** et d'arriver place Crousillat où se trouve la charmante **fontaine moussue** du 18ᵉ s.

Continuer rue des Frères-Kennedy puis tourner à droite dans la rue Pontis.

La fontaine moussue, âme et symbole de Salon-de-Provence.

Collégiale St-Laurent

À l'intérieur de ce bel exemple de gothique méridional, remarquez, avant d'aller vous recueillir devant le tombeau de Nostradamus, une descente de Croix polychrome, monolithe du 15ᵉ s.

Faire demi-tour, reprendre la rue des Frères-Kennedy et rejoindre la place des Centuries, devant le château.

visiter

Musée de l'Empéri★★

Juin-sept. : tlj sf mar. 10h-18h ; oct.-mai : tlj sf mar. 10h-12h, 14h-18h ; janv.-fév. 10h-12h, 14h-17h, lun. et mer. 14h-17h. Fermé 1ᵉʳ janv., 1ᵉʳ mai, 24 et 25 déc. 20F. ☎ 04 90 56 22 36.

Ses collections, qui plongeront dans le ravissement les âmes, jeunes ou moins jeunes, sensibles au prestige de l'uniforme, décrivent l'histoire des armées françaises depuis le règne de Louis XIV jusqu'en 1918.

La belle architecture des salles met en valeur les 10 000 pièces exposées : uniformes, harnachements, drapeaux, décorations, armes blanches et à feu, canons, peintures, dessins, gravures, personnages à pied ou à cheval illustrent ce passé militaire et en particulier la période napoléonienne.

Musée Grévin de Provence

9h-12h, 14h-18h, w.-end 14h-18h (dernière entrée 1/2h av. fermeture; fermeture à 18h30 juil. août). Fermé Pâques, 1er et 8 mai, Ascension, 14 juil., 24-25 déc., 31 déc. et 1er janv. 20F. ☎ 04 90 56 36 30.

2 600 ans d'histoire et de légendes provençales en 15 tableaux, du mariage de Gyptis et Protis à nos jours.

Maison de Nostradamus

9h-12h, 14h-18h, w.-end 14h-18h (fermeture 18h30 juil.-août). Fermé Pâques, 1er et 8 mai, Ascension, 14 juil. 24-25 déc., 31 déc., 1er janv. 20F. ☎ 04 90 56 64 31.

C'est ici que Nostradamus passa les dix-neuf dernières années de son existence. Dix scènes animées par un support audiovisuel illustrent sa vie et son œuvre.

Musée de Salon et de la Crau

Quitter le centre-ville à l'Est par la D 17, puis prendre à gauche la route du Val de Cuech et tout de suite à gauche, la rue du Pavillon (accès signalisé). Tlj sf mar. 10h-12h, 14h-18h, w.-end 14h-18h (juil.-août : fermeture à 18h30). Fermé j. fériés. 20F. ☎ 04 90 56 28 37.

Installé dans une vaste demeure du 19e s. appelée le Pavillon, il est consacré à l'histoire locale ainsi qu'aux arts et traditions populaires de Salon et de sa région à la fin du 19e s. Milieu naturel, activités traditionnelles (élevage ovin, fabrication du savon), vie quotidienne (dévotions populaires) sont évoqués dans ce musée où une section d'histoire naturelle présente de nombreux oiseaux naturalisés (dioramas).

Le musée de l'Empéri : impératif pour ceux (et celles) qui sont sensibles au prestige de l'uniforme.

circuit

AU NORD-EST DE SALON

57 km – compter 1/2 journée.

Quitter Salon-de-Provence à l'Est par la D 572.

Au-delà de Pélissanne, une petite route sur la gauche conduit à La Barben qui occupe un site escarpé dans le vallon de la Touloubre.

FONTAINE À VIN

Tous les ans, pour la St-Maurice, c'est du vin qui coule de la fontaine du Pélican, en face du beffroi...

Château de La Barben★

Avr.-sept. : visite guidée (3/4h) tlj sf mar. 10h-12h, 14h-18h ; le reste de l'année sur demande. Fermé en janv. et 25 déc. 40F. ☎ 04 90 55 25 41.

La rampe d'accès au château offre une vue plongeante sur les jardins à la française dessinés par Le Nôtre.

Le château actuel a succédé à une forteresse antérieure à l'an mille, qui appartint à l'abbaye St-Victor de Marseille, puis au roi René avant d'être cédée à la puissante famille des Forbin ; celle-ci l'habita près de cinq cents ans, la remania et l'agrandit à plusieurs reprises, pour la transformer au 17e s. en demeure de plaisance. Sa tour ronde, abattue lors du tremblement de terre de 1909, a été récemment réédifiée. De la terrasse (escalier Henri IV à double volée) précédant une noble façade du 17e s., vue sur les jardins et la campagne provençale entre la chaîne de la Trévaresse et les Alpilles.

Au cours de la visite, remarquez les plafonds à la française, des tapisseries d'Aubusson, des Flandres et de Bruxelles des 16e et 17e s., un beau Largillière. Dans le grand salon, tapis d'Aubusson du Second Empire.

CARESSER

... du regard les superbes **cuirs de Cordoue★** qui décorent la grande salle et, pour son charme voluptueux, la chambre de Pauline Borghèse et son boudoir décoré d'un papier peint par Granet (*Les Quatre Saisons*).

Dans l'ancienne bergerie voûtée du château, un **vivarium** présente des reptiles et des poissons des mers chaudes et des rivières d'Europe. L'oisellerie permet d'observer des oiseaux des cinq continents.

Dans le parc de 33 ha, aires de jeu et petit train circulant parmi les enclos du **zoo** où vivent en semi-liberté fauves, éléphants, girafes, bisons, zèbres, singes et rapaces : au total plus de 600 animaux. ♿ *10h-18h. 55F (enfants : 25F). ☎ 04 90 55 19 12.*

Revenir sur la D 572, à prendre à gauche.

Château de La Barben, une forteresse médiévale transformée en demeure de plaisance.

La route suit la verdoyante vallée de la Touloubre ; après le viaduc de la ligne TGV Sud-Est, belle vue en avant sur la chaîne de la Trévaresse.

Saint-Cannat

Village et maison natale du bailli de Suffren (1729-1788) à qui un petit **musée** est consacré (mairie). *Mai-sept. : mar.-ven. et 1er dim. du mois 15h-18h30. Fermé j. fériés. Gratuit en l'an 2000. ☎ 04 42 50 82 00.*

Quitter St-Cannat par la N 7 (en direction d'Avignon) puis prendre sur la gauche la D 917.

Lambesc

Hôtels particuliers et fontaines des 17e et 18e s. donnent à la bourgade un petit air aixois. Percé d'une porte, beffroi du 16e s. avec horloge à automates. Un dôme remarquable coiffe l'église, imposante construction du 18e s.

Reprendre la N 7 puis, à Cazan, tourner à gauche dans la D 22. À 1 km s'embranche le chemin d'accès au site de Château-Bas qui conduit à un parc de stationnement.

Rêver
Les ruines d'un temple romain et d'une chapelle, dans le parc de Château-Bas, constituent un ensemble romantique à souhait.

Château-Bas

Le **temple romain** daterait de la fin du 1er s. avant J.-C., et serait donc contemporain de l'arc de St-Rémy-de-Provence ou de la Maison Carrée de Nîmes. Il subsiste une partie des soubassements et du mur latéral de gauche. Le pilastre carré qui termine ce mur vers l'entrée possède un très beau chapiteau corinthien. En avant s'élève une colonne cannelée, haute de 7 m, restée intacte. Autour du temple, vestiges d'un autre temple et enceinte demi-circulaire romaine, probablement celle d'un sanctuaire. *De mi-oct. à mi-avr. 9h30-12h30, 13h30-18h30, dim. et j. fériés 10h-12h30, 14h-18h30 ; de mi-avr. à mi-oct. 9h30-12h30, 13h30-19h30, dim. et j. fériés 10h-12h30, 14h-19h30. Fermé 1er janv. et 25 déc. Passer au caveau pour demander l'accès au temple. Gratuit. ☎ 04 90 59 13 16.*

Accolée au temple, **chapelle St-Césaire** (12e s.).

Continuer sur la D 22, puis tourner à droite dans la D 22C.

Vieux-Vernègues

Après avoir traversé Vernègues, édifié après le tremblement de terre de 1909 et l'abandon du village perché, on contourne les ruines de celui-ci (accès interdit) jusqu'au belvédère : vaste **panorama★** sur une grande partie de la Provence.

Poursuivre par une route en lacet jusqu'à **Alleins** qui a conservé quelques vestiges de ses fortifications.

Prendre à gauche la D 71d, puis, immédiatement après avoir traversé le canal EDF encore à gauche sur la D 17D vers Lamanon.

Une belle platane
Belle, oui, car en provençal, l'arbre dont le feuillage préserve de l'insolation les joueurs de pétanque, est du genre féminin. Et celle de Lamanon, en face du stade, fait l'orgueil des habitants : 300 ans, avec un tronc dont la circonférence atteint 8 m.

Site de Calès

Laisser votre voiture au parking de la caserne des pompiers de Lamanon et rejoindre le chemin pavé derrière l'église. Deux sentiers mènent l'un (circuit bleu 1h1/2 AR) aux grottes et aux vestiges du château, l'autre (circuit vert 2h1/2 AR) aux chapelles. Attention : le site est fermé en juillet et en août.

Niché dans la colline du Défens, le site de Calès comprend un remarquable ensemble troglodytique dominé par les vestiges d'un château fort, ainsi que des chapelles médiévales.

Creusées au pied d'un cirque de falaises, les **grottes** furent exploitées pour la construction du château (12e s.) puis aménagées en dépendances et en habitations. Trous de poutres, gouttières, escaliers, silos taillés dans le roc afin d'entreposer les réserves alimentaires témoignent de l'occupation humaine des grottes, abandonnées à la fin du 16e s., lorsque le château fut détruit. Depuis le terre-plein du château (rares vestiges), statue de N.-D.-de-la-Garde, et vues dégagées : sur la vallée de la Durance et le Luberon au Nord ; les habitations troglodytiques à l'Est ; le pertuis de Lamanon, ancien passage de la Durance, la plaine de Salon, la chaîne de l'Estaque, la Crau et l'étang de Berre au Sud.

Redescendre vers le cirque et suivre le circuit vert à gauche en direction de la **chapelle St-Denis** qui, construite en même temps que le château, semble issue d'une crèche provençale. En prenant à droite vers le plateau St-Jean, on atteint les ruines d'une chapelle double, autrefois important lieu de pèlerinage.

Retour à Salon par la D 12F, puis la N 538.

Carrières puis habitations, les grottes de Calès ont servi aux deux.

Sault

Odorante lavande... L'été venu, ses nappes bleutées parent les paysages du plateau de Sault : région qui attire randonneurs, cyclotouristes... et gourmands !

La situation

Cartes Michelin nos 81 pli 14 et 245 pli 18 – Vaucluse (84).

Bâti en hémicycle, à 765 m d'altitude, sur une avancée rocheuse qui termine le plateau de Vaucluse à l'Ouest et domine la vallée de la Nesque, ce bourg agréable offre une bonne base d'excursions entre le Ventoux, les Baronnies et la montagne de Lure.

Av. de la Promenade, 84390 Sault, ☎ 04 90 64 01 21.

Les gens

1 171 Saltésiens, dont les ancêtres furent témoins de l'épopée de Calendal, héros provençal créé par Frédéric Mistral. Pêcheur d'anchois de Cassis, Calendal veut mériter l'amour de la princesse Estérelle des Baux... L'affaire se présente (évidemment) mal, à moins de se distinguer par des actions héroïques. Tel est le sujet de ce poème épique, où notre héros accomplit quelques-uns de ses exploits dans la vallée de la Nesque.

se promener

Église

La nef romane de cet édifice des 12e et 14e s. ravira les amateurs.

Terrasse

Au Nord du bourg : belle **vue★** sur le plateau, l'entrée des gorges de la Nesque et le Ventoux.

Musée

De juil. à fin août : tlj sf dim. 15h-18h. Gratuit. ☎ 04 90 64 02 30.

Au 1er étage de la bibliothèque : témoignages sur la préhistoire et l'époque gallo-romaine : monnaies, armes, roches du pays, documents anciens et, importation plus inattendue, une momie égyptienne !

carnet pratique

Visite

« Route de la Lavande » – Brochure d'informations générales et calendrier de séjours, ateliers et animations du printemps à l'automne. **Association « Route de la Lavande »**, *2 av. de Venterol - 26111 Nyons Cedex - ☎ 04 75 26 65 91.*

Le Jardin des Lavandes – *Hameau de Verdolier - ☎ 04 90 64 10 74 - Juil.-août : 9h30-12h30, 14h30-19h ; reste de l'année sur RV.* Collection de lavandes. Visite botanique commentée et vente de plants.

Restauration

• *À bon compte*

Restaurant Le Provençal – *R. Porte-des-Aires - ☎ 04 90 64 09 09 - fermé mi-nov. à déb. janv. et mar. d'oct. à avr. - ⊭ - 90/130F.* Ne vous fiez pas à sa modeste façade, ce restaurant est connu des gens de la région. Simplicité, convivialité et bonne humeur règnent dans cette maison. La cuisine prend les couleurs locales sous l'impulsion du jeune chef. Terrasse protégée du soleil.

• *Valeur sûre*

Ferme-auberge Les Bayles – *84390 St-Trinit - 9 km à l'E de Sault par D 950 et rte secondaire - ☎ 04 90 75 00 91 - ⊭ - réserv. obligatoire - 135F.* Cette ancienne bergerie est le site rêvé pour un retour à la nature. Poulets, pintades, canards et lapins sont servis à la ferme-auberge. Cinq chambres d'hôte sobres et un gîte d'étape pour accueillir randonneurs, cyclistes et cavaliers. Ferme équestre et piscine.

Achats

Spécialités – Le **miel de lavande** et le **nougat** de Sault.

Plats à base d'**épeautre**, le « blé des gaulois », cultivé et traité sur le plateau, cuisiné chez les restaurateurs du cru ; fête de l'épeautre à Monnieux en septembre.

Maison des Producteurs de Sault – *R. de la République - ☎ 04 90 64 08 98 - D'avr. à mi-nov.* Coopérative des producteurs de lavande du pays de Sault. Exposition-vente.

Calendrier

Fête de la lavande – Week-end du 15 août. Défilé de chars fleuris dans les rues parfumées et démonstrations de coupe, manuelle et mécanisée.

circuits

MONT VENTOUX★★★

2h environ. Par la D 164, on accède au sommet par le versant Est. Voir ce nom.

PLATEAU D'ALBION

30 km – 1h1/2. Quitter Sault par la D 30 en direction de St-Christol.

On a recensé dans ce véritable causse plus de deux cents gouffres ou avens aux ouvertures parfois très étroites et difficilement repérables. Si le plus beau (depuis le haut) est sûrement celui du « Crirvi » près de St-Christol, les plus profonds sont l'aven Jean Nouveau, avec son puits vertical de 168 m, et l'aven Autran, qui dépassent les 600 m de profondeur. Ces gouffres absorbent les eaux de pluie, qui circulent dans un réseau souterrain enfoui très profondément dans la masse calcaire. Sa branche maîtresse aboutirait à la célèbre Fontaine de Vaucluse *(voir ce nom)*.

St-Christol

Belle église romane construite au 12e s. (une seconde nef fut rajoutée au 17e s.). Intéressante décoration d'animaux fantastiques sur l'abside et sculptures de l'autel d'époque carolingienne.

Faire demi-tour et reprendre la D 30 puis, après 4 km, tourner à droite dans la D 95.

Saint-Trinit

Dernier vestige d'un prieuré médiéval dépendant de l'abbaye bénédictine de Villeneuve-lès-Avignon.

Par la D 950 puis, à droite la D 1 que poursuit la D 95, gagnez Aurel qui apparaît soudain en contrebas.

Aurel : une église fortifiée dans un village où l'ordre de Malte avait établi un hospice.

Aurel

Les restes de ses fortifications et sa robuste église en pierre claire dominent les champs de lavande de la plaine de Sault.

Retour à Sault par la D 942.

GORGES DE LA NESQUE**

75 km – compter environ 3h. Quitter Sault par la D 942 au Sud-Est, route tracée en corniche sur la rive droite de la Nesque.

Longue de 70 km, la Nesque prend sa source sur le versant Est du mont Ventoux et se jette dans la Sorgue de Velleron au-delà de Pernes-les-Fontaines. Avant de pénétrer dans la plaine comtadine, elle se fraye un passage dans les assises calcaires du plateau de Vaucluse : ces gorges représentent la partie la plus pittoresque de son cours.

Conseil
Afin d'apprécier pleinement les gorges, profiter de tous les élargissements pour garer votre véhicule.

Monieux

Ce vieux village, en balcon au-dessus de la Nesque, est dominé par une haute tour du 12e s. reliée au village par des vestiges d'enceinte. De belles maisons médiévales ont conservé des portes anciennes.

Belvédère**

À 734 m d'altitude, sur la gauche de la route, vous pourrez lire sur une stèle un extrait du *Calendau* de Mistral. **Vue** remarquable sur l'enfilade des gorges et le rocher du Cire, très escarpé (872 m).

La descente amorcée, la route franchit trois tunnels. La D 942 s'éloigne un peu des gorges et traverse la combe de Coste Chaude. À la sortie du quatrième tunnel, belle vue arrière sur les gorges et le rocher du Cire. La route passe au pied du hameau ruiné de Fayol, noyé dans la végétation provençale. Soudain le paysage change, et la plaine comtadine succède aux gorges : **vue** sur le Ventoux, Carpentras et la campagne environnante. La très belle combe de l'Hermitage mène à **Villes-sur-Auzon**, gros village agricole posé sur les pentes du Ventoux. Bordé de platanes et agrémenté de fontaines, un boulevard ceinture le noyau ancien.

Tendre l'oreille
Entre chaque tunnel, on surplombe la Nesque, à cet endroit dissimulée par une abondante végétation, au creux d'une entaille profonde : seul un murmure cristallin signale sa présence.

Prendre la D 1 en direction de la Gabelle.

Cette route court sur le plateau et offre un large tour d'horizon sur le Ventoux, les dentelles de Montmirail et le bassin de Carpentras. À l'entrée de la Gabelle, la **vue** se porte sur l'autre versant avec au premier plan l'entaille de la Nesque et, à l'horizon, la montagne du Luberon.

De la Gabelle continuez au Nord, traverser la D 1 et prendre vers Flassan.

La route descend dans un frais vallon boisé de conifères : pins, épicéas... jusqu'à **Flassan**, village égayé par des maisons au revêtement ocre et une place on ne peut plus provençale.

Retour sur Sault par la D 217 puis, à .gauche, la D 1.

Abbaye de Sénanque★★

Un moment de sérénité ? Alors pourquoi ne pas aller méditer quelques heures, à quelques kilomètres de Gordes, loin du bruit et de la foule estivale ? Une douce lumière baigne cette abbaye austère et paisible, nichée dans son écrin de lavande.

La situation

Cartes Michelin nos 81 pli 13, 245 pli 17 et 246 pli 11 – Vaucluse (84). En arrivant depuis Gordes par la D 177, on reste saisi à la vue de ces harmonieux bâtiments, lovés au creux d'un petit canyon : la Sénancole y a creusé son lit, dans le plateau de Vaucluse.

Le nom

La Sénancole a donné son nom à Sénanque après avoir tiré le sien de la racine *sin-*, « montagne », d'où dérive également le nom du mont Sinaï. Patronage de choix pour une abbaye...

Trois sœurs

On retrouve l'austérité de Sénanque dans les abbayes du Thoronet *(voir LE GUIDE VERT Côte d'Azur)* et de Silvacane *(voir ce nom)* qui nous sont presque parvenues dans leur état d'origine, quand l'Ordre connaissait son apogée.

Les gens

Inspiré par saint Bernard de Cîteaux, le mouvement cistercien prônait un idéal ascétique et la règle bénédictine primitive était observée dans ses établissements avec une extrême rigueur : isolement, pauvreté, simplicité, seules voies pouvant mener à la béatitude. Les conditions de vie des cisterciens sont donc très dures : les offices, la prière, les lectures pieuses alternent avec les travaux manuels, le temps de repos ne dépassant pas sept heures ; les repas, pris en silence, sont frugaux et les moines couchent tout habillés dans un dortoir commun dépourvu du moindre confort.

comprendre

Fondée en 1148 par des moines venus de Mazan (Haut-Vivarais), Sénanque prospéra rapidement au point que, dès 1152, sa communauté était assez nombreuse pour fonder une seconde abbaye dans le Vivarais. Elle bénéficia de nombreuses donations, en particulier des terres de la famille de Simiane et des seigneurs de Venasque. Le monastère ne tarda pas à installer, parfois très loin, des « granges », sortes d'annexes à la tête des exploitations qui étaient mises en valeur par les frères convers, moines « auxiliaires » chargés des tâches agricoles. Mais l'abbaye accumula des richesses peu compa-

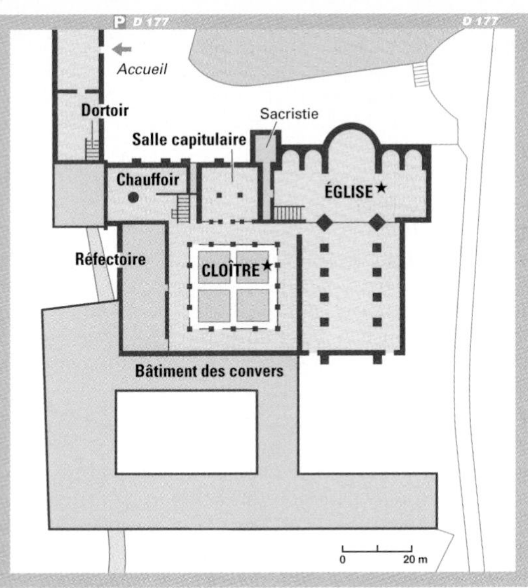

tibles avec les vœux de pauvreté : au 14e s., c'est la décadence. Le recrutement et la ferveur diminuent tandis que la discipline se relâche. Pourtant, la situation s'améliore et le monastère retrouve sa dignité en s'efforçant de respecter l'esprit des fondateurs. En 1544, l'insurrection vaudoise porte à l'abbaye un coup dont elle ne se relèvera pas : des moines sont pendus et plusieurs bâtiments incendiés. À la fin du 17e s., Sénanque ne compte plus que deux religieux. Elle est par chance vendue comme bien national en 1791 à un acquéreur qui la préserve de toute destruction, et va jusqu'à la faire consolider. Rachetée par un ecclésiastique en 1854, elle retrouve sa vocation d'origine : des bâtiments nouveaux viennent flanquer les anciens et 72 moines s'y installent. Depuis lors, malgré quelques tourments sous la IIIe République, la vie monastique a repris à Sénanque.

Dénuement absolu

L'austérité inspire les conceptions artistiques de l'Ordre : les bâtiments sont dépouillés de toute ornementation qui détournerait les moines de l'essentiel ; vitraux colorés, statues, peintures ou tympans sculptés sont bannis.

visiter

Compter environ 1h. Mars-oct. : 10h-12h, 14-18h (dernière entrée 1/2h av. fermeture), dim. et j. fériés 14h-18h ; nov.-fév. : 14h-17h, w.-end et j. fériés 14h-18h. Fermé ven. Saint, j. fériés religieux (matin), 25 déc. 30F. ☎ 04 90 72 05 72.

Magnifique illustration de l'art cistercien, le monastère a conservé sa forme primitive, à l'exception de l'aile des convers (18e s.).

Odeur de sainteté et senteurs de lavande... À Sénanque, le spirituel et le temporel se rejoignent.

HÉBERGEMENT
Chambre d'hôte Les Hauts de Véroncle – *84220 Murs - 8 km au NE de Sénanque par D 177, D 244 et D 15 - ☎ 04 90 72 60 91 - hauts.de.veroncle@wanadoo.fr - fermé déb. nov. à fin mars - ⊠ - 3 ch. : 245/300F - repas 120F.* En dehors du chant des cigales rien ne perturbe la quiétude de ce mas en pleine garrigue. Murs blanchis à la chaux et simplicité dans les chambres. Un gîte est également disponible. En été, dîner sous la tonnelle. Et pour une promenade, demandez le chemin des sept moulins.

Les parties médiévales sont construites en bel appareil de pierres du pays aux joints finement taillés. L'église, avec sa toiture d'origine en ardoise, n'est pas orientée à l'Est comme le voulait la coutume, mais au Nord, les bâtisseurs ayant dû se plier aux exigences de la topographie.

La visite commence par le dortoir situé au Nord-Ouest du cloître, au 1er étage.

Dortoir

Dans cette vaste salle voûtée, éclairée par un oculus et d'étroites fenêtres (sol dallé de briques), les moines dormaient chacun sur leur paillasse ; le premier office (matines) avait lieu à 2 h du matin, le second à l'aube (laudes). Le dortoir abrite une exposition sur la construction de l'abbaye.

Église★

Elle fut édifiée entre 1150 et le début du 13e s. La pureté de ses lignes (du fond de la nef on pourra apprécier l'équilibre des proportions et des volumes), que rehausse l'absence de toute décoration, crée une ambiance de recueillement. La croisée du transept est couronnée par une ample coupole sur trompes très ouvragées (arcatures, dalle de pierre incurvée, pilastres cannelés qui rappellent le style des églises du Velay et du Vivarais). Une abside semi-circulaire, percée de trois fenêtres (symbolisant la Trinité) et flanquée de quatre absidioles parachève l'édifice. Nef, transept et collatéraux sont recouverts de pierres plates reposant à même la voûte.

TRÈS DISCRÈTE
Décoration sur les chapiteaux du cloître : feuillages, fleurs, torsades, palmettes et entrelacs.

◄ Cloître★

Galeries (fin 12e s.) voûtées en berceau plein cintre avec doubleaux reposant sur des consoles sculptées.

Le cloître donne accès aux différentes pièces des bâtiments conventuels, chacune tenant une fonction bien précise.

Bâtiments conventuels★

La **salle capitulaire**, couverte de six voûtes d'ogives, repose sur deux piliers centraux. Les moines s'y réunissaient, assis sur des gradins, pour lire et commenter les Écritures, recevoir les vœux des novices, veiller les défunts et prendre d'importantes décisions.

Un étroit passage donne accès au **chauffoir**, où subsiste une des deux cheminées d'origine : elles fournissaient aux copistes travaillant dans la pièce la chaleur nécessaire.

Parallèle à la galerie Ouest du cloître, le **réfectoire**, détruit au 16e s., a été reconstruit par la suite et récemment restauré dans son état primitif.

Au Sud, le **bâtiment des convers**, refait au 18e s., abritait les moines « auxiliaires » : ils ne rejoignaient leurs frères qu'à l'occasion des travaux des champs et de certains offices.

Abbaye de Silvacane★★

Sur la rive gauche de la Durance, l'abbaye de Silvacane étage ses toitures rosées et son petit clocher carré, exemple admirable de sobriété cistercienne.

La situation

Cartes Michelin n°s 84 plis 2 et 3, 114 plis 1, 2, 245 pli 31 ou 246 pli 12 – Bouches-du-Rhône (13).

L'abbaye se dresse au bord de la Durance, en contrebas de la D 563, aux portes de la Roque-d'Anthéron. L'accès s'effectue par un bâtiment d'accueil élevé à l'emplacement de l'ancienne hôtellerie.

Le nom

Une forêt *(sylva)* de roseaux *(cana)* : au 11e s. les moines de St-Victor de Marseille choisirent ce lieu pour s'y établir.

Les gens

C'est un groupe de cisterciens de Morimond qui prit en main l'abbaye de Silvacane dès son affiliation à l'ordre de Cîteaux et effectua les travaux de bonification des terres environnantes.

Protégée par les grands seigneurs de Provence, l'abbaye prospéra, pour fonder à son tour une filiale à Valsainte près d'Apt. Mais le sac de 1358 par le seigneur d'Aubignan et les grandes gelées de 1364 qui anéantirent les récoltes d'olives et de vin entraînèrent le déclin et, en 1443, l'abbaye était annexée au chapitre de la cathédrale d'Aix. Devenue église paroissiale de la Roque-d'Anthéron au début du 16e s., elle subit des dégradations pendant les guerres de Religion. Lorsque la Révolution éclata, les bâtiments étaient à l'abandon ; vendus comme bien national, ils furent transformés en ferme. Depuis le rachat par l'État en 1949, ils sont progressivement restaurés : ainsi sur des fondements découverts en 1989 ont été restitués, à l'Ouest, des bâtiments monastiques, le mur d'enceinte ainsi que l'hôtellerie des moines.

Des moines peu chrétiens

En 1289, un violent conflit opposa les moines de Silvacane à ceux de Montmajour ; les moines en vinrent aux mains et quelques cisterciens de Silvacane furent même pris en otages par leurs collègues. Il fallut un procès pour que l'abbaye soit rendue à ses légitimes occupants.

La sereine sobriété cistercienne ne préserva pas Silvacane de quelques rocambolesques aventures !

visiter

Compter environ 1h. Avr.-sept. : 9h-19h ; oct.-mars : tlj sf mar. 10h-13h, 14h-17h. Fermé 1er janv., 1er mai, 25 déc. 32F, gratuit 1er dim. du mois de oct. à fin mai. ☎ 04 42 50 41 69.

Église

D'une grande sobriété, elle fut construite entre 1175 et 1230 sur un terrain en pente, d'où les décalages de niveau qui frappent lorsqu'on observe la façade occidentale, percée de nombreuses ouvertures : un portail central, deux portes latérales surmontées de petites fenêtres, trois fenêtres et un oculus orné de moulures à l'étage. La nef de trois travées se termine par un chevet plat. Sur chacun des bras du large transept se greffent deux chapelles. On observera comment l'architecte a tenu compte de la pente très accusée du terrain en étageant les niveaux du collatéral Sud, de la nef et du cloître.

Cloître

Il date de la seconde moitié du 13e s. Cependant, les voûtes de ses galeries demeurent romanes. De puissantes arcades en plein cintre, jadis ornées de baies géminées, ouvrent sur le préau.

Bâtiments conventuels

À l'exception du réfectoire, ils furent construits entre 1210 et 1230. Tout en longueur, l'exiguë **sacristie (2)** jouxte l'**armarium (3)** (bibliothèque) situé sous le bras

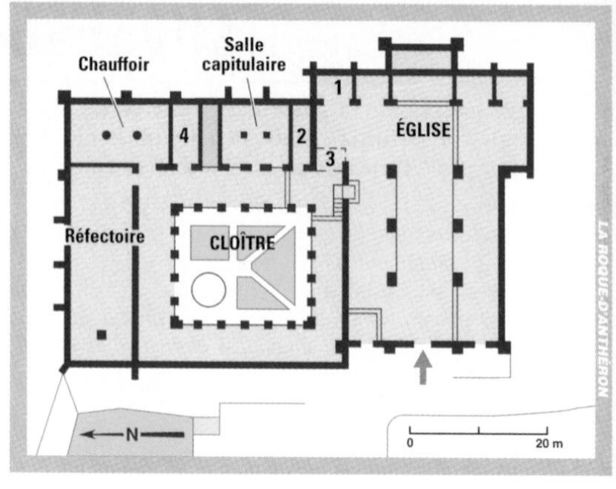

Fiat Lux...
Dans le réfectoire, de hautes fenêtres et une large rose dispensent abondamment la lumière indispensable au lecteur, dont la chaire a été conservée.

Nord du transept. La **salle capitulaire** avec ses six voûtes d'ogives retombant sur deux piles centrales rappelle Sénanque. Après le **parloir (4)** servant de passage vers l'extérieur vient le chauffoir qui a conservé sa cheminée. À l'étage se situe le **dortoir**. Le magnifique ◄ **réfectoire** a été reconstruit vers 1425. Ses chapiteaux sont plus ornés que ceux des autres salles. Le bâtiment des convers a complètement disparu. Des fouilles en cours ont permis de dégager, à l'extérieur, les vestiges de la porterie et du mur de clôture de l'abbaye.

Tarascon★

La Tarasque, puis Tartarin l'ont rendue célèbre ; les murailles de son magnifique château surplombent les eaux du Rhône ; mais Tarascon est aussi une belle ville provençale où, sans tartarinade, il fait bon séjourner.

La situation

Cartes Michelin nos 83 pli 10, 245 pli 48 et 246 pli 26 – Bouches-du-Rhône (13). Il faut arriver à Tarascon en provenance de Beaucaire par le pont sur le Rhône, qui offre le meilleur point de vue sur le château. Mais qu'on arrive de Beaucaire, d'Arles, d'Avignon ou de Cavaillon, on se retrouve bientôt sur le boulevard circulaire, ombragé de platanes, où l'on pourra garer sa voiture, à moins qu'on ne préfère le parking (gratuit comme partout en ville) au pied du Château.
59 r. des Halles, 13150 Tarascon, ☎ 04 90 91 03 52.

Le nom

Ce n'est pas la Tarasque qui a donné son nom à la ville... En effet, la racine ligure *asc* signifie « cours d'eau » et le préfixe *tar* « rocher ». Autrement dit, Tarascon serait le « rocher de la rivière », sans doute en référence à la roche qui supporte le château.

Jadis redoutée, la tarasque est, depuis l'intervention de sainte Marthe, prétexte à réjouissances.

La sainte et la bête
Il suffit d'apercevoir son effigie pour se rendre compte que c'était vraiment une sale bête. Elle ? La Tarasque, monstre amphibie qui surgissait soudain du Rhône pour dévorer les enfants ou le bétail et tuer les imprudents qui traversaient le fleuve. Heureusement sainte Marthe vint de Palestine où l'on s'y connaît en bêtes sauvages : un simple signe de croix et la terrible Tarasque, vaincue, se couche aux pieds de la sainte. Cette dernière livre la bête au peuple qui s'empresse de la mettre à mal. Grand amateur de fêtes et de réjouissances, le roi René ne manqua pas d'en organiser en 1474 pour célébrer l'événement... Cette tradition a perduré jusqu'à nos jours.

carnet pratique

Visite

Visite guidée de la ville – Découverte du centre-ville et de ses monuments (1h à 2h selon demande). Juil.-août : lun., jeu. à 9h30 et 16h30. 10F par h et par pers.

Restauration

• *À bon compte*

Bistrot des Anges – *Pl. du Marché - ☎ 04 90 91 05 11 - fermé 23 déc. au 8 janv., le soir, sam. d'oct. à mai et dim. - 100F.* C'est avec le sourire que vous serez accueilli par la dynamique patronne de ce joli restaurant, aux chaises et tables de fer, aux vives couleurs provençales. Un seul menu, renouvelé chaque jour, garantit la fraîcheur des produits. Terrasse sur la place en été.

Hébergement

• *Valeur sûre*

Chambre d'hôte du Château – *24 r. du Château - ☎ 04 90 91 09 99 - www.chambres-hotes.com - fermé janv. et 12 nov. au 15 déc. - ⊭ - 5 ch. : 400/450F.* Remontez le temps en dormant dans ce logis bien restauré du 18e s., situé dans une ruelle calme qui conduit au château du roi René. Le petit-déjeuner est servi dans le patio fleuri, sous le pigeonnier aux murs d'ocre rouge. Un rêve à prix raisonnable.

Achats

Régis Morin Pâtisserie « La Tarasque » – *56 r. des Halles - ☎ 04 90 91 01 17 - Mar.-dim. 6h30-13h00, 15h-20h.* Ce pâtissier-chocolatier est l'auteur de délicieux entremets au chocolat, fourrés au praliné noisette.

Souleïado (maison mère) – *39 r. Proudhou - ☎ 04 90 91 08 80 - Magasin : lun-ven 8h30-12h, 13h30-18h sf ven. jusqu'a 17h.* Souleïado vous invite à découvrir sa maison mère et ses fameux tissus dont la Provence est si fière.

Choix du Roy – *26 r. des Halles (dans l'ancien hôtel de la Monnaie) - ☎ 04 90 43 50 07.* Vaste choix de tissus provençaux au mètre.

Marché – Marché traditionnel mardi matin dans le centre-ville.

Loisirs

Base ULM Christine Garcia – *Rte d'Arles - ☎ 04 90 43 51 67 / 06 11 94 17 24 - Mar.-dim. sur réservation.* Découvrez la Provence vue du ciel en ULM. Christine Garcia vous invite à choisir votre circuit parmi 5 proposés : circuits Tartarin (autour de la Montagnette), Daudet (au-dessus du moulin), Van Gogh (St-Rémy, Glanum), Mireille (Camargue) ou Altera Roma (Pont du Gard, Avignon).

Calendrier

Fêtes de la Tarasque – Le dernier w.-end de juin, du ven. au lun., : l'effigie de la bête est promenée dans les rues et à grands coups de queue, le monstre renverse tous ceux qui ont le malheur de se trouver sur son passage. Tartarin, bien entendu, participe au défilé et le programme est complété par diverses manifestations taurines (courses camarguaises et novillada aux arènes) avant de s'achever sur un spectacle pyrosymphonique.

Noël – Foire aux santons le dernier w.-end de nov. et, le soir de Noël, cérémonie du pastrage à l'église Ste-Marthe (ainsi qu'à St-Michel-de-Frigolet).

Les gens

12 668 Tarasconnais. Tartarin personnage de fiction ? Allons donc ! On peut visiter sa maison natale ! Et, à l'attention des plus sceptiques, on ajoutera que Daudet s'est inspiré d'un authentique Tarasconnais du nom de Barbarin.

découvrir

LE CHÂTEAU DU ROI RENÉ**

Visite : 1h. Avr.-sept. : 9h-19h ; oct.-mars : tlj sf mar. 9h-12h, 14h-17h. Fermé 1er janv., 1er mai, 1er et 11 nov., 25 déc. 32F. ☎ 04 90 91 01 93.

Sa silhouette massive posée au bord du Rhône, l'élégance insoupçonnée de son architecture intérieure et son état exceptionnel de conservation en font un des plus beaux châteaux médiévaux de France.

Gîte d'étape massif pour roi raffiné : René y faisait de longs séjours avec sa cour.

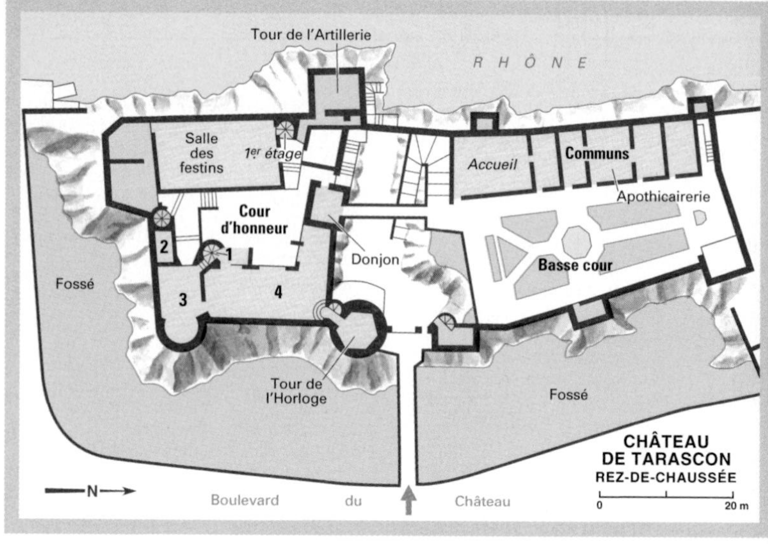

Il se compose de deux parties indépendantes : au Sud, le logis seigneurial, cantonné de tours rondes côté ville et de tours carrées côté fleuve avec des murailles s'élevant jusqu'à 48 m de hauteur ; au Nord, la basse cour que défendent des constructions rectangulaires.

Du castrum au chateau

Le château actuel a succédé à une forteresse, édifiée à l'emplacement du castrum romain afin de surveiller la frontière de la Provence. Après sa mise à sac en 1399 par les bandes de Raymond de Turenne, la famille d'Anjou décida de le reconstruire entièrement dès 1400. Entre 1447 et 1449, le roi René, qui en avait fait sa résidence favorite, fit réaliser une décoration intérieure raffinée.

La basse cour

Un large fossé traversé par un pont (autrefois pont-levis) isole l'ensemble du château de la ville. La basse cour comprend les bâtiments de service qui, récemment aménagés, abritent l'apothicairerie de l'hôpital St-Nicolas : importante collection de pots de faïence présentée dans une belle boiserie du 18e s.

La cour d'honneur

On y accède par la porte en chicane de la tour du donjon. Autour s'ordonnent de belles façades finement sculptées et ornées de fenêtres à meneaux. Une gracieuse tourelle d'escalier polygonale **(1)** dessert les étages ; à côté, dans une niche, bustes du roi René et de la reine Jeanne. Remarquer la clôture flamboyante de la chapelle des chantres **(2)** et, contre la tour d'angle, la chapelle basse **(3)** que surmonte la chapelle haute.

Côté ville, un corps de logis en équerre comprend des appartements, étagés deux à deux au-dessus d'une galerie **(4)** aux voûtes surbaissées, qui communiquent avec la tour de l'Horloge.

Un roi gourmet

La chambre du roi (dans la tour Sud-Ouest) possédait une cheminée et un chauffe-plats, bien utiles en cas de petite faim.

Le logis seigneurial

Nous voici chez le roi René dans l'aile occidentale qui surplombe le fleuve. Les salles d'apparat, celle des Festins au rez-de-chaussée, avec ses deux cheminées et, au premier étage, la salle des Fêtes, avec ses plafonds de bois décorés de peintures, prouvent que la réputation festive du bon roi n'avait rien d'usurpé... Au deuxième étage, deux salles voûtées, celle des Audiences et celle des Conseils. Toutes ces salles sont décorées de tapisseries flamandes du 17e s. Dans l'aile Sud, après la chambre du chapelain et son four à hostie, chapelle royale d'où le roi et la reine pouvaient entendre, depuis leurs oratoires, la voix des chantres.

Terrasse

Accès par la tour de l'artillerie. Depuis cette plate-forme, **panorama★★** immense sur Tarascon, Beaucaire, le Ventoux, le barrage de Vallabrègues sur le Rhône, la Montagnette et les Alpilles, Fontvieille, Montmajour et Arles et la plaine de St-Gilles.

On redescend par la tour de l'Horloge dont le rez-de-chaussée est occupé par la salle des Galères, ainsi nommée en souvenir des graffiti et dessins de bateaux exécutés par les prisonniers de jadis.

se promener

Si le château est très connu, c'est souvent au détriment de la ville qui mérite de l'être mieux, avec ses vieilles demeures édifiées dans une pierre aux teintes chaudes où le soleil révèle ici une corniche, là un portail, là encore une frise, et ses petites rues bordées d'hôtels aux façades souvent très bien restaurées.

Entrer dans la cité par la porte St-Jean et prendre la rue Pelletan.

Sur la droite, remarquer la façade baroque du théâtre avec ses angelots joufflus.

Poursuivre par la rue Proudhon.

Au n°39, un bel hôtel abrite l'entreprise familiale **Souleïado** : la boutique propose des tissus imprimés aux couleurs vives et chaleureuses.

Poursuivre dans la rue puis, à gauche, juste après la chapelle de la Persévérance (17e s.), s'ouvre la rue **Arc-de-Boqui**, entièrement couverte.

Au débouché de la ruelle, prendre à droite vers la place du Marché.

Hôtel de ville

Élégante façade sculptée du 17e s. À l'étage, on peut accéder à la salle des Consuls, revêtue de boiseries et de portraits.

Façade de l'hôtel de ville : sainte Marthe terrassant la Tarasque.

Prenant la rue du Château, on pénètre dans le pittoresque quartier de la **Juiverie**, ancien ghetto de Tarascon. À l'extrémité se dressent le château et la collégiale Ste-Marthe.

Regagner la place de la Mairie par la rue Robert.

Prendre à droite la **rue des Halles**, principale artère du vieux Tarascon. Arcades et couverts (15e s.) bordent cette rue, où se tenait autrefois le marché.

Dans la rue Ledru-Rollin sur la gauche, les galeries du **cloître des Cordeliers** méritent d'être découvertes à l'occasion d'une exposition.

Rejoindre le boulevard Victor-Hugo par la rue Ledru-Rollin.

TARASCON

Aqueduc (R. de l')	Y	2
Arc-de-Boqui (R.)	Y	3
Berrurier (Pl. Colonel)	Z	4
Blanqui (R.)	Z	5
Briand (Crs Aristide)	Z	6
Château (Bd du)	Y	7
Château (R. du)	Y	8
Halles (R. des)	YZ	
Hôpital (R. de l')	Z	9
Jaurès (R. Jean)	Y	12
Jeu-de-Paume (R. du)	YZ	14
Ledru-Rollin (R.)	Z	15
Marché (Pl. du)	Y	16
Millaud (R. Ed.)	YZ	17
Mistral (R. Frédéric)	Z	18
Monge (R.)	Y	
Pelletan (R.E.)	Z	19
Proudhon (R.)	Z	20
Raffin (R.)	Y	23
République (Av. de la)	Z	24
Salengro (Av. R.)	Y	25
Victor-Hugo (Bd)	Z	

Maison de Tartarin	Y	B
Hôtel de ville	Y	H
Musée Charles-Deméry	Z	M
Cloître des Cordeliers	Z	N
Théâtre	Z	T

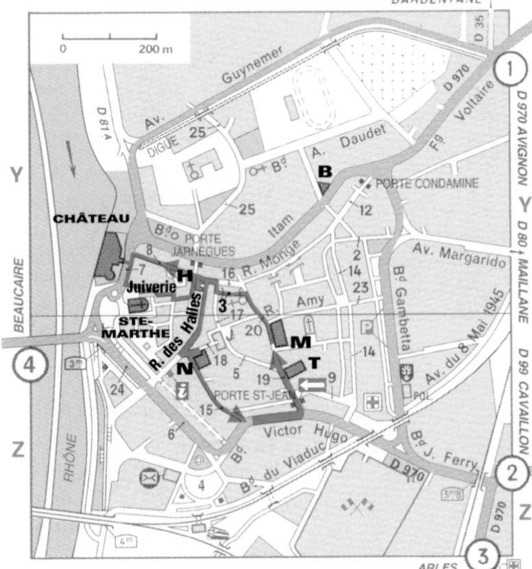

visiter

Église Ste-Marthe*

Possibilité de visite guidée sur demande auprès de l'Office de tourisme ou de l'association des amis de la collégiale. ☎ 04 90 91 09 50.

Édifiée au 12e s., elle fut en grande partie reconstruite au 14e s., puis remaniée et enfin restaurée après avoir subi des dégâts en 1944. Elle a conservé, côté Sud, un très beau portail roman, dont la décoration sculptée a en partie disparu.

L'intérieur est malheureusement trop sombre pour pouvoir vraiment apprécier les tableaux de Nicolas Mignard et de Pierre Parrocel.

Dans la crypte est exposé le sarcophage de sainte Marthe (3e-4e s.), orné de sculptures. Au passage, dans l'escalier, remarquer le tombeau de l'ancien sénéchal de Provence, Jean de Cossa, belle œuvre de style Renaissance.

Pour les amis des bêtes une œuvre de Carle Van Loo, *Sainte Marthe triomphe de la Tarasque*. Le regard désolé de cette dernière ferait fondre les cœurs les plus endurcis.

Musée Charles-Deméry* (Souleïado)

Mai-sept. : 10h-18h (dernière entrée 1h. av. fermeture) ; oct.-avr. : tlj sf lun., dim. et j. fériés 10h-12h, 14h-18h. Fermé entre Noël et Jour de l'an. 40F. ☎ 04 90 91 50 11.

Dans un intérieur provençal du 19e s. sont exposées de rares pièces de tissus imprimés, des costumes provençaux des 18e et 19e s. et une importante collection de poteries, faïences et tableaux.

Maison de Tartarin

55 bis bd Itam. De mi-mars à mi-déc. : tlj sf dim. 10h-12h, 13h30-17h (de mi-avr. à mi-sept. : tlj sf dim. 10h-12h, 14h-19h). Fermé 1er mai. 10F. ☎ 04 90 91 05 08.

Le célèbre personnage de Daudet a enfin trouvé un lieu pour se remettre de ses aventures. Dans cet intérieur reconstitué dans le goût des années 1870, mannequins costumés, meubles et documents restituent l'ambiance du roman de Daudet.

Une visite à Tartarin de retour d'Afrique : prélude à l'ascension des Alpilles par la face Nord !

circuit

LA MONTAGNETTE

45 km – 4 h. Quitter Tarascon à l'Est par la D 80 (direction Maillane) et continuer au-delà de la N 570 par la D 80 A puis, sur la gauche, la D 32.

Maillane

Au cœur de « la Crau de St-Rémy », Maillane doit sa célébrité à **Frédéric Mistral**, rénovateur de la langue provençale et prix Nobel de littérature en 1904. Au cimetière, dans l'allée principale, à gauche, s'élève le mausolée que l'auteur de *Calendau* fit copier d'après le pavillon de la reine Jeanne, près des Baux.

Museon Mistral – *Avr.-sept. : visite guidée (1/2h) tlj sf lun. 9h30-11h30, 14h30-18h30 ; oct.-mars : tlj sf lun. 10h-11h30, 14h-16h30. Fermé j. fériés. 20F. ☎ 04 90 95 74 06.*

Installé dans la demeure que le poète habita depuis son mariage en 1876 jusqu'à sa mort en 1914 et conservée en l'état, ce lieu de pèlerinage pour tous les amoureux de la langue d'oc contient d'émouvants souvenirs, des tableaux et des livres.

Rejoindre Graveson par la D5, puis, à gauche la D 28.

Graveson

L'église du village contient une abside romane et un clocher hérissé de sculptures qui a valu aux Gravesonnais le surnom de « nombrils de bois ». Au bout du cours National ombragé de platanes et traversé par une roubine, le **musée Auguste-Chabaud*** est consacré au

Un poète qui ne manquait pas de souffle

Né en 1830 dans une famille de paysans aisés, Mistral passe sa jeunesse au Mas du Juge (sur la route de St-Rémy). Collégien à St-Michel-de-Frigolet puis à Avignon où il se lie avec Roumanille, il fait son droit à Aix avant de regagner le mas paternel, puis s'installe dans la maison du Lézard *(face au museon)* où il achève *Mirèio* en 1859, cinq ans après avoir fondé le Félibrige. Le succès ne va plus le quitter et Mistral, devenu l'âme de la Renaissance provençale, devient si célèbre qu'en octobre 1913, il est convié à déjeuner dans le wagon présidentiel par le président de la République de l'époque, Raymond Poincaré, dont le train s'est arrêté tout exprès en gare de Graveson.

peintre et sculpteur nîmois (1882-1955) qui, installé au Mas de Martin, au pied de la Montagnette, a fait de celle-ci son principal sujet d'inspiration. D'abord postimpressionniste (*Maison au bord d'un canal*, 1902) puis apparenté au fauvisme, l'ermite de Graveson, par la force d'expression de ses tableaux aux couleurs violentes cernées de contours noirs, peut être situé dans un courant proche de l'expressionnisme. Admirer *Les Vieilles Provençales*, tableau de 1909. Et pour se souvenir de Graveson, *La Roubine* (1912) avec les platanes et leurs reflets sur le canal. *Juin-sept. : 10h-12h, 13h30-18h30 ; oct.-mai : 13h30-18h30. Fermé 1er janv. et 25 et 31 déc. 20F. ☏ 04 90 90 53 02.*

Ombragée de platanes, la roubine de Graveson : à comparer avec la toile d'Auguste Chabaud.

À quelques km au Sud par la D 80, un vieux mas, ancienne propriété des moines de St-Michel-de-Frigolet, abrite le **musée des Arômes et du Parfum**. Alambics, flacons, essenciers... et boutique où les partisans de l'aromathérapie trouveront sans doute leur bonheur. *10h-12h, 14h-18h. Fermé 1er janv. et 25 déc. 20F. ☏ 04 90 95 81 55.*

Poursuivre jusqu'à la N 570 et prendre à droite vers Graveson, puis à gauche en direction de Tarascon. Immédiatement, tourner (à gauche) sur la D 81. Après être passée au-dessus de la D 970, la route s'élève en lacet parmi pins, oliviers et cyprès dans un paysage propice à la promenade comme au pique-nique. Un chemin de croix précède l'arrivée à l'abbaye.

Balade

Un circuit balisé (en jaune) permet aux plus vaillants d'explorer la Montagnette depuis St-Michel-de-Frigolet en passant par Boulbon et le San Salvador qui culmine à 161 m d'altitude. Notez que l'accès est interdit dans les sous-bois de juillet à la mi-septembre et toute l'année lorsque le vent souffle à plus de 40 km/h.

Abbaye de St-Michel-de-Frigolet *(voir ce nom)*

Poursuivre la D 80 puis la D 35E.

Barbentane *(voir ce nom)*

Quitter Barbentane par la D 35 au Sud.

Boulbon

Adossé à la Montagnette, le bourg est dominé par les murailles d'un imposant château fort : il faut le découvrir à la tombée du soleil lorsque ses rayons rasants viennent illuminer la pierre de teintes chaudes. Au cimetière, la chapelle romane St-Marcellin (11e-12e s.) contient de belles sculptures (gisant et pleureurs, du 14e s.).

Reprendre la D 35 qui ramène à Tarascon.

La Tour-d'Aigues

Pour qui vient du Luberon aride et sauvage, le pays d'Aigues, baigné par la Durance et largement ouvert sur Aix, apparaît comme une région bénie des Dieux avec ses paysages riants et ses riches terroirs portant vignobles, cerisiers et cultures maraîchères.

Restauration
Auberge de la Tour – *R. A.-de-Tres - ☎ 04 90 07 34 64 - fermé 1er au 15 nov., dim. soir et lun. - 140/240F.* L'ambiance est décontractée, ce qui donne à ce restaurant au cœur du village un petit air de bistrot. Côté cuisine c'est le terroir qui est à l'honneur.

La situation

Cartes Michelin nos 84 pli 3, 114 pli 3 et 245 pli 32 – Vaucluse (84). À quelques km au Nord de Pertuis, entre la Durance et le Luberon, le bourg, dominé par son château, est devenu la véritable capitale du pays d'Aigues.
Le Château, 84240 La Tour-d'Aigues, ☎ 04 90 07 50 29.

Le nom

Une « tour » précéda le donjon du château d'aujourd'hui. Quant aux « Aigues », ce sont bien entendu les eaux (*Aigas* en occitan) qui irriguent le terroir.

Les gens

3 860 Tourains. Victor Riquetti (1715-1789), enfant du pays d'Aigues (il était né à Pertuis et portait le titre de comte de Mirabeau) fut un savant estimé. Mais s'il maîtrisait la science économique, il eut bien du souci avec son chenapan de fils, Gabriel Honoré. Quant à la postérité, c'est le fils qu'elle devait retenir. À vous dégoûter d'être un *Ami des hommes*, titre de l'ouvrage de Monsieur père...

Un portail monumental inspiré de l'Antique pour entrer dans le château qui abrite une collection de faïences locales.

visiter

Château

Édifié entre 1555 et 1575 dans le goût de la Renaissance par un architecte italien sur une vaste terrasse dominant le Lèze, il s'honore d'avoir reçu en 1579 Catherine de Médicis. Mais s'il brillait alors de mille feux, deux mises à sac consécutives, en 1782 et 1792, l'ont ruiné. Il est actuellement en cours de restauration.

Deux imposants pavillons encadrent le monumental portail d'entrée, inspiré des arcs de triomphe et abondamment décoré de colonnes et pilastres corinthiens avec une frise d'attributs guerriers.

Au cœur de l'enceinte se dresse le donjon restitué dans son état du 16e s. Dans un angle subsiste la chapelle. Les caves accueillent des salles d'expositions et de conférences, ainsi que les collections de deux musées.

Musée des Faïences

Juil.-août : 10h-13h, 14h30-18h30 ; avr.-oct. : 9h30-12h, 14h-18h, mar., w.-end et j. fériés 14h-18h ; nov.-mars : 9h30-12h, 14h-17h, mar., w.-end et j. fériés 14h-17h. Fermé 1er janv., 24, 25, 31 déc. 25F. ☎ 04 90 07 50 33.

C'est fortuitement qu'on a retrouvé, au cours de travaux réalisés dans les caves, une grande quantité de céramiques vernissées, base de cette collection. Pour l'essentiel, il s'agit de pièces, blanches ou polychromes, réalisées dans la fabrique de Jerôme Bruny à la Tour-d'Aigues entre 1750 et 1785.
En contrepoint, des porcelaines européennes (Delft, Moustiers, Marseille) et asiatiques (Chine, Japon) du 18e s., des médaillons en marbre du 16e s. et des carreaux de pavement en terre cuite émaillée (17e-18e s.) viennent éclairer cette présentation.

Orange
Le plat ovale représentant une scène de chasse au renard en camaïeu, d'après une gravure de J.-B. Oudry.

Musée de l'Histoire du Pays d'Aigues

Mêmes conditions de visite que pour le musée des Faïences.
Des Celto-Ligures à nos jours, une histoire des hommes et du terroir présentée sous l'égide du Parc naturel régional du Luberon : photographies en transparence, cartes lumineuses, objets (moulages antiques, outils, reconstitution d'une magnanerie, etc.) et maquettes permettent de suivre l'évolution de la vie locale.

circuit

DE PART ET D'AUTRE DE LA DURANCE

112 km – 1 journée environ.
Au pied du Luberon, cette rivière fantasque suit un cours souvent paresseux, parallèle à la Méditerranée jusqu'au Rhône qu'elle rejoint au Sud d'Avignon. Ce ne fut pas toujours le cas puisqu'à l'époque des dernières grandes glaciations, elle formait un coude à peu près à hauteur de Lamanon et se jetait directement dans la mer en charriant une énorme masse de cailloux devenue aujourd'hui la Crau.
Un débit irrégulier, des crues aussi spectaculaires que dévastatrices ont marqué l'histoire de la Durance qui ne s'est laissé apprivoiser que peu à peu. La retenue de Serre-Ponçon *(voir Guide Vert Alpes du Sud)* a permis de réguler son cours et de pouvoir irriguer les plaines de la Basse-Durance en saison sèche.
De nombreux canaux, destinés à l'alimentation des villes, à l'irrigation (cas du plus ancien, le canal de Craponne, du 16e s.) ou utilisant son important potentiel hydro-électrique, ont été creusés dans la région comprise entre la Durance et la mer.
Poissons, cormorans, hérons, castors ont aujourd'hui réinvesti les eaux de la rivière qui ont retrouvé leur pureté.

Branchés ?
Quelques centrales EDF à visiter : Jouques, ☎ 04 42 61 90 22 ; St-Estève-Janson, ☎ 04 42 61 90 22 ; Mallemort, ☎ 04 90 59 40 58 ; Salon, ☎ 04 90 42 18 47 ; St-Chamas, ☎ 04 90 42 18 47.

Quitter la Tour-d'Aigues vers l'Est par la D 135 en direction de Mirabeau.
Sur la gauche après le village, la N 96 en direction de Manosque emprunte le **défilé de Mirabeau**, étroit couloir creusé dans la roche par lequel la Durance quitte la Haute-Provence pour entrer en Vaucluse.
Après avoir franchi la Durance sur le **Pont-Mirabeau**, puis l'autoroute, prendre sur la droite la N 96 à hauteur de la **centrale de Jouques**, en suivant les eaux vertes du **canal d'EDF** qui, naissant au barrage de Cadarache, court parallèlement à la Durance jusqu'à Mallemort.

Peyrolles-en-Provence

Le bourg a conservé de son enceinte médiévale un beffroi (campanile en fer forgé) et une tour ronde ruinée près de l'église.
Ancienne résidence du roi René largement remaniée au 17e s., le **château** qui domine le village abrite aujourd'hui la mairie. À l'intérieur, grand escalier « de vanité » et gypseries du 18e s. De la terrasse Est ornée d'une « fontaine au gladiateur », vue sur la vallée.
L'**église St-Pierre**, maintes fois remaniée a conservé une nef romane. *Visite guidée 8h-12h, 14h-17h sur demande préalable auprès de Melle Vidal. Mairie.* ☎ *04 42 57 89 82.*

La chapelle du Saint-Sépulcre à Peyrolles : un plan oriental abritant d'émouvants graffiti de voiliers, ex-voto sans doute tracés sur les murs au Moyen Âge.

Sur un éperon rocheux, la **chapelle du St-Sépulcre**, édifiée au 12e s. présente un plan en forme de croix grecque. Sur les murs, des fresques : la création d'Adam et Ève (au-dessus de la porte) et une procession de saints auréolés.

Meyrargues

L'imposant château qui surplombe la cité est aujourd'hui un hôtel. En contrebas, une promenade conduit aux vestiges de l'aqueduc romain qui, passant à travers les gorges sauvages de l'Étroit, alimentait Aix-en-Provence.

À la sortie de Meyrargues, prendre à droite la D 561 en direction de la Roque-d'Anthéron puis tourner à gauche dans la D 15 vers le Puy-Ste-Réparade.

Le retour d'un indigène : gare aux poissons, le cormoran est revenu hanter les rives de la Durance.

UN BIEN POUR UN MAL

1 300 ha de terrains communaux, peuplés pour l'essentiel de pins, sont partis en fumée lors d'un incendie il y a dix ans. Les habitants, se souvenant alors qu'ils vivaient sur une terre à truffes, ont reboisé le terrain d'arbres truffiers (chênes, en particulier) afin de tenir les sous-bois propres. Et c'est ainsi que d'une catastrophe, Rognes a tiré une spécialité d'autant plus renommée que le terrain sableux et humide donne à la truffe locale un parfum très apprécié.

Rognes

Rognes est renommée à double titre : pour sa pierre très utilisée en Provence dans la construction et la décoration *(carrières sur la route de Lambesc)*, et, depuis peu, pour la truffe *(pittoresque marché « rabassier » en décembre)*.

L'**église**, du 17e s., possède un remarquable ensemble de dix **retables★** des 17e et 18e s. *Visite guidée mer. 9h30-10h30. Se renseigner auprès de l'Office de tourisme. ☎ 04 42 50 13 36.*

Par la pittoresque D 66, revenir à la D 561 et prendre à gauche.

Après la **centrale de St-Estève-Janson**, où prend naissance le canal de Marseille qui, creusé au 19e s., a longtemps alimenté la cité en eau potable, on longe le **bassin de St-Christophe**, vaste réservoir de retenue situé au pied de la chaîne des Côtes dans un site de rochers et de pins.

La route traverse puis longe le canal d'EDF.

Abbaye de Silvacane★★ *(voir ce nom)*

La Roque-d'Anthéron

Au cœur du bourg, le **château de Florans**, vaste demeure du 17e s. aux tours d'angles roses, accueille chaque année un prestigieux festival international de piano. Les mélomanes passionnés de paléontologie et de minéralogie pourront entre deux concerts visiter, place Paul-Cézanne, le **musée de Géologie provençale**. *De juil. à mi-sept. : lun.-ven. 10h-12h, 15h-19h ; de mi-sept. à fin juin : mar., mer., jeu., dim. (sf 1er dim. du mois) 10h-12h, 14h-18h. 10F. ☎ 04 42 50 47 87.*

La D 561 puis, à droite la D 23c conduisent à Mallemort. Franchir la Durance par la D 32 puis tourner à gauche sur la D 973. Faire 2 km avant de prendre à droite une petite route qui longe une carrière (fléchage) et conduit à un parking aménagé sous les oliviers.

Les gorges du Régalon : un étroit couloir où la température est délicieusement fraîche !

Gorges du Régalon★

1h1/4 à pied AR. Attention, les jours d'orage, le mince filet d'eau devient torrent, ce qui rend l'excursion impossible. Prendre le chemin qui suit en contre-haut le lit du torrent. Bientôt, sur la gauche s'étend une oliveraie que l'on traverse pour atteindre un passage étroit qui marque l'entrée des gorges.

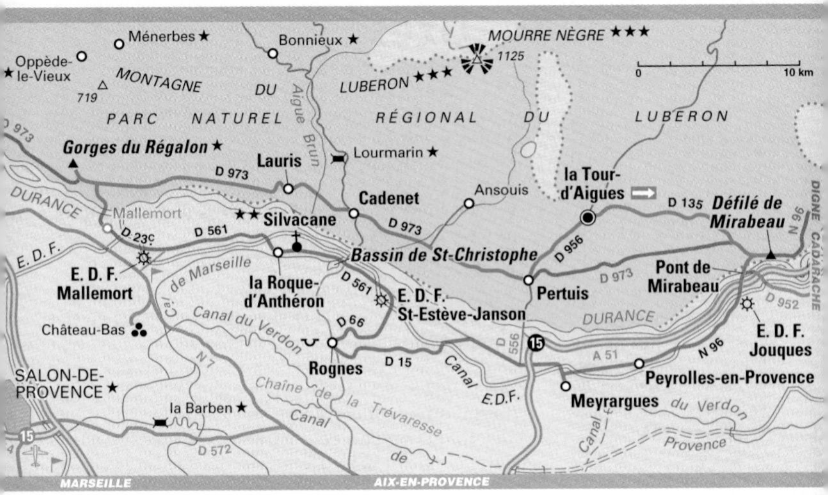

Une promenade idéale pour les jours de forte chaleur : car la température dans les gorges est toujours très fraîche. Marchant dans le lit du torrent, on passe sous un énorme bloc de rochers encastré entre les parois très rapprochées. Une petite escalade et nous voici à l'entrée d'une grotte, tunnel coudé auquel fait suite un couloir de 100 m de long, haut de 30 m et étroit, parfois, de 80 cm (claustrophobes s'abstenir). Au terme de cet impressionnant défilé, faire demi-tour.

Après avoir regagné la voiture, prendre à gauche la D 973.

Lauris

Il serait dommage que les nombreuses constructions nouvelles fassent négliger le vieux village aux ruelles bordées de demeures anciennes. L'église possède un des plus jolis campaniles en fer forgé de la région. Depuis la Promenade de la Roque, on apercevra les jardins en terrasses du château qui, au point culminant de la falaise, contrôlait la vallée de la Durance.

Cadenet

Centre important de vannerie grâce à la proximité de la Durance dont le lit fut, jusqu'au milieu du 20e s., un lieu de récolte de l'osier. Florissante entre 1920 et 1930, la production subit ensuite la concurrence du rotin importé d'Extrême-Orient et dut se diversifier : ustensiles à usage domestique, récipients et objets décoratifs. La dernière usine ferma ses portes en 1978. Dans l'ancien atelier La Glaneuse, le **musée de la Vannerie** expose outillage, objets à usage quotidien, chaises longues coloniales, landaus et berceaux, dames-jeannes, malles et valises. Sur la mezzanine, montage audiovisuel retraçant la vie quotidienne d'autrefois. ♿ *D'avr. à fin oct. : tlj sf mar. 10h-12h, 14h30-18h30, dim. 14h30-18h30. Fermé 1er mai. 20F.* ☎ *04 90 68 24 44.*

Sur la place principale, une statue perpétue la mémoire du héros local, André Estienne, le tambour d'Arcole.

Une belle tour carrée supporte le clocher de l'**église** (du 14e s. mais plusieurs fois remanié). À l'intérieur, beaux **fonts baptismaux★** constitués par un sarcophage romain du 3e s. orné de bas-reliefs. *De juil. à fin août : lun.-mer. et sam. 10h30-12h, 17h30-19h.* ☎ *04 90 68 06 79.*

Pertuis

Ce gros bourg, capitale du pays d'Aigues, a conservé quelques traces de son passé : la tour de l'Horloge (13e s.) et la tour St-Jacques (14e s.) à mâchicoulis. Dans l'église St-Nicolas, remarquez deux belles statues en marbre du 17e s. et un triptyque du 16e s.

Rentrer à la Tour-d'Aigues par la D 956.

Tambour à l'eau

Novembre 1796, pont d'Arcole. Un combat acharné s'engage entre l'armée française et les Autrichiens. L'issue est incertaine lorsque soudain, un jeune tambour traverse la rivière à la nage et bat la charge sur l'autre rive. Se croyant encerclés, les Autrichiens reculent.

Uzès★★

Le « Premier duché de France » occupe un paysage de garrigues au charme austère ou éblouissant, selon les saisons. Mais avec ses boulevards ombragés, ses ruelles médiévales et leurs belles demeures nées aux 17e et 18e s. lorsque le drap, la serge et la soie firent la richesse de la ville, Uzès dégage une beauté radieuse et sereine.

Préséance

« Premier duché de France » ne fait pas référence à l'ancienneté du titre mais à des questions de préséance à la cour. Fixées par le roi Charles IX, elles virent la famille de Crussol accéder au premier plan en 1632 lorsque le duc de Montmorency fut décapité à Toulouse.

La situation

Cartes Michelin nos 80 pli 19, 245 pli 14 ou 246 pli 25 – Gard (30). Une arrivée par la D 981, depuis le Pont du Gard ou le pont St-Nicolas, offre la plus jolie vue sur la ville, hérissée de tours et installée à l'extrémité d'un plateau dominant la vallée de l'Alzon. Mais quelle que soit l'approche choisie, on se trouvera vite sur le boulevard circulaire à sens unique où l'on peut garer sa voiture, soit sur le Portalet, peu avant la tour Fenestrelle, soit au parking Gide, soit, plus sagement, avenue de la Libération. 🅸 *Chapelle des Capucins, 30700 Uzès,* ☎ *04 66 22 68 88.*

Le nom

Il viendrait du préceltique *uc* qui signifie « hauteur », donnant Ucetia à l'époque romaine ainsi que l'atteste une inscription, puis Uzez au Moyen Âge : la prononciation locale du « z » terminal fit le reste.

Les gens

8 007 Uzétiens, gens de talent si l'on en juge par ceux qui ont atteint la célébrité : le peintre Nicolas Froment, auteur pour le roi René du célèbre *Triptyque du Buisson Ardent* que l'on peut voir à Aix ; son confrère Xavier Sigalon (1788-1837) ; et, bien sûr, André Gide qui a évoqué ses vacances uzétiennes chez son oncle dans *Si le grain ne meurt*. Mais c'est Jean Racine qui a le plus fait pour le renom de la cité.

Nos nuits sont plus belles que vos jours

C'est ce qu'écrivait le jeune Racine à un ami parisien lors du séjour de 18 mois qu'il fit à Uzès à partir de novembre 1661 : en effet, ce jeune homme de 22 ans, après avoir tâté de la discipline janséniste, s'était émancipé et songeait sérieusement à se consacrer au théâtre ! Pour détourner le godelureau de cette funeste vocation, on l'envoya donc chez son oncle, le chanoine Sconin, vicaire général à Uzès qui fit miroiter au poète en herbe un « bénéfice » s'il entrait dans les ordres. L'oncle ne fut sans doute pas assez persuasif, mais Racine tomba sous le charme de ce Midi qu'il découvrait et ce séjour lui inspira ses *Lettres d'Uzès*, témoignage enthousiaste sur la vie uzétienne de l'époque.

La silhouette de la tour Fenestrelle aussi élégante que gracieuse justifie amplement qu'elle soit devenue le symbole de la cité.

se promener

LA VILLE ANCIENNE

Étrangement silencieuses parfois, les ruelles d'Uzès nous transportent hors du temps, lorsque d'une fenêtre s'égrènent quelques notes de piano. Soudain, on débouche sur une place où se tient un marché haut en couleur, ou bien on découvre en contrebas la garrigue qui, en février, s'illumine sous les fleurs blanches éclatantes des amandiers. Les vitrines des artisans, souvent de qualité, l'animation toute méridionale des boulevards quand le feuillage des platanes est pris d'un brusque frémissement..., on éprouve alors la délicieuse sensation de pouvoir se perdre, l'espace d'un instant, dans cette cité dont le charme tient à un subtil équilibre entre présent et passé.

Depuis l'avenue de la Libération, prendre à droite le boulevard des Alliés.

carnet pratique

Visite

Visite guidée de la ville – Uzès possède le label « Ville d'Art » : des visites commentées (2h) par des guides-conférenciers agréés par le ministère de la Culture y sont organisées par l'Office de tourisme, de juin à sept. lun. et ven. à 10h, mer. à 16h. La visite de l'**église St-Étienne** *(voir p. 348)* est comprise dans le circuit.

Visite guidée du haras – En juil. et août, visite du haras national commentée par des guides équestres mer. et ven. à 15h. 15F. En toutes saisons, visites de la ville et du haras sur réservation.

Restauration

• ***À bon compte***

Le San Diego – *10 bd Charles-Gide - ☎ 04 66 22 20 78 - fermé fév., lun. sf j. fériés et dim. soir - 79F.* Une adresse discrète sur le boulevard circulaire qui entoure la vieille ville. Ici, la cuisine a l'accent qui chante comme le patron et les saveurs de la Provence sont en vedette dans ses deux salles voûtées en pierre, aux murs décorés de tableaux colorés.

Les Fontaines – *6 r. Entre-les-Tours - ☎ 04 66 22 41 20 - fermé fév., 15 nov. au 9 déc., mer. et jeu. - 95/120F.* Sa petite cour intérieure aménagée en terrasse est charmante avec ses dalles et voûtes de pierres. Voûtes aussi dans la salle à manger aux couleurs provençales de cette maison du 16e s. Cuisine simple.

• ***Valeur sûre***

Zaïka – *Passage Marchand - ☎ 04 66 03 27 37 - fermé 15 déc. au 31 janv., dim. soir de sept. à juin, mar. sf le soir en juil.-août et lun. - réserv. obligatoire - 120/150F.* En indien, Zaïka veut dire « goût ». Dans ce minuscule restaurant dont les parfums épicés embaument l'air, on en saisit pleinement le sens. Sa cuisine servie dans un décor exotique, avec ses chaises colorées venant d'Inde, a d'ailleurs grand succès.

Hébergement

• ***Valeur sûre***

Hôtel du Général d'Entraigues – *8 r. de la Calade - ☎ 04 66 22 32 68 - P - 17 ch. : 360/550F - ☕ 60F - restaurant 135/280F.* En face de la tour Fenestrelle, cette demeure du 15e s. est bien située dans la vieille ville. Sa belle terrasse et sa piscine en mosaïque raviront les esthètes. Le confort de ses chambres anciennes est certes inégal, mais celles-ci ne manquent pas de charme.

• ***Une petite folie !***

Chambre d'hôte Le Mas Parasol – *R. Damon - 30190 Garrigues-Ste-Eulalie - 10 km au SO d'Uzès par D 982 - ☎ 04 66 81 90 47 - www.masparasol.fr - fermé 19 nov. au 17 mars - 7 ch. : à partir de 600F.* Voilà un mas qui devrait vous séduire. Avec ses chambres colorées et raffinées, sa collection d'aquarelles publicitaires... et sa roulotte de gitans restaurée. Le jeune patron organise des séjours « escapades ».

Chambre d'hôte La Buissonnière – *Hameau de Foussargues - 30700 Aigaliers - 10 km au NO d'Uzès par D 115 dir. Alès - ☎ 04 66 03 01 71 - www.labuissoniere.com - 6 ch. : à partir de 600F.* Aux portes des Cévennes, cette ancienne ferme viticole ouvre sur la garrigue à perte de vue. Réparties dans les différents bâtiments, ses chambres sont spacieuses, modernes et possèdent toutes une terrasse privative. Jolie piscine bordée d'oliviers.

Petite pause

La Sorbetière – *Pl. Albert-1er - ☎ 04 66 22 34 32 - Oct.-mai : lun.-ven., dim. 8h-20h, sam. 8h-23h ; Juin-sept. : Tlj 8h-23h.* En terrasse et au bord d'une jolie fontaine, que le péché de gourmandise est facile ! Plus de 60 thés, des glaces et autres pâtisseries maison vous attendent dans un intérieur voûté meublé de tables basses et de fauteuils cosy. Espace crêperie et saladerie. Expositions et concerts réguliers.

Achats

Foires et marchés – Journée de la Truffe sur la place aux Herbes, le 3e dimanche de janv. Au même endroit, foire à l'Ail (accompagnée des feux de la St-Jean) le 24 juin et un marché traditionnel samedi matin. Foire aux vins, autour du 15 août, sur l'Esplanade.

Huile d'olive – Deux moulins sont ouverts au public, à Collorgues et à Martignargues.

Les Truffières du Soleil (Michel Tournayre) - *Mas du Moulin de la Flesque - ☎ 04 66 22 08 41.* Pour tout savoir sur la truffe et sa culture. Visite des plantations et dégustation.

Atelier Pichon – *6 r. St-Étienne et 7 r. Jacques-d'Uzès.* Atelier de fabrication de céramiques traditionnelles, fondé en 1802.

Meubles peints – Vieille tradition de l'Uzège, sans doute importée d'Avignon. Salon annuel le w.-end de Pâques.

Loisirs-Détente

Kayak Vert – *R. Traversière - Les berges du Gardon - 30210 Collias - ☎ 04 66 22 80 76 - www.canœfrance.com - Mars-oct. : tlj 9h-19h.* Depuis sa création en 1978, Kayak Vert propose des descentes du Gardon en canoë ou en kayak à partir de Collias. Cette rivière de classe 1 ne présente pas de danger et cette activité peut donc être pratiquée par tous. Rafraîchissant !

Parc Aquatique de la Bouscarasse – *Rte d'Alès - 8 km au NO d'Uzès par D 981 - ☎ 04 66 22 50 25 - Juin–mi-sept. : lun.-ven. 10h-19h, sam.-dim. 10h-20h.* 2 500 m² de bassins et de pataugeoires. Réparties dans un grand parc ombragé à la végétation luxuriante, des tables en bois et des bancs pour les pique-niques, ainsi qu'un théâtre à ciel ouvert et un petit snack attendent les familles et leurs enfants, surtout en bas âge.

Calendrier

Festival de la Nouvelle danse – Durant la 3e sem. de juin, dans la cour de l'Évêché et dans le jardin médiéval.

Nuits musicales – Elles rassemblent de prestigieux interprètes de musique Renaissance et baroque dans les édifices historiques d'Uzès et de l'Uzège durant la 2e quinzaine de juil. Elles sont désormais accompagnées du festival **« Autres rivages »** (mi-juil. à mi-août) qui permet de découvrir des musiques traditionnelles du monde.

Église St-Étienne

Visite guidée uniquement (voir carnet pratique).

Sa façade curviligne est caractéristique du style jésuite en vogue au 18e s. Elle a été édifiée sur l'emplacement d'une église du 13e s. détruite au cours des guerres de Religion et dont ne subsiste que le clocher rectangulaire. Sur la place, maison natale de Charles Gide (1847-1932), économiste défenseur de l'idée coopérative et oncle d'André.

Prendre la rue St-Étienne en direction de la place aux Herbes.

Au passage, remarquer (au n° 1) une imposante porte Louis XIII à pointe de diamant et, plus loin, à gauche, dans une impasse, une belle façade Renaissance.

Place aux Herbes*

De plan asymétrique, entourée de couverts (les « arceaux ») sous lesquels se nichent d'agréables boutiques et quelques restaurants, plantée de platanes, c'est le véritable cœur de la cité qui s'anime les jours de marché.

Parmi les demeures qui la bordent, dans un renfoncement, l'**hôtel de la Rochette** (du 17e s.) et au Nord, une **maison d'angle** flanquée d'une tourelle sont les plus remarquables.

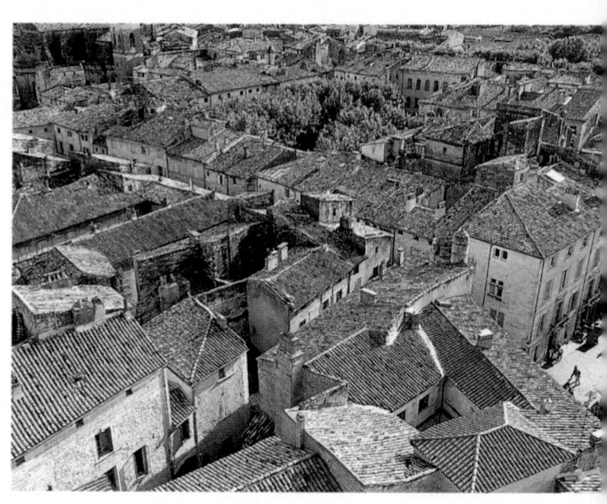

Un carré de verdure au milieu des toits roses : c'est la place aux Herbes.

Une petite ruelle devant cette dernière conduit à l'étroite rue Pélisserie que l'on prend à gauche. Sur la droite, prendre la rue Entre-les-Tours.

Tour de l'Horloge

Cet ouvrage du 12e s. (campanile en fer forgé) était la tour de l'Évêque : elle s'opposait à la tour ducale et à la tour du Roi à l'époque où ces trois forces se disputaient le pouvoir sur la cité.

À l'angle de la rue Jacques-d'Uzès et de la place Dampierre, belle façade Renaissance de l'**hôtel Dampmartin** que flanque une tour ronde. N'hésitez pas à entrer dans la cour pour jeter un coup d'œil sur l'escalier.

Traverser la place Dampmartin, elle aussi bordée de couverts, et prendre la rue de la République.

Au n° 12, l'**hôtel de Joubert et d'Avéjan** déploie sa belle façade d'époque Henri II.

Poursuivre la rue, puis à droite le boulevard Gambetta jusqu'à l'hôtel de ville.

Hôtel de ville

Depuis la façade (18e s., belle cour intérieure), perspectives sur la silhouette massive du Duché et la toiture en tuiles vernissées de la chapelle.

Prendre à gauche la rue Boucairie où l'on travaillait jadis le cuir.

UZÈS

Alliés (Bd des)	A	2
Boucairie (R.)	B	4
Collège (R. du)	B	6
Dampmartin (Pl.)	A	7
Dr-Blanchard (R.)	B	8
Duché (Pl. du)	A	9
Entre-les-Tours (R.)	A	10
Évêché (R. de l')	B	12
Foch (Av. Mar.)	A	13
Foussat (R. Paul)	A	14
Gambetta (Bd)	A	
Gide (Bd Ch.)	AB	
Marronniers (Prom.)	B	16
Pascal (Av. M.)	B	17
Pélisserie (R.)	A	18
Plan-de-l'Oume (R.)	B	19
Port-Royal (R.)	B	20
Rafin (R.)	B	21
République (R.)	A	23
St-Étienne (R.)	A	25
St-Théodorit (R.)	B	27
Uzès (R. J.-d')	A	29
Victor-Hugo (Bd)	A	32
Vincent (Av. Gén.)	A	
4-Septembre (R.)	A	35

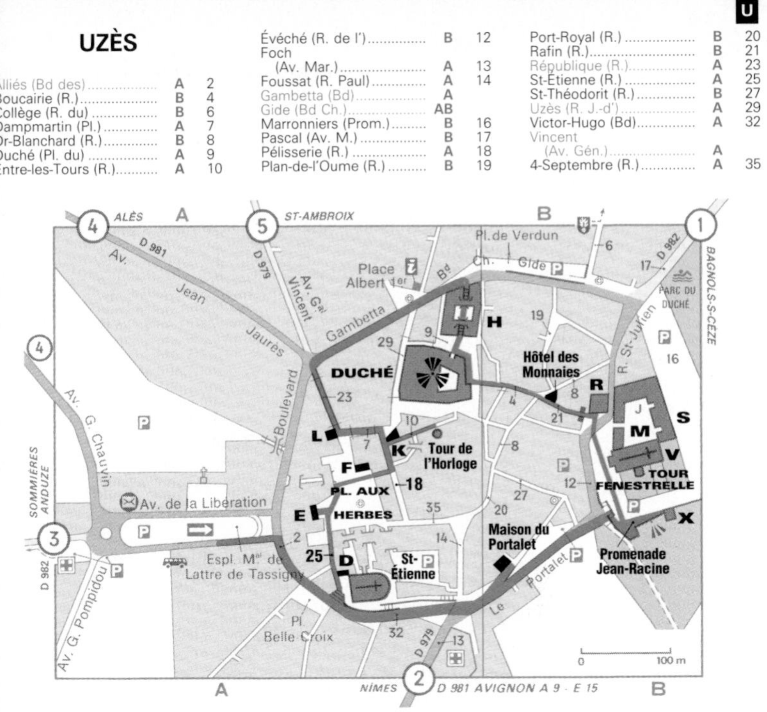

Ancien palais épiscopal	B	**S**
Cathédrale St-Théodorit	B	**V**
Hôtel d'Aigaliers	A	**E**
Hôtel Dampmartin	A	**K**
Hôtel de Joubert et d'Avéjan	A	**L**
Hôtel de ville	A	**H**
Hôtel du baron de Castille	B	**R**
Maison d'angle à tourelle	A	**F**
Maison natale de Charles Gide	A	**D**
Musée Georges-Borias	B	**M**
Pavillon Racine	B	**X**

À l'angle de la rue Raffin s'élève l'**hôtel des Monnaies**, rappelant que les évêques eurent le privilège de battre monnaie jusqu'au 13e s.

Plus loin, sous l'arceau qui enjambe la rue se dresse la façade, précédée d'une colonnade, de l'**hôtel du Baron de Castille**.

Au-delà de la rue St-Julien, ancien palais épiscopal : cette demeure fastueuse abrite le musée municipal Georges-Borias *(voir description dans « visiter »)*.

Cathédrale St-Théodorit

Elle a été élevée au 17e s. sur l'emplacement de l'ancienne cathédrale romane, détruite pendant les guerres de Religion. À l'intérieur, superbes **orgues★** Louis XIV encadrées de volets peints destinés à les masquer pendant le carême.

Tour Fenestrelle★★

Ce vestige de l'ancienne cathédrale est l'unique exemple en France de clocher rond. Les six étages de fenêtres géminées lui ont donné son nom,

Poursuivre sur la promenade Jean-Racine d'où l'on domine les garrigues et la vallée de l'Alzon : l'Eure y prend sa source, qui, captée par les Romains, était dirigée sur Nîmes par le Pont du Gard. À gauche, en saillie, le **pavillon Racine**, ancienne tour des fortifications.

Revenir sur ses pas et suivre le Portalet.

Au n° 19, **maison du Portalet** (bel hôtel Renaissance).

Retourner avenue de la libération par le boulevard Victor-Hugo.

visiter

Duché★

De mi-sept. à fin juin : visite libre de la tour, visite guidée des appartements (3/4h) 10h-12h, 14h-18h (de juil. à mi-sept. : 10h-13h, 14h-18h30). Fermé 25 déc. 55F, 20F (tour seule). ☎ 04 66 22 18 96.

Vu de l'extérieur, le Duché, dans son style féodal, présente un aspect massif et imposant.

Lorsqu'on entre dans la cour, les bâtiments témoignent de l'ascension de la prestigieuse dynastie des seigneurs d'Uzès : à gauche, la tour de la Vicomté, avec sa tourelle octogonale, date du 14e s ; la tour Bermonde est un donjon carré du 11e s. À droite, s'étend la **façade★** Renaissance édifiée vers 1550 par le premier duc sur les plans de Philibert Delorme. À l'extrémité de la façade s'élève une chapelle gothique, restaurée au 19e s.

On accède à la **tour Bermonde** par un escalier à vis de 135 marches. En récompense, le **panorama★★** sur les vieux toits brûlés de soleil, le campanile de la tour de l'Horloge et la garrigue.

Dans les vastes **caves** voûtées du 11e s., reconstitution du mariage de Jacques de Crussol et de Simone d'Uzès. On accède aux **appartements** par un bel escalier d'honneur Renaissance voûté en caissons et à pointes de diamant. Grand salon Louis XV orné de gypseries et d'une console Trianon, bibliothèque, salle à manger décorée de meubles Renaissance et Louis XIII et chapelle du 15e s. (remaniée au 19e s.). En sortant, sur la gauche, on aperçoit la **tour de la Vigie** (12e s.).

Femme au volant
Cavalière accomplie, la duchesse Anne de Crussol fut la première femme en France à obtenir le permis de conduire ; elle fut aussi le premier automobiliste à être verbalisé pour excès de vitesse après avoir été contrôlée à l'allure ébouriffante de 40 km/h dans les rues de sa bonne ville.

Musée municipal Georges-Borias

Fév.-oct. : tlj sf lun. 15h-18h ; nov.-déc. : tlj sf lun. 14h-17h. Fermé en janv., 1er nov., 25 déc. 10F. ☎ 04 66 22 40 23.

Collections très éclectiques : archéologie, documents, terres cuites de St-Quentin-la-Poterie, toiles de Sigalon et de Chabaud et souvenirs de la famille Gide.

alentours

◄ Haras national d'Uzès

3,5 km. Quitter Uzès au Nord-Ouest par la route d'Alès. À 2 km, tourner à gauche dans le chemin du Mas des Tailles (fléchage). Juil.-fév. : visite guidée (1h) 14h-17h ; mars-juin : tlj sf dim. et j. fériés 14h-17h. 15F. ☎ 04 66 22 33 11.

Créé en 1974 autour d'une ancienne propriété, il s'est doté d'installations modernes, dont un manège, des carrières et un terrain planté d'obstacles pour l'entraînement de ses étalons, chevaux ou ânes de Provence.

Baudet de luxe
La race des ânes de Provence a été officiellement reconnue en 1995. De mémoire d'âne, on n'avait jamais connu pareille aubaine...

Musée du bonbon Haribo

Pont-des-Charrettes, à l'entrée d'Uzès sur la D 981 (route de Remoulins). ♿ Juil.-sept. : 10h-19h ; oct.-juin : tlj sf lun. 10h-13h, 14h-18h. Fermé les 3 premières sem. de janv. 25F (–15ans : 15F). ☎ 04 66 22 74 39.

Tout sur l'histoire et la fabrication des bonbons en particulier les gélifiés aux formes variées qui font le bonheur de ces chers petits. Espace arôme pour exercer son nez et dégustation. Adresses des dentistes à l'Office de tourisme.

Gélifiés et colorés : pas grand-chose à craindre de ces crocos-là.

Moulin de Chalier

4 km. Quitter Uzès à l'Ouest par la D 982 en direction d'Anduze. Peu avant Arpaillargues, prendre à droite une petite route en descente. ♿ 9h-12h, 14h-18h (juil.-août : 9h-19h). 30F (enf. : 20F), 55F les 2 musées (enf. : 36F). ☎ 04 66 22 58 64.

Dans une bâtisse en pierre du 18e s., le **musée 1900** regroupe véhicules, affiches et objets évoquant la vie quotidienne à la Belle Époque. Moyens de transport, du grand Bi de 1870 aux limousines des années 1950, lanternes magiques, cinéma des frères Lumière, postes à galène et évocation des activités agricoles de la région (moulin à huile du 18e s.).

À 100 m, le **musée du Train et du Jouet** propose un réseau ferroviaire miniature datant de 1923 : 400 m de rails sillonnent des paysages cévenols et camarguais où ont été placés les sites les plus prestigieux de la région, tels que les arènes de Nîmes ou le Pont du Gard.

Saint-Quentin-la-Poterie

5 km. Quitter Uzès au Nord-Est par la route de Bagnols. À 2 km, prendre à gauche la D 5, puis la D 23.

L'argile locale d'excellente qualité a fait la fortune de St-Quentin : au 14e s. on y réalisa plus de 110 000 carreaux de faïence vernissée destinés à orner les salles du palais des Papes à Avignon. La production se maintint à un niveau important jusqu'au début du 20e s., en particulier avec les « toupins » au bel émail jaune, des pipes en terre et des briques, avant de s'éteindre en 1974, date de la fermeture de la dernière usine.

Mais, depuis 1983, le village a retrouvé une nouvelle jeunesse avec l'arrivée de céramistes et de potiers produisant des pièces décoratives ou utilitaires. Installée dans un ancien moulin à huile, la maison des Métiers de la Céramique abrite une collection de 250 pièces d'origine méditerranéennes. Au rez-de-chaussée, la galerie **Terra Viva** présente des expositions de céramistes contemporains et un petit **musée des Terrailles** qui évoque l'histoire de la poterie locale depuis le néolithique. ♿ *De mi-mars à fin déc. tlj sf lun. 10h-13h, 14h30-18h (de mai à fin sept. tlj 10h-13h, 14h30-19h). Fermé de déb. janv. à mi mars et 25 déc. Gratuit. ☎ 04 66 22 48 78.*

Terralha
C'est autour du 14 juillet, les années paires, qu'a lieu la grande feria de la poterie à St-Quentin, qui a reçu le label Ville Métier d'Art. Des milliers de visiteurs viennent faire leur choix parmi les pièces proposées.

itinéraire

LA GARDONNENQUE

51 km – compter 6h

D'Uzès à Remoulins, l'itinéraire permet de suivre la vallée du Gardon tout en traversant un caractéristique paysage de garrigues : roches mises à nu par les intempéries et le vent, cistes, genêts, chênes kermès, asphodèles, plantes aromatiques, parfois chênes verts ou pubescents (les garrics, à qui la garrigue doit son nom) composent le paysage de cette zone calcaire vallonnée et aride, profondément entaillée par le lit des rivières.

Quitter Uzès au Sud et prendre à droite la D 979, route de Nîmes, qui serpente dans la campagne en offrant des vues sur Uzès.

Pont St-Nicolas

Lancé sur le Gardon, dans un site très particulier (et apprécié en été), ce pont à neuf arches a été édifié au 13e s. par la confrérie des Frères Pontifes.

La route s'élève en corniche, offrant de belles vues sur le Gardon, en particulier dans un virage à droite (possibilité de se garer) où l'on découvre une belle **vue★** sur l'enfilade des gorges.

Tourner à gauche dans la D 135 et, à l'entrée de Poulx, prendre à gauche la D 127 qui a conservé quelques traces de son revêtement d'antan (croisement impossible en dehors des garages aménagés).

Les cinéphiles ne manqueront pas d'évoquer, pendant la descente, Charles Vanel et Yves Montand au volant de leur camion chargé de nitroglycérine. Une scène fameuse du *Salaire de la peur* fut en effet tournée sur cette route.

Site de la Baume★

Laisser sa voiture après le dernier lacet et emprunter le chemin (1h à pied AR) qui conduit au fond des gorges.

Après avoir traversé des vestiges de constructions, on atteint, en bordure du Gardon, un point pittoresque, très fréquenté en été par les baigneurs, naturistes ou non. Sur l'autre rive, on peut apercevoir dans la falaise l'entrée de la grotte de la Baume.

Aujourd'hui banlieue résidentielle de Nîmes, le village de **Poulx** abrite une jolie petite église romane.

Suivre la D 427, à travers une garrigue entrecoupée d vignes et de vergers, et, dans Cabrières, tourner à gauch dans la D 3 en direction de la vallée du Gardon.

Collias

Centre de tourisme nautique et équestre, point de passage du GR 63 qui permet de suivre les gorges du Gardon, Collias possède en outre d'abruptes falaises que le varappeurs n'hésitent pas à escalader.

Poursuivre sur la D 3 qui remonte la vallée de l'Alzon pui prendre à droite la D 981.

Château de Castille

Après une chapelle romane et un mausolée entouré d colonnes, l'allée bordée d'ifs mène au château *(fermé à la visite)*, remanié au 18e s. par le baron de Castille... qu ne lésinait pas sur les colonnes.

Suivre la D 981.

Colonnes et philanthropie

Le baron de Castille, personnage plein de fantaisie, professait en cette fin de 18e s. un amour immodéré pour les colonnes. Si bien que lorsque maçons et tailleurs de pierre uzétiens étaient frappés par la crise, il leur ouvrait généreusement ses carrières... à seule condition qu'ils édifient des colonnes. Il revenait ensuite au baron la charge de les disposer où bon lui semblait, même en rase campagne s'il le fallait.

Pont du Gard★★★ *(voir ce nom)*

Prendre à gauche la D 228.

Castillon-du-Gard★

Village perché aux maisons de pierres rousses superbement restaurées. Il possède en outre un privilège : c'es le seul village d'où l'on aperçoit le fameux pont.

Revenir à la D 981 et la suivre jusqu'à **Remoulins** qui a conservé quelques vestiges de ses remparts (église romane à clocher à peigne).

Musée du Vélo et de la Moto★

Après Castillon, accès par la D19. ♿ *Mai-sept. : 10h-12h 14h30-18h30 ; oct. : 14h-17h ; nov.-avr. : dim. et j. fériés 14h 17h. Fermé 1er janv. et 25 déc.* ☎ *04 66 57 04 27.*

Il présente, avec humour, dans sa grande galerie de l'évolution, une exceptionnelle collection de cycles, des draisiennes aux vélos de course d'aujourd'hui. Parmi les pièces étonnantes ou incongrues, un vélocipède ciselé (1869) ayant appartenu à Yves Montand, une bicyclette à guidon articulé, un ancêtre du scooter, l'autofauteuil une mobylette spécialement conçue pour les ecclésiastiques (!), un vélo à hélice (conduite allongée) et un tricycle solaire de 1980 qui offre la particularité de ne fonctionner qu'en théorie.

Un vrai faux

Parmi tous ses trésors, le musée présente un (très rare) célérifère. Il s'agit d'une copie. Or l'original n'a jamais existé que dans l'imagination fertile d'un journaliste. Copie d'un objet imaginaire, cette pièce est donc, paradoxalement, un original !

Vaison-la-Romaine★★

Vous en avez assez de la vie moderne trépidante stressante et harassante ? Venez à Vaison : la ville convie les amoureux du passé à une longue promenade dans le temps avec son immense champ de ruines antiques, sa cathédrale romane, son vieux village et son château.

La situation

Cartes Michelin nos 81 pli 2, 245 pli 17 et 246 plis 9,17 - Vaucluse (84). Une ville haute, médiévale, une ville basse, romaine et moderne, établies de part et d'autre de l'Ouvèze : ainsi se présente Vaison. Arrivant d'Orange ou d'Avignon, on laissera sa voiture de préférence au parking de la place Burrus, afin d'explorer à pied les deux cités. *Pl. du Chan.-Sautel, 84110 Vaison-la-Romaine,* ☎ *04 90 36 02 11.*

carnet pratique

Visite

Visite guidée de la ville – Découverte de la ville antique et des monuments de la ville haute (1h1/2). Gratuit, sur présentation du billet d'entrée à l'un des sites (fouilles romaines, musée archéologique ou cloître de la cathédrale N.-D.). S'adresser à la Maison du tourisme.

Restauration

• *À bon compte*

Auberge d'Anaïs – *84340 Entrechaux - 5 km au SE de Vaison par D 938 puis D 54 - ☎ 04 90 36 20 06 - http:/auberge.anais.free.fr - fermé 15 nov. au 1er mars, lun. d'avr. à sept. et sam. en mars et du 30 sept. au 15 nov. - 95/170F.* Dans les vignes et les oliviers, cette auberge est un rendez-vous d'habitués. Normal car la salle est sympa et colorée, les menus appétissants et l'animation est assurée par le fils de la maison... mais chut ! c'est un secret. Quelques chambres et piscine.

• *Valeur sûre*

Le Girocèdre – *Au village - 84110 Puyméras - 6 km au NE de Vaison dir. Nyons puis St-Romain par D 71 - ☎ 04 90 46 50 67 - fermé 12 nov. au 14 déc., 5 au 30 mars, mar. d'oct. à Pâques et lun. - 120F.* En haut du village, cette maison est perchée sur un monticule de safre, dont les cavités creusées pour l'élevage du ver à soie servent aujourd'hui de caves à vins. Sa terrasse sous les cèdres, oliviers, figuiers et tamaris, est très agréable en été ! Deux petits gîtes.

Hébergement

• *À bon compte*

Chambre d'hôte L'Oliveraie – *Rte de St-Roman - 84280 Cairanne - 17 km à l'O de Vaison par D 975, D 69 puis D 51 - ☎ 04 90 30 72 85 - ⊭ - 5 ch. : 240/280F.* Accrochée à flanc de colline, cette maison récente bordée d'oliviers ouvre ses chambres contemporaines et leur terrasse sur Cairanne et la vallée. Pour admirer la vue, un beau coucher de soleil et un petit verre de côtes-du-rhône... Piscine.

• *Valeur sûre*

Chambre d'hôte Domaine le Puy de Maupas – *Rte de Nyons - 84110 Puyméras - 7 km au NE de Vaison par D 938 puis D 46 - ☎ 04 90 46 47 43 - fermé 1er nov. au 1er mars - ⊭ - 5 ch. : 280/300F - repas 130F.* Adossée au chais de la propriété viticole, cette maison est au milieu des vignes. De la piscine, vous entendrez le concert nocturne des grenouilles de la mare. Petit-déjeuner servi face au mont Ventoux. Table d'hôtes certains soirs d'été, l'occasion de goûter les vins du domaine.

Chambre d'hôte Les Auzières – *84110 Roaix - 6 km à l'O de Vaison par D 975 dir. Orange - ☎ 04 90 46 15 54 - fermé nov. à fév. - ⊭ - 5 ch. : 300/400F - repas 135F.* Difficile de trouver plus isolé que ça. Cette immense maison entourée de vignes et d'oliviers vous reçoit dans ses belles chambres, spacieuses et fraîches. Sur la grande table en bois de la salle à manger, vos hôtes sauront vous faire apprécier la cuisine locale. Piscine.

Chambre d'hôte La Calade – *R. Calade - 84110 St-Romain-en-Viennois - 4 km au NE de Vaison par D 938 puis D 71 dir. Nyons - ☎ 04 90 46 51 79 - fermé Toussaint à Pâques - ⊭ - 4 ch. : 350/400F.* Cette ancienne grange adossée aux fortifications du village accueille ses hôtes dans une ravissante cour où l'on sert le petit-déjeuner aux beaux jours. Ses chambres d'une sobriété monacale plairont aux ascètes et la terrasse en haut de la tour offre une belle vue.

Chambre d'hôte L'Évêché – *R. de l'Évêché - ☎ 04 90 36 13 46 - www.avignon-et-provence.com/eveche - fermé 15 nov. au 15 déc. - ⊭ - 4 ch. : 380/470F.* Côté haute ville cette plaisante maison du 16e s. faisait partie de l'ancien évêché. Sur plusieurs niveaux les chambres soignées sont joliment meublées. Belle collection de gravures d'un traité de serrurerie. De la terrasse la vue est imprenable sur la ville basse.

Loisirs

Deux circuits balisés, de 18 et 37 km permettent aux marcheurs de découvrir la campagne vaisonnaise. Renseignements auprès de l'Office de tourisme.

Calendrier

Choralies – C'est tous les trois ans que se tiennent à Vaison Les Choralies, où les choristes venus de tous les horizons se retrouvent pour un festival unique en son genre. Prochaine édition en août 2001. Renseignements auprès de l'association **À cœur joie**, au ☎ *04 90 36 00 78.*

L'été de Vaison ; Journées gourmandes – Musique et bonne chère ne sont pas incompatibles, loin de là : les mois de juil. et août rassemblent chaque année mélomanes et gastronomes unis pour célébrer L'été de Vaison et les Journées gourmandes.

Le nom

C'est l'abbé Sautel qui l'affirme et on aurait mauvaise grâce à ne pas le croire : Vasio Vocontiorum, la ville des Voconces, provient du ligure *vas* (ou *vis*) signifiant « eau », celle d'une source sacrée, connue de nos jours sous le nom de Font Sainte.

Les gens

5 904 Vaisonnais. Ils eurent la chance d'avoir pour directeur de conscience le chanoine Joseph Sautel. C'est à lui que l'on doit la découverte et le dégagement de deux quartiers et du théâtre antiques : un véritable travail de romain, effectué entre 1907 et 1955.

comprendre

Au bon temps des Voconces – Capitale méridionale du peuple celtique des Voconces, Vaison est, après la conquête romaine de la fin du 2e s. avant J.-C., intégrée à la *Provincia* couvrant tout le Sud-Est de la Gaule. Cité fédérée (et non colonie), elle conserva une large autonomie. Fidèles à César pendant la guerre des Gaules (58 à 51 avant J.-C.), les Voconces se couleront aisément dans le moule romain et parmi eux s'illustreront des hommes comme l'historien Trogue Pompée et Burrhus, le précepteur de Néron.

Mentionnée comme une des villes les plus prospères de la Narbonnaise sous l'Empire,

Vasio s'étendait sur environ 70 ha, pour une population de moins de 10 000 habitants. Ce tissu urbain très lâche s'explique par la présence d'un habitat préexistant qui empêcha d'appliquer à la ville un plan d'urbanisme « à la romaine ». Sous les Flaviens seulement (après l'an 70) on se décida à percer des rues rectilignes, remodelant ainsi les propriétés et décalant les façades des maisons, tandis que s'élevaient portiques et colonnades. La ville accumulait un habitat très hétéroclite où voisinaient luxueuses *domus*, petits palais, logements modestes, bicoques ou arrière-boutiques minuscules. Hors le théâtre et les thermes, les grands monuments publics ne nous sont pas connus.

À huis clos

Les *domus* de Vasio étaient bien plus vastes que celles de Pompéi, ce qui en dit long sur la prospérité de la cité. Selon C. Goudineau, elles formaient « un monde clos réservant à leurs habitants et à leurs visiteurs leur perfection architecturale ».

De Vasio à Vaison – Partiellement détruite à la fin du 3e s., Vaison se relève au siècle suivant dans un cadre urbain réduit. Siège d'un évêché, elle occupe encore aux 5e et 6e s., malgré la domination barbare, un rang assez important pour que deux conciles s'y réunissent en 442 et 529.

Les siècles suivants sont marqués par un net déclin et l'insécurité pousse les habitants à abandonner la ville basse pour l'ancien oppidum, sur la rive gauche de l'Ouvèze, où le comte de Toulouse fait édifier un château. La haute ville médiévale ne sera abandonnée à son tour qu'aux 18e et 19e s., la ville moderne recouvrant alors la cité gallo-romaine.

Le pont romain de Vaison : il résista vaillamment à la colère de l'Ouvèze, n'y laissant que son parapet.

Quand l'Ouvèze gronde

22 septembre 1992, 11h du matin : des trombes d'eau s'abattent brusquement sur la ville. Quelques minutes de déluge suffisent pour transformer la paisible Ouvèze en un torrent dévastateur qui déferle sur la ville, semant la désolation sur son passage. Le bilan est lourd : 37 personnes ont perdu la vie, 150 maisons sont détruites et la zone artisanale est complètement anéantie. Seul le pont romain, qui en a vu d'autres, a résisté aux assauts de la rivière...

découvrir

LES RUINES ROMAINES**

Environ 2h. Juil.-août : Puymin 9h30-18h45, Villasse 9h30-12h30, 14h-18h45 ; juin et sept. : Puymin 9h30-18h, Villasse 9h30-12h30, 14h-18h ; mars-mai et oct. : 10h-12h30, 14h-18h ; nov.-fév. : 10h-12h, 14h-16h30 (fermé mar. de nov. à fin janv. hors vac. scol.). Fermé 1er janv. et 25 déc. La Villasse : fermé 4-22 déc. 2000 et 3-26 janv. 2001. 41F (enf. : 14F), billet donnant accès à l'ensemble des monuments. ☎ 04 90 36 02 11.

L'émotion est grande à parcourir cet immense champ de ruines qui s'étend sur 15 ha, comme si l'on pénétrait par effraction dans le passé et dans la vie quotidienne des habitants de l'antique Vasio. Les vestiges dégagés sont ceux des quartiers périphériques de la cité gallo-romaine, car son centre (forum et abords) est recouvert par la ville moderne. Actuellement, les fouilles progressent en direction de la cathédrale dans le quartier de la Villasse et autour de la colline de Puymin où ont été mis au jour un quartier de boutiques et une somptueuse *domus* (la **villa du Paon**) avec son décor de mosaïques.

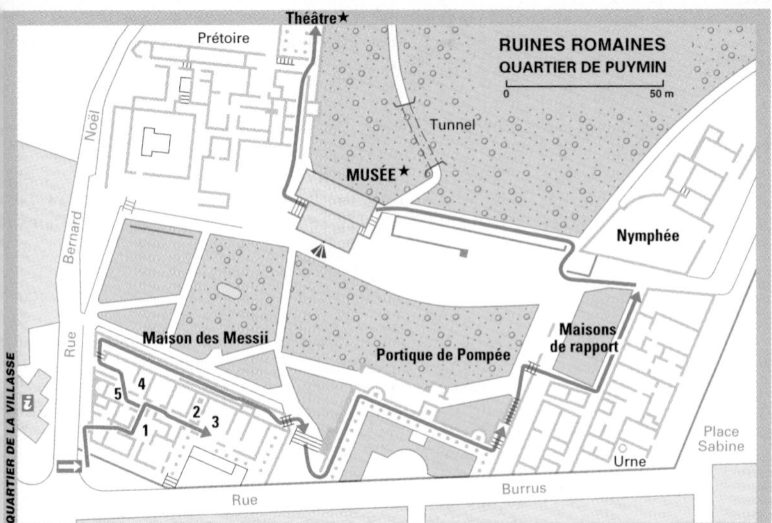

À la limite Nord de la ville antique, les fouilles des thermes (une vingtaine de salles) ont montré que ces derniers ont été utilisés jusqu'à la fin du 3e s.

Quartier de Puymin

On découvre d'abord la **maison des Messii**, grande demeure d'une riche famille vaisonnaise. Cette *domus* (en partie enfouie sous la voirie moderne), avec son agencement intérieur très élaboré, constituait un cadre de vie somptueux et confortable. À l'entrée, un vestibule puis un couloir conduisent à l'*atrium* **(1)** autour duquel s'ordonnent différentes pièces, dont le *tablinum* (cabinet de travail, bibliothèque) du père de famille. L'atrium comportait au centre un *impluvium*, bassin carré alimenté en eau de pluie par un *compluvium*, ouverture ménagée dans le toit. On remarquera la pièce **(2)** où fut trouvée la tête d'Apollon laurée (qu'on pourra voir au musée), la grande salle de réception ou *œcus* **(3)**, le péristyle avec son bassin et, dans les annexes, la cuisine **(4)** avec ses foyers jumelés et le bain privé **(5)** avec ses trois salles (chaude, tiède et froide).

Sur la droite, le **portique de Pompée** offrait une sorte de promenade affectant la forme d'une enceinte de 64 m sur 52 m. Quatre galeries, couvertes à l'origine d'une toiture en appentis, entouraient un jardin et un bassin au centre duquel s'élevait un édicule carré. Dans la galerie Nord, des moulages des statues de Diadumène (l'original est à Londres, au British Museum), d'Hadrien et de son épouse Sabine ont été placés dans trois exèdres, grandes niches servant de reposoirs aux promeneurs. La galerie occidentale est presque entièrement dégagée, tandis que les deux autres s'enfoncent sous les constructions modernes. On arrive ensuite aux **maisons de rapport**, lotissement pour citoyens modestes (remarquer le *dolium*, grande jarre à provisions). En face, on aperçoit diverses structures d'un château d'eau établi autour d'une source captée dans un bassin de forme allongée, le **nymphée**. C'est un peu plus loin, à l'Est, que s'élevaient le **quartier des boutiques** et la **villa du Paon** *(fermée au public)*.

Musée archéologique Théo-Desplans★

Dans le quartier de Puymin. ♿ Juil.-août : 9h30-18h45 ; juin et sept. : 9h30-18h30 ; mars-mai et oct. : 10h-13h, 14h30-18h ; nov.-fév. : 10h-12h, 14h-16h30 (fév. fermeture à 17h ; fermé mar. de nov. à fin janv. hors vac. scol.). Fermé 1er janv. et 25 déc. 41F donnant accès à l'ensemble des monuments (enf. : 14F). ☎ 04 90 36 51 30 ou ☎ 04 90 36 02 11.

Récemment réaménagé, il évoque de façon remarquable la vie quotidienne à l'époque gallo-romaine : religion, habitat, céramique, verrerie, armes, outils, parure, toi-

Plus pudique que son impérial époux, l'impératrice Sabine, toute de majesté et de retenue.

Leçon de modestie
Statues acéphales représentant les personnages municipaux : n'existant que par leur charge, leurs têtes étaient... interchangeables.

lette. Mais, on remarquera surtout les magnifiques **statues de marbre blanc** : Claude (en 43) est représenté la tête ceinte d'une couronne de chêne, Domitien est cuirassé, Hadrien, en 121, donne une image de majesté à la manière hellénistique en posant nu, tandis que Sabine, sa femme, plus conventionnelle, offre l'aspect d'une grande dame en vêtement d'apparat.
D'autres œuvres retiennent l'attention, comme la tête d'Apollon laurée, marbre du 2e s., le buste en argent d'un patricien (3e s.) et les mosaïques provenant de la maison du Paon.

En longeant le versant occidental du Puymin où se trouve la maison « à la tonnelle », on gagne le **théâtre**★ qui, édifié au 1er s. après J.-C., restauré au 3e s., a été démantelé au 5e s. Avec un diamètre de 95 m, une hauteur de 29 m et une capacité de 6 000 spectateurs, il est un peu plus petit que celui d'Orange qui, comme lui, s'adosse à la colline. Les gradins sont une reconstitution moderne effectuée par Jules Formigé. Sous les décombres de la scène, on a découvert les statues exposées au musée. On observera que la colonnade du portique du 1er étage subsiste ici en partie, alors qu'elle a disparu dans les autres théâtres antiques de Provence.

Quartier de la Villasse

On y pénètre par la **rue centrale**, grande artère dallée, sous laquelle court un égout qui descend vers les habitations modernes, en direction de l'Ouvèze. L'allée bordée de colonnades était réservée aux piétons et longeait des boutiques installées dans les dépendances des maisons. Sur la gauche apparaissent les restes des **thermes** du centre, ceinturés par de profondes canalisations. La grande salle a conservé une arcade à pilastres.
En face, dans la rue des Boutiques, s'ouvre l'entrée **(1)** de la **maison au Buste d'argent**, vaste *domus* : son opulent propriétaire s'était fait sculpter le buste d'argent que l'on a pu voir au musée. Cette maison, d'une surface d'environ 5 000 m² est complète : on y reconnaît le vestibule dallé, l'*atrium* **(2)**, le *tablinum* **(3)**, un premier péristyle, puis, plus grand, un second, lui aussi avec jardin et bassin. Une maison contiguë, au Sud, a livré plusieurs mosaïques **(4)** ainsi que des fresques autour d'un *atrium*. Au Nord du second péristyle se trouve le bain privé **(5)** précédé d'une cour. À côté, un grand jardin suspendu agrémentait l'ensemble.

Plus loin, la **maison au Dauphin** (40 avant J.-C.) occupait le Nord-Est d'un grand enclos, dans un cadre qui n'était pas encore urbain. Le logis principal de cette vaste maison, qui s'étend sur 2 700 m², s'ordonne autour d'un péristyle **(7)** garni d'un bassin en pierre de taille. Au Nord, un bâtiment séparé abritait le bain privé **(8)**, le plus ancien connu en Gaule, flanqué à l'Ouest par le *triclinium*, grande salle à manger d'apparat. L'atrium **(6)** donne sur la rue à colonnes : c'est l'une des deux entrées

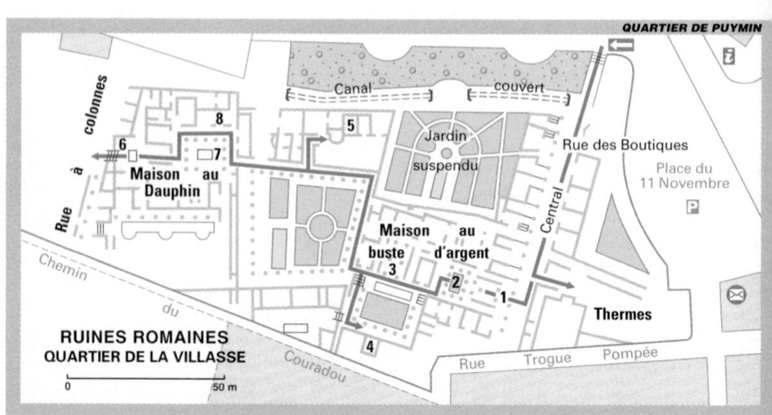

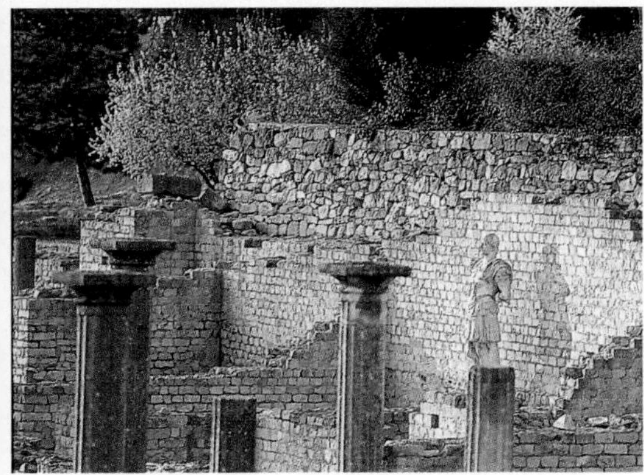

La maison au Buste d'argent, un soir de printemps, si propice aux impressions romantiques.

de la maison. Au Sud se trouve un autre péristyle, lieu d'agrément orné d'un grand bassin, décoré de placages de marbre blanc.
La **rue à colonnes**, incomplètement dégagée, borde la maison au Dauphin sur une longueur de 43 m. Comme la plupart des rues, elle n'était pas dallée mais simplement recouverte de gravillons.

se promener

L'exceptionnel site archéologique qui fait la renommée de Vaison ne doit pas faire pour autant oublier la ville médiévale, à partir de sa cathédrale que l'on atteindra depuis le quartier de la Villasse en suivant l'avenue Jules-Ferry.

Ancienne cathédrale N.-D.-de-Nazareth

Ce bel édifice de style roman provençal conserve du 11e s. le chevet pris dans un massif rectangulaire et ses absidioles, ainsi que les murs, renforcés au 12e s., lorsqu'on a entrepris de couvrir la nef par une voûte en berceau. La décoration extérieure du chevet présente des corniches et des frises imitées de l'antique. À l'intérieur, la nef comprend deux travées voûtées en berceau brisé et une troisième que surmonte une coupole octogonale sur trompes décorées (symboles des Évangélistes), éclairées par des fenêtres percées à la base de la voûte.

RÉCUPÉRATION
Découverts dans la cathédrale, des fragments d'architecture datant de la fin du 1er s. laissent à penser qu'elle fut construite sur les vestiges d'un bâtiment gallo-romain.

Cloître*

Juil.-août : 10h-12h30, 14h-18h45 ; juin et sept. : 10h-12h30, 14h-18h ; mars-mai et oct. : 10h-12h30, 14h-18h ; nov.-fév. : 10h-12h, 14h-16h30. Fermé 1er janv. et 25 déc. 8F. ☎ 04 90 36 02 11.

Accolé à la cathédrale, il a conservé trois de ses galeries d'origine (12e et 13e s., celle du Sud-Est ayant été reconstituée au 19e s.). On remarquera les chapiteaux de la galerie Est, plus élaborés (feuilles d'acanthe, entrelacs et figurines).

Revenir sur l'avenue puis rejoindre à droite le quai Pasteur qui longe la rive droite de l'Ouvèze.

Pont romain

Avec son arche unique de 17,20 m d'ouverture, surplombant l'Ouvèze de 12 m, ce pont, vieux de 2 000 ans, nous est parvenu intact. Seul son parapet, qui avait été emporté par la dramatique crue de 1992, a été refait.

Traversant la rivière, on rejoint la ville médiévale en empruntant sur la droite la rue Gaston-Gevaudan jusqu'à la place du Poids.

Haute Ville*

On y accède, depuis la place du Poids, en franchissant une porte fortifiée dominée par la tour du beffroi et son campanile de fer forgé. Les remparts qui enserrent ce bourg médiéval ont été en partie édifiés avec des pierres provenant de la ville romaine. En marchant au hasard des calades, des ruelles (rue de l'Église, rue de l'Évêché,

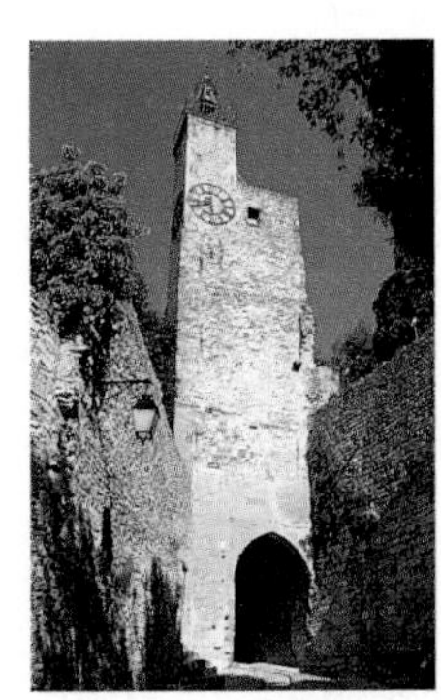

Le charme d'une flânerie au hasard des calades et des placettes dans le vieux bourg médiéval.

VAISON-LA-ROMAINE

Aubanel (Pl.)	Z	2
Bon-Ange (Chemin du)	Y	3
Brusquet (Chemin du)	Y	4
Burrus (R.)	Y	5
Cathédrale (Pl. de la)	Y	6
Chanoine-Sautel (Pl.)	Y	7
Coudray (Av.)	Y	9
Église (R. de l')	Z	10
Évêché (R. de l')	Z	12
Fabre (Cours H.)	Y	13
Foch (Quai Maréchal)	Z	14
Gontard (Quai P.)	Z	17
Grande-Rue	Y	18
Jaurès (R. Jean)	Y	22
Mazen (Av. J.)	Y	23
Mistral (R. Frédéric)	Y	24
Montée-du-Château	Z	25
Montfort (Pl. de)	Y	26
Noël (R. B.)	Y	27
Poids (Pl. du)	Z	29
République (R.)	Y	32
St-Quenin (Av.)	Y	34
Taulignan (Crs.)	Y	35
Victor-Hugo (Av.)	Y	36
Vieux-Marché (Pl. du)	Z	38
11-Novembre (Pl. du)	Y	40

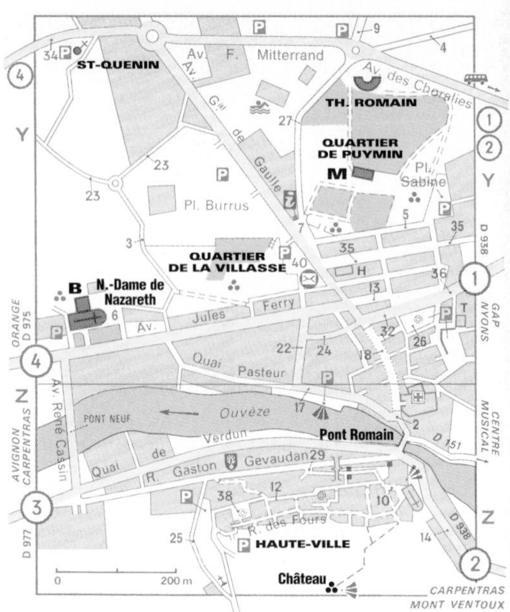

Cloître	Y	**B**
Musée archéologique Théo-Desplans	Y	**M**

rue des Fours...) et des placettes ornées comme celle du Vieux-Marché, vous découvrirez de jolies fontaines, d'anciennes demeures à la pierre chaleureuse et aux toitures colorées de vieilles tuiles rondes. Cette agréable promenade vous conduira sans doute à l'église : depuis le parvis, belle **vue** sur le Ventoux) ; pour ceux qui se sentiraient des fourmis dans les jambes, un sentier assez pénible mène au pied du **château** élevé à la fin du 12e s. par les comtes de Toulouse, au sommet du rocher de la Haute Ville.

Chapelle de St-Quenin★

9h-12h, 14h-17h30.

Temple dédié à Diane ? chapelle mérovingienne ? Cette chapelle serait plutôt un édifice roman, élevé au 12e s. avec des éléments plus anciens trouvés sur place. Quoi qu'il en soit, curieux chevet triangulaire et décoration remarquable.

alentours

Rasteau

10 km à l'Ouest par la D 975.

Une excursion réservée aux amateurs de côtes du rhône et de vins doux naturels produits par les vignobles du village où le **musée des Vignerons**, avec sa collection

Image insolite de la Provence sous son manteau de neige. Brantes est à deux pas du mont Ventoux... : c'est déjà la montagne !

de bouteilles anciennes et sa vinothèque, ne manquera pas d'intéresser les œnologues. *Juil.-août : tlj sf mar. 10h-18h ; Pâques-juin et sept. : tlj sf mar. 14h-18h. Fermé oct.-Pâques. 10F. ☎ 04 90 46 11 75.*

Brantes

28 km à l'Est par la D 938, puis à gauche la D 54 jusqu'à Entrechaux, la D 13 vers Mollans et enfin la D 40 à droite. Ce village fortifié, avec sa chapelle des Pénitents Blancs, aujourd'hui lieu d'exposition, les vestiges d'un manoir Renaissance (beau portail sculpté) et une église richement décorée mérite une visite, d'autant qu'il est placé dans un **site**★ grandiose, au pied du Ventoux, sur le versant Nord, très abrupt, de la vallée du Toulourenc.

Vallon-Pont-d'Arc

Station orientée vers les activités sportives et agréable lieu de séjour, Vallon offre une base de départ idéale pour la visite et la descente en barque des gorges de l'Ardèche.

La situation

Cartes Michelin nos 80 pli 9, 245 pli 1 ou 246 pli 23 – Ardèche (07). Sur la D 579 entre St-Ambroix et Aubenas, Vallon, fameuse pour son pont d'Arc sur l'Ardèche et, depuis peu, pour l'extraordinaire grotte Chauvet, est une petite cité animée en été, sur laquelle veillent les vestiges de son ancien château féodal. ℹ *Cité Administrative, 07150 Vallon-Pont-d'Arc, ☎ 04 75 88 04 41.*

Le nom

Hélas, ce serait trop simple... Vallon ne désigne pas un vallon. Le mot vient du terme *aballo* qui, comme chacun sait, signifie en pur gaulois « pomme ».

Les gens

2 027 Vallonais. Honneur aux trois spéléologues, Elie Brunel-Deschamps, Christian Hillaire et Jean-Marie Chauvet qui ont découvert la grotte portant désormais le nom de ce dernier.

HÉBERGEMENT

Mondial-Camping – *07150 Vallon-Pont-d'Arc - 1,5 km au SE de Vallon-Pont-d'Arc - ☎ 04 75 88 00 44 - ouv. 20 mars au 10 oct. - réserv. conseillée du 10 juil. au 20 août - 240 empl. : 145F - restauration.* Un terrain agréable où vous trouverez un restaurant, une salle de jeux et un bar-discothèque... Voilà pour les distractions. Côté baignade, une piscine bordée de palmiers et l'Ardèche, bien sûr ! Côté camping, des emplacements spacieux, bien délimités et bien plantés.

visiter

Mairie

♿ *Tlj sf w.-end 10h-11h, 15h30-16h30. Fermé j. fériés. 15F. Sur demande préalable, ☎ 04 75 88 02 06.*

Dans l'ancienne résidence des comtes de Vallon (17e s.), la salle des mariages, au rez-de-chaussée, abrite sept **tapisseries** d'Aubusson (18e s.), remarquables par la fraîcheur de leur coloris.

Exposition Grotte Chauvet-Pont d'Arc

1 r. de Miarou. ♿ De mi-mars à mi-nov. : tlj sf lun. 10h-12h, 14h-17h30 (juin-août : tlj sf lun. 10h-13h, 15h-20h). 25F (enf. : 15F). ☎ 04 75 37 17 68. Voir le site Internet www.culture.fr/culture/arcnat/chauvet/fr

Située sur le territoire de Vallon, la grotte Chauvet, découverte en 1994, a révélé un ensemble de dessins et peintures pariétales réalisé voici plus de 30 000 ans, un des plus anciens connus à ce jour. Le site fait actuellement l'objet de campagnes de recherche. On pourra néanmoins se faire une idée des trésors qu'il recèle en visitant cette exposition. Photographies, film et textes explicatifs présentent l'art rupestre des grottes ardéchoises et initient à la vie quotidienne des chasseurs nomades de cette lointaine époque.

BESTIAIRE RARE

400 animaux, comme le rhinocéros, le lion des cavernes ou le mammouth, des vestiges d'occupation humaine, de nombreuses empreintes de mains, sans doute liées à une pratique chamanique... : et la grotte n'a pas encore livré tous ses secrets...

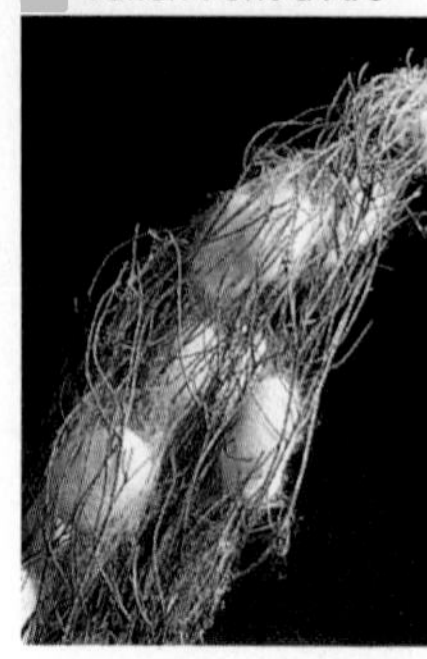

Le ver à soie : un adepte du cocooning mais un fameux glouton, avide de feuilles de mûrier !

alentours

Magnanerie

3 km par la D 579, direction Ruoms. Accès par un chemin s'embranchant à gauche en venant de Vallon. De mi-avr. à fin sept. : visite guidée (3/4h) 9h-18h. Fermé dim. 30F (enfants : 15F). ☎ 04 75 88 01 27.

On peut visiter au village des Mazes une ancienne magnanerie vivaroise.

Par le *couradou*, on accède à la magnanerie, vaste salle occupée par des bâtis de bois où sont disposés les vers à soie sur des cannisses (claies de roseaux). La visite permet de suivre les étapes de la croissance des vers, jusqu'à la formation du cocon enveloppé de fils de soie.

Pont-d'Arc★★

5 km au Sud-Est par la D 290. *Voir p. 118.*

Valréas

Petite ville agricole et industrielle blottie dans la vallée de la Couronne, si Valréas possède, unique en France, son musée du cartonnage, elle offre également aux promeneurs une charmante vieille cité. Et comme Richerenches sa voisine, son marché propose aux nez gourmets d'exquises truffes noires.

Vocation d'enclave
Les papes d'Avignon, convoitaient Valréas, voisine du Comtat Venaissin. En 1317, Jean XXII l'acheta au dauphin Jean II, mais une bande de terrain séparait Valréas des États pontificaux... Elle aurait pu leur échoir si le roi Charles VII ne s'y était s'opposé. Valréas sera finalement rattachée à la France en 1791, après plébiscite... pour devenir un canton du Vaucluse enclavé dans la Drôme !

La situation

Cartes Michelin nos 81 pli 2, 245 plis 3, 4 et 246 pli 9 – Vaucluse (84). Bien qu'en pleine Drôme, Valréas est rattaché au département de Vaucluse. Autour de lui, Grillon, Richerenches et Visan ont subi le même sort.

Château de Simiane, 84600 Valréas, ☎ 04 90 35 04 71.

Le nom

Vauriàs évoque-t-il ce petit val et sa rivière ? Toponymistes et philologues restent muets sur ce point.

Les gens

9 425 Valréassiens, dont saint Marti, protecteur de la cité. Aimait-il ses truffes ?

se promener

La **tour de Tivoli** reste le seul vestige de l'enceinte primitive, remplacée aujourd'hui par une ceinture de boulevards sous les platanes. Dans la vieille cité s'abritent de vieilles demeures comme l'**hôtel d'Aultane** *(36 Grande-Rue)* avec sa porte surmontée d'armoiries ; ou bien, à

carnet pratique

Restauration

• ***À bon compte***

Délice de Provence – *6 La Placette (centre ville) - ☎ 04 90 28 16 91 - fermé 1er au 15 nov., mar. soir et mer. - 89/210F.* Une petite halte sympathique pour déguster une cuisine du marché, en plein cœur de la ville. Bon choix de menus pour des prix très sages.

Hébergement

• ***Valeur sûre***

Le Grand Hôtel – *28 av. Gén. de Gaulle - ☎ 04 90 35 00 26 - fermé 21 déc. au 28 janv., sam. soir de nov. à mars et dim. - P - 15 ch. : 260/380F - ☕ 39F - restaurant 99/300F.* Une grande bâtisse sur le boulevard circulaire du centre-ville. Le décor n'est plus vraiment au goût du jour, mais cet hôtel-restaurant rendra service aux voyageurs de passage. La cuisine est plutôt régionale et les chambres simples.

Achats

Marchés aux truffes – Richerenches est la capitale de la truffe et a reçu à ce titre l'appellation de « site remarquable du goût », au point qu'une messe rassemblant la confrérie du « diamant noir » a lieu chaque année en janvier. L'obole des paroissiens ? Des truffes fraîches. Pour s'en procurer, plutôt que de piller les troncs, deux marchés : celui de Richerenches le samedi et celui de Valréas, le mercredi (nov.-mars).

VALRÉAS

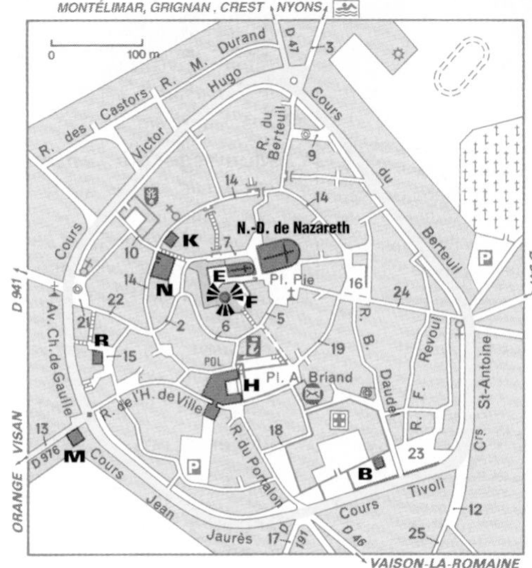

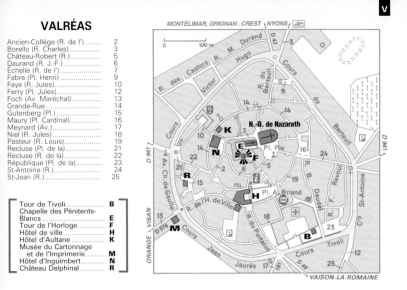

l'angle de la rue de l'Échelle, l'**hôtel d'Inguimbert** avec ses fenêtres à meneaux; ou encore, place Gutenberg, le **château Delphinal** à mâchicoulis.

Hôtel de ville

Juil.-août : visite libre dans le cadre du Salon d'Arts Plastiques tlj sf mar. 10h30-12h30, 16h-20h ; sept.-juin : visite guidée (1/2h) tlj sf dim. 15h-17h. Fermé j. fériés. Gratuit. ☏ 04 90 35 00 45.

Ce fut autrefois la demeure du marquis de Simiane qui épousa Pauline de Grignan, petite-fille de Mme de Sévigné. Sa majestueuse façade (15e s.) donne sur la place Aristide-Briand. Au 1er étage, dans la bibliothèque décorée de boiseries du 17e s., sont exposés bulles papales, parchemins, incunables. Dans la salle du 2e étage, remarquable charpente.

Le portail Sud de l'**église N.-D.-de-Nazareth** offre un bel exemple d'architecture romane provençale.

Chapelle des Pénitents Blancs

De juil. à fin août : visite guidée mer. et ven. 16h-18h. ☏ 04 90 35 04 71.

Sur la place Pie, une belle grille en fer forgé s'ouvre sur l'allée menant à la chapelle des Pénitents Blancs, construite au 17e s. Dans le chœur, stalles sculptées et beau plafond à caissons. La tour du Château Ripert ou tour de l'Horloge domine le jardin ; de la terrasse, belle vue sur le vieux Valréas et les collines du Tricastin.

> **Calendrier**
> **Le petit St-Jean** – C'est une tradition vieille de cinq siècles : la nuit du 23 juin, un garçonnet de trois à cinq ans est couronné Petit St-Jean. Symbolisant saint Marti, protecteur de la cité, vêtu d'une peau de mouton, il parcourt les rues de la ville sur une litière, à la lueur des torches, et bénit la foule sur son parcours. Un cortège de 400 personnages costumés le suit dans une ambiance colorée et enthousiaste. Pendant un an, Valréas est placée sous la sauvegarde de l'élu.

visiter

Musée du Cartonnage et de l'Imprimerie

D'avr. à fin oct. : tlj sf mar. 10h-12h, 15h-18h, dim. 15h-18h. Fermé j. fériés sf 14 juil. et 15 août. 20F. ☏ 04 90 35 58 75.

Nous avons tous eu entre les mains des boîtes en carton. Mais saviez-vous que sans Valréas nous en serions peut-être privés ? Voilà une excellente occasion de combler cette lacune en visitant ce musée consacré à l'industrie valréassienne par excellence.

circuit

ENTRE TRUFFIÈRES ET TEMPLES

40 km – environ 2h. Quitter Valréas à l'Ouest par la D 941.

Grignan★ *(voir ce nom)*

Emprunter la D 541 et tourner à gauche dans la D 71.

Bucolique
Telle est la D 71, bordée de champs de lavande, avec ses bosquets de chênes truffiers et ses rideaux de cyprès, tout tremblants de lumière.

Chamaret

Un beau beffroi perché sur un rocher domine toute la région environnante. Depuis les ruines, vue étendue sur le Tricastin.

◄ *Poursuivre sur la D 71.*

Montségur-sur-Lauzon

Devant la mairie de Montségur-sur-Lauzon, emprunter la rue à gauche, tourner ensuite à droite, puis prendre un chemin en montée vers le sommet de la butte qui porte le vieux village. Un lacis de sentiers permet de parcourir le vieux village et de découvrir l'ancienne chapelle romane du château. Du chemin de ronde, beau **panorama** sur le Tricastin, les Baronnies et le Ventoux.

Prendre la D 71ᴮ à l'Est. Belles vues sur la montagne de la Lance et le pays de Nyons.

Richerenches

Fondée au 12ᵉ s., cette commanderie de Templiers a été bâtie sur un plan rectangulaire. Elle a conservé son enceinte flanquée de quatre tours d'angle rondes. On y pénètre par le beffroi, tour rectangulaire à mâchicoulis et porte cloutée. À gauche de l'église, imposants vestiges du temple.

La D 20, au Sud-Est, traverse Visan et conduit à N.-D.-des-Vignes.

Chapelle N.-D.-des-Vignes

Tlj sf lun. 10h-11h30, 15h-18h.

Cette chapelle du 13ᵉ s. abrite dans le chœur une statue de la Vierge en bois polychrome, vénérée le 8 septembre lors d'un pèlerinage. Boiseries du 15ᵉ s. dans la nef.

Par Visan et la D 976 regagner Valréas.

Venasque★

Restauration
Restaurant Les Remparts – *R. Haute - ☎ 04 90 66 02 79 - fermé mi-nov. à mi-mars - ⊄ - 125/165F.* Déambulez dans les ruelles et venez vous attabler en toute sérénité dans ce restaurant posé sur les anciens remparts du village. Admirez la campagne environnante puis entrez dans l'une des pimpantes salles colorées parées de vieilles affiches de cinéma. Quelques chambres simples.

Ses maisons agrippées à la falaise, en aplomb de la vallée, offrent un spectacle saisissant. Mais Venasque ne se réduit pas à un site : avec ses petites places ornées de fontaines et ses demeures de charme, d'une remarquable unité architecturale, elle mérite bien d'être classée parmi « les plus beaux villages de France ».

La situation

Cartes Michelin nᵒˢ 81 pli 13, 245 pli 17 et 245 pli 11 – Vaucluse (84). L'étroite D 4 au Sud de Carpentras parcourt un paysage vallonné avant d'atteindre Venasque, posée sur le bord de son rocher dominant la vallée de la Nesque. Une petite route en lacet conduit à l'entrée du village.

ℹ *Grande-Rue, 84210 Venasque, ☎ 04 90 66 11 66.*

Le nom

Siège de l'évêché du Comtat Venaissin, il semble que le nom de l'antique Vindasca provienne d'une racine *vin-* qui signifiait « hauteur » : il suffit d'un coup d'œil sur le village pour admettre cette étymologie...

Les gens

966 Venasquais. Parmi eux, en 1932, un curé de campagne qui avait la bonne idée d'être le neveu du chanoine Sautel, l'inventeur de Vaison-la-Romaine. Et c'est en rendant visite à son neveu que le chanoine, furetant dans l'église, repéra sous une épaisse couche de poussière et de toiles d'araignées le tableau de la *Crucifixion*.

comprendre

Entre Rhône, Durance et Ventoux, ce territoire dépendait des comtes de Toulouse et, comme l'ensemble de leurs possessions, il fut, à l'issue de la croisade contre les Albigeois, réuni à la France en 1271. Trois ans plus tard, Philippe III le Hardi le cédait au pape Grégoire X et il demeura sous l'autorité pontificale jusqu'en 1791. Il possédait alors son administration et ses tribunaux à Carpentras, qui supplanta Pernes-les-Fontaines comme capitale en 1320. Constitué par la riche plaine de Vaucluse, le Comtat Venaissin occupe le bassin le plus large et le plus méridional de la vallée du Rhône. Son sol calcaire bien mis en valeur par l'irrigation, a permis la création d'immenses jardins spécialisés dans la production de primeurs exportées dans la France entière.

PRIMEURS
L'Ouvèze, la Sorgue et la Durance irriguent de vastes plaines aux riches alluvions. Des villes-marchés y ont prospéré, telles Orange, Avignon, Cavaillon et Carpentras. Bref, un territoire sans doute béni par les papes, mais plus encore par les dieux.

se promener

Un moment de calme et de sérénité ? Vous le trouverez sans peine en parcourant les rues paisibles du village, parmi les ateliers d'artistes et artisans (peintres, potiers, céramistes) et les maisons restaurées avec goût, souvent ornées d'une treille.
Chemin faisant, la **place des Comtes de Toulouse** rappelle que Venasque dut à ces derniers d'être érigé en évêché.
Depuis l'esplanade de la **Planette** et, plus encore depuis les **tours sarrasines**, vestiges des fortifications médiévales, en haut du village, belles vues sur le Ventoux et les Dentelles de Montmirail.

STAGE
Apprendre la cuisine provençale à l'auberge **La Fontaine** *(☏ 04 90 66 02 96)*. Une excellente façon de prolonger les vacances tout au long de l'année!

Un baptistère mérovingien ? Quoi de plus naturel puisque c'est ici que fut baptisé le Comtat.

visiter

Baptistère*

Entrée à droite du presbytère. De mi-mars à mi-nov. : tlj sf mer. 10h-12h, 14h-18h, dim. 14h-18h (juin-sept. : 10h-12h, 15h-19h) ; de mi-nov. à fin janv. : tlj sf mer. 10h-12h, 14h-17h, dim. 14h-17h. Fermé vac. scol. de fév. de la zone B et déb. mars. 10F. ☏ 04 90 66 62 01.

Ce baptistère, qui communique avec l'église Notre-Dame par un long couloir, est l'un des plus anciens édifices religieux de France. Datant vraisemblablement de l'époque mérovingienne (6e s.) mais remanié au 11e s., il est conçu en forme de croix grecque. À l'intérieur, une salle carrée, voûtée d'arêtes ; sur chaque côté s'ouvre une absidiole voûtée en cul-de-four. Les arcatures reposent sur des colonnettes de marbre, surmontées de chapiteaux antiques ou mérovingiens. Au centre de la salle, dans le sol, emplacement de la cuve baptismale.

Église Notre-Dame

Très remaniée, elle possède un beau retable du 17e s. en bois sculpté et, surtout, la **Crucifixion★**, tableau de l'école d'Avignon, daté de 1498.

alentours

Route des gorges

10 km à l'Est par la D 4 en direction d'Apt.

La route, sinueuse et pittoresque, parcourt la forêt de Venasque sur le plateau de Vaucluse en remontant les gorges. Après une ascension de quelque 400 m, elle atteint le col de Murs (alt. 627 m).

Au-delà du col, les premiers tournants de la descente sur Murs révèlent des vues étendues sur la plaine d'Apt et sur le Roussillon.

Mont Ventoux★★★

Avec ses 1 909 m d'altitude, le « géant de Provence », que l'UNESCO vient de classer réserve de biosphère, ne rivalise certes pas avec le Mont Blanc. Quoique... sa situation solitaire et son profil de pyramide, au sommet blanchi de neige en hiver, dressent leur majestueux point de mire sur toute la Provence rhodanienne.

La situation

Cartes Michelin nos 81 plis 3, 4, 13, 14, 245 plis 17, 18 et 246 pli 10 – Vaucluse (84). Deux possibilités d'accès au sommet : par le versant Nord et la D 974, ouverte en 1933, ou bien par le versant Sud. À moins qu'on ne préfère monter à pied par un sentier... *Pour toutes précisions sur l'enneigement des routes du massif du Ventoux (risques d'obstruction nov.-mai) téléphoner au ☎ 08 36 68 02 84 (Météo France).*

Le nom

Il y vente, mais le vent a beau faire, il n'est pour rien dans le nom du Ventoux ! L'ancien *Vinturi* devait son nom à la racine ligure *ven-* qui signifie « montagne ».

Un petit pavot venu du Groenland jusqu'au mont Ventoux, voilà qui est stupéfiant!

Les gens

Après avoir rencontré, sur les pentes, la flore habituelle de la Provence, le botaniste amateur, parvenu au sommet, pourra s'extasier devant des échantillons de flore polaire, tels que la saxifrage du Spitzberg et le petit pavot velu du Groenland. C'est durant la première quinzaine de juillet que les fleurs du Ventoux prennent tout leur éclat. Les flancs de la montagne, dénudés à partir du 16e s. pour alimenter les constructions navales de Toulon, sont en cours de reboisement depuis 1860. Pins d'Alep, chênes verts et blancs, cèdres, hêtres, pins à crochets, sapins, mélèzes forment un manteau forestier qui, vers 1 600 m d'altitude, cède la place à un immense champ de cailloux d'une blancheur étincelante. À l'automne, l'ascension, au travers des frondaisons de toutes couleurs, est un enchantement.

PRUDENCE
Par temps d'orage, la route peut être encombrée sur les trois derniers km par des éboulis qui n'empêchent généralement pas la circulation, mais demandent un peu d'attention.

circuit

À L'ASSAUT DU GÉANT DE PROVENCE★★

Circuit de 63 km au départ de Vaison-la-Romaine – compter une journée.

Quitter Vaison-la-Romaine par la D 938 au Sud-Est. Après 3,5 km, prendre à gauche la D 54.

carnet pratique

MÉTÉO

Une petite laine est de rigueur car le mistral souffle avec une furie sans pareille. Au sommet, la température est, en moyenne, de 11° plus basse qu'au pied et il pleut deux fois plus qu'en bas. Durant la saison froide, le thermomètre descend, à l'observatoire, jusqu'à –27° !

En été, aux heures chaudes, le Ventoux est souvent entouré de brumes. Pour profiter du panorama, mieux vaut partir de très bonne heure. Autre solution : rester sur la montagne jusqu'au coucher du soleil. En hiver, l'atmosphère est plus transparente, mais on ne peut gagner le sommet qu'en chaussant des skis.

RESTAURATION

• *Valeur sûre*

Du Vieux Four – *Au village - 84410 Crillon-le-Brave - ☎ 04 90 12 81 39 - fermé 15 nov. au 1er mars, mar. midi et lun. - ⊭ - 135F.* C'est dans l'ancienne boulangerie du village qu'est venue s'établir cette jeune cuisinière dynamique. Elle vous accueille dans l'ancien fournil, dont elle a conservé le vieux four ou sur la terrasse, installée sur les remparts. De là vous pourrez voir le mont Ventoux.

La Maison – *84340 Beaumont-du-Ventoux - 4 km à l'E de Malaucène par D 153 - ☎ 04 90 65 15 50 - fermé nov. à Pâques, le midi en juil.-août (sf dim.), lun. et mar. hors sais. - 160F.* Dans un petit village au milieu des vignes et des vergers, cette ancienne ferme est joliment restaurée. Traversez sa terrasse sous les tilleuls et le charme agit déjà... Dans la salle à manger toute de jaune vêtue, une cuisine provençale vous est proposée. Trois chambres simples et coquettes.

Mas des Vignes – *Rte du mont Ventoux - 84410 Bédoin - 6 km à l'Est de Bédoin - ☎ 04 90 65 63 91 - fermé 2 nov. au 31 mars, dim. soir, mar. midi et lun. sf juil.-août - 160/215F.* De ce joli mas surplombant la vallée et le fameux tracé de la course de côte du mont Ventoux, le panorama s'étend jusqu'aux cimes des dentelles de Montmirail et la plaine du Comtat. En salle ou en terrasse, dégustez sa cuisine de produits frais, sans chichis.

HÉBERGEMENT

• *À bon compte*

Hôtel Garance – *84410 Ste-Colombe - 4 km à l'E de Bédoin par rte du Mont-Ventoux - ☎ 04 90 12 81 00 - 🅿 - 14 ch. : 250/295F - ☕ 39F.* Bien situé au pied du mont Ventoux, cet hôtel est un bon point de départ pour partir en balades. Cadre d'inspiration provençale dans cette ancienne bâtisse agricole et chambres proprettes. Préférez celles sur l'arrière pour la vue sur le « géant de Provence ». Piscine.

• *Une petite folie !*

Hostellerie de Crillon le Brave – *Pl. de l'Église - 84410 Crillon-le-Brave - ☎ 04 90 65 61 61 - fermé 5 janv. au 10 mars - 🅿 - 19 ch. : à partir de 1000F - ☕ 90F - restaurant 250/400F.* Cette bastide provençale face au mont Ventoux évoque l'atmosphère de Cézanne. Enchevêtrement de ponts, passerelles et escaliers, jardin d'oliviers et de cyprès. Dans les chambres aux camaïeux provençaux et meubles chinés, le temps et le soleil ont patiné les murs.

LOISIRS

Ski – À chaque chose, malheur est bon : entre déc. et avr., le Ventoux est encapuchonné de neige au-dessus de 1 300 à 1 400 m d'altitude et fournit aux sports d'hiver d'excellents terrains. Sur le versant Nord, au Mont-Serein, ski sur neige et, aux beaux jours, sur herbe, remontées mécaniques et piste de raquette (Chalet d'accueil, ☎ 04 90 41 91 71). Sur le versant Sud, les pentes de Chalet-Reynard sont particulièrement propices à la pratique du ski.

Vélo – L'ascension du Ventoux à vélo est l'étape redoutée des « forçats de la route ». Contacts à l'Office de tourisme de Bédoin.

Randonnée pédestre – Dans la forêt de Bédoin ou, carrément à l'assaut du Géant de Provence par les GR 91 et 91 B. Voir les topo-guides aux Offices de tourisme locaux.

Entrechaux

Ancienne possession des évêques de Vaison, le village est dominé par les ruines perchées de son château.

Regagner la route de Malaucène par la D 13.

Malaucène *(voir p. 264)*

Prendre sur la gauche la D 974.

Chapelle Notre-Dame-du-Groseau

Cette chapelle est le seul vestige d'une abbaye bénédictine qui dépendait de St-Victor de Marseille. On y distingue un édifice carré *(on ne visite pas)*, ancien chœur de l'église abbatiale du 12e s., dont la nef a disparu.

Source vauclusienne du Groseau

Sur la gauche de la route, l'eau jaillit par plusieurs fissures au pied d'un escarpement de plus de 100 m, formant un petit lac aux eaux claires ombragé de beaux arbres. Les Romains avaient construit un aqueduc pour amener cette eau jusqu'à Vaison-la-Romaine.

La route, en lacet sur le versant Nord, s'élève sur la face Nord, la plus abrupte du mont Ventoux ; elle traverse pâturages et petits bois de sapins, près du chalet-refuge du mont Serein. Du belvédère aménagé après la maison forestière des Ramayettes, **vue★** sur les vallées de l'Ouvèze et du Groseau, le massif des Baronnies et le sommet de la Plate.

Mont Serein

Lieu de ralliement des sportifs en hiver comme en été. Nombreuses remontées mécaniques.
Le panorama, de plus en plus vaste, découvre les dentelles de Montmirail, les hauteurs de la rive droite du Rhône et les Alpes. Après deux grands lacets, la route atteint le sommet.

Sommet du mont Ventoux★★★

Vue de nuit
Un spectacle inoubliable : la plaine provençale, lorsque, dans la nuit, villes et villages scintillent dans l'obscurité. De la mi-juin à la mi-août, tous les vendredis, des ascensions pédestres nocturnes sont organisées par les Offices du tourisme de Bédoin ou de Malaucène.

Le sommet du Ventoux est occupé par une station radar de l'armée de l'air et, au Nord, par une tour hertzienne. C'est du terre-plein aménagé au Sud que l'on découvre un vaste **panorama★★★** (table d'orientation) : du massif du Pelvoux aux Cévennes en passant par le Luberon, la montagne Ste-Victoire, les collines de l'Estaque, Marseille et l'Étang de Berre, les Alpilles et la vallée du Rhône et même, par temps particulièrement clair, le Canigou.

La descente s'amorce sur le versant Sud ; tracée en corniche, à travers l'immense champ de cailloux, la route la plus ancienne, construite vers 1885, passe de 1 909 m à 310 m d'altitude à Bédoin, en 22 km seulement.

Le Chalet-Reynard

C'est le lieu de rendez-vous des skieurs d'Avignon ou de Carpentras et de la région.

Dans la forêt, aux sapins succèdent les hêtres et les chênes, puis une belle série de cèdres. Enfin la végétation provençale fait son apparition : vigne, plantations de pêchers et de cerisiers, quelques olivettes. Vue sur le plateau de Vaucluse et au loin, la montagne du Luberon.

On laisse sur la gauche la D 164 pour rejoindre Sault (voir ce nom) par la haute vallée de la Nesque.

St-Estève

Du virage, naguère cauchemar des participants de la course automobile du Ventoux (arrêtée en 1973), **vue★** à droite, sur les dentelles de Montmirail et le Comtat, à gauche sur le plateau de Vaucluse.

Bédoin

Ce village, perché sur une colline, a conservé ses rues pittoresques, qui montent vers son église de style jésuite.

Prendre la D 138.

Hier terreur des coureurs du Tour de France, le sommet du mont Ventoux est aujourd'hui le territoire des skieurs, sûrs d'y trouver de la neige...

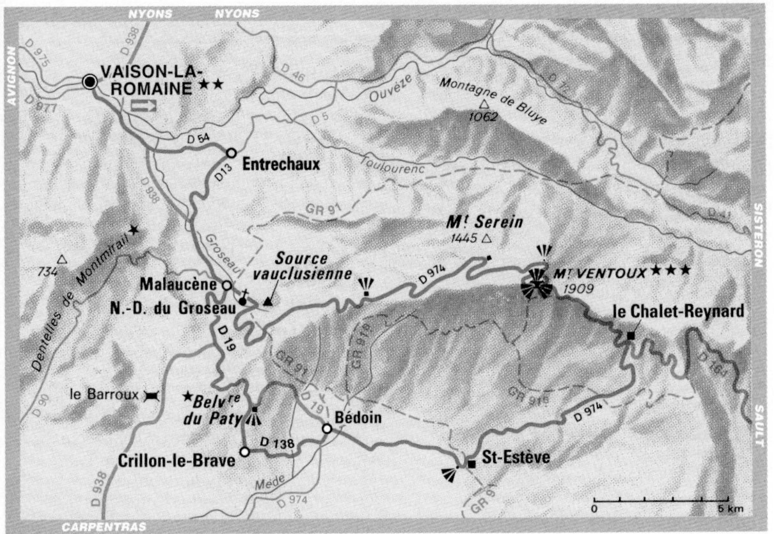

Crillon-le-Brave

Perché sur une avancée qui fait face au Ventoux, ce charmant village a gardé quelques traces de ses remparts. À côté de la mairie, l'intéressante **maison de la Musique mécanique** permet de voir et surtout d'entendre jouer une serinette datant de 1740, un grand orchestrion de 1900 (9 instruments), un orgue de manège et des orgues de Barbarie. ♿ *Pâques-sept. : visite guidée (1h, dernière entrée 1h av. fermeture) 15h-19h ; oct.-Pâques : dim. 15h-19h. 28F.* ☎ *04 90 65 93 53.*

Au Nord du village, une route non goudronnée conduit au belvédère du Paty.

Belvédère du Paty★

Vue★ panoramique sur Crillon-le-Brave et les carrières d'ocre. À droite se profilent les Alpilles, en face le Comtat Venaissin que limite le plateau de Vaucluse, et à gauche, le Ventoux.

Par la D 19 et la D 938, regagner Vaison-la-Romaine.

Villeneuve-lès-Avignon★

Villeneuve est le complément essentiel de la visite d'Avignon. Depuis la « ville des cardinaux », la vue sur la « ville des papes » constitue un des paysages les plus célèbres de la vallée du Rhône, surtout en fin d'après-midi lorsque Avignon, aux feux du couchant, apparaît dans toute sa splendeur.

La situation

Cartes Michelin nos 81 plis 11, 12, 245 pli 16 ou 246 pli 25 – Gard (30). Posée sur la rive droite du Rhône, en terres gardoises, Villeneuve est depuis l'origine tournée vers Avignon, dont elle constitue une banlieue résidentielle. On l'atteint, depuis la cité des Papes, en traversant le Rhône sur le pont Édouard-Daladier, en aval de celui de Saint-Bénézet, le célèbre « pont d'Avignon », avant de prendre à droite la D 980 et de passer au pied de la tour Philippe-le-Bel. ℹ *1 pl. Charles-David, 30400 Villeneuve-lès-Avignon,* ☎ *04 90 25 61 33.*

Le nom

Une ville neuve édifiée à portée d'arquebuse d'Avignon : on ne peut pas faire plus simple.

carnet pratique

Visite

Visites guidées de la ville – Villeneuve possède le label « Ville d'Art » : des visites commentées (2h) par des guides-conférenciers agréés par le ministère de la Culture y sont organisées par l'Office de tourisme, en juil.-août : mer. et jeu. à 17h. 25F.

Carte-Pass – Pour visiter Avignon et Villeneuve-lès-Avignon avec d'intéressantes réductions de tarif pdt 15 j. (musées et monuments, visites guidées de la ville, promenades en bateau, en petit train touristique, excursions en autocar). Pour l'obtenir, il suffit de payer plein tarif l'une des entrées inscrites sur le passeport. Renseignements à l'Office du tourisme d'Avignon.

Passeport pour l'Art – Ce forfait est proposé pour l'entrée aux monuments suivants : chartreuse du Val de Bénédiction, fort St-André, cloître de la collégiale Notre-Dame, tour Philippe-le-Bel et musée Pierre-de-Luxembourg. 45F, en vente sur les lieux de visite et à l'Office de tourisme de Villeneuve.

Restauration

• ***Valeur sûre***

Le St-André – *4 bis Montée du Fort - ☎ 04 90 25 63 23 - fermé 1er au 15 nov., mar. midi et lun. - 135/150F.* Si vous avez besoin de reprendre des forces en montant vers le fort St-André, arrêtez-vous ici. Dans la rue étroite qui y mène, ce restaurant au décor provençal est une petite étape sympathique.

Hébergement

• ***Valeur sûre***

Hôtel de l'Atelier – *5 r. de la Foire - ☎ 04 90 25 01 84 - fermé déb. nov. à mi-déc. - P - 19 ch. : 280/460F - ☕ 40F.* Poutres apparentes, meubles anciens et vieilles pierres décorent cette maison du 16e s. Flanez au salon près de la grande cheminée, prenez votre petit-déjeuner en terrasse dans la fraîcheur des arbres et des vieux murs. Chambres assez spacieuses personnalisées.

Calendrier

Rencontres de la Chartreuse – Festival de théâtre dans l'orbite du fameux festival d'Avignon. *☎ 04 90 15 24 24.*

Lieux de concerts – Le cloître de la collégiale comme la chartreuse abritent la plupart des spectacles et concerts donnés à Villeneuve.

Les gens

11 791 Villeneuvois. Voulue par les rois de France afin de mieux surveiller les terres hostiles de l'autre rive, leur cité fut la terre d'élection des cardinaux de la cour pontificale qui lui assurèrent la prospérité et en firent une ville d'art.

Impôts à flots

Le Rhône appartient au royaume de France, mais pas sa rive gauche. Le problème, c'est qu'on ne peut pas préciser où commence celle-ci lors des crues du Rhône. Là où s'arrête l'eau, décrète l'autorité royale, qui en profite pour aller réclamer des impôts aux habitants des quartiers d'Avignon inondés...

comprendre

À l'issue de la croisade contre les Albigeois, le roi de France Philippe III le Hardi entre en possession, en 1271, du comté de Toulouse et son nouveau domaine atteint le Rhône. Sur l'autre rive, c'est la Provence, terre d'Empire. À la fin du 13e s., Philippe le Bel fonde, dans la plaine, une « ville neuve » et, vu l'importance militaire du lieu, il élève, à l'entrée du pont St-Bénézet, un ouvrage puissant. L'arrivée des papes en Avignon constitue une véritable aubaine pour la cité nouvelle : les cardinaux, ne trouvant pas dans la ville pontificale des demeures dignes de leur rang, passent le pont et construisent ici quinze magnifiques résidences, les « livrées ». Ils comblent de bienfaits la ville et ses établissements religieux. De leur côté, les rois Jean le Bon et Charles V construisent le fort St-André afin de mieux surveiller la papauté voisine. La prospérité survivra au départ des papes : aux 17e et 18e s., la Grande-Rue se garnit de riches hôtels. Les couvents gardent une vie active et brillante, deviennent de véritables musées. Seule la Révolution mettra un terme à cette richesse aristocratique et ecclésiastique.

Au débouché du pont St-Bénézet, la tour Philippe-Le-Bel un belvédère idéal pour surveiller le voisin papal.

se promener

En arrivant de Nîmes ou d'Avignon par la D 980, prendre à gauche la montée de la Tour.

Tour Philippe-Le-Bel

Mêmes conditions de visite que l'Église Notre-Dame. 10F.

Construite sur un rocher, en bordure du Rhône, c'était la pièce maîtresse d'un châtelet qui défendait, en terre royale, l'entrée du pont St-Bénézet. Depuis la terrasse supérieure (176 marches), **vue**★★ superbe sur Villeneuve et le fort St-André, le Ventoux, le Rhône et le pont

St-Bénézet, Avignon et le palais des Papes, la Montagnette et les Alpilles et, en majestueuse toile de fond, le Ventoux.

Poursuivre jusqu'à la place de l'Oratoire puis prendre la rue de l'Hôpital.

Église Notre-Dame

Avr.-sept. : tlj sf lun. 10h-12h30, 15h-19h (de mi-juin à mi-sept. : tlj) ; oct.-mars : tlj sf lun. 10h-12h, 14h-17h30. Fermé en fév., 1er-2 janv., 1er mai, 1er et 11 nov., 25-26 déc. ☎ 04 90 27 49 66.

La tour de cet édifice fondé en 1333 par le cardinal Arnaud de Via, neveu de Jean XXII, était à l'origine un beffroi dont le rez-de-chaussée, formé d'arcades, servait de passage public. Celui-ci fut bouché pour devenir le chœur de l'Église, qu'on raccorda à la nef en édifiant une travée supplémentaire. L'église contient plusieurs œuvres d'art : le tombeau du cardinal Arnaud de Via, reconstitué avec son gisant originel du 14e s., une copie de la célèbre *Pietà* conservée au Louvre depuis 1904 (3e chapelle de droite), un *Saint Bruno* de Nicolas Mignard et un Calvaire de Reynaud Levieux. ►

Pietà exilée

Ce chef-d'œuvre absolu de l'école d'Avignon, datant du 13e s., avait été exécuté pour la Chartreuse de Villeneuve. « Monté » à Paris pour une exposition dont il fut l'un des « clous », il poursuit depuis son splendide exil au Louvre, au grand dam de certains Villeneuvois.

La **rue de la République**, quelques pas plus loin, est bordée par plusieurs de ces superbes « livrées » cardinalices que les cardinaux ont fait édifier à Villeneuve. Citons celle du cardinal Pierre de Luxembourg (ce jeune homme fort précoce mourut à l'âge de 19 ans déjà revêtu de la pourpre cardinalice), qui abrite aujourd'hui le **musée municipal** *(voir description dans « visiter »)* ainsi que celles des nos 3, 4 et 53. C'est au no 60 qu'un portail donne accès à la chartreuse du Val de Bénédiction.

VILLENEUVE-LÈS-AVIGNON

- Abbé-Valla (Bd) 2
- Amelier (R. de l') 3
- Bugade (Impasse de la) 4
- Carpanedo (Bd des Frères) 6
- Chartreux (Pl. des) 8
- Croix (Pl. de la) 9
- Fabrigoule (R. Marcel) 10
- Hôpital (R. de l') 12
- Jaurès (Pl. Jean) 13
- Laune (R. de la) 14
- Meissonnier (Pl. J.) 16
- Mûriers (Allée des) 17
- St-Marc (pl.) 18

- Porte fortifiée ..... B
- Chapelle N.-D.-de-Belvézet ..... D
- Musée municipal Pierre de Luxembourg ..... M

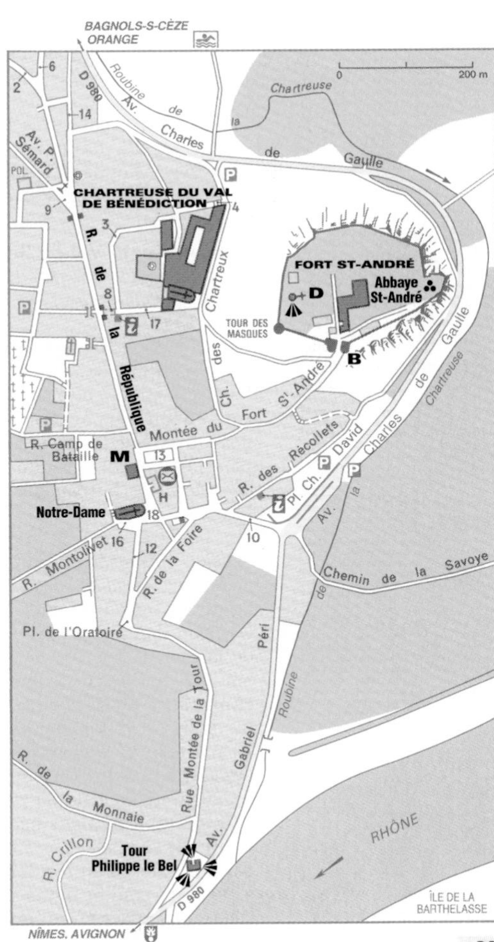

Couronnement de la Vierge★★, *d'Enguerrand Quarton (1453, musée Pierre-de-Luxembourg). Originaire de Laon, ce peintre, fasciné par la lumière du Midi, emploie des couleurs éclatantes qui soulignent la grandeur de la scène. La Vierge au large manteau domine cette composition qui embrasse le ciel et la terre.*

visiter

Musée municipal Pierre-de-Luxembourg★

♿ *Avr.-août. : tlj sf lun. 10h-12h30, 15h-19h (de fin juin à déb. sept. : tlj) ; oct.- mars : tlj sf lun. 10h-12h, 14h-17h30. Fermé en fév., 1er janv., 14 juil., 1er et 11 nov., 25 déc. 20F. ☎ 04 90 27 49 66.*

Ce musée, installé dans l'hôtel Pierre-de-Luxembourg, propose quelques œuvres d'art exceptionnelles. En particulier, la **Vierge★★** du 14e s. en ivoire polychrome : sculptée dans une défense d'éléphant dont elle épouse la courbure, c'est une des plus belles œuvres du genre. Remarquez aussi la Vierge à double face de l'école de Nuremberg (14e s.), le masque de Jeanne de Laval par Laurana, la chasuble dite d'Innocent VI (18e s.) et le voile du Saint-Sacrement du 17e s. orné de perles fines, ainsi que des peintures de Nicolas Mignard (*Jésus au Temple*, 1649), Philippe de Champaigne (*La Visitation*, vers 1644), Reynaud Levieux *(La Crucifixion)*, Simon de Châlons, ou encore Parrocel *(Saint Antoine et l'Enfant Jésus)*.

Beau geste

En 1352, le conclave avait élu pape le général de l'ordre des chartreux qui, par humilité, refusa la tiare. Désigné à sa place, Innocent VI pour commémorer le geste, fonda, sur les lieux mêmes de sa « livrée » une chartreuse qui allait devenir la plus importante de France.

Chartreuse du Val de Bénédiction★

60 r. de la République. 1h. 9h30-17h30 (avr.-sept. : 9h-18h30). Fermé 1er janv., 1er mai, 1er et 11 nov., 25 déc. 32F. ☎ 04 90 15 24 24.

Véritable « ville dans la ville » (songez qu'elle occupe une surface double de celle du palais des Papes), son architecture justifie à elle seule une visite.

Après avoir franchi la **porte du cloître** qui sépare l'allée des Mûriers de la place des Chartreux, on se retournera pour en admirer l'ordonnance et l'ornementation, avant de gagner le bureau d'accueil, en haut de l'allée des Mûriers.

On pénètre dans la nef principale de l'**église** dont l'abside effondrée encadre une **vue★** superbe sur le fort St-André *(voir ci-dessous)*. À droite, l'abside de l'autre nef et une travée abritent le tombeau d'Innocent VI **(1)** dont le gisant de marbre blanc repose sur un socle en pierre de Pernes.

Sur la galerie Est du **petit cloître**, donnent la **salle capitulaire (2)** et la **cour des Sacristains (3)**, avec son puits et son pittoresque escalier. Une jolie coupole du 18e s. couvre le **lavabo (8)**, petit édifice circulaire.

On gagne ensuite le **grand cloître du Cimetière**, large de 20 m et long de 80 m, à la chaude coloration provençale, que bordent les cellules des moines. La première **(4)** se visite. Les autres, restaurées, sont habitées par des auteurs en résidence. À l'extrémité Nord-Est du cloître, un couloir mène à la « bugade » **(5)**, ou buanderie, qui a conservé son puits et la cheminée du séchoir.

De sa galerie Ouest, au niveau d'une petite chapelle des morts **(6)**, on rejoint la chapelle **(7)** qui faisait partie de la livrée d'Innocent VI.

Le **réfectoire**, ancien Tinel (salle des festins du 18e s.), qui ne se visite pas, est aujourd'hui une salle de spectacles. Après avoir contourné son chevet crénelé on remarque la boulangerie **(9)** avec sa tour hexagonale, et l'**hôtellerie** qui, remaniée au 18e s., présente au Nord une belle façade.

Enfin, si les galeries du **cloître St-Jean** ont disparu, des cellules de chartreux subsistent encore. Au centre, la monumentale fontaine St-Jean du 18e s. a conservé son puits et sa belle vasque ancienne.

REMARQUER
Les belles **fresques★** de la chapelle, attribuées à Matteo Giovanetti, l'un des décorateurs du palais des Papes (scènes de la vie de saint Jean-Baptiste et de la vie du Christ).

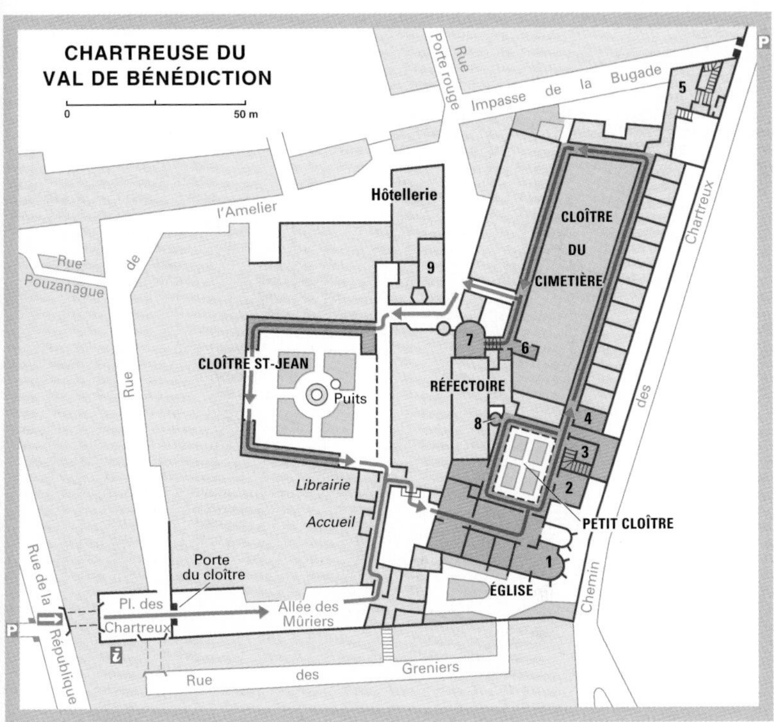

Fort et abbaye Saint-André★

Avr.-sept. : 10h-18h ; oct.-mars : 10h-13h, 14h-17h. Fermé 1er janv., 1er mai, 1er et 11 nov., 25 déc. 25F, gratuit 1er dim. du mois de oct. à fin mai. ☎ 04 90 25 45 35.

Ce fort englobait une abbaye, la chapelle romane **N.-D.-de-Belvézet** et un bourg dont ne subsistent que quelques pans de murs. Il fut élevé au 14e s. par Jean le Bon et Charles V, sur une ancienne île (le mont Andaon) rattachée à la terre au Moyen Âge lorsqu'un des bras du Rhône qui l'enserraient se dessécha. Sa magnifique **porte fortifiée★** aux tours jumelles est l'un des plus beaux exemples de fortification médiévale. L'accès à la tour Ouest permet de découvrir la salle de manœuvre des herses et la boulangerie (18e s).

De l'**abbaye St-André**, fondée par les Bénédictins au 10e s. et en partie détruite pendant la Révolution, il subsiste le portail d'entrée, l'aile gauche et la terrasse soutenue par des voûtes massives. Mais ce sont surtout ses magnifiques **jardins★** à l'italienne qui méritent une promenade, avec leurs superbes **vues★** sur Avignon. Les rois de France en avaient fait leur poste d'observation, afin de mieux tenir à l'œil leurs encombrants voisins pontificaux... *Avr.-sept. : tlj sf lun. 10h-12h30, 14h-18h ; oct.-mars : tlj sf lun. 10h-12h30, 14h-17h. De juil. à fin sept. : visite guidée (1h1/2) du Palais Allatial mer. et sam. à 16h. 20F, 35F visite guidée. ☎ 04 90 25 55 95.*

85 MARCHES
En grimpant celles de la tour Ouest, vous serez récompensé par une **vue★★** somptueuse sur le mont Ventoux, le Rhône, Avignon et le palais des Papes, la plaine comtadine, le Luberon, les Alpilles et la tour de Philippe-le-Bel.

Sources iconographiques

p.1 : J.-P. Garcin/DIAF
p.4g : J.-L. Mabit/Museon Arlaten, Arles
p.4d : E. Valentin/ HOA QUI
p.5g : C. Moirenc/DIAF
p.5d : A. Ravix/ Ville de Marseille
p.14-15 : C. Moirenc/DIAF
p.19 : G. Magnin/MICHELIN
p.23 : G. Magnin/MICHELIN
p.24 : G. Magnin/MICHELIN
p.27 : J.-Ch. Gérard/DIAF
p.29 : G. Magnin/MICHELIN
p.31 : A. Le Bot/DIAF
p.32 : J.-Ch. Gérard/DIAF
p.34 : J. Guillard/SCOPE
p.35 : B. Kaufmann/MICHELIN
p.36 : M. Guillot/MICHELIN
p.37 : La Provence
p.38 : Marius et Jeannette de Robert Guédiguian, 1997/coll. KIPA INTERPRESS
p.40 : Ch. Vaisse/HOA QUI
p.42 : M. Enguérand
p.44-45 : G. Magnin/MICHELIN
p.46-47 : J.-D. Sudres/DIAF
p.46m : J.-Ch. Gérard/DIAF
p.46b : P. d'Argence/PIX
p.47h : B. Delgado/Museon Arlaten, Arles
p.47m : B. Delgado/Museon Arlaten, Arles
p.47b : J.D. Sudres/DIAF
p.48-49 : G. Sioen/TOP
p.48m : J.-Ch. Gérard/DIAF
p.48b : Th. Leconte/DIAF
p.49m : R. Mazin/DIAF
p.49b : GIRAUDON/Musée du Vieux Marseille
p.50-51 : B. Delgado/Musée Réattu, Arles
p.50m : G. Bonnet/Musée de la Faïence, Marseille
p.50m : A. Ravix/Musée de la Faïence, Marseille
p.50b : B. Delgado/Museon Arlaten, Arles
p.51m : R. Mazin/DIAF
p.51m : R. Mazin/DIAF
p.51b : Musée Charles-Démery, Tarascon
p.52-53 : C. Moirenc/DIAF
p.52h : J.-Ch. Gérard/DIAF
p.52bg : J.-Ch. Gérard/DIAF
p.52bm : M. Rosenfeld/DIAF
p.53m : J.-P. Garcin/DIAF
p.53b : T. L. Valentin/HOA QUI
p.54-55h : J.-Ch. Gérard/DIAF
p.54-55m : Ateliers Marcel Carbonel, Marseille
p.55m : J.-L. Barde/SCOPE
p.55b : J.-Ch. Gérard/DIAF
p.56-57 : D. Faure/DIAF
p.56m : Reimbold/HOA QUI
p.57h : Musée du Vieux Nîmes
p.57m : VANDYSTADT
p.57bg : Th. Leconte/DIAF
p.57bd : G. Martin-Raget/ HOA QUI
p.58-59 : E. Valentin/HOA QUI
p.58mg : Sabatier/DIAF
p.58mm : T.L. Valentin/HOA QUI
p.58b : E. Valentin/HOA QUI
p.59hg : J.-Ch. Gérard/DIAF
p.59hd : C. Moirenc/DIAF
p.59b : C. Moirenc/DIAF
p.60-61 : G. Magnin/MICHELIN
p.61b : C. Moirenc/DIAF
p.62-63 : G. Bortaloto/BIOS
p.62 : M. Janvier/MICHELIN
p.62 : M. Janvier/MICHELIN
p.62 : M. Janvier/MICHELIN
p.62 : M. Janvier/MICHELIN
p.63h : P. Lorne/JACANA
p.63m : J. Lacoste/JACANA
p.63b : J.-Ch. Gérard/DIAF
p.64h : J. Guillard/SCOPE
p.64b : M. Gunther/BIOS
p.65h : CASTELET
p.65m : CASTELET
p.65b : CASTELET
p.66-67 : G. Magnin/MICHELIN
p.66-67 : B. Kaufmann/ MICHELIN
p.66-67 : D. Thierry/DIAF
p.66b : J. Guillard/SCOPE
p.67h : S. Grandadam/HOA QUI
p.67m : J.-P. Brazs/MICHELIN
p.67b : J.-Ch. Gérard/DIAF
p.68-69 : LAUROS-GIRAUDON/ Musée du Louvre, Paris
p.68m : N. Aujoulat/CNP Ministère de la Culture
p.68b : LAUROS-GIRAUDON/ Archives Nationales, Paris
p.69 : DASPET
p.70 : J. Bernard/Musée des Beaux-Arts, Marseille
p.71h : LAUROS-GIRAUDON/ Bibliothèque Nationale de France, Paris
p.71b : Chambre de Commerce et d'Industrie, Marseille-Provence
p.72-73 : B. Kaufmann/ MICHELIN
p.72 : B. Kaufmann/MICHELIN
p.73h : J.-Ch. Gérard/DIAF
p.73bg : Musée d'Archéologie Méditerranéenne, Marseille
p.73bm : G. Dagli Orti/Musée de la Civilisation romaine, Rome
p.74hg : D. Thierry/DIAF
p.74hd : R. Corbel/MICHELIN
p.75h : D. Thierry/DIAF/Musée municipal, Orange
p.75hg : N. Thibaut/HOA QUI/ Musée archéologique Théo-Desplans, Vaison-la-Romaine
p.75bg : B. Kaufmann/TOP
p.75bd : B. Kaufmann/TOP
p.76h : B. Kaufmann/ MICHELIN
p.76m : M. Lacanau/Musée de l'Arles Antique, Arles
p.76bd : M. Lacanau/Musée de l'Arles Antique, Arles
p.77hd : M. Lacanau/Musée de l'Arles Antique, Arles
p.77hg : D. Bodin/Musée de l'Arles Antique, Arles
p.77hm : LAUROS-GIRAUDON
p.77b : M. Lacanau/Musée de l'Arles Antique, Arles
p.78-79 : B. Delgado/Museon Arlaten, Arles
p.78m : Bibliothèque Nationale de France, Paris
p.78b : ALINARI-GIRAUDON/ Galleria Sabauda, Turin
p.79h : J. Guillard/SCOPE Musée Mistral, Maillane
p.79m : Marcel Pagnol Communication
p.79b : J.-Ch. Gérard/DIAF
p.80 : R. Corbel/MICHELIN
p.81 : R. Corbel/MICHELIN
p.82 : R. Corbel/MICHELIN
p.83 : R. Corbel/MICHELIN
p.84 : R. Corbel/MICHELIN
p.85 : R. Corbel/MICHELIN
p.86h : D. Faure/DIAF
p.86-87 : G. Magnin/MICHELIN
p.86m : J.-P. Garcin/DIAF
p.87h : B. Kaufmann/ MICHELIN
p.87h : D. Thierry/DIAF
p.87m : D. Faure/DIAF
p.88-89 : DASPET/Musée du Petit Palais, Avignon
p.89h : J. Bernard/Musée des Beaux-Arts, Marseille
p.89bg : LAUROS-GIRAUDON/ Palais des Papes, Avignon
p.89bd : J.-L. Courtinat/TOP
p.90-91 : H. Lewandowsky/ RMN/Musée d'Orsay, Paris
p.90m : LAUROS-GIRAUDON/ Musée des Beaux-Arts, Marseille
p.90b : LAUROS-GIRAUDON/ Musée d'Orsay, Paris
p.91m : J. Bernard/Musée Cantini ©ADAGP, Paris 2000
p.91b : Carré d'Art, Nîmes/ ©ADAGP, Paris 2000
p.92-93 : J. Miller/DIAF
p.94 : J.-C. Meauxsoone/PIX
p.97 : G. Magnin/MICHELIN
p.98 : G. Magnin/MICHELIN
p.100 : G. Magnin/MICHELIN
p.101 : C. Moirenc/DIAF
p.103 : B. Terlay/Musée Granet, Aix-en-Provence
p.103 : G. Magnin/MICHELIN
p.104 :.G. Magnin/MICHELIN
p.104 : J. Guillard/SCOPE
p.105 : G. Magnin/MICHELIN
p.105 : LAUROS-GIRAUDON
p.106 : G. Magnin/MICHELIN
p.107 : Fondation Vasarely, ©ADAGP, Paris 2000
p.108 : D. Faure/DIAF
p.109 : G. Magnin/MICHELIN
p.111 : G. Gsell/DIAF

p.111 : G. Magnin/MICHELIN
p.112 : G. Magnin/MICHELIN
p.113 : G. Magnin/MICHELIN
p.114 : C. Moirenc/DIAF
p.115 : G. Magnin/MICHELIN
p.117 : G. Magnin/MICHELIN
p.119 : B. Kaufmann/ MICHELIN
p.120 : Y. Travert/DIAF
p.120 : B. Kaufmann/ MICHELIN
p.121 : A. Le Bot/DIAF
p.122 : B. Kaufmann/ MICHELIN
p.125 : C. Moirenc/DIAF
p.126 : G. Magnin/MICHELIN
p.130 : G. Magnin/MICHELIN
p.131 : G. Magnin/MICHELIN
p.131 : G. Magnin/MICHELIN
p.132 : G. Magnin/MICHELIN
p.133 : B. Kaufmann/ MICHELIN
p.133 : M. Lacanaud/ Musée de l'Arles Antique, Arles
p.134 : B. Moschini/Musées d'Arles ©Succession Picasso 2000
p.134 : GIRAUDON-Musée d'Orsay
p.135 : G. Magnin/MICHELIN
p.136 : D'Hérouville/PIX
p.137 : G. Sioen/TOP
p.139 : A. Varda/ENGUERAND
p.140 : G. Magnin/MICHELIN
p.142-143 : C. Moirenc/DIAF
p.145 : D. Faure/DIAF
p.146 : DASPET
p.147 : D. Faure/DIAF
p.151 : J.-Ch. Gérard/DIAF
p.152 : G. Magnin/MICHELIN
p.153 : A. Guerrand/Musée du Petit Palais, Avignon
p.154 : Fondation Angladon-Dubrujeaud
p.157 : J.-P. Garcin/DIAF
p.158 : R. Corbel/MICHELIN
p.160 : G. Magnin/MICHELIN
p.161 : G. Magnin/MICHELIN
p.161 : G. Magnin/MICHELIN
p.164 : N. Thibaut/HOA QUI
p.165 : B. Kaufmann/ MICHELIN
p.166 : G. Magnin/MICHELIN
p.168 : G. Magnin/MICHELIN
p.168 : G. Magnin/MICHELIN
p.169 : G. Magnin/MICHELIN
p.170 : G. Sioen/TOP
p.172 : G. Magnin/MICHELIN
p.175 : P. Somelet/DIAF
p.176 : G. Magnin/MICHELIN
p.178 : R. Corbel/MICHELIN
p.179 : G. Magnin/MICHELIN
p.179 : R. Corbel/MICHELIN
p.181 : G. Magnin/MICHELIN
p.182 : G. Magnin/MICHELIN
p.183 : S. Sauvignier/ MICHELIN
p.183 : Parc Naturel Régional de la Camargue
p.184 : R. Corbel/MICHELIN
p.184 : C. Pratt/DIAF
p.185 : J. Guillard/SCOPE
p.186 : G. Magnin/MICHELIN
p.187 : R. Corbel/MICHELIN
p.188 : G. Magnin/MICHELIN
p.189 : R. Corbel/MICHELIN
p.189 : G. Magnin/MICHELIN
p.190 : J.-D. Sudres/DIAF
p.192 : G. Guittot/DIAF
p.195 : G. Magnin/MICHELIN
p.196 : G. Magnin/MICHELIN
p.198 : G. Magnin/MICHELIN
p.200 : P. Bertrand/HOA QUI
p.201 : Musées de Cavaillon
p.202 : J.-D. Sudres/DIAF
p.204 : G. Magnin/MICHELIN
p.205 : G. Magnin/MICHELIN
p.207 : G. Magnin/MICHELIN
p.208 : G. Magnin/MICHELIN
p.210 : G. Magnin/MICHELIN
p.211 : Musée-Bibliothèque F. Pétrarque, Fontaine-de-Vaucluse
p.212 : C. Moirenc/DIAF
p.213 : J.-P. Garcin/DIAF
p.215 : TPC/Jacobs/DIAF
p.216 : P. Bertrand/HOA QUI
p.216 : P. Somelet/DIAF
p.218 : N. Hautemanière/ SCOPE
p.219 : G. Magnin/MICHELIN
p.220 : GIRAUDON
p.221 : B. Kaufmann/ MICHELIN
p.222 : G. Magnin/MICHELIN
p.222 : J. Vatinet
p.223 : G. Magnin/MICHELIN
p.224 : J.-P. Charmet
p.226 : Parc Naturel Régional du Luberon
p.228 : G. Magnin/MICHELIN
p.229 : C. Moirenc/DIAF
p.231 : G. Magnin/MICHELIN
p.232 : D. Faure/DIAF
p.234 : E. Raz/HOA QUI
p.234 : G. Magnin/MICHELIN
p.235 : A. Sauvan/ ENGUERRAND
p.236 : G. Magnin/MICHELIN
p.240 : G. Magnin/MICHELIN
p.242 : G. Magnin/MICHELIN
p.243 : G. Magnin/MICHELIN
p.244 : G. Magnin/MICHELIN
p.246-247 : G. Magnin/ MICHELIN
p.247 : B. Kaufmann/ MICHELIN
p.249 : L. Giraudou/EXPLORER
p.250 : G. Magnin/MICHELIN
p.252 : B. Kaufmann/ MICHELIN
p.253 : Musées de Marseille
p.254 : J. Bernard/Musée Cantini, Marseille
p.255 : G. Magnin/MICHELIN ©ADAGP, Paris 2000
p.256 : J. Bernard/©ADAGP, Paris 2000
p.258 : G. Magnin/MICHELIN
p.259 : Musée du Tire-bouchon, Ménerbes
p.260 : G. Magnin/MICHELIN
p.262 : B. Kaufmann/ MICHELIN
p.263 : M. Guillot/MICHELIN
p.265 : G. Magnin/MICHELIN ©ADAGP, Paris 2000
p.266 : G. Guittot/DIAF/ © Ph. Stark
p.266 : D. Faure/DIAF
p.267 : J.-F. Rivière/TOP
p.269 : A. Thuillier/MICHELIN
p.269 : L. Giraudou/EXPLORER
p.270 : G. Magnin/MICHELIN
p.271 : L. Giraudou/EXPLORER
p.272 : B. Kaufmann/ MICHELIN
p.274 : G. Gsell/DIAF
p.275 : G. Magnin/MICHELIN
p.276 : G. Magnin/MICHELIN
p.277 : PERRIER VITTEL FRANCE
p.278 : Musée de l'Olivier, Nyons
p.281 : C. Moirenc/DIAF
p.282 : G. Magnin/MICHELIN
p.284 : G. Dagli Orti
p.286 : S. Van Poucke/Aven d'Orgnac
p.288 : D. Thierry/DIAF
p.289 : LAUROS-GIRAUDON
p.292-293 : B. Kaufmann/ MICHELIN
p.294 : Ph. Blondel/SCOPE
p.297 : G. Gsell/DIAF
p.300 : B. Kaufmann/ MICHELIN
p.302 : G. Magnin/MICHELIN
p.302 : B. Kaufmann/ MICHELIN
p.305 : G. Magnin/MICHELIN
p.307 : J. Bernard/Basilique de St-Maximin
p.308 : G. Magnin/MICHELIN
p.309 : G. Magnin/MICHELIN
p.310 : G. Magnin/MICHELIN
p.310 : G. Magnin/MICHELIN
p.311 : G. Biollay/DIAF
p.314 : G. Magnin/MICHELIN
p.317 : D. Faure/DIAF
p.319 : J. Guillard/SCOPE
p.319 : C. Moirenc/DIAF
p.322 : R. Mazin/DIAF
p.323 : Pratt-Pries/DIAF
p.324 : G. Magnin/MICHELIN
p.326 : G. Magnin/MICHELIN
p.327 : Musée de l'Empéri, Salon-de-Provence
p.328 : G. Magnin/MICHELIN
p.329 : G. Magnin/MICHELIN
p.329 : Pratt-Pries/DIAF
p.330 : D. Thierry/DIAF
p.332-333 : B. Kaufmann/ MICHELIN
p.335 : G. Magnin/MICHELIN
p.336 : G. Magnin/MICHELIN
p.337 : G. Magnin/MICHELIN
p.339 : G. Magnin/MICHELIN
p.340 : G. Magnin/MICHELIN
p.341 : G. Magnin/MICHELIN
p.342 : G. Magnin/MICHELIN
p.343 : G. Magnin/MICHELIN
p.344 : M. Dewynter/ MICHELIN
p.344 : G. Magnin/MICHELIN
p.346 : F. Gégot/MICHELIN
p.348 : A. Le Bot/DIAF
p.350 : HARIBO
p.354 : G. Magnin/MICHELIN
p.355 : B. Kaufmann/TOP
p.357 : G. Sioen/TOP
p.357 : G. Magnin/MICHELIN
p.358 : G. Sioen/TOP
p.360 : D. Faure/DAIF
p.363 : B. Kaufmann/ MICHELIN
p.364 : J.-P. Delobelle/BIOS
p.366 : G. Gsell/DIAF
p.368 : G. Magnin/MICHELIN
p.370 : DASPET

Index

Venasque .... Villes, curiosités et régions touristiques.
Cézanne (Paul) .... Noms historiques et termes faisant l'objet d'une explication.
Les curiosités isolées (châteaux, abbayes, grottes...) sont répertoriées à leur propre nom.

La Fondation du Patrimoine

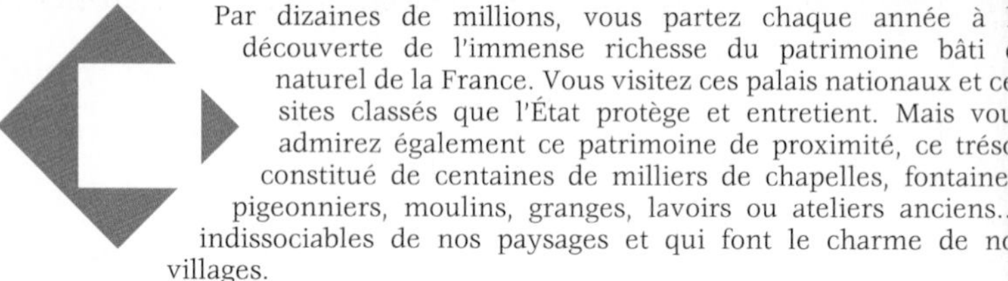

Par dizaines de millions, vous partez chaque année à la découverte de l'immense richesse du patrimoine bâti et naturel de la France. Vous visitez ces palais nationaux et ces sites classés que l'État protège et entretient. Mais vous admirez également ce patrimoine de proximité, ce trésor constitué de centaines de milliers de chapelles, fontaines, pigeonniers, moulins, granges, lavoirs ou ateliers anciens... indissociables de nos paysages et qui font le charme de nos villages.

Ce patrimoine n'est pas protégé par l'État. Souvent abandonné, il se dégrade inexorablement. Chaque année, des milliers de témoignages de la vie économique, sociale et culturelle du monde rural, disparaissent à jamais.
La Fondation du Patrimoine, organisme privé à but non lucratif, reconnu d'utilité publique, a été créé en 1996. Sa mission est de recenser les édifices et les sites menacés, de participer à leur sauvegarde et de rassembler toutes les énergies en vue de leur restauration, leur mise en valeur et leur réintégration dans la vie quotidienne.
Les délégations régionales et départementales sont la clef de voûte de l'action de la Fondation sur le terrain. À partir des grands axes définis au niveau national, elles déterminent leur propre politique d'action, retiennent les projets et mobilisent les associations, les entreprises, les communes et tous les partenaires potentiels soucieux de patrimoine et d'environnement.

Rejoignez la Fondation du Patrimoine !

L'enthousiasme et la volonté d'entreprendre en commun sont à la base de l'action de la Fondation.

En devenant membre ou sympathisant de la Fondation, vous défendez l'avenir de votre patrimoine.

✂ ....

Bulletin d'adhésion

Nom et prénom : ....

....

Adresse : ....

Date : Téléphone *(facultatif)* : ....

Membre actif *(don supérieur ou égal à 300F)*
Membre bienfaiteur *(don supérieur ou égal à 3000F)*
Sympathisant *(don inférieur à 300F)*
Je souhaite que mon don soit affecté au département suivant :

....

Bulletin à renvoyer à :
Fondation du Patrimoine, Palais de Chaillot, 1 place du Trocadéro, 75116 Paris
Merci de libeller votre chèque à l'ordre de la Fondation du Patrimoine.

Fondation du Patrimoine, Palais de Chaillot, 1 place du Trocadéro, 75116 Paris.
Téléphone : 01 53 70 05 70 – Télécopie : 01 53 70 69 79.

LE GUIDE VERT a changé, aidez-nous à toujours mieux répondre à vos attentes en complétant ce questionnaire.

Merci de renvoyer ce questionnaire à l'adresse suivante :
Michelin Éditions des Voyages / Questionnaire Marketing G. V.
46, avenue de Breteuil – 75324 Paris Cedex 07

1. Est-ce la première fois que vous achetez LE GUIDE VERT ? oui ☐ non ☐
Si oui, passez à la question n° 3. Si non, répondez à la question n° 2

2. Si vous connaissiez déjà LE GUIDE VERT, quelle est votre appréciation sur les changements apportés ?

	Nettement moins bien	Moins bien	Égal	Mieux	Beaucoup mieux
La couverture	☐	☐	☐	☐	☐
Les cartes du début du guide Les plus beaux sites Circuits de découverte Lieux de séjour	☐	☐	☐	☐	☐
La lisibilité des plans Villes, sites, monuments.	☐	☐	☐	☐	☐
Les adresses	☐	☐	☐	☐	☐
La clarté de la mise en pages	☐	☐	☐	☐	☐
Le style rédactionnel	☐	☐	☐	☐	☐
Les photos	☐	☐	☐	☐	☐
La rubrique Informations pratiques en début de guide	☐	☐	☐	☐	☐

3. Pensez-vous que LE GUIDE VERT propose un nombre suffisant d'adresses ?

HÔTELS :	Pas assez	Suffisamment	Trop
Toutes gammes confondues	☐	☐	☐
À bon compte	☐	☐	☐
Valeur sûre	☐	☐	☐
Une petite folie	☐	☐	☐
RESTAURANTS :	**Pas assez**	**Suffisamment**	**Trop**
Toutes gammes confondues	☐	☐	☐
À bon compte	☐	☐	☐
Valeur sûre	☐	☐	☐
Une petite folie	☐	☐	☐

4. Dans LE GUIDE VERT, le classement des villes et des sites par ordre alphabétique est, d'après vous une solution :

Très mauvaise	Mauvaise	Moyenne	Bonne	Très bonne
☐	☐	☐	☐	☐

5. Que recherchez-vous prioritairement dans un guide de voyage ? Classez les critères suivants par ordre d'importance, (de 1 à 12).

6. Sur ces mêmes critères, pouvez-vous attribuer une note entre 1 et 10 à votre guide.

	5. Par ordre d'importance	6. Note entre 1 et 10
Les plans de ville		
Les cartes de régions ou de pays		
Les conseils d'itinéraire		
La description des villes et des sites		
La notation par étoile des sites		
Les informations historiques et culturelles		
Les anecdotes sur les sites		
Le format du guide		
Les adresses d'hôtels et de restaurants		
Les adresses de magasins, de bars, de discothèques...		
Les photos, les illustrations		
Autre (spécifier)		

7. La date de parution du guide est-elle importante pour vous ? oui non

8. Notez sur 20 votre guide :

9. Vos souhaits, vos suggestions d'amélioration :

Vous êtes : Homme Femme Âge

Agriculteurs exploitants

Artisans, commerçants, chefs d'entreprise

Cadres et professions libérales

Enseignants

Professions intermédiaires

Employés

Ouvriers

Préretraités

Autres personnes sans activité professionnelle

Nom et prénom :

Adresse :

Titre acheté :

Ces informations sont exclusivement destinées aux services internes de Michelin.
Elles peuvent être utilisées à toute fin d'étude, selon la loi informatique et liberté du 06/01/78.
Droits d'accès et de rectification garantis.